박문각의 합격 노하우와
편입에 특화된 커리큘럼

편입의 마스터키
박문각 편입 영어

실전 독해

Reading

정답 및 해설

홍준기 편저

합격기준 박문각 편입

PMG 박문각

차례
CONTENTS

문제편

정답 및 해설편

박문각 편입

실전 독해

PRACTICE TEST

01-20

실전 독해

정답 및 해설

01 Practice Test 정답 및 해설

01	①	02	③	03	②	04	①	05	③	06	②	07	④	08	②	09	④	10	①
11	③	12	④	13	①	14	①	15	①	16	①	17	④	18	③	19	③	20	③

01-03

많은 교육자들이 학생들에게 수업과 관련하여 인터넷을 통해 입수 가능한 자원을 활용하라고 요구하는 지금, 미국 연방정부는 가정에서 고속 인터넷 접속이 가능한 학생과 고속 인터넷 접속이 불가능하고 뒤처지지 않게 고생 중인 대략 5백만 가구 간의 극명한 격차를 해결하기 위해 노력하고 있다.
미 전역에서 이러한 어려움을 목격할 수 있다. 캘리포니아(California)주 코첼라(Coachella)와 앨라배마(Alabama)주 헌츠빌(Huntsville)에서는 일부 학생들은 숙제를 마치기 위해서 무료 와이파이 접속이 가능한 통학버스에 의존한다. 때로는 통학버스를 주거 구역에 밤새 주차해 놔서 아이들이 인터넷에 접속하여 공부를 계속할 수 있게 한다. 디트로이트(Detroit), 마이애미(Miami), 뉴올리언스(New Orleans) 등 전체 가구 중에서 초고속 인터넷 접속이 불가능한 가구 비율이 최대 3분의 1에 달하는 도시에서 아이들은 무료 와이파이 핫스팟을 이용하기 위해 도서관과 패스트푸드 음식점을 가득 메운다.
이러한 격차로 인해 연방정부 차원에서 조치를 취하지 않을 수 없게 되었다. (연방 정부 차원에서 집 전화 및 휴대 전화 서비스 요금 할인 혜택을 제공하는) 라이프라인(Lifeline) 프로그램의 개편을 추진하고 있는 위원회에 소속된 민주당 측 인사인 제시카 로젠워셀(Jessica Rosenworcel)은 다음과 같이 말했다. “저는 이러한 격차를 ‘숙제 격차’라 부릅니다. 이는 디지털 격차와 관련하여 가장 고통스러운 부분입니다.” 로젠워셀은 교사 10명 가운데 7명은 학생들에게 인터넷 접속이 필요한 과제를 부과한다는 내용이 담긴 연구를 인용했다. 하지만 미국에서는 저소득층 및 농촌 가구 출신의 유치원에서 12학년에 이르는 학생 가운데 3분의 1은 가정에서 온라인 접속이 불가능하다.

어휘
grapple with – ~을 해결하려고 노력하다
disparity ⓝ 차이, 격차
struggle to keep up – 뒤처지지 않게 고생하다
broadband ⓝ 브로드밴드, 고속 데이터 통신망
overhaul ⓥ 개편하다, 점검하다
assign ⓥ (일 · 책임 등을) 맡기다[배정하다/부과하다]
progressive ⓐ 진보적인, 혁신적인
stark ⓐ 극명한, 냉엄한
estimated ⓐ 추측의
residential ⓐ 주택가의, 주거용의
crowd ⓥ (어떤 장소를) 가득 메우다
cite ⓥ 인용하다, (이유 · 예를) 들다
disadvantage ⓝ 불리한 점, 약점, 난점
go the length – ~까지도 하다, ~할 지경에 이르다

01 본문의 주제는 무엇인가?

① 와이파이 접속이 불가능한 탓에 일부 아이들이 교육과 관련하여 겪고 있는 약점
② 일부 교육자들이 기술 격차를 좁히기 위해 취하고 있는 진보적 요소
③ 어른들이 차단하고 있는 교육을 받기 위해 아이들이 쏟아야 하는 노력의 정도
④ 인터넷 접속이 가능한 아이들과 그렇지 않은 아이들 간의 인생 격차

정답 ①

해설 본문은 점차 많은 교사들이 학생들에게 와이파이 접속이 있어야만 해결 가능한 과제를 내 주지만 아직도 미국에는 와이파이 접속이 이루어지지 않는 가정이 많이 존재하고 있으며 때문에 이런 처지에 놓인 학생들은 자연히 교육적으로 불리한 처지에 놓였음을 말하고 있다. 따라서 답은 ①이다.

02 빈칸에 들어갈 가장 알맞은 것은 무엇인가?

① 생활에 있어 와이파이 및 기술의 활용을 원하지 않는다
② 인터넷 접속이 중요하다고 생각하지 않는다
③ 가정에서 온라인 접속이 불가능하다
④ 심지어 컴퓨터가 무엇인지도 모른다

정답 ③

해설 많은 교사들은 가정에서 인터넷 접속이 가능해야 해결할 수 있는 숙제를 내지만 “저소득층 및 농촌 가구”에서는 “가정에서 온라인 접속이 불가능”하기 때문에 그렇지 않은 가구와 ‘숙제 격차’가 발생하고 이것이 교육적으로 문제가 되고 있다. 따라서 답은 ③이다.

03 다음 중 정확한 것을 고르시오.

① 비록 아이들이 인터넷 접속을 위해 방문할 수 있는 장소가 있지만 아이들이 그 장소에 가지 않는다.
② 인터넷에 기반을 두고 해결해야 할 과제가 늘어나고 있지만 아이들을 위한 인터넷 접속은 늘어난 과제에 발맞춰 같이 늘어나지 못하고 있다.
③ 아이들은 와이파이 없이도 숙제를 해결할 수 있지만 와이파이가 되는 것이 도움이 된다.
④ 이러한 상황은 미국 내 소수의 지역에서만 벌어지고 있으며 전역에서 벌어지는 것은 아니다.

정답 ②

해설 앞서 언급했듯이 숙제 해결을 위해 인터넷 접속이 필요한 경우가 늘어나고 있지만 정작 인터넷에 접속할 수 없는 가정도 아직 많이 존재하는 것이 문제가 된다. 따라서 답은 ②이다.

04-05

요즘 가전제품이나 장난감 혹은 수많은 물건들을 감싸고 있는 플라스틱 포장을 잘 뜯지 못하는 사람이 당신 혼자만은 아니라는 사실을 알고 놀라지 않을 것이다. clamshell, oyster 혹은 blister pack이라고 알려진 이 단단한 플라스틱 포장은 상품 절도를 막기 위해 고안되었지만, 이렇게 쉽게 조작할 수 없는 특성으로 인해, 소비자가 구입한 물건을 개봉하려고 할 때에도 부상을 유발하는 것으로 알려져 있다. 사실상 (미)소비자 제품 안전 위원회의 추정에 따르면, 매년 6,000명 이상의 미국인들이 플라스틱 포장을 개봉하려다 생긴 상처 – 보통 찢어진 상처이거나 찔린 상처 – 로 인해 응급실에서 치료를 받는다. (그리고 얼마만큼이나 많은 사람들이 응급조치를 했을지 생각해 보라) 플라스틱 포장 용기를 잘 개봉하는 비결이 있을까?
가위와 칼을 내려놓고 깡통 따개를 사용해 봐라. 이런 플라스틱 포장 용기를 개봉하도록 시판되고 있는 도구와 유사할 뿐만 아니라 실제로도 효과가 있다. 그리고 아마 지금 부엌에 이런 것쯤 하나는 있을 것이다.

어휘 **encase** ⓥ 감싸다, 둘러싸다
tamper-proof ⓐ 쉽게 조작할 수 없는
laceration ⓝ 찢어진 상처
puncture wound 자상, 찔린 상처
band-aid ⓝ 응급조치
put down 내려놓다
give it a try – 한번 해보다
sustain ⓥ 상처를 입다

---

04 왜 사람들은 플라스틱 용기를 개봉할 때 상처를 입는가?

① 사람들은 개봉하기 위하여 오히려 그들에게 상처를 주는 위험한 도구를 사용한다.
② 사람들은 가위나 칼을 제대로 사용하는 법을 모르기 때문이다.
③ 사람들은 단단한 플라스틱의 가장자리에 의해 상처를 입는다.
④ 사람들은 포함되어 있는 안전에 관한 지침을 따르지 않는다.

정답 ①
해설 가위나 칼을 이용하여 단단한 포장 용기를 개봉하려다 오히려 부상을 입게 되므로, 이제는 이런 것들을 내려놓고 깡통 따개를 가지고 개봉해 보라고 조언하고 있다. 그러므로 그간 사람들이 가위나 칼로 개봉하려고 한 것이 문제임을 알 수 있다.

---

05 다음 중 추론할 수 없는 것은?

① 대부분의 미국인들은 그들이 포장 용기로 입은 부상에 대해서 잘 신고하지 않는다.
② 단단한 플라스틱 포장 용기의 도입으로 상품 절도가 줄었다.
③ 포장 용기에 다친 사람들은 안전 교육을 이수하라는 명령을 받았다.
④ 포장 용기의 주요한 용도는 만들어진 제품의 유일한 결과는 아니었다.

정답 ③
해설 ①을 살펴보면 "얼마만큼이나 많은 사람들이 응급조치를 했을지 생각해 보라(imagine how many more of us just reached for a band-aid)"라고 하였으므로 부상을 입고도 이를 알리지 않는 사람들이 훨씬 많다는 것을 끌어낼 수 있다. ④를 혼동하기 쉬운데, 원래 "이 단단한 플라스틱 포장은 상품 절도를 막기 위해 고안되었지만, 이렇게 쉽게 조작할 수 없는 특성으로 인해, 소비자가 구입한 물건을 개봉하려고 할 때에도 부상을 유발(That hard

plastic packaging ~ was introduced to deter shoplifting, but as a consequence of its tamper-proof features, it's also known to cause injuries when consumers try to open their purchases)"하기도 하므로 예상했던 용도 이외로도 사용되는 셈이다. 그러므로 올바른 추론이다. 이에 비해 ③은 전혀 근거 없는 진술이다.

06-07

나는 마르크스, 프로이트 및 아들러의 지지자였던 친구들이, 이 세 이론의 다수의 공통점들, 특히 그것들의 그럴듯해 보이는 설명력에 감명을 받았다는 것을 알게 되었다. 이 이론들은 실제로 그것들이 언급하는 영역 내에서 일어나는 모든 것들을 설명할 수 있을 것 같았다. 이 이론들에 대한 연구는 전부, 아직 연구를 시작하지 않은 사람들에게 가려져 있었던 새로운 진리에 대해 눈을 뜨게 해 주는, 지적인 전환이나 계시의 효과를 갖는 것 같았다. 그래서 일단 눈을 뜨게 되면, 어디에서든지 그 이론을 입증하는 사례를 보게 되는 것이었다. 세계는 이론의 검증들로 가득 차 있었다. 무엇이 일어나든, 그것은 항상 그 이론을 입증하였다. 따라서 그 이론의 참은 명백한 것으로 보였다. 이것들을 믿지 않는 사람들은 분명히 명백한 진리를 보고 싶어 하지 않는 사람들이 되어 버렸다. 이들은 그러한 진리가 자신들의 계급적 이해 관계에 반하거나, 아직 '분석되지 않은 채' 치료를 절규하며 원하는 자신들의 억압된 충동 때문에 그것을 보지 않으려는 것이었다.

어휘
intellectual conversion – 지적인 전환
verification ⓝ 검증, 입증
repression ⓝ 억압된 충동
hold back – 저지하다, 제지하다
revelation ⓝ 계시
manifest ⓐ 명백한
un-analysed ⓐ 아직 분석되지 않은

구문정리
I found that those of my friends who were admirers of Marx, Freud, and Adler, were impressed by a number of points common to these theories, and especially by their apparent explanatory power.
나는 마르크스, 프로이트 및 아들러의 지지자였던 친구들이, 이 세 이론의 다수의 공통점들, 특히 그것들의 그럴듯해 보이는 설명력에 감명을 받았다는 것을 알게 되었다.

구조분석
I(S) found(V, 3형식) that(O) those of my friends(S') (who were admirers of Marx, Freud, and Adler,)(주격 관계대명사)

a number of N(명사)s : 많은

were impressed(V', be + p.p 수동태) by a number of points(by + Ⓝ … ①, 전치사구) (common to these theories,)(형용사구) and especially by their apparent explanatory power.(by + Ⓝ … ②, 전치사구)

06 다음 중 올바른 것은?

① 이런 이론들을 믿지 않았던 사람들은 내 친구들에게 존경받았다.
② 이러한 이론을 믿었던 사람들은 모든 것을 이런 이론들을 확인하는 관점에서 봤다.
③ 이런 이론들을 믿지 않았던 사람들은 지식인이라 불렸다.
④ 이러한 이론들은 그들이 설명할 수 있는 관점에서 상당히 제한적이다.

정답 ②

해설 일단 이론에 눈을 뜨게 되면, 어디에서든지 그 이론을 입증하는 사례를 보게 되고, 세계는 이론의 검증들로 가득 차 있었으며 "무엇이 일어나든, 그것은 항상 그 이론을 입증하는 것(Whatever happened always confirmed it)" 이었다. 즉 이론을 믿는 사람들에게는 모든 것들이 이러한 이론들을 확인하는 것으로 보였다.

07 다음 중 각각의 빈칸에 들어갈 알맞은 것은?

① 혁명 – 설득적인
② 확립 – 직관적인
③ 분위기 – 의심스러운
④ 전환 – 명백한

정답 ④

해설 앞의 빈칸에는 새로운 진리에 대해서 눈을 뜨게 해 준다는 것(opening your eyes to a new truth)은 기존의 상황과 다른 변화를 뜻하고, or(또는, 혹은)를 중심으로 대등한 단어가 와야 한다. 그러므로 지적인 전환을 뜻하는 conversion이 들어가야 한다. 뒤의 빈칸에는 무엇이 일어나든 항상 이론을 입증(Whatever happened always confirmed it)하였으므로, 그 이론의 참은 확실하거나 명백할 수밖에 없다. 그러므로 정답은 ④가 된다.

08-10

가장 흔한 거짓말 탐지 기구인 거짓말 탐지기는 신체가 거짓말을 하는 데에서 오는 스트레스에 부지불식간에 반응을 보인다는 가정에 기반을 두고 작동한다. 거짓말 탐지기는 대상이 일련의 질문을 받을 때 보이는 피부 전도성, 맥박, 혈압, 호흡 등의 변화 같은 반응을 측정한다. 질문 과정은 몇 가지 형태를 지닌다. 초창기 버전 중 하나는 "적절 – 부적절" 기법으로, "당신은 [희생자의 이름]을 살해했는가?" 같은 질문을 "오늘은 화요일인가?" 같은 것과 섞는 기법이다. 해당 질문에 대한 대답으로 거짓을 말하면 아마도 탐지기의 바늘이 급등할 수 있다. 이러한 접근법이 지닌 문제는 위와 같은 맥락에서 근거 없이 혐의를 제기하는 질문은 단 하나라도 스트레스를 야기하여 거짓 양성반응을 낳을 수 있다는 점이다.

"비교 질문" 기법은 질문 모두를 혐의를 제기하는 질문으로 만들어 위와 같은 문제를 해결하기 위해 노력하는 기법이다. 예를 들어 성범죄 수사의 경우 용의자에게 "당신은 부끄러워할 만한 성적인 행위를 저지른 적이 있습니까?" 같은 통제 질문을 사건과 더욱 직접적으로 연관된 질문과 같이 던질 수 있다. 어느 정도 기만적 독창성을 지닌 이 기법이 염두에 두는 것은 무고한 사람은 (거짓말을 하거나 그냥 허둥거려서) 통제 질문에 더 큰 반응을 보일 것이라는 점이고, 반면에 죄 지은 사람은 (그들 입장에선 더 중요한 문제인) 사건과 더욱 직접적으로 연관된 질문에 더 큰 반응을 보일 것이라는 점이다.

어휘 **polygraph** ⓝ 거짓말 탐지기
involuntarily adv 모르는 사이에, 부지불식간에
conductance ⓝ 전도성
accusatory ⓐ 혐의를 제기하는
devious ⓐ 기만적인
flustered ⓐ 허둥지둥하는
consequential ⓐ 중대한, 중요한
assumption ⓝ 가정
measure ⓥ 측정하다
unfounded ⓐ 근거 없는
pertaining to – ~에 관계된
ingenuity ⓝ 독창성, 기발한 재주
pertinent ⓐ 관련 있는

08 아래의 문장이 들어갈 본문의 적당한 위치는?

> 이러한 접근법이 지닌 문제는 위와 같은 맥락에서 근거 없이 혐의를 제기하는 질문은 단 하나라도 스트레스를 야기하여 거짓 양성반응을 낳을 수 있다는 점이다.

① [A]
② [B]
③ [C]
④ [D]

정답 ②

해설 다음의 문장에서 "위와 같은 문제를 해결하기 위해 노력하는 기법(tries to get around this problem)"이라고 하였으므로 앞에는 문제에 대한 언급이 있어야 한다. 삽입될 문장에 "이러한 접근법이 지닌 문제(the problem with this approach)"라고 하였으므로 들어갈 자리는 ②가 된다.

09 다음 중 옳지 않은 것은 무엇인가?

① "적절–부적절" 기법에는 문제가 있다.
② 사람들은 결백할 때 스트레스를 받았다는 신호를 보인다.
③ 죄지은 사람들은 뭔가를 알고 있기 때문에 중요한 질문에 반응을 보인다.
④ 거짓말 탐지기의 원래 형태는 변한 바 없다.

정답 ④

해설 "이러한 접근법이 지닌 문제는(The problem with this approach)"에서 말하는 접근법은 "적절–부적절" 기법을 말하며, ①에 해당한다. "근거 없이 혐의를 제기하는 질문은 단 하나라도 스트레스를 야기하여(even an unfounded accusatory question could be stressful)"는 ②에 해당하며, "죄 지은 사람은 (그들 입장에선 더 중요한 문제인) 사건과 더욱 직접적으로 연관된 질문에 더 큰 반응을 보일 것이라는 점이다(the guilty will show a greater response to the pertinent questions (which for them are more consequential)"는 ③에 해당한다. 하지만 ④에 해당하는 사항은 본문에 언급된 바 없으므로 답은 ④이다.

10 "비교 질문" 기법은 무엇인가?

① 모든 질문이 사람들을 불편하게 느끼는 방향으로 고안되어 있다.
② 모든 질문이 성과 관련한 정보에 관한 것이다.
③ 범죄에 관한 질문을 우선 묻는다.
④ 중요한 질문은 함께 묶어서 질문한다.

정답 ①

해설 "비교 질문" 기법은 "질문 모두의 혐의를 제기하는 질문으로 만드는(making all the queries accusatory)" 기법이다. 질문을 받는 사람은 죄가 있든 없든 자신에게 혐의가 가해지는 것이므로 질문이 불편할 수밖에 없다. 따라서 답은 ①이다.

11-13

여러분의 보건 서비스 제공업체는 여러분의 혈압에 대한 정확한 모습을 파악하길 원하고 시간이 흐르면서 어떤 일이 있어 왔는지 과정을 기록하길 원한다. 미국 심장 협회에서는 20세부터 만약 혈압이 120/80 mm Hg 이하일 경우 정기적으로 보건 서비스를 받을 때나 2년에 한 번 혈압 검사를 받도록 권고한다. 여러분의 혈압은 심장이 뛰면 상승하고, 심장의 박동 사이에 심장이 쉴 때는 떨어진다. 혈압은 자세, 운동, 스트레스, 수면 등의 변화와 함께 매분마다 변하지만, 성인 나이 20세 이상부터는 120/80 mm Hg 미만이 되어야 한다. (이는 수축기엔 120 미만이고 확장기엔 80 미만이어야 한다는 의미이다). 미국 성인 중 3분의 1은 고혈압을 가지고 있다. 만약 여러분의 혈압 측정수치가 정상보다 높다면 여러분의 주치의는 여러분을 고혈압으로 진단하기 전에 시간을 들여 다른 측정수치를 읽고 그리고/또는 여러분이 집에서 자신의 혈압을 관찰하도록 할 것이다. 한 번 측정수치가 높게 나온 것만으로는 고혈압에 해당한다고 할 수 없다. 하지만 수치가 일정 시간 동안 140/90 mm Hg 이상으로 머무른다면 (즉 수축기에 140 이상이거나 확장기에 90 이상일 경우), 여러분의 주치의는 여러분에게 치료 프로그램을 받길 원하게 될 것이다. 이러한 프로그램에는 거의 항상 생활 방식의 변화와 함께 종종 수치가 140/90 이상인 사람들에겐 처방 의약품이 포함된다. 여러분의 혈압을 관찰하는 동안 여러분이 수축기에 수치가 180 mm Hg 이상이 나오거나 확장기에 110 mm Hg 이상이 나온다면, 몇 분 기다린 다음에 다시 측정한다. 만약 수치가 여전히 그 수준이거나 더 높다면, 고혈압 위기에 대응해 즉각 긴급 의료 처치를 받아야 한다.

어휘
- **picture** ⓝ 모습, 상황
- **posture** ⓝ 자세
- **diastolic** ⓐ 심장 확장의
- **prescription medication** – 처방 의약품
- **every now and again** – 이따금
- **susceptible to** – ~에 걸리기 쉬운
- **chart** ⓥ (과정을) 기록하다
- **systolic** ⓐ 심장 수축의
- **reading** ⓝ (계기에 나타난) 지시 눈금 값, 수치
- **hypertensive** ⓐ 고혈압의
- **it goes without saying that** – ~은 말할 것도 없다

11 **다음 중 밑줄 친 부분을 가장 잘 패러프레이즈한 것은 무엇인가?**

① 이따금 측정수치가 한 번 높게 나온 것도 고혈압에 걸릴 수 있다는 경고 신호이다.
② 한 번 측정수치가 높게 나오면 고혈압에 대해 의학적 차원에서 주의를 기울일 필요가 있다.
③ 한 번 측정수치가 높게 나온 것이 당연히 고혈압에 해당한다는 의미로는 볼 수 없다.
④ 고혈압 환자는 한 번의 측정수치에서 항상 드러난다.

정답 ③

해설 밑줄 친 부분은 "한 번 측정수치가 높게 나온 것만으로는 고혈압에 해당한다고 할 수 없다"이며, 보기 중에서 이와 의미상 가장 가까운 것은 ③이다.

12 본문의 주제는 무엇인가?

① 고혈압의 예방 ② 고혈압에 걸림
③ 고혈압의 치료 ④ 고혈압의 진단

정답 ④
해설 본문은 고혈압 진단을 받기 위한 측정치가 어느 정도인지를 설명하고 있는 글이므로 답은 ④이다.

13 본문에서 유추할 수 있는 것은 무엇인가?

① 고혈압은 미국 성인에게 있어 심각한 문제이다.
② 치료받지 못한 고혈압은 죽음으로 이어진다.
③ 건강한 생활방식을 준수하면 고혈압에 걸리지 않는다.
④ 아이는 고혈압에 잘 걸리지 않는다.

정답 ①
해설 성인 나이 20세 이상부터는 120/80 mm Hg 미만이 되어야 하며, 그러므로 미국 심장 협회에서는 20세부터 만약 혈압이 120/80 mm Hg 이하일 경우 정기적으로 보건 서비스를 받을 때나 2년에 한 번 혈압 검사를 받도록 권고하는 것이다. 그렇지만 이러한 수치가 넘는 경우, 즉 수치가 일정 시간 동안 140/90 mm Hg 이상으로 머무른다면 (즉 수축기에 140 이상이거나 확장기에 90 이상일 경우), 치료 프로그램을 시작해야 하며, 그보다도 더 높다면 즉각 긴급 의료 처치를 해야 한다고 본문에 적고 있다. 이러한 사실들로부터 더 자주 검사를 받아야 한다는 것을 유추할 수 있으며, 결국 미국인에게 고혈압이 큰 골칫거리란 것을 끌어낼 수 있다.

14-15

미국인들은 슈퍼마켓에서 평균 24분을 보내고 계산대에서 7분을 더 보낸다. 그 시간 동안 슈퍼마켓에서는 균형을 잡으려 한다. 즉 소비자를 가능한 많은 상품에 노출시키면서도 귀찮게 하지는 않는다. 슈퍼마켓은 "체류 시간"을 늘리려 하며 사람들이 가게 안에 훨씬 오래 머무르게 하려 한다. 슈퍼마켓은 좋은 조명, 매혹적인 향기, 홍보 활동, 마음을 가라앉히는 음악, 그 외에도 여러분이 복도를 따라 카트를 계속 느릿느릿하게 끌게 만들어 주는 모든 것들을 도입한다. 소비자가 궁극적으로 슈퍼마켓에서 또는 특정 브랜드에 돈을 더 많이 쓰게 하는 기술은 무엇이든 판매업체와 제조업체로부터 재빨리 도입될 것이다.

어휘 **checkout counter** – 계산대 **tick off** – 귀찮게 하다
tempting ⓐ 매혹적인 **promotion** ⓝ 홍보
pump ⓥ 퍼 올리다, 쏟아내다

14 다음 중 슈퍼마켓이 고객들을 더 오래 잡아 두고자 펼치는 전략이 아닌 것은?

① 근로자들로 하여금 고객들과 대화를 하도록 하는 것
② 고객들을 편안하게 해 주고 쇼핑 속도를 늦추는 음악을 트는 것
③ 매장으로 멋진 향을 퍼지도록 하는 것
④ 할인 제품과 특정 브랜드를 광고하는 것

정답 ①
해설 나머지는 모두 본문에 나오는 얘기지만, 근로자들로 하여금 고객들과 대화를 하도록 하는 것은 본문에 근거가 없다. 따라서 정답은 ①이다.

15 밑줄 친 것과 같은 의미는?

① 고객을 화나게 하지 않고
② 고객이 목록을 확인할 때
③ 고객이 집중하지 않는 순간에
④ 고객이 진열대를 구경하고 있을 때

정답 ①
해설 고객을 귀찮게 하지 않는다는 뜻은 고객을 화나게 하지 않는다는 것과 일맥상통한다.

16–17

"현재 종으로서의 인류는 제정신이 아니고 정신적 자제력을 회복하는 것만큼 더 시급한 것은 없다는 사실은 과장이라 할 수 없다. 우리는 만일 한 개인의 지배적인 견해가 그 사람의 주변 환경에 적응할 수 없을 만큼 벗어나 있어서 자신이나 다른 사람에게 위험이 될 정도라면 그 사람을 제정신이 아니라고 칭한다. 정신 이상에 대한 이러한 정의는 현재로서는 인류 전체에 해당되는 것으로 보이며, 인간이 '정신을 가다듬어야' 하고 그렇지 않으면 사멸한다는 것은 비유적 표현이 아니라 사실을 있는 그대로 말한 것이다. 사멸하거나 성숙한 힘과 노력의 단계로 들어서는 것. 인류에게 그 외 중도는 열려 있지 않다. 인간에겐 상승 또는 하강뿐이다. 인간은 현재 상태 그대로 머무를 수 없다."

— H. G. Wells.

어휘
demented ⓐ 제정신이 아닌
adjustment ⓝ 적응
figure of speech – 비유적 표현
plain statement of fact – 있는 그대로 말하는 것
pull one's mind together – 정신을 가다듬다

16 H. G. Wells에 대하여 추론할 수 있는 것은?

① Wells는 인류의 상태에 대하여 만족하지 않았다.
② 사회는 Wells를 미쳤다고 간주했다.
③ Wells는 인류를 제대로 이해하지 못했다.
④ Wells는 정신적 자제력을 키워주는 교사였다.

정답 ①

해설 Wells는 "현재 종으로서의 인류는 제정신이 아니고 정신적 자제력을 회복하는 것만큼 더 시급한 것은 없다(at present mankind as a species is demented and that nothing is so urgent upon us as the recovery of mental self-control)"고 하였고, 또 "정신 이상에 대한 이러한 정의는 현재로서는 인류 전체에 해당되는 것으로 보이며, 인간이 '정신을 가다듬어야' 하고 그렇지 않으면 사멸한다는 것은 비유적 표현이 아니라 사실을 있는 그대로 말한 것"이므로 현재 인류의 상태에 대하여 만족하지 않는다는 것을 알 수 있다.

17 **Wells가 인류에게 촉구하는 것은?**

① 감정의 통제력을 회복하고 세상에 대해 감사하는 것
② 미쳤다고 불리는 자들을 받아들이는 것
③ 자신과 남들에게 더 나은 인간이 되도록 더 노력하는 것
④ 상황에 알맞도록 사고방식을 바꾸는 것

정답 ④

해설 "인간이 '정신을 가다듬어야' 하고 그렇지 않으면 사멸한다(man has to 'pull his mind together' or perish)"는 것이 Wells의 주장이다. 그러므로 그가 촉구하는 것은 현재의 위기를 극복하기 위해서 사고방식을 적극적으로 바꿔 나가야 한다는 것이다. 참고로 ③의 경우 "자신이나 다른 사람에게 위험이 될 정도라면" 그 사람은 제정신이 아니라고 한 것이지, 자신과 남들에게 더 나은 인간이 되라고 촉구한 것은 아니다.

18-20

옥스퍼드 대학의 사회학 및 인구통계학 교수인 프란체스코 빌라리(Francesco Billari)는 사회 정책은 도움은 될지언정 완벽한 답이 되지는 못한다고 밝혔다. 그는 다음과 같이 말했다. "출산율을 반등시키기 위한 기본적 요인은 양성평등이 향상된 사회입니다. 여성이 노동 시장에 진출해 있고 사회 정책이 여성을 지원하며 남성은 가정에서 자녀를 더 많이 돌볼 수 있게 된다면 출산율이 도약합니다. 하지만 사회 정책은 이를 추진할 준비가 된 사회나 정치인들이 이를 요구하는 사회에 의해 추진되어야 합니다."
빌라리 교수는 이탈리아를 예로 들었다. 이탈리아에서는 낙태, 이혼, 인구 감소 등에 관한 전통적인 우려에도 불구하고 인구가 서서히 늘어나고 있다. 역사적으로 보면 부유한 북부 이탈리아에서는 자녀를 적게 낳고 가난한 남부 이탈리아에서는 식구가 많았던 것에 비해 교수는 "이제는 상황이 정반대가 되었습니다."라고 말했다. 교수의 말에 따르면 부유한 북부의 여성들은 양성평등이 향상되었고 직업을 얻을 기회를 더 많이 누리고 있기 때문에 과거보다 아이를 더 많이 낳고 있다. 이와 동시에, 가난한 남부의 여성들은 높은 실업률을 자랑하며 교수의 표현을 빌자면 "마치 중국처럼, 성별에 따른 전통적인 업무 분담이 이루어지고 여성이 노동 인구에 제대로 편입되지 못하는" 사회에서 아이를 덜 낳고 있다.
교수의 말에 따르면, 양성평등의 부재, 직업을 가진 여성의 수가 적음, 여성을 지원하는 사회 정책이 얼마 안 됨 등의 요인은 왜 러시아, 중앙유럽, 동아시아의 낮은 출산율이 대체로 반등하지 못하는지를 설명하는 데 도움이 된다. 교수의 말에 따르면, 대체로 정부가 자녀를 더 많이 낳으라고 강권하거나 애국심에 호소하거나 식구를 늘리기 위해 보조금을 제공하는 등의 "인구 증가 정책"은 그다지 출산율을 크게 늘리지 못하는 경향이 있다.

어휘 demography ⓝ 인구통계학
rebound ⓝ 반등, 반동
bounce ⓥ 도약하다
modestly ⓐⓓ 서서히, 적당히
diktat ⓝ (정부의) 강권, 일방적 조치
have no say over – ~에 대해 발언권[결정권]이 없다
fertility ⓝ 출산 능력, 번식력
gender equality – 양성평등
cite ⓥ 인용하다, 예를 들다
natalist ⓝ 산아[인구] 증가 제창자
subsidy ⓝ 보조금
in dire straits – 곤경에 처한

18 본문 다음 부분의 주제로 가장 적절한 것은 무엇인가?

① 상승 중인 여성의 지위
② 전통적인 역할로부터 벗어남
③ 사회 정책 말고도 도움이 되는 것들
④ 가정을 이루도록 여성을 설득하기

정답 ③

해설 본문 마지막에서는 정부의 인구 증가 정책이 별 효과를 보지 못하고 있음을 말하고 있다. 인구 증가 정책은 사회 정책의 일환이며, 출산율 반등을 위해 본문에 제시된 여러 요인 중 하나이다. 사회 정책이 효과를 보지 못했다면 그 다음에는 사회 정책 이외의 출산율 반등을 위한 정책이 제시될 것이다. 따라서 답은 ③이다.

19 왜 가난한 남부의 여성들은 아이를 덜 낳는가?

① 노동력 차원에서 남성들에게 도움이 되길 원하는데 아이를 낳는 것은 여성들의 활동에 제약을 가할 것이기 때문이다.
② 여성들은 노동 시장에 뛰어들 생각이 없고 따라서 자신들에게 벌어지는 일들에 대해 어떤 결정권도 지니고 있지 못하다.
③ 여성의 역할은 여전히 남성의 역할과 동등하지 않고 노동 시장에 참여하지 못하고 있다.
④ 자녀들이 성장하여 더 나은 삶의 질을 누릴 가능성이 없다.

정답 ③

해설 출산율 반등을 위한 기본 요인은 양성평등이며 이것이 실천되고 있는 이탈리아 북부에서는 출산율이 상승하고 있다. 하지만 남부는 전통적인 남녀 역할 분담이 이루어지는 등 양성평등이 제대로 실천되고 있지 않으며 거기에 여성이 제대로 된 직업을 얻지 못하는 경우도 많아서 결과적으로 출산율도 떨어지고 있다. 따라서 답은 ③이다.

20 빈칸에 가장 알맞은 것은 무엇인가?

① 곤경에 처한
② 사회의 출산율을 높이고 싶어 하는
③ 이를 추진할 준비가 된 … 정치인들이 이를 요구하는
④ 무엇을 원하고 무엇을 얻을 수 있을지를 아는

정답 ③

해설 빈칸이 들어간 문장은 출산율 반등을 위한 사회 정책이 추진되어야 하는 사회가 어떤 사회인지를 말하고 있으며, 빈칸은 그러한 사회가 지녀야 할 조건에 해당된다. 빈칸 다음 단락에서는 이탈리아의 사례를 들어 출산율 반등은 양성평등과 함께 여성의 노동력을 중시하는 사회에서 가능함을 말하고 있다. 즉 사회 정책이 효과를 보려면 정책의 추진 대상이 되는 사회가 우선 준비가 되어야 하는 것이다. 따라서 답은 ③이다.

02 Practice Test 정답 및 해설

01	①	02	②	03	②	04	①	05	①	06	④	07	④	08	①	09	③	10	③
11	①	12	③	13	②	14	③	15	④	16	②	17	①	18	③	19	①	20	④

01-03

집중이란 획일적인 두뇌의 과정은 아니다. 집중에는 여러 가지 형태가 있으며, 이들은 각각 뇌의 다른 부분을 이용한다. 당신을 깜짝 놀라게 하는 갑작스런 시끄러운 소음은 단순한 형태로 활성화되는데, 즉 깜짝 놀라게 된다. 귀로부터 척추에 이르기까지의 다섯 개의 뉴런의 고리가 그 소음을 듣고 0.1초도 안 되는 순간에 방어적으로 반응하도록 한다. 심장 박동률을 올리고 어깨를 구부리게 만들고 당신이 들은 소리가 무엇인지 확인하기 위해 여기저기 둘러보게 만든다. 이러한 단순한 형태의 집중은 두뇌활동을 요구하지 않으며 거의 모든 척추동물에게서 관찰되는 집중의 형태이다.
좀 더 복잡한 집중은 당신의 이름이 방 건너에서 불렸을 때 혹은 지하철 역 안에서 예상치도 못한 새소리를 들었을 때 일어난다. 이러한 자극유도형 집중은 우뇌의 관자놀이와 하부전두엽 피질을 통한 경로에 의해 조절된다. 이러한 영역은 가공되지 않은 감각에 관해 입력되는 사항들을 처리하긴 하지만, 그 소리의 의미를 이해해야 하는 것에 관해서는 관심이 없다. (신경학자들은 이를 가리켜 상향식 반응이라고 한다.)
그러나 당신이 듣고 있는 무언가에 실제 주의를 기울일 때, 이것이 당신이 좋아하는 노래거나 고양이가 저녁에 우는 소리거나 간에, 별개의 하향식 경로가 작동하기 시작한다. 여기서는 신호가 척추를 통해 뇌에서 측정을 담당하는 부분인 대뇌 피질로 전달되는데, 이로 인해 당신이 듣고 있는 것에 주의를 기울이고 즉시 중요하지 않은 시각과 청각에 대하여 조정할 수 있다. 이런 경우에는 당신의 뇌는, 무언가 좀 더 중요한 것 – 예를 들어, 비행기의 엔진이 화장실 천장으로 떨어지는 것 –이 당신의 주의를 끌게 되면 차단하게 되는 스위치와 같은, 마치 소음을 억제하는 헤드폰과 같은 기능을 수행하며 상향식 반응을 보인다.

어휘

attention ⓝ (주의) 집중	**monolithic** ⓐ 획일적인, 단일화된
spine ⓝ 척추	**hunch** ⓥ 구부리다
cast around – 두루 찾아다니다	**pounce** ⓥ 공격하다, 덮치다
vertibrate ⓝ 척추동물	**kick in** – 움직이다, 작동하다
pathway ⓝ 경로	**temporoparietal** ⓐ 관자놀이의
frontal cortex – 전두엽 피질	**bottom-up** – 상향식
top-down – 하향식	**come into play** – 작동하기 시작하다
tune out – 조정하다	**manifestation** ⓝ 징후, 조짐, 발현

구문정리 Here, the signals are conveyed through a dorsal pathway in your cortex, part of the brain that does more computation, which lets you actively focus on what you're hearing and tune out sights and sounds that aren't as immediately important.
여기서는 신호가 척추를 통해 뇌에서 측정을 담당하는 부분인 대뇌 피질로 전달되는데, 이로 인해 당신이 듣고 있는 것에 주의를 기울이고 즉시 중요하지 않은 시각과 청각에 대하여 조정할 수 있다.

구조분석 Here, the signals(S) are(V) conveyed(C) (through a dorsal pathway in your cortex,)(전치사구) (part of the brain that does more computation,)(동격어구 — (, which is가 생략); that: 주격 관계대명사) (which lets(사역동사) you(O) actively focus on(O.C ①) what you're hearing(전치사의 목적어) and tune out(O.C ②) sights and sounds that aren't as immediately important(that: 주격 관계대명사).

01 이 글에서 추론할 수 있는 것은?

① 우리는 우리가 선택한 것에 집중할 수 있는 능력이 있다.
② 우리가 접하는 모든 자극에 반응할 수 있도록 미리 프로그램화되어 있다.
③ 뇌는 우리가 생각하는 것보다 빠르게 자극을 처리한다.
④ 우리 (인간의) 방식처럼 자극에 대해 생각할 수 있는 동물은 거의 없다.

정답 ①

해설 인간은 "당신의 이름이 방 건너에서 불렸을 때 혹은 지하철 역 안에서 예상치도 못한 새소리를 들었을 때", 이와 더불어 "당신이 듣고 있는 무언가에 실제 주의를 기울일 때"에 주의를 집중할 수 있는 능력이 있으므로 선택한 것에 집중할 수 있는 능력이 있다는 것은 올바른 추론이다. 이에 반해 모든 자극에 대해 미리 프로그램화되어 있는 것이란 진술은 근거가 없으며, 뇌는 자극을 우리의 생각보다 빠르게 처리하는 것이 아니라, 자극에 대해 0.1초도 안 되는 순간에 방어적으로 반응한다고 하였을 뿐이다. 우리의 생각이 어떠한지는 글에서 끌어낼 수 없다. ④의 경우에는 첫 단락에서 소개한 것처럼 단순한 자극은 "거의 모든 척추동물에게서 관찰되는 집중의 형태"라고 하였으므로 틀린 표현이다.

02 이 글에 따르면 틀린 것은?

① 우리가 다른 방식으로 반응하는 여러 다른 형태의 자극이 있다.
② 우리가 무언가에 주의를 기울이는 유일한 방법은 우리의 생존에 즉각적인 위협을 유발하는지이다.
③ 뇌는 여러 가지 다른 자극과 다른 상황에 대해 다르게 반응한다.
④ 자극에 대한 반응은 정신적, 심리적 징후를 포함한다.

정답 ②

해설 우리가 자극에 주의를 기울이는 것은 여러 가지로, 첫 단락에서는 생존에 대한 위협이 되는 자극에 대해서 언급하지만 두 번째 단락 이후에서는 생존과 무관한 자극에 대한 주의 집중에 대해 설명하고 있으므로 ②는 틀린 진술이다.

03 왜 과학자들은 자극유도형 집중을 '상향식 반응'이라고 하는가?

① 이것이 바로 우리의 뇌가 모든 정보를 처리하는 방식이다.
② 자동화된 인식 반응을 유발하는 모든 종류의 자극이지만, 이에 대한 이해는 아니다.
③ 우리가 유효한 자극인지를 결정할 수 있는 유일한 방법은 자극을 유발하는지 여부이다.
④ 뇌로 전해지는 정보가 거의 없는 상황이고, 그래서 이런 것들은 뇌에 의해 중요한 것으로 여겨지지 않는다.

정답 ②

해설 본문의 두 번째 단락을 보면, "신경학자들은 이를 가리켜 상향식 반응이라고 한다(Neuroscientists call this a "bottom-up" response)"라는 문장 바로 앞에 "이러한 영역은 가공되지 않은 감각에 관해 입력되는 사항들을 처리하긴 하지만, 그 소리의 의미를 이해해야 하는 것에 관해서는 관심이 없다(areas that process the raw, sensory input, but don't concern themselves with what you should make of that sound)"고 하였다. 그러므로 본문에 언급된 것처럼 자극유도형 집중은 입력사항에 대해서 처리는 하지만, 의미를 이해하려 하지는 않기 때문에 상향식 반응이라고 한다.

04-07

나는 오직 영국에서 일어난 일에 대해 말할 수 있을 뿐이지만, 여기에서도 문법 교육에 대한 태도는 심각하게 분열을 초래하고 있는 듯하다. 사립학교 학생들은 언어 학습에 대한 상당히 좋은 기반이 제공되지만, 반면 다른 학생들은 자신을 표현하는 것과 비교해서 문법은 중요하지 않다고 배우고 있다. 나는 이에 대해 너무 화가 난다. 예를 들어 우리가 피아노에 대한 얘기를 나누고 있다고 가정하자. a) 자신을 자유롭게 표현한다. b) 먼저 피아노 치는 법을 배운다. 어떤 것이 더 좋은가? 물론 사람들을 매일매일 피아노 치는 능력으로 평가하지는 않는다는 게 차이이긴 하다. (하지만) Kyle Wiens가 사람들이 삶의 기술로서의 읽고 쓰는 능력을 과소평가하도록 배운다면 그들은 정말 잘못된 길로 인도된 것이라는 지적은 옳다.
이러한 소동에 대해 흥미로운 것은 바로 회사의 최고경영자인 그가 여전히 결연한 태도를 취하고 있다는 것이다. 문법 능력이 부족하여 구직자에게 차별대우를 하는 것이 아직까지는 불법이 아니다. (하지만) 영국의 학교에서는 이런 비판들은 견뎌낼 수 없을 것이다. 나는 최근에 영국의 교육당국이 전통적인 쓰기 방식의 시험은 읽고 쓸 줄 아는 학생들에게 부당하게 우대하는 것이므로 이제 표준화된 시험에서 구술시험을 도입하자고 제안하는 불필요한 우려를 자아내는 보도 내용을 읽었다.
나는 자신이 읽는 책에 나온 단어들을 찾도록 훈련받는 것은 결국 세부적인 사항에 좀 더 집중하게 만든다는 Kyle Wiens의 생각이 옳다고 확신한다. 어려운 점이 있다면 자신들이 잘못됐다는 개념을 전혀 접해 보지 못한 잘못된 사람들에게 이런 좋지 않은 소식을 전하는 방식이다. 예전에 젊은 항공사의 여직원이 나에게 "무관한 양식"을 보내주기로 제안했다. 나는 "관련양식을 얘기하는 거죠?"라고 말했다. 그랬더니 그녀가 "네, '무관한 양식'이요"라고 대답했다. 자 주의해라. Kyle Wiens가 그 여성에게 일자리를 제공할 수밖에 없는 날이 오고야 말 것이다.

어휘 **divisive** ⓐ 분열을 초래하는, 분열적인
fee-paying school – 사립학교
hoo-ha ⓝ (하찮은 일에 대한) 소동, 흥분
put one's foot down – 결연한 태도를 취하다, 단호하게 거절하다
alarmist ⓐ 불필요한 우려를 자아내는
break the news – (좋지 않은) 소식을 전하다
irrelevant ⓐ 무관한
beware ⓥ 주의하다
bend ⓥ 알맞게 바꾸다

구문정리 The difficult thing is breaking the news to people that sometimes they are wrong, when "wrong" is a concept they have never encountered.
어려운 점이 있다면 자신들이 잘못됐다는 개념을 전혀 접해 보지 못한 잘못된 사람들에게 이런 좋지 않은 소식을 전하는 방식이다.

구조분석 The difficult thing(S) is(V) breaking the news to people that sometimes they are wrong(C, 동격절), (when "wrong"(S´) is(V´) a concept(C´) ^(that(목적격 관계대명사 생략)) (they have never encountered.)) (부사절)

04 저자의 의견은 무엇인가?

① 언어를 알맞게 변형하기 전에 언어의 규칙을 먼저 알아야 한다.
② 어떤 학교를 가야 할지가 중요한 게 아니다. 어디에서도 너는 똑같은 질의 교육을 받을 것이다.
③ 읽고 쓰는 능력이 떨어지면서 교육의 질도 떨어진다.
④ 표준화된 학교시험에 대한 새로운 계획들은 아마 문제에 대한 해결책이 될 것이다.

정답 ①

해설 저자는 피아노의 비유를 통해서 먼저 규칙을 익히고 표현해야 한다고 자신의 입장을 밝히고 있다. 그러므로 저자의 주장은 ①이 타당하다.

05 밑줄 친 마지막 문장의 의미는 무엇인가?

① 미래에 고용주는 읽고 쓰는 능력에 근거하여 구직자들을 거부할 수 없을 것이다.
② 남성과 여성 모두에게 동일한 일자리를 제공하는 것은 이제 과거지사가 될 것이다.
③ 구인 결정에서 지적 수준이 고려되지 않는 것이 안타깝다.
④ 우리는 사람의 직업적 지위가 무관한 그러한 때가 오길 고대한다.

정답 ①

해설 현재 진행되고 있는 문법 경시 풍조가 지속된다면, 미래에는 결국 문법 능력을 갖추지 못한 사람을 고용할 수밖에 없는 날이 올 것이라는 뜻이다.

06 다음 중 본문의 내용에 비추어 올바른 진술은?

① 젊은이들에게 문법 능력이 중요하지 않다고 말하는 사람들은 많은 시간과 노력을 절약하고 있다.
② 사립학교와 다른 학교의 차이는 사립학교가 문법 능력을 밀어붙이지 않는다는 것이다.
③ 일부는 그들이 무언가 잘못됐다는 얘기를 지속적으로 들으면서 커 왔다.
④ 문법 지식이 부족한 구직자들을 부정적으로 판단하는 것은 지금까지는 법적으로 처벌받지 않았다.

정답 ④

해설 본문의 두 번째 단락에 "문법 능력이 부족하여 구직자에게 차별대우를 하는 것이 아직까지는 불법이 아니다(it hasn't become illegal to discriminate against job applicants with poor grammar)"라는 정답의 근거가 있다.

07 다음 중 영국 교육의 미래에 대한 한 가지 생각은?

① 젊은이들은 그들에게 성공과 실패 모두를 준비하는 수업에 참여해야 한다.
② 구술로 더 잘 설명할 수 있는 과목은 이에 알맞은 시험을 치를 것이다.
③ 학생들은 더 이상 완전한 문장으로 글을 쓰는 것이 요구되지 않지만, 그들은 문서 양식으로 쓸 것이다.
④ 학생들은 전통적인 양식인 쓰기 형식보다 구어 형식으로 대답을 할 것이다.

정답 ④

해설 영국의 문법 교육이 이대로 간다면, 특히 전통적인 쓰기 방식의 시험은 읽고 쓸 줄 아는 학생들에게 부당하게 우대하는 것이므로 이제 표준화된 시험에서 구술시험을 도입하자는 교육당국의 제안대로 된다면, 학생들은 아마도 까다로운 글쓰기보다 말하기로 대답하는 것을 선호할 것이다.

08-10

일본은 1542년 서양과 최초로 접한 때부터 19세기 중엽까지 지속적으로 쇄국주의 정책을 따랐다. 무기 구입과 같은 제한적인 형태의 근대화만이 허용되었을 뿐이며, 기독교와 같은 중요한 서양의 문화는 엄격하게 제한되었다. 17세기 중엽에는 서양인들이 완전히 축출되기도 했다. 쇄국주의 정책은 1854년 페리함장의 강제적인 개국과 더불어 끝났으며, 1868년 메이지유신 이후 서양문물을 배우려는 노력이 힘을 얻었다. 수 세기 동안 중국 역시 중요한 근대화나 서구화를 억누르려 애써 왔다. 1601년 기독교 사절단의 중국 입국이 허용되긴 했지만, 1722년에 사실상 다시 서양인들을 배제했다. 일본과는 다르게 중국의 쇄국주의 정책은 주로 중국이 자신을 세계의 중심으로 보는 사상과 중국 문화가 타국의 문화보다 우월하다는 확고한 믿음에 뿌리내리고 있었다. (하지만) 일본처럼 중국의 고립은 서구 열강의 무력에 의해 끝나게 되었다. 영국은 중국을 상대로 1839년부터 1842년 사이에 아편전쟁을 일으켰다. 이런 사례들이 암시하는 것처럼 19세기 동안에 서양 열강에 맞서 비서구사회가 순수한 쇄국주의 전략을 고수하는 것은 너무나도 어렵고 불가능한 일이었다.

어휘
substantially ⓐ 지속적으로, 줄기차게
firearms ⓝ 무기
forcible ⓐ 강제적인
modernization ⓝ 근대화
emissary ⓝ 사절단
adhere to – 고수하다
reside in – 있다, 속하다, 살다
rejectionist ⓝ 쇄국주의(자)
expell ⓥ 추방하다
bar ⓥ 억누르다
westernization ⓝ 서구화
Opium War – 아편전쟁
shut out – 차단하다, 배제하다, 제외시키다

구문정리 Only limited forms of modernization were permitted, such as the acquisition of firearms, and the import of Western culture, including most notably Christianity, was highly restricted.
무기 구입과 같은 제한적인 형태의 근대화만이 허용되었을 뿐이며, 기독교와 같은 중요한 서양의 문화는 엄격하게 제한되었다.

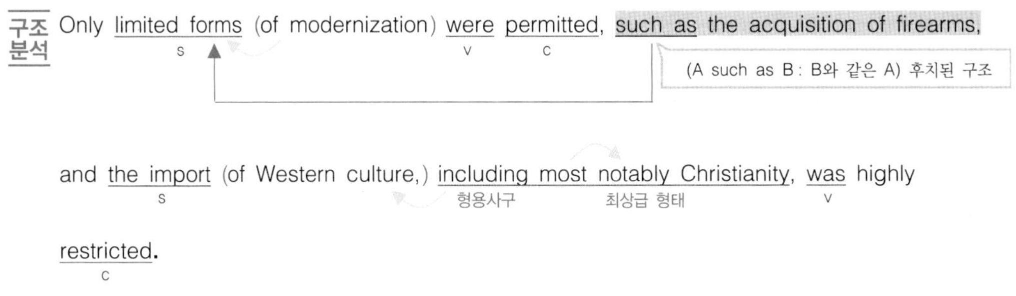

and the import (of Western culture,) including most notably Christianity, was highly restricted.

S 형용사구 최상급 형태 V C

08 다음 중 올바른 것은?

① 중국은 자신이 더 낫다고 생각했기 때문에 서양과 관련되길 원치 않았다.
② 중국은 무기를 들여오려고 시도했을 때 더 강하게 거부했다.
③ 일본은 페리함장이 자국으로 들어오는 것을 환영했다.
④ 비서구사회는 국제관계에서 더 고립적이 되도록 권장되었다.

정답 ①

해설 "중국의 쇄국주의 정책은 주로 중국이 자신을 세계의 중심으로 보는 사상과 중국 문화가 타국의 문화보다 우월하다는 확고한 믿음에 뿌리내리고 있었기(China's rejectionist policy was in large part rooted in the Chinese image of itself as the Middle Kingdom and the firm belief in the superiority of Chinese culture to those of all other peoples)"에 서양과 관련되길 원치 않는 고립과 쇄국의 길을 걸어가려 했던 것이다.

09 이 글의 요지는 무엇인가?

① 서양이 아시아로의 팽창을 추구할 때 중국과 일본은 서양문화의 확산을 막으려 협력했다.
② 중국과 일본은 서양문화의 확산을 막으려고 열심히 노력했지만, 그들은 이에 저항할 수 없었다.
③ 일본과 중국이 서양의 문화를 차단하려고 노력했음에도 불구하고, 그들이 더 이상은 그럴 수 없는 상황이 오고야 말았다.
④ 서양 열강은 절대로 일본과 중국의 문화를 꿰뚫을 수 없었다.

정답 ③

해설 이 글에서는 일본과 중국이 고립과 쇄국을 고수했지만, 결국은 개국이 되고 말았다는, 그것이 바로 역사의 흐름이었다는 것을 밝히고 있다. 반면에 ②는 주의를 요하는데, 서양문화의 확산을 막으려는 것이 아니라 서양문화의 차단이 그 목적이었음을 유의해야 한다. 확산을 막는다는 것은 이미 들어온 것의 추가적인 진행을 막는다면, 차단은 원천봉쇄를 의미하는 것이고, 실제 중국과 일본 모두 외국인들을 완전히 배제한 적도 있다는 것은 결국 차단을 뜻하는 것이다. 그러므로 정답은 ③이 된다.

10 다음 중 나머지와 같은 의미가 아닌 것은?

① 이전에 기독교인들은 중국과 일본에 있는 것이 금지되었다.
② 중국과 일본에서 기독교인들의 존재는 매우 바람직하지 않곤 했다.
③ 중국과 일본은 기독교인들의 도착을 자신들의 사회의 몰락의 징표로 보았다.
④ 중국과 일본은 기독교인들이 과거에 자신의 나라로 들어오는 것을 원치 않았다.

정답 ③

해설 모두가 중국과 일본에서는 기독교인들이 자신이 나라에 들어오는 것을 원치 않았다는 내용인데 반해, ③은 기독교인들의 입국이 자국의 몰락의 징표라고 생각했다는 다른 내용이다.

11-12

리카르도와 맬더스의 관계는 책을 통해서 시작되었는데, 각각 통화와 교역에 대한 논문을 쓰면서 서로를 비평하게 되었기 때문이다. 1811년 맬더스는 마침내 리카르도에게 편지를 보내, "우리가 벌이는 논쟁은 주로 문제의 동일한 측면에 대해 논의하고 있으니, 우리의 오랜 시간 동안의 출판물을 통한 논쟁을 개인적으로 만나서 우호적인 논의를 해 보는 게 어떨까요?"라고 적었다. 거의 동시에 리카르도 역시 같은 메모를 쓰던 중이었다. 그들은 며칠 후에 만났고, 이 만남이 평생 가는 우정의 시작이었다. 1823년 리카르도가 사망하기 전에 그는 맬더스에게 편지를 써서, 수많은 논쟁에도 불구하고 "만약 자네가 나와 의견이 일치했다 하더라도 지금보다 자네를 더 좋아하지 못했을 거야"라고 적었다. 리카르도의 유산상속인 3명 중 한 명으로 맬더스를 지정하기도 했다. 나중에 맬더스 역시 "내가 가족 말고 이렇게 좋아해 본 사람은 없다"고 회고했다.

어휘 **currency** ⓝ 통화
amicable ⓐ 우호적인
see eye to eye – 의견이 일치하다
supercede ⓥ 대체하다
will ⓝ 유산

11 둘의 우정에 대하여 추론할 수 있는 것은?

① 우정은 항상 의견이 일치하는 사람들 사이에서만 형성되는 것은 아니다.
② 세상에는 많은 부류의 사람들이 있는 게 아니어서, 우리는 선례를 따라야 한다.
③ 최고의 친구들은 항상 삶의 현장에서 당신과 의견이 일치하지 않고 의문을 제기하는 이들이다.
④ 당신이 누군가와 친구가 되길 원한다면 가능할 때마다 그들을 비판해야 한다.

정답 ①

해설 리카르도와 맬더스가 서로 수많은 문제에 대해 논쟁을 벌였지만, 평생 가는 우정으로 서로를 존중하며 우정을 간직한 것을 보면, 우정은 항상 의견이 일치하는 사람들 사이에서만 형성되는 것은 아니라는 것을 추론할 수 있다.

12 다음 중 밑줄 친 것과 같은 표현은?

① 무언가 다른 목적을 제공하는 것
② 무언가의 의미를 바꾸는 것
③ 무언가의 목적을 대체하는 것
④ 무언가에 대한 당신의 의견을 바꾸는 것

정답 ③

해설 필요성을 대신한다는 것은 결국 무언가의 목적을 대체하는 것을 뜻한다. supersede 역시 replace로 대체할 수 있다.

13-14

모차르트는 교향곡을 작곡하던 18세기 당시엔 자신이 수 세기 후 의사들이 검진 과정에서 대장암을 더 잘 발견하도록 도움이 될 것인지 전혀 알지 못했다. 소규모 연구에 따르면 결장경 검사 중에 모차르트 음악을 들은 의사는 검진 중에 모차르트를 듣지 않은 의사보다 암으로 발전하기 전 단계인 결장 안의 폴립을 더 잘 발견할 수 있었다. 다시 강조하자면 이 연구는 오직 두 명의 의사만 참여한 소규모 연구지만, 결과는 분명히 흥미롭다. 수술 과정에서 음악을 듣는 것은 확실히 새로운 것은 아니다. 많은 의사들은 수술 도중에 자신이 좋아하는 노래를 신나게 즐기며, 수술 중에도 비틀즈에서 케니 로저스나 카니예 웨스트에 이르기까지 모든 음악을 듣는다. 나는 음악이 신체에 신경생물학적으로 영향을 준다고 믿고 만약 음악이 외과의들이 집중력을 향상시키는 데 도움이 된다면 나는 음악을 두 손 들어 찬성한다. 나머지 수술실 직원들이 외과의와 같은 음악 취향을 갖기를 바랄 뿐이다.

어휘
- **colon cancer** 대장암, 결장암
- **colonscopy** ⓝ 결장경 검사
- **rock out** 마음껏 즐기다
- **OR** (= operation room) 수술실
- **procedure** ⓝ 수술
- **screening** ⓝ 검진
- **polyp** ⓝ 폴립, 용종
- **all for it** 전적으로 찬성하다
- **detection** ⓝ 탐지
- **lawsuit** ⓝ 소송

구문정리 When Mozart was composing symphonies in the 18th century, little did he know he would help doctors better detect colon cancer during screenings centuries later.

모차르트는 교향곡을 작곡하던 18세기 당시엔 자신이 수 세기 후 의사들이 검진 과정에서 대장암을 더 잘 발견하도록 도움이 될 것인지 전혀 알지 못했다.

구조분석

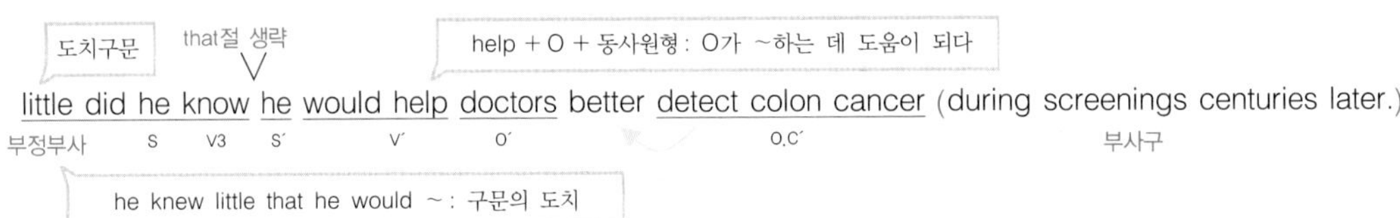

13 이 글은 주로 무엇에 관한 글인가?

① 의사들 사이의 경쟁
② 음악이 의사에게 미치는 영향
③ 결장암 탐지의 비율
④ 다른 장르를 이용한 결과

정답 ②
해설 수술을 하는 의사들에게 음악이 어떤 영향을 미치는지에 대해서 적고 있다.

14 이 글에 따르면 음악을 사용하는 의사들의 문제점은 무엇인가?

① 만약 수술 중 잘못되면 소송을 유발할 수 있다.
② 음악은 의사와 간호사의 집중력을 떨어뜨린다.
③ 의사와 함께 수술에 참여하는 의료진은 아마도 그 음악을 들으면서 일하는 것을 좋아하지 않을 수 있다.
④ 수술 동안에 음악이 또 다른 영향을 끼치는지는 알려져 있지 않다.

정답 ③

해설 "나머지 수술실 직원들이 외과의와 같은 음악 취향을 갖기를 바랄 뿐이다(Let's just hope the rest of the OR staff shares the same taste in music as the surgeon)"라는 얘기는 음악이 외과의들이 집중력을 향상시키는 데 도움이 된다 하더라도 수술실에 들어가는 다른 의료진들이 항상 수술을 집도하는 의사와 음악적 취향이 동일하지는 않다는 것이다.

15-18

"기후 민감도"는 대기 중 이산화탄소 수준의 변화에 따른 기후의 대응 방식을 기술하기 위해 과학자들이 사용하는 용어이다. 일반적으로 이산화탄소 농도가 2배가 될 때마다 지구의 기온이 상승하는 정도가 기후 민감도로 정의된다. 가장 흔히 사용되는 소위 "평형 민감도"는 (식생과 빙상의 변화는 고려하지 않은) 모든 가능한 피드백 기구를 감안한 이후의 온도 상승을 의미한다.

이산화탄소 그 자체는 적외선을 일정한 비율로 흡수한다. 이산화탄소 수준이 두 배가 될 때마다 대략 1°C의 온난화가 진행된다. 즉 이산화탄소 농도가 산업화 이전의 280 ppm에서 560 ppm으로 상승하면 지구가 1°C 더워진다는 의미이다. 우려할 점이 이것밖에 없다면 말하자면 더 우려할 일은 없을 것이다. 1°C 상승은 대수롭지 않게 취급될 만한 일이다. 하지만 두 가지 이유 때문에 일이 그리 간단하다고 볼 수 없다. 하나는 이산화탄소 수준의 증가는 기온 상승을 부추기거나 약화시키는 수증기 (그리고 온실가스) 및 구름의 증가에 직접적인 영향을 미친다. 이는 평형 민감도에 직접적으로 영향을 미치는데, 즉 탄소 농도가 두 배 증가하면 기온이 1°C 이상 증가한다는 의미가 된다. 두 번째 이유는 그을음 및 기타 연무제가 대기에 분사되는 일 등으로 인해 이산화탄소의 효과가 증가하거나 감소한다는 점이다. 기후변화에 관해 진지한 태도를 보이는 과학자들은 모두 위의 두 가지 추론의 과정에 있어서는 의견을 같이한다. 하지만 예측되는 기후 변화의 규모에 관해서는 의견을 달리한다.

어휘
sensitivity ⓝ 민감도
equilibrium ⓝ 평형, 균형
preindustrial ⓐ 산업화 이전의
shrug off – ~을 대수롭지 않게 취급하다
soot ⓝ 그을음, 검댕
line ⓝ 입장, 태도; 분야
conflicting ⓐ 상충되는, 모순되는
concentration ⓝ 농도
consistent ⓐ 일정한, 변함없는
as it were – 말하자면
amplify ⓥ 증폭시키다
aerosol ⓝ 연무제, 에어로졸
fracture ⓥ 분열되다

15 기후 민감도는 무엇인가?

① 이산화탄소 수준이 조심스럽게 줄어들면서 지구의 기온이 오르는 방식
② 지구의 기온을 낮추려는 기후 과학자들의 시도에 대한 지구의 반응
③ 지구를 돕기 위해 우리의 생활 방식을 어떻게 바꿔야 할지에 관해 기후 과학자들이 우리에게 제시한 피드백
④ 이산화탄소 수준의 증가에 맞춰 지구의 기온이 상승한 것

정답 ④
해설 기후 민감도는 "이산화탄소 농도가 2배가 될 때마다 지구의 기온이 상승하는 정도(how much hotter the Earth will get for each doubling of CO_2 concentrations)"를 의미한다. 따라서 답은 ④이다.

16 다음 중 밑줄 친 부분을 패러프레이즈한 것은 무엇인가?

① 이 점에 관해 우려하는 것으로는 문제 해결에 전혀 도움이 되지 않는다.
② 이게 다라면 걱정할 필요도 없겠지만, 그렇지 않다.
③ 이것만이 우려할 사항이므로 그 외에 우려할 것은 없다.
④ 사소한 문제일 뿐이고 따라서 유일한 문제이다.

정답 ②
해설 밑줄 친 부분의 의미는 "우려할 점이 이것밖에 없다면 말하자면 더 우려할 일은 없을 것이다"이며 보기 중에서 이와 의미상 가장 가까운 것은 본문의 "하지만 일이 그리 간단하다고 볼 수 없다(But things are not that simple)"로 미루어 봤을 때 ②이다.

17 본문에 따르면 다음 중 사실인 것은?

① 이산화탄소 수준은 수증기와 구름을 통제하여 지구의 기온에 영향을 미친다.
② 지구의 기온은 이산화탄소 수준에도 불구하고 1도만 오를 것이다.
③ 이산화탄소는 연무제 성분의 캔에 담긴 것을 추가적으로 사용하면 대기에서 사라지게 된다.
④ 이산화탄소 수준이 오르는 이유는 이산화탄소가 적외선에는 완전히 영향을 끼치지 못하기 때문이다.

정답 ①
해설 "이산화탄소 수준의 증가는 기온 상승을 부추기거나 약화시키는 수증기 (그리고 온실가스) 및 구름의 증가에 직접적인 영향을 미친다(rising CO_2 levels directly influence phenomena such as the amount of water vapour (also a greenhouse gas) and clouds that amplify or diminish the temperature rise)." 즉 이산화탄소 수준은 수증기와 구름에 직접적인 영향을 끼쳐 기온 상승에 일조한다는 점을 유추할 수 있다. 따라서 답은 ①이다.

18 본문 다음 문단의 주제로 가장 가까운 것은 무엇인가?

① 기후 변화에 더 큰 영향을 미칠 수 있는 다른 것들
② 왜 의견 불일치가 기후 과학자들로 하여금 여러 집단으로 분열되게 만들었는지에 대한 이유
③ 기후 변화가 얼마다 크게 (아니면 작게) 벌어질 것인가에 대한 서로 상충되는 의견
④ 기후 변화의 필요성에 관해 지금까지 이루어진 예측

02

정답 ③

해설 본문 가장 마지막 문장은 "하지만 예측되는 기후 변화의 규모에 관해서는 의견을 달리한다(But they disagree on the size of the change that is predicted)"고 말하고 있으므로, 이 글의 다음부터는 기후 변화의 규모에 대한 서로 다른 의견이 제시될 것으로 유추 가능하다. 따라서 답은 ③이다.

19–20

여러 사회과학자들의 시각으로는, 이론의 개연성이 높을수록 더 나은 이론이며, 만일 우리가 설명력 측면에서 동등한 힘을 보유하고 있지만 한 쪽은 개연성이 있고 다른 한 쪽은 개연성이 없는 두 이론 중 하나를 선택해야 한다면, 우리는 전자(개연성 있는 쪽)를 선택해야 한다. 포퍼(Popper)는 이러한 시각을 거부한다. 과학은, 보다 정확히 말해, 연구 중인 과학자는, 포퍼의 시각에 따르면, 유익한 내용이 풍부한 이론에 관심을 가지며, 왜냐하면 해당 이론은 예측력이 높고 따라서 검증 가능성도 높다. 하지만 만일 이것이 사실이라면, 포퍼의 주장으로는, 역설적으로 들리겠지만, 어느 한 이론의 개연성이 떨어질수록 그 이론은 과학적으로는 더 나은 이론이며, 왜냐하면 이론의 개연성과 내용의 유익성은 서로 반비례하여 다르기 때문이다. 즉 어느 한 이론에 유익한 내용이 많이 담길수록, 그 이론의 개연성은 낮아지며, 왜냐하면 어느 한 서술에 더 많은 정보가 담길수록, 그 서술이 그릇된 것임이 밝혀질 방식의 수 또한 증가할 것이기 때문이다. 따라서 과학자들에게 특별한 관심을 받는 서술은 유익한 내용이 많이 담겨 있으며 (결과적으로) 개연성이 낮고, 그럼에도 이는 진실에 가깝다. 유익한 내용은, 개연성과 반비례 관계에 있고, 검증 가능성과는 정비례 관계에 있다. 결과적으로, 이론이 받을 수 있는 검증의 강도와 이론이 반증되거나 확증되는 수단 모두 지극히 중요하다.

어휘
probable ⓐ 개연성 있는
the former – 전자
informative ⓐ 유용한 정보를 주는, 유익한
consequently (ad) 그 결과, 따라서
paradoxical ⓐ 역설의, 자기모순의
consequentially (adv) 결과적으로, 필연적으로
in proportion to – ~에 비례하여
severity ⓝ 엄격, 강도
falsify ⓥ 논파하다, 반증을 들다
therein (adv) ~안에
explanatory power – 설명력, 설명의 힘
precise ⓐ 정확한, 엄밀한
predictive ⓐ 예측의, 예견의
testable ⓐ 검증 가능한
inversely (ad) 반대로, 역비례하여
inverse ⓐ 역의, 반대의
testability ⓝ 검증 가능성
subject ⓥ (~을) 받게 하다
corroborate ⓥ 입증하다, 확증을 들다

19 본문에 따르면 포퍼의 주장은 무엇인가?

① 최고의 이론은 가장 유익하면서 개연성은 가장 낮은 것이다.
② 이론은 유익하고 개연성이 있다면 더욱 과학적이다.
③ 이론에 담긴 내용이 유익할수록, 개연성도 높아진다.
④ 이론에 담긴 내용이 가장 많을 경우, 그 이론이 잘못인 것으로 증명될 가능성은 낮다.

정답 ①

해설 포퍼에 따르면 이론은 유익할수록 개연성이 낮아진다. 즉 "과학자들에게 특별한 관심을 받는 서술은 유익한 내용이 많이 담겨 있으며 (결과적으로) 개연성이 낮고, 그럼에도 이는 진실에 가깝다." 이 말에 따르면 결국 "가장 유익하면서 개연성은 가장 낮은" 이론이 "최고의 이론"인 것이다. 따라서 답은 ①이다.

20 빈칸에 들어갈 가장 알맞은 것은 무엇인가?

① 얼마나 유익한지 아닌지가 나타난
② 이론에 담긴 내용의 종류에 따라
③ 이론이 사실인 것으로 증명되는 한
④ 이론이 반증되거나 확증되는 수단

정답 ④

해설 이론은 검증을 받아야만 이론으로 인정된다. 이론이 받는 검증의 강도도 중요하지만, 검증을 위해서는 검증의 수단 또한 중요하다. 수단 없이 검증이 이루어질 수는 없기 때문이다. 즉, "이론이 반증되거나 확증되는 수단"이 중요한 것이다. 따라서 답은 ④이다.

03 Practice Test 정답 및 해설

01	④	02	③	03	③	04	④	05	④	06	④	07	③	08	①	09	①	10	③
11	④	12	②	13	②	14	③	15	④	16	②	17	④	18	④	19	①	20	②

01-02

많은 사람들은 미국의 실업률이 거의 8%에 도달하는데도 과학, 기술, 공학 및 수학 즉 STEM(융합인재교육) 등 일부 중요한 영역에서는 노동력이 여전히 부족하다는 사실에 깜짝 놀랄 것이다. 세계는 극적으로 변해 가는 데 비해, 우리는 이민정책을 지난 10년 넘게 개선하지 않았다. 고등교육을 받은 이민 인력들이 미국의 혁신을 선도해 왔기 때문에 이는 큰 문제이다. 이민자들이 미국 전체 과학자들의 24%를 차지하며, 석·박사 학위를 받은 엔지니어들 가운데 47%를 차지한다. 1998년부터 2006년 사이에 미국의 특허 신청을 보면 외국 출신자들의 신청건수가 7.3%에서 24.2%로 증가했다. 70만 명의 외국 학생들이 미국대학에서 학위를 받았는데, 왜 STEM 분야에 필요한 인력 5만 명에게 취업비자를 허가하지 않는 것인가? 이런 재능이 있는 사람들을 졸업 후에 받아들이지 않는 것은 우리의 세계적 경쟁력만을 약화시킬 뿐이다.

어휘
STEM – (미국식) 융합교육
competitiveness ⓝ 경쟁력
gutter ⓝ 밑바닥 삶, 시궁창
advanced degrees – 석·박사 학위
populate ⓥ 살다, 거주하다, 이주시키다

구문정리
With unemployment near 8 percent, many would be surprised that America runs labor shortages in several critical areas including in science, technology, engineering and math, or STEM.
많은 사람들은 미국의 실업률이 거의 8%에 도달하는데도 과학, 기술, 공학 및 수학 즉 STEM (융합인재교육) 등 일부 중요한 영역에서는 노동력이 여전히 부족하다는 사실에 깜짝 놀랄 것이다.

구조분석
be surprised that : ~에 대해 놀라다

With unemployment (전치사구+N) (near 8 percent,) (형용사구) many (S) would be (V) surprised (C) that (접속사) America (S′) runs (V′) labor shortages (O′) (in several critical areas) (형용사구) (including in science, technology, engineering and math, or STEM.) (형용사구)

01 이 글의 요지는 무엇인가?

① 외국 학생들이 계속해서 미국으로 쏟아져 들어오기 때문에, 이민에 대한 부정적인 태도가 증가한다.
② 미국의 대졸자들은 거의 모든 전문영역에서 뒤처진다.
③ 미국은 영향력을 증대하기 위하여 고도로 숙련된 졸업생들의 일부를 세계 각국으로 내보낼 필요가 있다.
④ 미국의 낡은 이민정책은 결국에는 국가에 피해를 줄 것이다.

정답 ④

해설 세계는 극적으로 변해 가는 데 비해, 우리는 이민정책을 지난 10년 넘게 개선하지 않았다며, 이에 대해 구체적으로 수치를 들어 설명하고 있다. 이러한 정책들이 미국에게 부정적인 영향을 끼치고 있다면서, 마지막 문장에 결론적으로 "이런 재능이 있는 사람들을 졸업 후에 받아들이지 않는 것은 우리의 세계적 경쟁력만을 약화시킬 뿐이다(Exporting this kind of talent after graduation only hurts our global competitiveness)"라고 적고 있다. 그러므로 정답은 ④가 된다.

---

02 다음 중 빈칸에 들어갈 적당한 것은?

① American Dream을 꿈꾸며 그들은 정착하려 노력했지만 헛되었다.
② 미국은 곧 과학자들로 넘쳐나는 나라가 될 것이다.
③ 고등교육을 받은 이민 인력들이 미국의 혁신을 선도해 왔기 때문에 이는 큰 문제이다.
④ 세상은 계속 변하고 있고, 미국은 밑바닥 삶으로 뒤처지고 있다.

정답 ③

해설 미국의 이민정책이 개선되지 않았다는 내용과 더불어 그런 점이 미국에게 어떤 영향을 끼치는지에 대한 뒷받침 문장이 나와야 한다. 뒤에 콜론(:)이 따라오기 때문에 뒷부분은 앞의 내용에 대한 부연이고, 이민자들이 미국 전체 과학자들의 24%를 차지하며, 석·박사 학위를 받은 엔지니어들 가운데 47%를 차지한다는 뒷문장의 내용을 추상적으로 표현해 줄 수 있는 내용이 앞에 나와야 하며, 정답은 ③이 된다.

03-05

국가는 대체적으로 무역을 통한 흑자 달성을 권장하는 정책을 입안하기 위해 노력한다. 국가는 이를 '무역수지 흑자(favorable trade balance)'라 하며, 그 이유는 국가 차원에서 이윤을 남기는 것과 마찬가지이기 때문이다. 여러분은 더 많이 팔기를 선호할 것이며, 이를 통해 더 많은 소득을 얻으면서 식구들에게 더 많은 자산을 안겨다 줄 수 있다. 이는 더 높은 생활수준으로 이어진다. 그 이유는 여러분의 사업은 모든 수출품을 제조하기 위한 전문성을 획득하여 경쟁 우위를 유지할 것이기 때문이다. 또한 여러분의 사업은 더 많은 종업원을 고용하여, 실업률을 줄이는 효과와 함께 여러분의 식구들이 얻을 소득도 더 많이 생산하는 효과를 낳을 것이다.
이러한 무역수지 흑자를 유지하고자 지도자들은 종종 무역 보호주의에 의지하곤 한다. 이들은 수입품에 관세, 할당, 보조금 등을 가해서 자국 산업을 보호한다. 이런 보호주의는 다른 국가가 보복을 가하여 자체적으로 관세를 매기기 전까지는 효과를 본다.
특별한 경우 무역수지 적자가 실제로는 무역수지 흑자인 경우도 있다. 이는 국가가 경기순환 사이클에서 어디에 위치하느냐에 따라 달려 있다. 예를 들어 홍콩은 무역수지 적자를 보지만 수입품 대부분은 원자재로 홍콩은 원자재를 완제품으로 가공해 재수출한다. 캐나다가 약간의 무역수지 적자를 보는 것은 자국의 경제 성장세가 강하기 때문이며, 강한 성장세 덕분에 캐나다 국민들은 다양한 수입품을 통해 가능해지는 높은 생활수준을 누리고 있다. 좀 더 어두운 측면을 보면, 루마니아의 전직 독재자 니콜라에 차우셰스쿠는 보호주의와 수입품에 돈을 쓰지 말고 절약하라고 국민들을 압박하는 방법을 통해 무역수지 흑자를 창조했다. 이러한 정책은 결국 그의 축출이라는 결과를 낳을 정도로 국민들의 생활수준을 낮추는 결과를 만들었다.

어휘 trade balance – 무역수지
sustain ⓥ 지속시키다, 유지하게 하다
expertise ⓝ 전문성
trade protectionism – 무역보호주의
quota ⓝ 할당
retaliate ⓥ 보복하다
eventually ⓐⓓⓥ 결국
suit ⓥ ~에게 좋다
translate ⓥ 뜻하다, 의미하다
competitive advantage – 경쟁 우위
resort to – ~에 의지하다
levy ⓥ 부과하다, 징수하다
subsidy ⓝ 보조금
slap on – ~에 세금[관세] 등을 가하다, 매기다
endorse ⓥ 지지하다, 보증하다
reverse ⓥ 반전시키다, 역전시키다

03 본문에 따르면 무역 보호주의가 일부 국가에 어떤 도움을 주는가?

① 일류제품의 가격을 높여서 그 나라가 더 많은 소득을 벌도록 한다.
② 무역 보호주의를 지지하는 정치인들을 위해 대형 산업체의 지원을 얻는다.
③ 외국기업들과의 경쟁으로부터 국내 산업을 보호한다.
④ 능력이 더 뛰어난 외국인 사업가들로부터 CEO의 일자리를 안전하게 보호한다.

정답 ③

해설 무역 보호주의는 “수입품에 관세, 할당, 보조금 등을 가해서 자국산업을 보호한다(protect domestic industries, by levying tariffs, quotas or subsidies on imports).” 따라서 답은 ③이다.

04 다음 중 사실이 아닌 것은 무엇인가?

① 홍콩은 수입된 원자재로부터 물품을 생산한 다음 국외로 판매한다.
② 무역 보호주의는 자국의 무역수지 흑자를 개선하거나 유지시키려는 국가 지도자들이 사용한다.
③ 캐나다는 건강한 경제 성장을 나타냈고 이는 결과적으로 캐나다 국민들에게 긍정적인 영향을 주었다.
④ 니콜라에 차우셰스쿠는 조국인 루마니아의 무역을 보호하기 위해 지위에서 물러나야 했다.

정답 ④

해설 니콜라에 차우셰스쿠는 스스로 물러난 것이 아니라 “축출(forced out)” 당했다. 따라서 답은 ④이다.

05 본문에서 유추할 수 있는 것은 무엇인가?

① 홍콩과 캐나다의 무역적자는 한 국가 입장에서는 이상적인 상황이다.
② 만일 모든 국가가 무역 보호주의를 추구한다면 모든 사람들의 삶의 질은 증가할 것이다.
③ 한 나라의 무역수지 흑자는 관련 모든 당사자들에게 좋은 일이다.
④ 홍콩은 자국의 무역 적자를 반전시키려는 노력을 기울이지 않았다.

정답 ④

해설 “홍콩은 무역수지 적자를 보지만 수입품 대부분은 원자재로 홍콩은 원자재를 완제품으로 가공해 재수출한다(Hong Kong has a trade deficit, but most of its imports are raw materials which it converts to finished goods and re-exports out).” 즉 홍콩은 무역수지 적자를 보고 있지만 실제로는 무역수지 흑자라 볼 수 있으므로 굳이 적자를 반전시켜 흑자를 볼 이유가 없다. 따라서 답은 ④이다. 참고로 국가가 경기순환 사이클에서 어디에 위치하느냐에 따라 무역수지 적자가 실제로는 무역수지 흑자인 경우도 있고, 이 대표적인 사례로 본문에서 홍콩과 캐나다를 들었다. 이러한 사례들은 특별한 경우이고 이를 두고 이상적인 상황이라고 할 수는 없다.

06-08

진보와 변화에 분노하는 것은 스스로를 다른 이의 비난의 표적으로 만드는 행위이다. 내 생각에 어떤 사람이 침대차의 구식 침상처럼 원시적이고 갑갑한 어떤 것을 옹호하는 이유를 설명해 보면 그 물건은 그 사람이 젊었던 시절과 어떤 관련이 있을 것이며 그 사람에게 있어 그 시절은 돌이켜 보면 행복한 시기였을 것으로 설명이 될 것이다. 진보와 개량을 지지하는 사람들은 더 이상 불편한 일을 겪지 않더라도 이미 충분히 힘든 시간을 보낸 사람들일 공산이 크다. 혁신에 볼멘소리를 내는 보수주의자들은 운이 좋고 부유한 감상주의자일 공산이 크다. 그러나 이 모든 것에도 불구하고 살아가면서 마주할 여러 개선 과정에는 언제나 미묘한 어려움이 존재하며, 즉 진보하는 과정에서 어두운 전망과 함께 오히려 퇴보할 가능성도 존재한다. 나는 내가 앉는 방을 방금 막 새롭게 단장했지만 때로는 작가가 사전 같은 것으로 작업실을 새 단장하거나 개선할 필요가 있을지 의심이 든다. 한 번 개선하기 시작하면 다른 것을 개선하게 되고 처음에 푹신한 의자가 생기면 다음에는 의자에 앉아 깊이 잠들게 된다. 사람의 일생 중 반 가량은 자신이 개선이라 부르는 것에 쏟게 된다. 하지만 원본에도 가치는 있다. 문제는 개선 과정에서 그런 가치를 잃게 된다는 것이다. 내가 이곳을 구입했을 때 훌륭한 천연의 샘이 흐르고 있었다. 옛날에는 우리가 마시는 물은 오리나무와 낙엽송이 자라는 습지에서 길어온 다음 양동이에 담아 날라야 했다. 그런 시절에 나는 그 샘에 종종 방문한 다음 개구리 · 멧도요 · 초원을 흐르는 시내를 휘젓고 올라와 깨끗한 샘물이라는 호사를 누리게 된 뱀장어 등과 친구가 되었다. 일반적인 개발 과정에 따라 그 샘은 한바탕 뒤집어졌고 콘크리트 경계석 · 구리 파이프 · 전기펌프 등이 설치되었다. 그때 이후 나는 그 샘에 한 번이나 두 번밖에 가지 않았다. 올해 내가 취한 행동은 순전히 의무적으로 주 보건국에 성분 분석을 위해 샘물의 샘플을 보낸 것밖에 없었다.

어휘
- **censure** ⓝ 비난, 견책, 책망
- **cramped** ⓐ 갑갑한
- **in retrospect** – 돌이켜 보면
- **pout at** – 볼멘소리를 내다
- **sentimentalist** ⓝ 감상주의자
- **degeneracy** ⓝ 퇴화, 퇴보; 타락
- **spring of water** – 샘물
- **alder** ⓝ 오리나무
- **eel** ⓝ 뱀장어
- **curb** ⓝ 경계석
- **rudimentary** ⓐ 원시적인
- **pullman berth** – 침대차의 구식침상
- **reactionary** ⓝ 보수주의자
- **well-heeled** ⓐ 부유한
- **refinement** ⓝ 개선 (과정)
- **stuffed chair** – 푹신한 의자
- **pail** ⓝ 양동이
- **tamarack** ⓝ 낙엽송
- **rock up** – 뒤집어지다
- **perfunctory** ⓐ 형식적인

구문정리 I have just been refining the room in which I sit, yet I sometimes doubt that a writer should refine or improve his workroom by so much as a dictionary : one thing leads to another and the first thing you know he has a stuffed chair and is fast asleep in it.

나는 내가 앉는 방을 방금 막 새롭게 단장했지만 때로는 작가가 사전 같은 것으로 작업실을 새 단장하거나 개선할 필요가 있을지 의심이 든다. 한 번 개선하기 시작하면 다른 것을 개선하게 되고 처음에 푹신한 의자가 생기면 다음에는 의자에 앉아 깊이 잠들게 된다.

구조분석 I(S) have just been refining(V(3형식)) the room(O) in which I sit, yet(등위접속사) I(S) sometimes doubt(V(3형식)) that(O) a writer(S′) should refine or improve(V′) his workroom(O′) (by so much as a dictionary:)(부사구) one thing(S) leads(V) to another and the first thing you know he has a stuffed chair and is fast asleep in it.(he 생략 / = a stuffed chair)

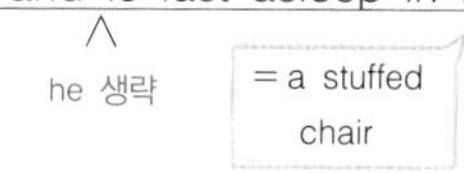

06 이 글에 따르면 저자가 진보와 변화에 대해 어떻게 느끼고 있는가?

① 저자는 진보와 변화에 우호적이다.
② 저자는 진보는 좋아하지만 변화는 싫어한다.
③ 저자는 진보와 변화에 대해 개방적이다.
④ 저자는 진보와 변화를 받아들이긴 하지만 완전히 동의하는 것은 아니다.

정답 ④

해설 글을 보면 저자는 진보와 개선을 받아들이며 필요한 것이라 인정하긴 하지만, 문제점에 대해서도 지적하고 있다. 이를 뒷받침하는 문장을 살펴보면 "개선 과정에는 언제나 미묘한 어려움이 존재하며, 즉 진보하는 과정에서 어두운 전망과 함께 오히려 퇴보할 가능성도 존재"한다거나 "원본에도 가치는 있다. 문제는 개선 과정에서 그런 가치를 잃게 된다."는 언급 등이다.

07 이 글에 따르면 다음 중 사실인 것은?

① 저자는 굉장히 부유한 사람이다.
② 세상에 변하지 않는 것들은 거의 없다.
③ 우리가 무언가를 좋아하게 만든 독특한 가치는 진보의 과정 속에서 사라진다.
④ 진보와 변화의 비용은 우리가 그럴 것이라 믿는 것보다 그 대가가 훨씬 크다.

정답 ③

해설 "사람의 일생 중 반 가량은 자신이 개선이라 부르는 것에 쏟게 된다. 하지만 원본에도 가치는 있다. 문제는 개선 과정에서 그런 가치를 잃게 된다는 것이다(Half a man's life is devoted to what he calls improvements, yet the original had some quality which is lost in the process)'를 근거로 보면 저자는 무언가의 독특한 가치는 개선되는 와중에 사라진다고 보고 있다. 참고로 ④의 경우 막연히 진보와 변화로 인한 희생의 대가가 크다는 것과 진보와 변화로 인하여 치르게 될 대가에 대하여 글 속에 정확하게 언급된 것은 아니다.

08 밑줄 친 것의 의미는?

① 대다수의 사람들은 진보와 변화를 좋아하므로, 이에 반대하는 사람들은 소외된다.
② 변화와 진보를 싫어하는 사람들은 그들의 의견을 표현하지 못하도록 방해받는다.
③ 사람들이 새로운 사상에 반대해서 목소리를 높였을 때 그들의 의견은 종종 묵살된다.
④ 변화에 반대하는 사람보다 변화를 좋아하는 사람들이 훨씬 많다.

정답 ①

해설 "진보와 변화에 분노하는 것은 스스로를 다른 이의 비난의 표적으로 만드는 행위"라는 뜻은 진보와 변화를 싫어하게 되면 진보와 변화를 원하는 측으로부터 비난을 받게 된다는 의미이다. 즉 ①처럼 대다수의 사람들은 진보와 변화를 좋아하므로, 이에 반대하는 사람들은 소외된다는 뜻이다.

09-11

소수민족이 전체 소비자 구매에서 차지하는 비중은 곧 30%로 늘어날 예정이다. 따라서 광고주들에게 소수민족이 점차 중요해지고 있음은 놀랄 일이 아니다. 경제지 Fortune이 선정한 1000대 기업 중 거의 반 가량이 어느 정도는 소수민족을 겨냥한 마케팅을 펼치고 있다. 그럼에도 불구하고, 소수자는 여전히 광고업계에서는 제대로 대접을 받지 못하고 있다. 미국 흑인들은 전체 노동인구의 10%가 넘지만 광고업계에서는 5%에 불과하다. 소수자는 또한 광고에서 제대로 대접을 받지 못하고 있다. 주요 잡지 광고에 등장하는 사람들의 87%는 백인이며, 흑인은 3%에 불과하고 대부분 운동선수나 음악인으로 등장한다. 히스패닉계나 아시안계 사람은 1%도 안 된다. 소수자의 구매력이 증가하면서 시장 세분화도 증가 중에 있다. 보편적인 대중을 목표로 한 대중 마케팅은 다문화 사회에서는 잘 먹히지 않고, 케이블TV · 인터넷 · 맞춤형 출판 · 직접 마케팅 등이 이 같은 세분화에 힘을 크게 보태고 있다. 물론 현재 우리가 광고에서 목격하는 다문화주의는 돈 때문이지 사회적 정의 때문은 아니다.

어휘
- **ethnic minority** – 소수민족
- **spending power** – 구매력
- **mass marketing** – 대중 마케팅
- **polarize** ⓥ 분열시키다
- **underrepresent** ⓥ 제대로 대접받지 않다
- **segmentation** ⓝ 세분화
- **custom publishing** – 맞춤형 출판
- **be short of** – 부족한, 못 미치는

구문정리 Mass marketing aimed at a universal audience doesn't work so well in a multicultural society, but cable television, the Internet, custom publishing, and direct marketing lend themselves very well to this segmentation.

보편적인 대중을 목표로 한 대중 마케팅은 다문화 사회에서는 잘 먹히지 않고, 케이블TV · 인터넷 · 맞춤형 출판 · 직접 마케팅 등이 이 같은 세분화에 힘을 크게 보태고 있다.

구조분석 Mass marketing (S) (aimed at a universal audience) [∧ that is 생략] doesn't work (V) so well in a multicultural society (부사구), but (등위접속사) cable television, the Internet, custom publishing, and direct marketing (S) lend (V) themselves (O) very well to this segmentation (부사구).

work : 효과 있다, 작동하다

09 이 글의 요지는 무엇인가?

① 광고에서 소수민족이 더욱더 많이 나와야 한다.
② 광고를 만들 때 흑인들을 고려할 필요는 없다.
③ 소수민족은 그들이 무시당했다는 것에 분노했다.
④ 인터넷은 다문화적 광고를 이끌고 있다.

정답 ①

해설 소수민족이 전체 소비자 구매에서 차지하는 비중이 커져 가지만, 소수자는 여전히 광고업계에서는 제대로 대접을 받지 못하고 있다. 그러므로 광고에서 더 많은 소수민족이 제대로 선보여야 한다는 글이다. 물론 이것이 소수민족을 향한 마케팅의 전략이라 하더라도 그래야 한다.

10 대중 마케팅에 대해서 추론할 수 있는 것은?

① 여러 문화에 걸쳐 소비자를 타깃으로 삼는 것은 훨씬 쉬워질 것이다.
② 다문화적 사회는 붕괴를 강요하고 있다.
③ 대중 마케팅은 소수민족이 부를 향유하게 되면서 더욱더 분열될 것이다.
④ 대중 마케팅은 소수민족에 아무런 효과가 없다.

정답 ③

해설 본문의 아래쪽에 근거가 명확히 나와 있다. "소수자의 구매력이 증가하면서 시장 세분화도 증가 중에 있다. 보편적인 대중을 목표로 한 대중 마케팅은 다문화 사회에서는 잘 먹히지 않고, 케이블TV · 인터넷 · 맞춤형 출판 · 직접 마케팅 등이 이 같은 세분화에 힘을 크게 보태고 있다(Mass marketing aimed at a universal audience doesn't work so well in a multicultural society, but cable television, the Internet, custom publishing, and direct marketing lend themselves very well to this segmentation)"를 참조하라.

11 다음 중 올바른 진술을 고르시오.

① 소수민족은 이미 소비자 구매의 절반을 차지하고 있다.
② Fortune지가 선정한 1000대 기업의 3/4가 인종적 마케팅을 하고 있다.
③ 주류 광고에서 흑인들만이 백인에 비해 드러나지 않고 있다.
④ 히스패닉은 흑인들보다도 광고에 덜 나온다.

정답 ④

해설 ①의 경우 곧 소비자 구매의 30%로 늘어날 예정이지 절반까지는 아니다. 그러므로 틀린 진술이다. ②는 "경제지 Fortune이 선정한 1,000대 기업 중 거의 반가량이 어느 정도는 소수민족을 겨냥한 마케팅을 펼치고 있다"고 하였으므로 틀렸다. ③의 경우 흑인뿐 아니라 히스패닉계나 아시안계 역시 마찬가지이므로 틀렸다. 하지만 ④의 경우 주요 잡지 광고에 등장하는 사람들의 87%는 백인이며, 흑인은 3%에 불과하고 대부분 운동선수나 음악인으로 등장한다. 히스패닉계나 아시안계 사람은 1%도 안 된다(Minorities are underrepresented in ads as well, about 87 percent of people in mainstream magazine ads are white, about 3 percent are African American, most likely appearing as athletes or musicians, and less than 1 percent are Hispanic or Asian)는 문장을 근거로 올바른 진술임을 알 수 있다.

12-14

맥소리 술집의 카운터는 자그마해서 대략 다섯 사람만 들어갈 수 있을 정도였고, 철재 파이프가 지주 역할을 하고 있었다. 카운터는 들어가면 바로 오른쪽에 위치했고, 왼쪽에는 팔걸이 의자가 일렬로 놓여 있었는데 뻣뻣한 등받이는 징두리 판자로 되어 있었다. 의자는 곧 무너질 것처럼 흔들거렸고 뚱뚱한 사람이 앉으면 숨을 쉴 때마다 새 신을 신을 때처럼 삐걱거리는 소리가 났다. 고객들은 앉을 생각뿐이었고 만약 빈 의자가 있다면 아무도 술집에서 서 있으려고 하지 않았다. 술집 중앙으로 가면 낡은 테이블이 열 맞춰 놓여 있었다. 테이블 위는 항상 쏟아진 에일 때문에 끈적였다. 술집 정 중앙에는 오뚝이같이 생긴 석탄난로가 있는데, 석탄 주입구는 운모로 만들었고 고가역에 있는 난로와 꼭 같이 생겼다. 켈리는 겨울 내내 난로를 매우 뜨겁게 덥혔다. 그는 "따뜻해질수록 술에 더 잘 취한다"고 말했다. 어떤 손님들은 에일에 향신료와 설탕을 섞어 데워 먹는 것을 좋아했다. 그래서 그들은 에일이 커피처럼 뜨거워질 때까지 난로 위에 머그잔을 올려놓았다. 미니라는 이름의 느긋한 성격의 고양이는 난로 옆 석탄통에서 잠을 잤다. 술집 마루 널은 뒤틀려 있었고, 여기 저기 구멍난 곳은 평평하게 핀 수프 캔으로 땜질을 했다. 뒷방은 창문 없는 다세대 주택과 마주하고 있었고, 방 안에는 세 개의 커다랗고 둥근 식당 테이블이 있다. 부엌은 이 방의 한 편에 위치해 있는데, 마이크는 가스레인지 주위에 병풍을 갖다 놓았고 그릇 · 냄비 · 식료품이 담긴 종이가방 등은 선반에 보관되었다.
마이크는 감자 껍질을 벗길 때면 일찍 온 손님과 입구 쪽 테이블에 앉아서 무릎에는 설거지통처럼 큰 통을 얹어 놓고선 껍질을 깎으며 대화를 나눴다. 맥소리 술집의 식사는 평범하고, 값싸며, 잘 조리되었다. 마이크의 특기는 굴라시, 프랑크푸르트 소시지와 독일식 김치인 사우어 크라프트, 볶은 양파를 얹은 햄버거 등이었다. 마이크는 술집에 걸린 흑판에 분필로 메뉴를 적었는데 요리 다섯 개 중 넷은 항상 이름이 잘못 적혔다. 웨이터는 없다. 점심 식사 시간에 만약 마이크가 너무 바빠서 손님을 상대할 수 없는 경우면 손님들이 직접 접시를 집은 다음에 레인지 위에 있는 그릇에서 음식을 마음대로 집어먹었다.

어휘
- **accommodate** ⓥ 수용하다
- **shore up** 돕다, 부양하다
- **squeak** ⓝ 삐걱거리는 소리
- **isinglass** ⓝ (광물) 운모
- **sluggish** ⓐ 느긋한
- **warped** ⓐ 뒤틀린
- **blind tenement** 창문 없는 다세대 주택
- **dishpan** ⓝ 설거지통
- **specialty** ⓝ 특기
- **saute** ⓥ 기름에 튀기다
- **ten elbows** 다섯 사람
- **rickety** ⓐ (부서질 듯) 흔들거리는
- **battered** ⓐ 낡은
- **mulled ale** 향신료와 설탕을 섞은 술
- **scuttle** ⓝ 석탄 통
- **flattened-out** ⓐ 평평하게 편
- **folding boudoir** 병풍
- **fare** ⓝ 식사
- **scribble** ⓥ 적다

12 다음 중 본문의 내용에 비추어 틀린 것은?

① 마이크는 고객들과 사이좋게 지내는 것을 좋아한다.
② 맥소리 술집에서 파는 음식 메뉴들은 고급이다.
③ 마이크는 고객들이 마음대로 먹도록 그들을 신뢰한다.
④ 이곳은 깨끗하거나 깔끔하지는 않다.

정답 ②

해설 "맥소리 술집의 식사는 평범하고, 값싸며, 잘 조리되었다(The fare in McSorley's is plain, cheap, and well cooked)"는 문장에서 보듯이 메뉴에 올라 있는 음식들은 비싸거나 고급 음식은 아니다.

13 밑줄 친 어구와 같은 의미는?

① 볶은 양파에 의하여 데워진
② 볶은 양파에 완전히 덮인
③ 볶은 양파와 함께 조리한
④ 볶은 양파와 함께 튀긴

정답 ②

해설 볶은 양파를 얹었다는 것은 볶은 양파에 완전히 덮여 있다는 것으로 볼 수 있다.

14 이 글에서 추론할 수 있는 것은?

① 마이크는 맥소리 술집에서 일하는 것을 싫어했으며, 떠날 시기를 찾고 있었다.
② 맥소리 술집의 손님들은 항상 바뀌었고, 어느 누구도 다시 오지 않았다.
③ 맥소리 술집은 수수하고 편안한 곳이었다.
④ 마이크는 맥소리 술집을 더 넓게 확장하고 싶어 한다.

정답 ③

해설 "마이크는 감자 껍질을 벗길 때면 일찍 온 손님과 입구 쪽 테이블에 앉아서 무릎에는 설거지통처럼 큰 통을 얹어 놓고선 껍질을 깎으며 대화를 나눴다"거나 웨이터도 없고, 점심 식사 시간에 너무 바쁘면 "손님들이 직접 접시를 집은 다음에 레인지 위에 있는 그릇에서 음식을 마음대로 집어먹었다(they grab plates and help themselves out of the pots on the range)"는 표현에서 보듯이 손님들이 편하게 식사하고 쉬다 갈 수 있는 그런 곳임을 알 수 있다.

15-17

처음 이 이론을 제시한 학자의 이름을 따서 지어진 베블렌 효과는 비이성적 소비의 한 형태이다. 베블렌 효과는 수요에 미치는 세 가지 "비함수적" 외부 효과 중 가장 복잡한 것으로, 소비자의 사회적 또는 심리적 행동에 영향을 준다. 베블렌 효과를 간단히 요약해 보면 소비자의 어떤 특정 제품에 대한 수요(또는 소비)가 가격이 올랐음에도 증가하는 경우라 할 수 있다. 이 현상은 합리적 행동을 말하는 전통적인 이론에 반하는 것이다. 하지만 소비자는 그 제품은 가격이 높더라도 효용성이 높을 것으로 인식하고 있다. 예를 들어 가게 안에 비슷한 신발 두 짝이 있다고 가정해 보자. 두 짝의 신발은 거의 동일하지만 단 한 가지 차이점은 한 짝의 신발에 "마이클 조단"의 심벌이 작게 박혀 있다는 것이다. 또한 심벌이 박힌 신발 한 짝이 (박히지 않은) 비슷한 신발 한 짝보다 엄청나게 높은 가격을 갖고 있다. "마이클 조단"의 심벌이 박힌 신발을 산 소비자가 베블렌 효과를 보여 주고 있는 것이다. 소비자들은 실질적으로 동일한 제품에 훨씬 더 높은 가격을 기꺼이 지불하려고 하며, 그 이유는 더 높은 효용성을 얻을 수 있을 것이라 생각하기 때문이다. 이는 오직 하나의 예일 뿐이고, 소비자들이 "멋진" 제품을 보유하여 더 높은 효용성을 얻기를 원하기 때문에 제품에 돈을 과하게 쓰는 사례는 훨씬 더 많을 것이다. 이러한 소비는 비이성적인 소비이고, 자신이 더 비싼 제품을 갖고 있다고 "과시하고" 싶어 하는 사람들로 인해 활성화된다. 비록 그 비싼 제품이 훨씬 싼 제품과 동일한 기능을 갖더라도 말이다.

어휘 **come up with** – 생각해 내다, 제안하다
irrational consumption – 비이성적 소비
external effect – 외부 효과
utility ⓝ 효용성
spur ⓥ 자극하다, 활성화하다
show off – 과시하다
intrinsic ⓐ 고유한, 본질적인
intangible ⓐ 무형의

15 이 글의 목적은 무엇인가?

① 가장 싼 가격의 물건을 사야 하는 이유를 설명하기 위하여
② 독자들에게 그들의 비합리적인 소비에 대해 알리기 위하여
③ 심지어 임의적으로 보이는 것이라도 모든 것에는 논리가 있다는 것을 보이기 위하여
④ 어떻게 비합리적인 소비가 합리적으로 설명될 수 있는지를 설명하기 위하여

정답 ④
해설 베블렌 효과는 "소비자의 어떤 특정 제품에 대한 수요(또는 소비)가 가격이 올랐음에도 증가하는 경우"로, 이 현상은 합리적 행동을 말하는 전통적인 이론에 반하는 것이다. 이러한 비이성적 소비를 합리적으로 이론화한 베블렌 효과에 설명하는 것이므로, 정답은 ④가 된다.

16 이 글에 따르면 다음 중 올바른 진술은?

① 사람들은 항상 소비 관행과 더불어 비합리적인 것을 할 것이다.
② 사람들은 만약 그들이 느끼기에 물건들이 고유한 가치를 가지고 있다면 그것을 살 것이다.
③ 일단 베블렌 효과에 대하여 인식하게 되면, 사람들은 비합리적인 구매를 하지 않을 것이다.
④ 사람들은 베블렌이 제안한 제안된 가설에 대해서 거의 지지하지 않았다.

정답 ②

해설 사람들은 제품의 질이 동일하더라도 더 높은 효용성을 얻을 수 있다면 더 높은 가격을 기꺼이 지불할 것이다. 더불어 사람들은 자신이 더 비싼 제품을 갖고 있다고 "과시하고" 싶어 하기 때문에 이러한 비이성적인 소비는 활성화되는 것이다. 그러므로 사람들이 느끼기에 그 제품이 고유한 가치가 있고 효용성이 높으면 더 높은 가격이라도 기꺼이 지불할 것이다.

---

17 이 글에 따르면 왜 사람들은 비합리적으로 소비하는가?

① 사람들은 최고의 것을 가지기 원한다.
② 사람들은 두 개의 제품이 품질이 동일하다고 생각하지 않는다.
③ 사람들은 가능할 때마다 더 많은 돈을 쓰기를 원한다.
④ 사람들은 그들이 사는 제품이 다른 제품들이 가지지 못한 무형의 가치를 지닌다고 생각하기 때문이다.

정답 ④

해설 "소비자들은 실질적으로 동일한 제품에 훨씬 더 높은 가격을 기꺼이 지불하려고 하며, 그 이유는 더 높은 효용성을 얻을 수 있을 것이라 생각하기 때문(They are willing to pay a much higher price for essentially the same product, because they think they will get a higher utility)"에 비록 그 비싼 제품이 훨씬 싼 제품과 동일한 기능을 갖더라도 비합리적으로 소비하는 것이다. 참고로 ②의 경우 사람들은 품질은 동일하다 하더라도 가치가 다르다고 생각하기 때문이며, 품질 자체가 다르기 때문에 비합리적으로 소비하는 것은 아니다.

18-20

자궁 내에서든 시험관 안에서든 기적과 같은 수정 사례는 제쳐 놓고 보면, 최근까지는 남성의 정자가 여성의 난자에 접하는 순간이 인간이 생명을 갖게 된 계기로 보았다. 정자가 난자에 접하면 난자가 분열 또는 배우자 합체의 과정을 밟기 시작하며, 이 과정에서는 보통 정자와 난자의 유전물질이 결합되고 조합된다. 인간 역사 대부분의 기간 동안 난자의 수정은 성관계라는 방법을 통해 일어났다. 최근에는 생식기술의 진보를 통해 시험관에서, 다시 말하면 인간 몸 밖에서 난자에 정자를 직접적으로 주입하는 방식으로 인간의 생명이 시작되도록 하는 것이 가능해졌다. 수정된 난자는 이후 자궁 안에 착상되기 전에 일정 기간 동안 성장하고, 착상 이후 정상적인 성장 및 발달 과정이 자궁 내에서 시작된다. 인간의 난세포가 정자세포에 의해 처음 수정되지 않고도 분열을 시작하도록 하는 것도 가능해졌다. 단위생식으로 불리는 이 과정은 많은 식물이나 곤충에서 자연적으로 일어난다. 포유류의 난자에 전기나 화학 물질로 자극을 가해 단위생식을 유도할 수 있다. 단위생식이 일어나 인간의 생명이 시작된 시점에서 보면, 단위생식을 거친 배아는 자극 이전에 난자의 핵에 함유된 유전 물질만 보유한다.

어휘
- **in utero** – 자궁 내 수정
- **in vitro** – 시험관 내 수정
- **syngamy** ⓝ 배우자 합체, 유성생식
- **fertilization** ⓝ 수정
- **sexual intercourse** – 성관계
- **reproductive** ⓐ 생식의
- **initiate** ⓥ 시작하다
- **egg cell** – 난세포
- **sperm cell** – 정자세포
- **parthenogenesis** ⓝ 단위생식
- **mammalian** ⓐ 포유류의
- **nucleus** ⓝ 핵

구문 정리 The introduction of the sperm initiates a process by which the egg then begins the process of division — syngamy — normally incorporating and combining genetic material from both the egg and sperm.
정자가 난자에 접하면 난자가 분열 또는 배우자 합체의 과정을 밟기 시작하며, 이 과정에서는 보통 정자와 난자의 유전 물질이 결합되고 조합된다.

구조 분석 The introduction of the sperm (S) initiates (V) a process (O, 선행사) by which (그 과정에 의해서) the egg (S′) then begins (V′) the process of division (O′) — syngamy — normally incorporating and combining (현재분사구문(타동사 + -ing)) genetic material (목적어) (from both the egg and sperm.) (형용사구)

18 가장 좋은 제목은 무엇인가?

① 생식, 과거와 지금
② 아이를 낳는 방법
③ 어떻게 자손을 낳는지
④ 오늘날의 생식 방법

정답 ④

해설 과거의 방법을 현재의 방법과 동일선상에서 소개하는 것이 아니라, 과거의 경우는 현재의 생식 방법을 소개하면서 덧붙여 과거는 어떠하였는지를 언급한 것이다. 그러므로 글의 무게 중심이 과거와 현재의 생식 방법 모두에 동일하게 놓인 것이 아니라, 현재의 생식 방법에 대한 내용에 무게가 쏠려 있다. 즉 오늘날의 새로운 생식 방법을 소개하고 서술하고 있다.

19 이 글에서 추론할 수 있는 것은?

① 생식 방법에 대한 많은 일과 연구가 행해졌다.
② 많은 사람들은 현재 시험관 아기를 낳는 것을 선택한다.
③ 미혼인 경우를 제외하고 체외수정(시험관 수정)을 이용할 이유가 없다.
④ 필요한 경우에는 모든 종에서 수많은 단위생식 방법들이 사용될 수 있다.

정답 ①

해설 수많은 연구를 통해서 체외수정이 가능해졌다는 것을 글의 흐름에서 살펴볼 수 있다. 하지만 요즘이라고 해서 무조건 체외수정을 하는 것이 아니고, 모든 종에서 수많은 단위생식 방법이 있다는 것 역시 근거가 없다.

20 다음 중 본문의 내용과 다른 것은?

① 체외수정은 수정의 대안이 되는 방법이다.
② 단위생식은 인간의 정상적인 생식 방법이다.
③ 시험관 수정은 인간의 자연스런 생식 방법이다.
④ 심지어 배우자가 없더라도 인간의 생식에 이용되는 여러 가지 방법이 있다.

정답 ②

해설 단위생식이란 "인간의 난세포가 정자세포에 의해 처음 수정되지 않고도 분열을 시작하도록 하는 것(to cause the egg cells of human beings to begin dividing without first being fertilised by a sperm cell)"으로 이 과정은 많은 식물이나 곤충에서 자연적으로 일어나는 것으로 인간에게는 자연스런 방식은 아니었다.

04 Practice Test 정답 및 해설

01	③	02	①	03	②	04	③	05	④	06	②	07	③	08	②	09	④	10	②
11	①	12	③	13	③	14	④	15	③	16	①	17	④	18	③	19	①	20	④

01-03

특수 상대성 이론이란 무엇인가? 이 이론은 두 가지의 핵심 개념에 기반을 둔다. 첫 번째로, 자연 세계는 "우선권을 지닌" 기준틀을 허용하지 않는다. 어느 하나의 물체가 일정한 속도로 (즉 가속 없이) 직선으로 이동하는 한, 물리학 법칙은 모두에게 동등하다. 이는 당신이 열차에 탑승하여 열차 안에서 차창 밖을 보니 인접한 열차가 움직이는 것처럼 보이는 것과 같은데, 실제 움직이는 것은 인접한 열차일까 아니면 열차에 탑승한 당신일까? 이를 구분하기는 힘들 수 있다. 아인슈타인(Einstein)은 만일 운동이 완벽하게 균일하다면, 이를 구분하기란 정말로 불가능하다는 것을 인식했고, 이를 물리학의 중심 원리로 파악했다. 두 번째로, 빛은 초당 186,000마일이라는 불변의 속도로 이동한다. 관찰자가 아무리 빨리 움직인다 한들 또는 빛을 방출하는 물체가 아무리 빨리 움직인다 한들, 빛의 속도를 측정하면 항상 동일한 결과가 나온다. 이 두 가지 상정된 사항을 기반으로, 아인슈타인은 공간과 시간은 과학자들이 전에 깨닫지 못한 방식으로 서로 밀접하게 관련되어 있음을 나타냈다. 일련의 사고 실험을 통해 아인슈타인은 특수 상대성 이론의 결과는 종종 직관에 반한다는 것을, 심지어는 놀라울 정도임을 입증했다. 예를 들어 만일 당신이 로켓을 타고 아주 빨리 움직이면서 동일하지만 보다 천천히 움직이는 로켓 안에 탄 친구를 지나쳤을 경우, 당신은 친구의 시계가 당신의 시계에 비해 보다 천천히 움직이는 모습을 볼 수 있다 (물리학자들은 이를 "시간 지체(time dilation)"라 한다). 더군다나, 친구가 탄 로켓은 당신이 탄 것보다 길이가 짧아 보일 것이다. 당신이 탄 로켓이 속도를 높일 경우, 당신의 질량과 로켓의 질량이 증가한다. 당신이 빨리 움직일수록, 사물은 더욱 무거워지고, 당신이 탄 로켓은 더 빨리 움직이려는 당신의 노력에 저항할 것이다. 아인슈타인은 질량을 보유한 것은 빛의 속도에 도달할 수 없음을 보여줬다.

어휘
- **special relativity** – 특수 상대성 이론
- **frame of reference** – 기준틀, 준거틀
- **adjacent** ⓐ 인접한, 가까운
- **unvarying** ⓐ 변함없는, 불변의
- **postulate** ⓝ 상정, 가정
- **counterintuitive** ⓐ 반 직관적인, 직관에 어긋나는
- **invariably** (adv) 언제나, 변함없이
- **privileged** ⓐ 우선권을 지닌, 특권을 가진
- **acceleration** ⓝ 가속(도)
- **literally** (adv) 말 그대로, 정말로
- **measurement** ⓝ 측정, 측량
- **intertwine** ⓥ 밀접하게 관련되다, 엮이다
- **zoom** ⓥ (아주 빨리) 붕[쌩/휭] 하고 가다

01 본문의 주제는 무엇인가?

① 아인슈타인의 빛의 속도 발견
② 속도와 관련된 물리학 법칙
③ 특수 상대성 이론의 핵심 개념
④ 인간의 과학에 대한 영향력 부재

정답 ③
해설 본문은 특수 상대성 이론이 무엇인지 핵심 개념을 설명하고 있다. 따라서 답은 ③이다.

02 다음 문장들의 순서를 논리적으로 알맞게 고르시오.

① [B] – [C] – [A] – [D]
② [C] – [B] – [A] – [D]
③ [C] – [A] – [D] – [B]
④ [B] – [D] – [A] – [C]

정답 ①
해설 [A]는 앞의 내용에 무언가를 덧붙여서(What's more) 쓰는 것이므로, 본문의 앞부분과 연결된 것이 아니라면 맨 처음에 나올 내용은 아니며, [C]의 경우는 'for example'을 근거로 보면 앞부분에 추상적인 이론이나 원리가 나오고 그에 대해 나오는 예시임을 알 수 있다. [D]는 앞의 실험을 바탕으로 일반화시켰으므로 출발점은 아니다. 그러므로 정답은 아인슈타인이 사고실험의 결과로 직관에 반하는 것을 알아냈고, 그에 대한 예시와 부연이 나오고, 마지막에 일반화된 내용이 나오는 ①이 정답이다.

03 빈칸에 들어갈 가장 알맞은 것은 무엇인가?

① 시간과 공간은 과거 생각했던 것처럼 서로 밀접히 관련된 것은 아니다
② 질량을 보유한 것은 빛의 속도에 도달할 수 없다
③ 이전에 등장한 다른 모든 이론은 틀렸다
④ 빛의 속도는 더 빨리 움직이지 않는 한 바뀌지 않는다

정답 ②
해설 특수 상대성 이론에 따르면 "당신이 빨리 움직일수록, 사물은 더욱 무거워지고, 당신이 탄 로켓은 더 빨리 움직이려는 당신의 노력에 저항할 것이다." 이에 따르면 만일 빛에 속도에 가까워질 정도로 빨리 움직인다면 사물은 한없이 무거워질 것이다. 즉 질량이 약간이라도 있다면 결국 빠르면 빠를수록 계속 무거워질 것이며 빛의 속도에 가까워질수록 계속 무거워지기 때문에, "질량을 보유한 것은" 한없이 무거워질 것이므로 "빛의 속도에 도달할 수 없다"는 결론이 나온다. 따라서 답은 ②이다.

04-05

돈이 다는 아니다. 이것이 바로 유엔의 인간개발지수(Human Development Index)의 배경이 되는 사상이다. 인간개발지수는 소득, 기대 수명, 교육 등을 측정하여 하나의 개발지수로 포함시키며, 이 지수는 한 국가의 현황에 관해 전체적으로 파악할 수 있게끔 고안되었다. 오늘 인간개발지수의 최신판이 발표되었으며, 이는 지난 25년 동안 얼마만큼의 발전이 이루어졌는지 기록할 수 있는 좋은 기회가 된다. 르완다가 가장 큰 폭으로 발전했고 이는 1994년 벌어진 집단 학살 동안 하락했던 개발지수와 비교하면 매우 인상적인 결과이다. 르완다 사람들은 이제 1990년에 비해 수명이 32년 더 늘어났고 학교에 쓰는 비용이 두 배 늘어났다. 중국은 두 번째로 크게 발전했다. 중국의 현재 지수는 1990년 한국의 지수와 대략 동일하다. 다행인 점은 관련 데이터가 완비된 142개 국가들 가운데 AIDS로 인해 엄청난 피해를 입은 스와질란드를 제외하고 모두가 25년 전에 비해 더 큰 발전을 기록했다. (에티오피아와 소말리아 같은 몇몇 국가의 경우엔 데이터에 빠진 부분이 존재한다.)

어휘
- incorporate ⓥ 포함하다
- holistic ⓐ 전체론적인, 전체적인
- impressive ⓐ 인상적인, 감명 깊은
- roughly ⓐⓓ 대략, 거의
- devastated ⓐ 엄청난 충격을 받은[피해를 입은]
- equation ⓝ 방정식, 등식
- hark back to – ~을 상기하다[떠올리다/기억하다]
- curtail ⓥ 삭감[단축/축소]시키다
- staunchly ⓐⓓ 확고하게, 견고하게
- turn around – 호전하다, 호전시키다
- life expectancy – 기대 수명
- chart ⓥ (도표로) 만들다[기록하다]
- genocide ⓝ 집단[종족] 학살
- happily ⓐⓓ 다행히, 운 좋게도
- prosperity ⓝ 번영, 번성
- entirely ⓐⓓ 전적으로, 완전히, 전부
- fondly ⓐⓓ 애정을 듬뿍 담아, 허황되게
- at the forefront of – ~의 선두에 선
- drastically ⓐⓓ 극단적으로, 철저하게

04 유엔의 인간개발지수는 어떤 점에서 다른가?

① 전통적으로 바닥에 위치한 국가들을 고무시키는 데 그 목적이 있다.
② 돈과 관계없이 국가의 행복 지수를 밝히도록 고안되었다.
③ 단순히 부유해지는 것 이외의 다른 방식을 통해 국가가 이루는 발전 정도를 측정한다.
④ 발전 정도를 측정하기 위해 등식으로부터 경제적 번영 부분을 제외시킨다.

정답 ③

해설 유엔 인간개발지수의 기본 바탕이 되는 사상은 '돈이 다가 아니다'이며 여기서 단순히 경제력만이 한 국가의 발달 상황을 전체적으로 파악할 수 있는 요소는 아님을 알 수 있다. 그래서 유엔 인간개발지수는 소득, 기대 수명, 교육 등 여러 요소를 감안하여 국가의 현황을 파악하고 있다. 바로 이 점이 다른 지수와 유엔의 인간개발지수와의 차이점이다. 따라서 답은 ③이다.

05 르완다가 인상적인 결과를 낳은 이유는 무엇인가?

① 국내에 여전히 1994년의 내전을 떠올리면서 발전이 꺾였던 시기를 애정을 담아 기억하는 세력이 존재한다.
② 르완다는 내전 직전에 발전의 선두에 서 있었지만 1994년 이후 바닥으로 추락했다.
③ 1994년의 내전은 확고하게 보수적이고 종교적인 국가였던 르완다에서 어떠한 발전도 이루어지지 못하게 차단하려는 시도였다.
④ 1994년의 내전 동안 르완다의 국가적 발전은 철저하게 무너졌지만 이후 르완다는 다시금 상황을 호전시켰다.

정답 ④

해설 르완다는 인간개발지수 최신판에 따르면 1994년 내전 당시와 비교해 가장 큰 폭으로 인간개발지수가 상승한 국가이다. 인간개발지수가 상승했다는 것은 소득, 기대 수명, 교육 등에서 상승이 있었음을 의미하며 본문에서 수명 및 교육비의 증가(32년 및 두 배)를 그 예로 제시했다. 즉 르완다는 내전 이후 상황을 상당히 호전시킨 국가이다. 따라서 답은 ④이다.

06-07

언어학자들이 여러 언어에서 유사한 언어적 도구를 발견했다고 주장했다면 이는 학자들이 언어에 주어가 있을 것으로 예상한 다음 처음으로 등장하는 영어의 주어와 유사하다고 생각되는 구문을 '주어'로 명명했기 때문만은 아니다. 그보다는 만약 한 언어를 처음으로 조사한 언어학자가 영어의 주어를 구분할 때 사용되는 단일 기준을 활용해 한 구문을 '주어'라 부른다면, 다시 말해 동작동사의 행위자로서의 역할을 의미하는 것을 주어라 한다면, 그 언어학자는 '동사는 인칭과 수에 일치하고 위치는 목적어 앞이다' 등의 다른 기준도 해당 구문에 적용된다는 것을 곧 발견할 것이다. 이처럼 여러 언어에 적용 가능한 언어학적 요소의 특징 간의 상관관계 때문에 아바자어에서 지리안어에 이르기까지 모든 언어에서 주어와 목적어, 명사와 동사, 조동사와 어형 변화 등에 관해 논하는 것이 과학적으로 의미를 갖게 되는 것이다.

어휘
gadget ⓝ 도구
denote ⓥ 의미하다, 나타내다
person and number – 인칭과 수
inflection ⓝ 어형변화
subject ⓝ 주어
agent ⓝ 행위자
auxiliary ⓝ 조동사

06 이 글의 요지는 무엇인가?

① 언어는 단어들의 복잡한 구조화된 시스템이다.
② 언어를 통해 언어학적 특징 가운데 상관관계를 탐구하는 것은 의미있는 일이다.
③ 인간의 언어는 다른 형태의 의사소통 수단과 비교해 볼 때 독특하다.
④ 언어적 구조에 대한 연구는 어렵고 과학적인 작업이다.

정답 ②

해설 "여러 언어에 적용 가능한 언어학적 요소의 특징 간의 상관관계 때문에 ~에 관해 논하는 것이 과학적으로 의미를 갖게 되는 것(It is these correlations among the properties of a linguistic thing across languages that make it scientifically meaningful to talk about ~)" 부분이 글의 핵심이다.

07 빈칸에 들어갈 알맞은 것은?

① 그럼에도 불구하고
② 그러므로
③ 그보다는
④ 그렇지만

정답 ③
해설 A가 아니고 그보다는 B라는 핵심정보를 전하기 위하여, not A but B의 구문을 두 문장을 이용해서 '(1문장) ~ not A ~ (2문장) Rather, B ~'의 두 문장으로 나타낸 것이다. 즉 'it is not just because ~. Rather, if ~.'의 형태이다.

08-10

우리는 남아 선호 · 여아 실종 · 성 감별 등의 문제는 중국이나 인도의 문제라고 부르려 하지만 실제로는 여기 미국에서도 존재한다. 미국에서 성 감별 행위가 어느 정도로 벌어지는지는 추정하기 어려운데, 그 이유는 사람들이 이러한 행위를 인정할 리가 거의 없기 때문이다. 하지만 우리는 예상 성비의 변화를 관측하여 추측해 볼 수는 있다. 만약 자연 상태 그대로라면 여성은 남아 102인에서 106인당 여아 100인을 낳게 된다(이는 여아 1인당 남아 1.02에서 1.06인의 비율이다). 그리고 미국에서 첫 아이를 낳는 부모들의 경우 위의 비율이 그대로 나타난다. 하지만 출생 순위가 올라갈수록 감별 행위 역시 최소한 특정 민족 집단 내에서는 명백하게 증가한다. 2000년 미국 인구조사 데이터에 따르면 한국 · 중국 · 인도인 공동체를 조사한 연구 결과로는 부모가 첫째로 딸을 낳으면 다음 아이가 태어날 때 여아 1인당 많으면 남아 1.17인이 태어났다. 집에 딸이 둘 있다면 셋째의 경우 여아 1인당 남아 1.51인으로 올라갔다. (이는 여아 100인당 남아 151인이 태어난다는 의미이다.) 이런 왜곡된 비율은 미국 내 다른 민족 집단 내에서는 존재하지 않는다.
실제로 성 감별은 더 많은 아들을 의미한다(= 아들을 얻기 위해 행해진다). 대부분의 문화권에서 남아 선호는 존재한다. 동기는 경제적일 수도(왜냐하면 아들은 더 많은 수익을 거둘 가능성이 있으므로), 종교적일 수도(왜냐하면 아들이 제사를 지내니까), 사회적일 수도(왜냐하면 아들이 사회적 지위를 부여하니까), 위 모든 이유를 마구잡이로 섞어 놓은 것일 수도 있는데, 어쨌든 남아 선호는 곧 부모가 되는 상황에서 예전에 바꿀 수 없는 것들을 제어할 수 있게 되었다는 욕구에 불을 붙인다. 성별 선호는 분명히 문제가 된다. 선호 행위는 남아와 여아가 생물학적으로 할 수 있는 것과 앞으로 갖게 될 모습에 한계가 있다는 잘못된 생각에 빠진 끝에 생겨난다. 아들을 갖기를 몹시 바라는 사람은 아들이 헤어 디자이너가 될 것이라고는 생각도 하지 않을 것이다. 마찬가지로 딸에게 바라는 것은 야구를 하는 것이 아니라 공주 놀이를 하는 것일 것이다. 게다가 특정한 성별의 아이를 필사적으로 원하는 것은 우리로 하여금 두 개의 성이 존재한다는 생각을 갖게 만들고 이를 영구적인 것으로 만든다.
아시아계 미국인들을 대상으로 한 우리의 여론조사 · 개별 인터뷰 · 포커스 그룹 등을 통한 응답에 따르면 성별 선호는 미국에서 살아 있다. 응답자는 전반적으로 미국에서 성 감별을 직접 경험한 적은 없지만 96%는 부모가 남아와 여아를 다르게 취급하며, 남아가 훨씬 더 나은 대우를 받는다고 생각했다. 성 감별은 한 응답자의 표현을 빌자면 남아 선호의 조작적 정의로 볼 수 있지만, 선호가 최우선 고려사항이고 해결되지 않은 상태로 남겨 두면 아무것도 얻지 못한다.

어휘 **preference** ⓝ 선호
selective ⓐ 선택적인, 고르는
alteration ⓝ 변화
birth order – 출생 순위
skewed ⓐ 편향된, 왜곡된
unalterable ⓐ 바꿀 수 없는
adherence ⓝ 집착, 고수, 지지
fallacy ⓝ 오류, 잘못된 생각
label ⓥ ~로 분류하다, ~로 부르다
educated guess – 경험에서 우러난 추측, 짐작음
sex ratio – 성비
apparently (adv) 명백하게
confer ⓥ 수여하다, 부여하다
impending ⓐ 곧 닥칠, 임박한
lust after – ~에 강한 욕망을 느끼다
perpetuate ⓥ 영속시키다, 영구화하다
focus group – 포커스 그룹(시장 조사나 여론 조사를 위해 각 계층을 대표하도록 뽑은 소수의 사람들로 이뤄진 그룹)
first-hand ⓐ 직접 경험한
unaddressed ⓐ 해결되지 않은
prevalence ⓝ 널리 퍼짐, 보급
in practice – 실제로는
in all honesty – 솔직히 말해서
operationalization ⓝ 조작화, 조작적 정의
go nowhere – 아무 성과를 못보다
envisage ⓥ 예상하다, 상상하다
in theory – 이론적으로
in sincerity – 진정으로

구문정리 Sex selection may be, to paraphrase one respondent, the operationalization of son preference, but the preference came first — and left unaddressed, isn't going anywhere.
성감별은 한 응답자의 표현을 빌자면 남아선호의 조작적 정의로 볼 수 있지만, 선호가 최우선 고려사항이고 해결되지 않은 상태로 남겨 두면 아무것도 얻지 못한다.

구조분석 Sex selection(S) may be(V), to paraphrase one respondent(독립부정사 cf. to speak frankly : 솔직히 말해서), the operationalization(C) (of son preference,)(형용사구) but(등위접속사) the preference(S) came(V) first(부사) — and(접속사) ∧((Being)이 생략) left unaddressed(과거분사구문), isn't going anywhere.

---

08 본문의 주제는 무엇인가?

① 성감별은 미국 내 거의 모든 공동체에서 감소 중이다.
② 현재 미국에서 성감별이 널리 확산되었다.
③ 남아와 여아의 서로 다른 능력
④ 남아와 여아는 다른 방식으로 양육되어야 한다.

정답 ②
해설 본문은 일반적인 인식과는 달리 미국 내에서 성감별이 확산되어 있다는 사실을 말한 다음 그 원인에는 무엇이 있는지를 설명하고 있다. 따라서 답은 ②이다.

09 **본문에서 유추할 수 있는 것은 무엇인가?**

① 공동체가 널리 확산되는 것은 조사 대상이 된다.
② 점차 여아가 남아보다 더 평등하게 대우받고 있다.
③ 성감별은 미국에서 존재하지 않으며 오직 중국과 인도에서만 존재한다.
④ 모든 부부가 동일한 이유를 갖고 남아를 선호하는 것은 아니다.

정답 ④
해설 본문에 따르면 남아 선호의 이유에 관해 '경제적(economic)', '종교적(religious)', '사회적(social)' 이유와, 그 외 이런 저런 혼합된 이유를 들고 있다. 즉 남아 선호의 이유는 다양하다는 것을 알 수 있다. 따라서 답은 ④이다.

10 **다음 중 밑줄 친 부분과 의미상 가장 가까운 것은 무엇인가?**

① 남아는 부모가 무엇을 원하든 상관없이 헤어 디자이너가 되고 싶어 하지 않는다.
② 아들을 원하는 사람들은 아들이 미래에 직업으로 헤어 디자이너가 될 것이라고는 상상하지 않는다.
③ 만약 헤어 디자이너가 될 생각이라면 아들을 그에 맞춰 키워야 한다.
④ 헤어 디자이너가 된 사람들은 어렸을 때 자신이 헤어 디자이너라는 경력을 밟을 것에 관해 생각해 본 적이 없다.

정답 ②
해설 밑줄 친 부분의 의미는 '아들을 갖기를 몹시 바라는 사람은 아들이 헤어 디자이너가 될 것이라고는 생각도 하지 않을 것이다'이다. 이는 즉 아들을 키우고 싶은 사람들은 아들이 헤어 디자이너가 되는 것을 원하지 않을 것이라는 의미이다. 따라서 답은 ②이다.

11-12

일본어는 문화적인 것을 영어로 옮기기 힘든 사례가 많이 존재하는 언어이다. 예를 들어 일본어에서는 만약 이름을 언급하지 않고 피할 수 있는 방법이 있다면 이름을 사용하지 않는 사례가 종종 있다. 혈연관계를 나타내는 호칭이나 직업이 이름 대신에 사람을 지칭하는 용도로 빈번하게 사용된다. 미국에서 영어를 배우는 일본인은 교사를 "선생님"이라 부르는 대신에 교사의 이름을 직접 부른다는 생각에 문화적 충격을 맛볼 수 있다. 이러한 경우는 (개인의 세계관은 모국어에 의해서 결정된다고 하는 설인) 워프의 가설이 문화적으로 드러난 경우로 볼 수 있다.
문화와 언어는 매우 긴밀하게 얽혀 있어서 새로운 언어를 배우려면 새로운 문화를 배워야 하고 따라서 세상을 보는 새로운 방식을 배워야 한다. 재미있는 점은 일본의 몇몇 영어 교사들은 수업시간에 이러한 영어의 문화적 규범을 사용하지 않는데, 그 이유는 학생들을 다른 문화에 노출시키면 문화적 충격을 받을 것이라고 믿기 때문이다.
따라서 일본에서 "남자 형제(brother)"라는 단어는 "형(elder/older)"과 "동생(younger)"이란 단어와 조합해 학습이 이루어지며, 이 단어를 배운 후 보면 실제 영어권에서는 다른 단어와 조합하지 않고 "남자 형제(brother)" 단어 하나만 쓰이는 경우는 일본의 문화적 규범에 맞는 구문[즉 다른 단어와 조합한 "형(elder brother)" 같은 구문]보다 훨씬 덜 접하게 될 것이다. 비록 미국 영어에서는 "형제(brother)"라는 단어는 다른 단어와 조합되지 않고서도 훨씬 흔하게 쓰이긴 하지만 말이다.

어휘 **manifestation** ⓝ 드러남
Whorfian Hypothesis – 워프의 가설 (개인의 세계관은 모국어에 의해 결정된다는 가설)
culture shock – 문화 충격 **by itself** – 혼자 (여기서는 '다른 단어와 조합하지 않고'의 의미)
challenging ⓐ 힘든, 저항하는

11 이 글에서 추론할 수 있는 것은?

① 그 문화를 제외하고 외국어를 배우는 것은 굉장히 힘든 일이다.
② 외국어 학습이 모두에게 가능한 것은 아니다.
③ 서로 다른 언어들이 같은 것에 같은 단어를 가지고 있는 것은 아니다.
④ 일본 문화는 다른 나라와 비교해 볼 때 상당히 독특하다.

정답 ①
해설 문화와 언어는 매우 긴밀하게 얽혀 있어서 새로운 언어를 배우려면 새로운 문화를 배워야 하고 따라서 세상을 보는 새로운 방식을 배워야 하기 때문에, 만약 그 문화를 제외하고 외국어를 배우려 한다면, 이는 쉽지 않은 일이라고 추론할 수 있다.

12 왜 사람들은 외국어를 배울 때 문화적인 충격을 받는가?

① 사람들은 왜 사물에 대해 특정한 단어가 사용되는지 이해하지 못하기 때문이다.
② 사람들은 절대로 이전에 타문화를 경험해 본 적이 없기 때문이다.
③ 외국어 학습은 학습자에게 그 문화를 강요하는 경향이 있기 때문이다.
④ 사람들이 학습할 때 교사가 그들의 문화적인 신념을 강요했기 때문이다.

정답 ③
해설 미국에서 영어를 배우는 일본인은 교사를 "선생님"이라 부르는 대신에 교사의 이름을 직접 부른다는 생각에 문화적 충격을 맛볼 수 있다는 사례에서 볼 수 있듯이, 한 나라의 언어를 제대로 이해하려면 문화적인 이해가 동반되어야 한다. 그런데 문화는 일반적으로 문화는 각 나라마다 다르기 때문에 문화적 격차를 느낄 수밖에 없는데, 그 나라의 언어를 이해하기 위해 그 문화를 이해하도록 강요받는 셈이 된다는 것을 알 수 있다. 이로 인해 학습자들은 문화적 충격을 받게 된다.

13-14

나는 루터의 신학에 대해서 논의하기 전에, 인간으로서의 루터가 권위주의적인 성격의 전형적인 인물이었다는 점을 짧게나마 언급하고 싶다. 아주 혹독했던 아버지 아래서 어린 시절 사랑과 안정감을 거의 경험하지 못하고 자란 루터의 인성에는 권위에 대한 끊임없이 대립되는 반대의 감정이 병존하였다. 그는 권위를 싫어하고 이에 대항하기도 했지만, 동시에 그는 권위를 존중하고 이에 복종하는 경향이 있었다. 루터의 전체 생애 동안 항상 그가 한편으로는 반대하고 동시에 한편으로는 존중하는 그런 권위가 있었다. 젊은 시절에는 자신의 아버지와 청년 시절의 수도원장이었고, 나이가 들어서는 교황과 군주가 그러하였다. 루터는 극단적인 고독, 무기력, 죄악의 감정으로 넘쳐 났으며, 동시에 강렬한 지배욕도 있었다. 루터는 강박적 성격만이 가질 수 있는 회의로 번민했고 끊임없이 그에게 내적인 안정감을 주고 불확실성의 고통에서 해방시켜 줄 무언가를 찾았다.

어휘
theology ⓝ 신학
authoritarian character – 권위주의적 성격
ambivalence ⓝ 반대감정 병존
aloneness ⓝ 고독
wickedness ⓝ 죄악감
compulsive ⓐ 강박적인
typical representative – 전형적인 인물
constant ⓐ 지속적인
monastery ⓝ 수도원
powerlessness ⓝ 무기력
torture ⓥ 지독히 괴롭히다
self-preservation ⓝ 자기 보호

구문 정리 He was tortured by doubts as only a compulsive character can be, and was constantly seeking for something which would give him inner security and relieve him from this torture of uncertainty.
루터는 강박적 성격만이 가질 수 있는 회의로 번민했고 끊임없이 그에게 내적인 안정감을 주고 불확실성의 고통에서 해방시켜 줄 무언가를 찾았다.

구조 분석 He(S) was(V①) tortured(C) by doubts / as(부사절 접속사) only a compulsive character(S′) can be(V′),^(tortured가 생략) and was(V②) constantly seeking for something(선행사) (which(주격 관계대명사) would give(V′①) him(I.O′) inner security(D.O′) and relieve(V′②) him(O) (from this torture of uncertainty.)(전치사구))

---

13 다음 단락에 나올 가장 적합한 내용은?

① 루터와 가족 구성원들 사이의 관계
② 루터에 대한 종교의 부정적인 영향
③ 루터의 주도적이며 지배적인 기질
④ 루터의 인성을 확립한 10대 시절

정답 ③

해설 "루터는 극단적인 고독, 무기력, 죄악의 감정으로 넘쳐 났으며, 동시에 강렬한 지배욕도 있었다(He was filled with an extreme feeling of aloneness, powerlessness, wickedness, but at the same time with a passion to dominate)"라는 문장을 근거로 보면, 뒷부분에는 루터의 주도적이고 지배적인 측면이 나오게 될 것임을 알 수 있다.

---

14 다음 중 각각의 빈칸에 들어갈 알맞은 것은?

① 분열, 이분 – 확실성
② 혼동, 혼란 – 침착, 평정
③ 침착, 평정 – 불안정성
④ 반대 감정 병존 – 안정감

정답 ④

해설 앞의 빈칸에는 권위를 싫어하고 대항하기도 했지만, 동시에 권위를 존중하고 이에 복종했다는 것이 부연해서 나오기 때문에, 이를 포괄할 수 있는 권위에 대한 대립되는 감정이 존재한다는 단어가 들어가야 한다. 그러므로 반대 감정 병존을 뜻하는 ambivalence가 타당하다. 뒤의 빈칸에는 고통에서 해방되는 것과 연결하여 생각해보면 내적인 안정이나 평온함이 들어가야 한다. 그러므로 정답은 ④가 된다.

15-17

아마도 인터넷 사기 중에서 가장 악명 높은 것은 나이지리아 송금 사기 또는 나이지리아 선금 사기일 것이다. 이메일 주소를 보유한 사람 거의 모두 어느 시점에서 이런 사기의 유혹에 빠졌을 것이다. 나이지리아(또는 다른 아프리카 국가)의 어쩌면 최근에 축출당한 독재자의 친척일 수 있는 누군가가 여러분에게 아주 중요한 문제로 여러분의 도움이 필요하다고 알려 준다. 이 축출당한 지도자는 수백만 달러를 안전한 은행 계좌에 따로 숨겨 놨는데, 나이지리아 당국에 어느 정도 수수료, 뇌물, 벌금 등을 내지 않고서는 돈에 손도 전혀 대지 못한다. 여기서 사기 피해자가 개입하게 되는데, 이들 수수료를 지불할 돈을 피해자가 내는 것이다. 피해자는 일단 수수료가 지불되면 정부가 돈을 풀 것이니 투자에 대한 큰 보답을 받게 될 것이라고 확답을 받는다. 때로 이메일에 전체 자금 중 상당 비율이 제공될 것이라는 약속도 담긴다.
이들 사기꾼들에게 실제로 돈을 보낸 사람은 곧 다른 수수료를 요구하는 모습을 볼 것이다. 돈이 국경에서 지체되어서 국경 세관 관리들에게 뇌물을 주기 위해 돈이 더 필요하다고 한다. 사기꾼들이 사회보장번호와 여권 사본 같은 개인 정보를 요구하는 경우도 종종 있다. 이런 식으로 계속 진행되면서 장기간 진행되는 사기 사건의 가장 사악한 요소를 이용하게 되는데, 즉 피해자는 일단 엄청난 돈을 사용하게 되면 조금만 더 돈을 쓰면 돈을 모두 돌려받을 수 있다고 믿게 되는 것이다. 이미 엄청난 돈을 투자한 상황에서 대부분의 사람들은 다 털고 가 버리기가 너무 힘든 것을 깨닫게 된다. 일부 사람들은 사기를 진행한 국가로 꾀임을 받고 가게 되어 납치당하고 인질이 된다. 심지어 이와 연관 있는 살인 사건이 기록으로 남기도 하다. 나이지리아는 가난과 느슨한 공권력이 조합된 곳으로 악명이 높으며 특히 금융사기의 경우 그러하다. 나이지리아 법에서 사기와 관련 있는 조항은 419조로 따라서 이런 사기사건은 때로는 419 사기로 불린다. 하지만 위 사례가 보여 주듯 이런 인터넷 사기는 어디서든 일어날 수 있다.

어휘 **con** ⓝ 사기
come-on ⓝ 유혹
stash away – 숨겨 두다
walk away – 털고 가다
lax ⓐ 느슨한
advance fee fraud – 선금사기
deposed ⓐ 축출당한
nefarious ⓐ 사악한
ransom ⓝ 인질
financial scam – 금융사기

15 이 글의 핵심적인 내용은?

① 왜 사람들이 나이지리아 송금사기를 믿는지
② 나이지리아 송금사기가 대상으로 삼는 사람이 누구인지
③ 나이지리아 송금사기가 어떻게 일어나는지
④ 송금사기가 어떻게 이루어지는지

정답 ③
해설 단순한 송금사기 사건이 아니라 나이지리아 송금사기 사건이 어떠한 메커니즘을 통해서 사기가 행해지는지를 자세히 알려 준 글이다. 그러므로 정답은 ③이다.

16 이 글에 따르면, 왜 송금 사건의 피해자들은 계속 돈을 송금하는가?

① 피해자들은 너무나 많은 돈을 투자해서 쉽게 털고 나가지 못한다.
② 피해자들은 자신들이 실수했다는 것을 인정하길 원치 않는다.
③ 피해자들은 자기들 스스로 사기행각을 벌이는 법을 배우고 싶어 한다.
④ 돈을 송금함에 의하여, 피해자들은 경찰이 사기꾼들을 추적하도록 할 것이다.

정답 ①

해설 본문에 언급된 것처럼, "피해자는 일단 엄청난 돈을 사용하게 되면 조금만 더 돈을 쓰면 돈을 모두 돌려받을 수 있다고 믿게 되는 것이다. 이미 엄청난 돈을 투자한 상황에서 대부분의 사람들은 다 털고 가 버리기가 너무 힘든 것을 깨닫게(once the victim has spent a significant amount of money, he believes if he just spends a little more then he'll get it all back. With so much money already invested, most people find it very difficult to walk away)" 되는 것이고, 이는 절대 쉽게 빠져나올 수 없는 상황으로 가는 것이다.

17 다음 중 밑줄 친 것과 동일한 것은?

① 송금사기에 가담하는 데는 비용이 많이 든다.
② 피해자는 걱정에 대해 돈을 제공받는다.
③ 피해자는 돈을 받기 위하여 그 국가로 들어간다.
④ 피해자의 역할은 바로 국가로부터 빠져나오는 데 필요한 돈을 대는 것이다.

정답 ④

해설 "여기서 사기 피해자가 개입하게 되는데, 이들 수수료를 지불할 돈을 피해자가 내는 것이다(That's where the victim comes in — to provide money to pay these costs)"라는 의미는 피해자가 결국 사기에 휘말리게 되는데, 그 시초로 그 국가로부터 빠져나오는 돈을 대는 것부터 시작하게 되는 것이다.

18-20

공정으로서의 정의는 완전한 계약론은 아니다. 왜냐하면 계약론적인 사상은 어느 정도 전체적인 윤리체계의 선택에까지, 다시 말하면 단지 정의뿐만 아니라 모든 덕목들에 관한 원칙도 포함하는 체계에까지 확장될 수 있는 것이 분명하기 때문이다. 하지만 나는 앞으로 정의의 원칙들이나 그와 밀접하게 관련된 것만을 고찰하게 될 것이며, 여러 덕목을 체계적으로 논의하려고 하지는 않을 것이다. 물론 공정으로서의 정의가 제대로 성공하게 되면, 다음 단계에는 "공정으로서의 정당성"이라는 이름이 나타내는 보다 일반적인 입장을 연구하게 될 것이다. 그러나 비록 이와 같이 보다 광범위한 이론이 되더라도, 그것은 인간들의 관계만을 포함할 뿐 인간이 동물이나 여타의 자연과 가지게 될 관계는 논외로 하기 때문에, 모든 도덕적인 관련들을 포괄하지는 못하게 되는 셈이다. 나는 계약이라는 개념이 분명히 일차적인 중요성을 갖는 이러한 문제들에 접근할 방식을 제시한다고 주장하는 것은 아니며, 그러한 문제들은 제외하고자 한다. 우리는 공정으로서의 정의와 그것을 본보기로 하는 일반적인 유형의 견해가 제한된 범위를 갖는다는 것을 인정해야만 한다. 그러한 여타의 문제들이 고려될 경우 우리의 결론이 어느 정도 수정되어야 할지는 미리 정해질 수 없을 것이다.

어휘 contract theory – 계약론
virtue ⓝ 덕목
put aside – 제외하다
ethical ⓐ 윤리적인
leave out – 배제하다, 논외로 하다
exemplify ⓥ 본보기로 하다

구문 정리 How far its conclusions must be revised once these other matters are understood cannot be decided in advance.
그러한 여타의 문제들이 고려될 경우 우리의 결론이 어느 정도 수정되어야 할지는 미리 정해질 수 없을 것이다.

구조 분석
once + S + V ~: 일단 ~하면
[How far(의문부사절) its conclusions(S′) must be revised(V′) once(접속사) these other matters(S″) are(V″) understood(C″)](S)
cannot be(V) decided(C) in advance(부사구(미리)).

18 빈칸에 들어갈 알맞은 것은?

① 깊은 정당성
② 그러한 기준
③ 제한된 범위
④ 일반적인 목표

정답 ③
해설 "보다 광범위한 이론이 되더라도, 그것은 인간들의 관계만을 포함할 뿐 인간이 동물이나 여타의 자연과 가지게 될 관계는 논외(even this wider theory fails to embrace all moral relationships, since it would seem to include only our relations with other persons and to leave out of account how we are to conduct ourselves toward animals and the rest of nature)"로 삼기 때문에 모든 것을 포괄하지 못하며, 이는 결국 제한적일 수밖에 없다.

19 왜 저자가 말하고 있는 좀 더 폭넓은 이론이 모든 도덕적인 관계를 다 포함하지 못하는가?

① 이 이론은 인간의 상호 작용만을 추정할 뿐 인간이 포함된 다른 모든 확대된 작용은 추정의 대상으로 삼지 않는다.
② 저자는 정의가 이러한 대규모의 상호 작용을 아우를 수 있기를 희망해서는 안 된다고 생각한다.
③ 저자가 말할 수 있는 이론은 오직 양 당사자가 도덕적인 상황에만 적용된다.
④ 저자는 세상의 다른 나머지는 정의의 복잡함을 이해하기 위해 필요한 도덕이 부족하다고 생각한다.

정답 ①
해설 "인간들의 관계만을 포함할 뿐 인간이 동물이나 여타의 자연과 가지게 될 관계는 논외로 하기 때문(to include only our relations with other persons and to leave out of account how we are to conduct ourselves toward animals and the rest of nature)"이라는 부분에서 살펴볼 수 있는 것처럼, 인간만을 대상으로 하고 인간의 확장된 관계는 염두에 두지 않기 때문에 모든 도덕적인 관계를 다 포섭하지는 못한다.

20 이 글에서 추론할 수 있는 것은?

① 도덕과 정의는 두 개의 무관한 지위에 있다.
② 도덕적 유형의 정의가 유일하고 진정한 정의이다.
③ 항상 일치할 수 없는 정의와 공정으로서의 정의가 너무 많이 있다.
④ 정의는 공정해야 한다고 생각하는 사람들에게 항상 공정하지는 않다.

정답 ④

해설 "공정으로서의 정의는 완전한 계약론은 아니다. 왜냐하면 계약론적인 사상은 어느 정도 전체적인 윤리체계의 선택에까지, 다시 말하면 단지 정의뿐만 아니라 모든 덕목들에 관한 원칙도 포함하는 체계에까지 확장될 수 있는 것이 분명하기 때문이다."라는 문장에서 볼 수 있듯이 정의가 완전한 사회계약론처럼 모두에게 항상 공정하다고는 할 수 없다.

05 Practice Test 정답 및 해설

01	①	02	①	03	④	04	④	05	④	06	④	07	④	08	④	09	①	10	①
11	②	12	②	13	③	14	②	15	①	16	③	17	②	18	④	19	②	20	③

01-03

비둘기는 다른 곳으로 옮겨진 다음에 어떻게 이전에 가 본 적 없는 먼 곳에서도 집을 찾아 복귀할 수 있는지 발견하기 위해 연구가 수행되었다. 대부분의 연구진은 회귀 능력이 "지도와 나침반" 모델에 기초한다고 보고 있는데, 여기서 나침반은 새들로 하여금 자신의 방위를 파악하도록 하는 역할이며, 지도는 새들로 하여금 목적지(비둘기 집) 대비 자신이 위치한 장소를 파악하도록 하는 역할이다. 나침반 기능은 태양에 의존해 작동되는 것으로 파악되지만, 지도 기능이 무엇에 의존해 작동되는지는 의견이 분분하다. 일부 연구진들은 지도 기능은 새들이 지구의 자기장을 파악할 수 있는 능력에 달려 있다고 본다. 새가 자기장을 파악할 수 있는 것은 사실이며, 이를 통해 집으로 가는 길에서 도움을 받는다. 과학자들은 비둘기 부리 위에 아주 작은 쇠 입자가 많이 분포해 있으며, 마치 인간이 만든 나침반처럼 방향이 북쪽으로 맞춰져 있음을 발견했다. 따라서 부리는 비둘기가 집으로 향하는 방향을 결정할 수 있도록 도움을 제공하는 나침반 역할을 한다. 눈과 뇌의 어느 한 부분에 의해 작동되는 빛을 매개체로 한 기능에 대해서는 어느 정도 연구가 이루어졌고, 최근 연구 결과에 따르면 자기장 파악 능력은 삼차 신경과 관련이 있다.

어휘
- **perform** ⓥ 행하다, 수행하다
- **homing** ⓐ 회귀하는, 귀소하는
- **relative to** – ~에 관하여, ~에 대비하여
- **magnetic field** – 자기장
- **particle** ⓝ 입자
- **-mediated** ⓐ ~을 매개체로 하는
- **implicate** ⓥ 연루되었음을 보여 주다
- **magnetoception** ⓝ 자기장 파악 능력
- **generate** ⓥ 발생시키다, 만들어 내다
- **integrated** ⓐ 통합되는
- **development** ⓝ 새로이 전개된 사건
- **transport** ⓥ 옮기다, 수송하다
- **orient** ⓥ 자기 위치를 알다
- **rely on** – ~에 의존하다, ~에 달려 있다
- **beak** ⓝ 부리
- **align** ⓥ 맞추다, 나란히 하다
- **lateralize** ⓥ (뇌의 기능을) 좌뇌나 우뇌 한 쪽이 지배하다
- **trigeminal nerve** – 삼차 신경
- **differing** ⓐ 상이한, 다른
- **call for** ~을 필요로 하다
- **consequently** (adv) 따라서, 그 결과
- **concerning** (prep) ~에 관한

01 본문의 주제는 무엇인가?

① 알지 못하는 장소에서 집으로 이동할 때 비둘기가 방향을 파악하는 방식
② 비둘기와 추가적인 도움 없이는 이동할 수 없는 다른 새와의 차이점
③ 비둘기가 집 주변에서 자신의 방위를 파악할 수 있도록 돕는 기능
④ 비둘기가 길을 잃었을 때 비둘기 머릿속에서 벌어지는 일에 관한 상이한 연구

정답 ①
해설 본문은 비둘기가 어떻게 가 본 적도 없는 곳에서 제자리로 올 수 있는지 그 원리를 설명하는 글이다. 따라서 답은 ①이다.

02 다음 중 빈칸에 가장 알맞은 것은 무엇인가?

① 따라서 부리는 비둘기가 집으로 향하는 방향을 결정할 수 있도록 도움을 제공하는 나침반 역할을 한다.
② 따라서 그것은 부리가 원래 의도했던 것과는 다른 방식으로 행동하도록 만든다.
③ 따라서 부리가 제 기능을 발휘하기 위해 가장 필요한 기술은 방향을 맞추는 것이다
④ 따라서 부리는 정확하게 기능하기 위해 필요한 것들을 가지고 있지 않다.

정답 ①
해설 "비둘기 부리 위에 아주 작은 쇠 입자가 많이 분포해 있으며, 마치 인간이 만든 나침반처럼 방향이 북쪽으로 맞춰져 있다(on top of a pigeon's beak a large number of particles of iron are found which remain aligned to north like a man-made compass)." 즉 부리 위의 쇠 입자가 나침반처럼 작용하여 비둘기로 하여금 집을 찾아가도록 도움을 줄 것임을 알 수 있다. 따라서 답은 ①이다.

03 본문 다음 부분의 주제로 가장 가능성이 높은 것은 무엇인가?

① 비둘기가 날기 시작할 때 비둘기의 눈에서 나오는 빛
② 비둘기의 눈과 비둘기가 날아가는 장소와의 관계
③ 비둘기의 이동 과정에서 벌어지는 주요한 사건
④ 자기장 파악 능력과 관련해 이루어진 최신 연구

정답 ④
해설 본문 마지막에서 "최근 연구 결과에 따르면 자기장 파악 능력은 삼차 신경과 관련이 있다(recent developments have implicated the trigeminal nerve in magnetoception)"라고 언급되었으므로, 본문 다음부터는 해당 연구에 관해 자세한 사항을 언급했을 것으로 추측이 가능하다. 따라서 답은 ④이다.

05

04-06

"위대한 영화 속 인용구는 우리나라의 문화적 어휘의 일부이다." 미국 영화 연구소가 2005년에 가장 기억할 만한 영화 대사 100선을 발표했을 때, 연구소 소장이자 CEO인 Jean Pickler Firstenberg는 위와 같이 말했다. 명 인용구 선정을 위해 모인 (감독, 배우, 극작가, 비평가, 역사가, 그 외 창의 공동체 소속 인원들로 구성된) 심사위원단은 인용구의 "문화적 영향력"과 유산을 기반으로 선별해 달라는 지시를 받는다. 선정된 대사는 미국의 문화와 미국에서 우선해야 할 가치에 관해 말하며, 우리 중에서는 미국의 상원의원들이 이번 주든 지난 주든 간에 언젠가 한 말보다 50년도 전에 개봉된 영화 속에서 말해지는 대사를 읊을 수 있는 사람이 훨씬 더 많다. 영화 속 언어에 관해 말하자면, 허구는 때로는 현실보다 훨씬 강력하다. 한 번 생각해 보자. 블록버스터급 군사 분쟁인 제 2차 대전에서 더글러스 맥아더 장군이 진군하는 일본군을 피해 필리핀에서 철수하면서 "언젠간 다시 돌아오겠다(I shall return)"라고 선언한 것을 아는 사람보다는 아놀드 슈워제네거가 블록버스터 영화 <터미네이터>에서 "다시 돌아오겠다(I'll be back)"(미국 영화 연구소 선정 명대사 37위)라고 도전적인 약속을 한 것을 기억하는 사람이 훨씬 더 많다.
악명 높은 "만약 맞지 않는다면 여러분은 무죄를 선고해야 합니다(If it doesn't fit, you must acquit)" 이외에도, 법정에서 나온 말 가운데 실제 법정에서 나온 말은 아니지만 에런 소킨이 각본을 쓴 <어 퓨 굿 맨>에서 잭 니콜슨이 부르짖은 "넌 진실을 감당할 수 없어(You can't handle the truth)" (29위)만큼 바로 인지할 수 있는 법정 언어는 존재하지 않는다. <대부>에서 나온 "친구는 가까이, 그러나 적은 더욱 가까이(Keep your Friends Close, But Enemies Closer)"(58위)는 철학자 존 스튜어트 밀이 150년 전에 쓴 글과 마키아벨리가 거의 500년 전에 조언한 것과 거의 동일하다는 사실을 아는 사람은 얼마나 될까? 많지 않을 것임이 분명하다.

어휘
- **memorable** ⓐ 기억할 만한
- **assemble** ⓥ 모이다, 집합시키다
- **legacy** ⓝ 유산
- **acquit** ⓥ 무죄를 선고하다
- **identical** ⓐ 동일한
- **utter** ⓥ 말하다
- **jury** ⓝ 심사위원단
- **quotation** ⓝ 인용구
- **defiant** ⓐ 거만한, 도전적인
- **make-believe** ⓝ 가장, 환상
- **add up** – 말이 되다, 앞뒤가 맞다
- **appalling** ⓐ 형편없는

04 **밑줄 친 부분은 어떤 의미를 갖는가?**

① 재판이 네 인생에 맞지 않는다면, 재판에 참가하지 말라.
② 무죄 선고를 원한다면 그렇게 될 것이다.
③ 뭔가 말이 안 되면 재심을 해라.
④ 사실이 맞지 않는다면, 재판 중인 당사자는 풀려나야 한다.

정답 ④

해설 밑줄 친 말은 심슨 재판에서 심슨 측 변호사가 한 말로 "만약 (장갑이) 맞지 않는다면 여러분은 무죄를 선고해야 합니다"라는 의미를 갖는다. 즉 증거가 잘못된 것으로 판단될 경우 의뢰인인 심슨이 풀려나야 한다는 의미이다. 보기 중에서 이와 의미상 가장 가까운 것은 ④이다.

05 **미국 문화에서 유추할 수 있는 것은 무엇인가?**

① 미국인들은 실제 이야기보다 영화 속 이야기를 더 쉽게 기억한다.
② 상원의원들은 미국 사회에서 형편없는 평가를 받는다.
③ 영화는 미국인들의 삶에서 유일하게 우선시된다.
④ 일반 대중은 정치보다 영화에 더 관심을 보인다.

정답 ④

해설 "우리 중에서는 미국의 상원의원들이 이번 주든 지난 주든 간에 언젠가 한 말보다 50년도 전에 개봉된 영화 속에서 말해지는 대사를 읊을 수 있는 사람이 훨씬 더 많다(a lot more of us can recite lines voiced in movies released fifty years ago than can tell you what our United States senator said this week, last week … ever)." 따라서 답은 ④이다. 참고로 ①의 경우는, 본문에서 정치와 영화를 비교했지 이야기를 비교한 것이 아니기 때문에 답이 될 수 없다.

06 **명대사는 어떻게 선정되었는가?**

① 적합한 인용구가 많이 들어간 위대한 영화를 골라서
② 인용구가 들어간 영화가 어떤 유산을 남겼는지를 검사하여
③ 질문을 받았을 때 인용구를 기억할 수 있는 사람의 수에 따라
④ 인용구가 문화에 얼마나 영향을 미쳤는지 그리고 얼마나 많은 사람들이 기억하고 있는지에 따라

정답 ④

해설 "인용구의 '문화적 영향력'과 유산을 기반으로 선별해 달라는 지시를 받는다. 선정된 대사는 미국의 문화와 미국에서 우선해야 할 가치에 관해 말한다(make their picks based on a quotation's "cultural impact" and legacy. It says something about American culture and priorities)." 그리고 두 번째 단락을 통해 선정된 대사는 모두 많은 사람들이 기억하고 있는 대사임을 유추할 수 있다. 이 두 가지 요소를 조합해 보면 답은 ④이다.

07-09

고정된 사고방식을 지닌 사람들은 자신의 능력이 기본적으로 고정되어 있다고 믿는다. 만일 당신이 고정된 사고방식을 지닌 사람이라면 당신은 도전을 회피하려는 성격을 지닐 것이며, 그 이유는 실패할 경우 다른 사람들이 당신의 실패를 당신의 진정한 능력을 드러내는 징조로 여기고 당신을 패배자로 여기지 않을까 두려워하기 때문이다 (이는 와인을 첫 잔 마셔 보니 맛이 별로라 아예 한 병을 마시지 않는 것과 같다). 당신은 부정적인 반응이 당신에게 위협을 가한 것과 같다는 느낌을 받으며 그 이유는 당신의 눈에는 부정적 반응이 마치 평론가들이 당신보다 자신들이 더 낫다고 말하면서 이를 통해 자신들이 당신보다 선천적 능력의 수준이 더 높은 존재인 것처럼 자신들의 위치를 점하는 것으로 보이기 때문이다. 여러분은 있는 힘껏 노력하는 것 같지 않게 보이려고 노력한다. (진짜 잘 하는 사람들은 그렇게 노력할 필요가 없다고 생각하지 않은가?) 테니스 스타인 John McEnroe가 젊었을 때를 떠올려 보자. 그는 선천적 능력이 뛰어났지만 철저한 노력이나 수양에는 큰 관심을 보이지 않는 듯했다. 이와는 달리 성장하는 사고방식을 지닌 사람들은 능력이 근육과 같이 연습을 통해 키울 수 있다고 생각한다. 즉 노력을 거듭하면 글쓰기 분야나 관리, 배우자의 말을 잘 들어주는 일 같은 것을 더 잘할 수 있다고 보는 것이다. 성장하는 사고방식을 지니고 있다면 실패의 위험에도 불구하고 더 많은 도전을 받아들이는 성향이 있다. (어쨌든 헬스클럽에서 웨이트를 더 많이 들어 올리려다 실패하더라도 다른 사람들이 당신을 "타고난 약골"이라고 비웃을 것이라고 걱정하지는 않는다.) 여러분은 일을 하면서 "자신의 능력을 최대한 발휘할 수 있는" 과업을 추구한다. 그리고 비난도 더 잘 수용하게 되며, 그 이유는 궁극적으로 비난이 당신을 더 나은 존재로 만들어 주기 때문이다. 당신은 아마도 지금 당장은 다른 사람들보다 더 낫지는 않을 수도 있다. 하지만 당신은 장기적으로 "토끼와 거북이" 식으로 생각하게 된다. 타이거 우즈를 생각해 보라. 그는 역사상 가장 빨리 8개의 메이저 대회에서 우승했음에도 자신의 스윙을 점검할 필요가 있다고 결심했다.

어휘

- **static** ⓐ 정지 상태의, 고정된
- **exert** ⓥ 있는 힘껏 노력하다
- **rigorous** ⓐ 철저한, 엄격한
- **weakling** ⓝ 약골
- **tortoise** ⓝ 거북이
- **overhaul** ⓝ 점검, 정비
- **down the line** – 전면적으로, 철저히
- **indication** ⓝ 징조, 암시함
- **keen on** – ~을 열망하는
- **concerted** ⓐ 합심한, 결연한
- **stretch** ⓥ 부담을 주다, 최대한 발휘하다
- **hare** ⓝ 토끼
- **take in** – ~을 받아들이다
- **rest on his laurels** – 안주하다

---

07 본문의 주제는 무엇인가?

① 고정된 사고방식이든 성장하는 사고방식이든 관계없이 사고방식을 받아들이는 법을 배운다면 인생에서 성공할 수 있다.
② 당신의 고정된 사고방식이 성장하는 사고방식의 긍정적인 요소를 받아들일 수 있도록 노력하라.
③ 고정된 사고방식을 더 느긋한 성장하는 사고방식으로 바꾸는 것이 어떻게 여러분이 성공하도록 도움을 주는가?
④ 고정적인 사고방식을 지닌 사람과 성장하는 사고방식을 지닌 사람 간의 행동의 차이점

정답 ④

해설 본문은 앞 단락에서는 고정적 사고방식을 지닌 사람들에 관해, 뒤 단락에서는 성장하는 사고방식을 지닌 사람들에 관해 말하고 있다. 따라서 답은 ④이다.

08 **성장하는 사고방식을 지닌 사람은 어떤 성격을 지녔는가?**

① 자신이 비난받는 것이 두려워 다른 사람을 비난하는 사람
② 비록 다른 사람들의 눈에는 큰 재능을 지녔음을 분명히 알 수 있지만, 자신이 얼마나 큰 재능을 지녔는지 완전히 이해하지 못하는 사람
③ 자신이 다른 사람보다 열등하다는 것을 알고 있지만 자신의 우월함을 드러낼 때 위협을 받는다는 느낌을 받지 않는 사람
④ 실수를 저지르면서도 스스로를 향상시키기 위해 비판을 기꺼이 수용하는 사람

정답 ④
해설 성장하는 사고방식을 지닌 사람들은 능력을 키울 수 있다고 믿으며, 도전을 받아들이면서, 실수를 저지르더라도 비판을 수용하고 스스로를 발전시키기 위해 노력하는 사람이다. 따라서 답은 ④이다.

09 **본문에 따르면 다음 중 맞지 않는 것은 무엇인가?**

① 사고방식에도 불구하고, 사람들은 노력은 철저히 보답할 것임을 알고 있다.
② 타이거 우즈는 놀라울 만큼의 성공을 거두었음에도 안주하기는커녕 스스로를 향상시키려 했다.
③ 고정된 사고방식을 지닌 사람은 자존감이 낮고 지속적으로 자신이 자신의 실패에 대한 평가를 받고 있다고 생각한다.
④ 새로운 일을 하는 것을 회피하는 것은 고정된 사고방식을 지닌 사람들이 실패를 회피하기 위해 취하는 방식이다.

정답 ①
해설 "타이거 우즈를 생각해 보라. 그는 역사상 가장 빨리 8개의 메이저 대회에서 우승했음에도 자신의 스윙을 점검할 필요가 있다고 결심했다(Think Tiger Woods, who won eight major championships faster than anyone in history and then decided his swing needed an overhaul)"는 ②의 근거이며, 첫 번째 단락에 등장하는 고정적 사고방식을 지닌 사람들의 행동인 도전 회피, 실패에 대한 두려움, 패배자로 낙인찍히는 것에 대한 두려움, 부정적인 반응에 대한 두려움 등은 ③, ④의 근거가 된다. 따라서 답은 ①이다.

10-12

클라우디아 F에게 2013년은 힘든 해였다. 그녀의 할머님이 돌아가셨고, 대학을 졸업했지만 현실에서 자신이 누구인지 정체성을 찾는 데 어려움을 겪었다. 그래서 그녀는 새로운 삶에서 위안을 얻기 위해 쇼핑을 하기 시작했다. 현재 세 아이의 엄마인 그녀는 당시엔 자신의 공허감을 충족시키길 원했고 자신이 무슨 일을 하는지 자각할 수 없었다. 주말마다 쇼핑을 가던 것이 곧 강박증으로 악화되면서 6~8개월 말에 신용카드 빚이 3만 달러에 이르게 된다. 그녀는 계속 물건을 구매하면서 물건을 남편의 차나 옷장 속에 감추고 마치 구매한 물건이 자신에게 아무 의미도 없는 것처럼 옷장이나 트렁크에 물건이 있다는 것을 잊어버렸다. 이 부부가 신청한 주택담보 대출 상환금 조정이 거부당하자 클라우디아의 결혼 생활은 최악의 단계에 도달하고 그녀는 자신이 저지른 일을 마주하게 되었다. 그녀는 자신으로 인해 가족이 심각한 재정적 위험에 시달릴 가능성이 엄청나게 커졌음을 깨닫게 되었다. 클라우디아는 자신이 누구인지 그리고 자신이 지금 갖고 있는 것만으로도 충분하다는 것을 깨닫게 되면서 강박증을 극복할 수 있었다. 이제 그녀는 강박증에서 회복되어 돈을 검소하게 쓰고 있다고 한다.
슐먼은 쇼핑 중독에 걸리는 이유는 여러 가지가 존재한다고 밝혔다. 대부분의 사람들에게는 돈 문제가 존재하지만 쇼핑 중독은 불행한 결혼, 실직, 원치 않는 아이 같은 정신적 외상을 안겨다 주는 사건이 중독을 촉발시킨다. 쇼핑 중독이 시작되는 이유는 중독자들이 쇼핑을 할 때에만 스스로의 삶을 통제할 수 있다는 느낌을 경험하기 때문이다. 중독자들은 모든 근심을 잊고 원하는 것을 사는 것에만 집중할 수 있다. 그리고 물건을 사는 순간 자신이 무언가를 달성했다는 느낌을 받게 된다. 중독의 원인을 밝히기 위해서는 전문적인 도움이 필요하다. 어떤 종류의 중독이든 단순한 자제만으로 사라지는 것은 존재하지 않는다. 하지만 우리는 무엇이 본질적으로 중독을 야기하는지 파악할 필요가 있다.

어휘
- **bring comfort** – 위안을 주다
- **escalate into** – ~으로 악화되다
- **hit the rocks** – 최악의 상태가 되다
- **traumatic** ⓐ 정신적 외상을 초래하는
- **specialized** ⓐ 전문적인, 전문화된
- **essentially** (adv) 근본적으로, 본질적으로
- **void** ⓝ 공허감
- **obsession** ⓝ 강박, 집착
- **frugally** (adv) 검소하게, 절약하여
- **get to the bottom of** – 원인을 밝히다
- **abstinence** ⓝ 금욕, 자제
- **stand by** – ~의 곁을 지키다

구문 정리 As she bought more and more, she would hide purchases in her husband's car or in a closet and forget they were even there as if they meant nothing to her.
그녀는 계속 물건을 구매하면서 물건을 남편의 차나 옷장 속에 감추고 마치 구매한 물건이 자신에게 아무 의미도 없는 것처럼 옷장이나 트렁크에 물건이 있다는 것을 잊어버렸다.

구조 분석 (As[접속사] she[S′] bought[V′] more and more[O′],) she[S] would hide[V①] purchases[O] in her husband's car[부사구 ①] or in a closet[부사구 ②] and forget[V②] they[S′] (that 생략) were[V′] even there[부사구] (as if[접속사] they[S″] meant[V″] nothing[O″] to her[부사구].)

as if : 마치 ~인 것처럼

10 **다음 중 빈칸에 가장 알맞은 것은 무엇인가?**

① 그녀는 자신이 저지른 일을 마주하게 되었다
② 그녀의 남편이 그녀의 곁을 지키기를 거부했을 때
③ 그녀가 비밀에 관해 남편을 신뢰하지 못했기 때문에
④ 부부는 순식간에 집을 잃었다

정답 ①

해설 클라우디아는 쇼핑 중독으로 돈을 마구잡이로 쓰다가 엄청난 빚을 지게 되고, 부부가 신청한 "주택담보 대출 상환금 조정이 거부당하는(home modification loan application was rejected)" 지경에까지 놓인다. 그 결과 그녀는 강제로 자신의 쇼핑중독이 어떤 결과를 낳은 것인지를 마주하게 된 것이다. 따라서 답은 ①이다.

11 **쇼핑 중독자에 대해 유추할 수 있는 것은 무엇인가?**

① 외로운 사람들이다.
② 물건을 사기 전에 제품에 대해 깊은 관심을 쏟지만 종종 제품에 관해 잊기도 한다.
③ 쇼핑을 중단할 정도로 가족이나 스스로에 관해 신경을 쓰지 않는다.
④ 쇼핑 중독은 쉽게 치유 가능하며, 가게나 인터넷에서 거리를 두기만 하면 된다.

정답 ②

해설 쇼핑 중독인 사람들은 자신의 문제에서 벗어나 다른 물건에 집중하고 그 순간만큼은 다른 모든 문제를 잊게 된다. 그러나 그렇게 물건에 집중하며 산 다음에는 "마치 구매한 물건이 자신에게 아무 의미도 없는 것처럼(as if they meant nothing to her)" 쳐다보지도 않는다. 즉 관심을 보이다가도 언제 그랬냐는 듯이 다 잊어버리곤 한다는 의미이다. 따라서 답은 ②이다.

12 **슐먼이 생각하기에 왜 사람들은 중독에 빠지는가?**

① 중독자들은 오랜 시간 심각한 우울증에 시달리고 중독에 빠질 때만 기분이 나아진다.
② 살면서 마음에 상처를 남기는 사건이 발생하면 오직 중독만이 우리가 제어할 수 있는 유일한 것이라는 생각이 든다.
③ 중독자들은 너무 오랜 시간 동안 무엇인가로부터 스스로를 거부한다.
④ 중독자들은 살면서 너무 많은 것들에 중독되고 이것이 바로 다음 단계이다.

정답 ②

해설 쇼핑 중독자들에게 있어 쇼핑은 인생에서 유일하게 자신의 힘으로 통제 가능한 것이므로, 쇼핑을 통해 "물건을 사는 순간 자신이 무언가를 달성했다는 느낌을 받게 된다(on buying it, they feel like they have achieved something)" 따라서 답은 ②이다.

13-16

평형을 유지하려 하는 대기의 추진력은 처음 Edmond Halley가 추정한 바 있으며 이후 18세기에 그의 동료인 George Hadley가 구체화한 바 있다. George Hadley는 오르고 내리는 공기 기둥이 "세포"를 생성하는 것으로 보았다 (이 세포는 이후 "해들리 세포(Hadley cells)"로 불리게 된다). Hadley는 직업은 변호사였지만 날씨에 관심이 많았고 (어쨌든 그도 영국인이었다) 또한 자신이 말한 해들리 세포, 지구의 회전, 무역풍을 야기하는 공기의 두드러진 휘어짐 현상 이 셋 간에 관계가 있을 것임을 시사했다. 하지만 이러한 상호 작용에 관한 세부 내용을 밝혀낸 사람은 파리 에콜 폴리테크니크(École Polytechnique)의 공학교수인 Gustave-Gaspard de Coriolis였으며, 그 결과 현재 우리는 이 효과를 코리올리 효과(Coriolis effect)라 부르고 있다. 지구는 적도 기준으로 시간당 1,041마일이라는 빠른 속도로 회전하며, 만일 극지방 쪽으로 이동할 경우 속도가 현저히 떨어지는데, 예를 들어 런던이나 파리 기준으로는 시간당 대략 600마일이다. 이러한 현상이 발행하는 이유는 생각해 보면 따로 설명할 필요 없이 잘 드러난다. 만일 여러분이 적도에 위치할 경우 자전 중인 지구는 여러분을 시작점에서 동일한 위치에 다시 돌려놓기 위해 4만 킬로미터에 달하는 꽤나 먼 거리를 가야 하기 때문이다. 하지만 여러분이 북극점 부근에 서 있다면 자전을 끝내는 데 몇 피트만 가는 것으로 충분하다. 그런데 이 두 경우 모두 시작점으로 다시 돌아가는 데 걸리는 시간은 24시간이다. 따라서 적도로 가까이 갈수록 더 빠른 속도로 회전하는 것이다.

어휘 **equilibrium** ⓝ 평형, 균형
deflection ⓝ 휘어짐, 꺾임
revolve ⓥ 자전하다
self-evident ⓐ 자명한, 따로 증명[설명]할 필요가 없는
steady oneself – 균형을 잡다
awareness ⓝ 의식, 관심
clarity ⓝ 명확성
elaborate on – ~에 관해 상세히 말하다
brisk ⓐ 빠른, 바쁜
considerably (adv) 많이, 현저히
simplicity ⓝ 평이함, 간단함
the whys and wherefores – 이유와 관심

---

13 본문의 주제는 무엇인가?

① 지구가 평등하지 않을 경우 지구가 겪는 혼란
② 지구의 성향을 발견하기 위해 착수하는 연구
③ 코리올리 효과의 근원과 물리적 원리
④ 지구가 균형을 잡는 방식의 단순함

정답 ③
해설 본문은 코리올리 효과가 어떻게 유래했는지를 밝히고, 그러한 코리올리 효과가 어떻게 기능하는지에 대해서 지주의 자전과 대류 현상 등 그 원리를 자세히 설명하고 있다. 그러므로 정답은 ③이다.

---

14 다음 중 밑줄 친 것과 의미가 같은 것은 무엇인가?

① 이러한 점에 관해 관심을 갖는 것이 중요하다.
② 만일 여러분이 잠시 멈춰 서서 이 문제를 생각해 보면 분명히 드러난다.
③ 과정의 이유와 관심은 더 이상 수수께끼가 아니다.
④ 이 문제의 명확함은 생각을 통해 얻게 된다.

정답 ②

해설 밑줄 친 부분을 해석하면 "이러한 현상이 발행하는 이유는 생각해 보면 따로 설명할 필요 없이 잘 드러난다"이며, 보기 중에서 이와 의미상 가장 가까운 것은 ②이다.

15 코리올리 효과는 무엇과 관련이 있는가?

① 지구가 회전하는 속도
② 지구상의 어떤 지점 간의 거리
③ 무역풍에 영향을 미치는 바람
④ 공기가 지구에 가하는 반응

정답 ①

해설 코리올리 효과는 "해들리 세포, 지구의 회전, 무역풍을 야기하는 공기의 두드러진 휘어짐 현상 이 셋 간의 관계(a link between his cells, the Earth's spin, and the apparent deflections of air that give us our trade winds)"를 의미하며, 이 모두 지구의 회전 및 그 속도와 연관이 있다. 따라서 답은 ①이다.

16 본문에서 유추할 수 있는 것은 무엇인가?

① 대기는 북반구에서 좌측으로 회전하는 경향이 있다.
② 코리올리 효과 때문에 지구가 태양 주위를 돈다.
③ 코리올리 효과는 지구의 자전에 의해 발생한다.
④ 지구는 적도보다 극지방에서 더 빨리 회전한다.

정답 ③

해설 ①은 본문 내용만으로 알 수 없는 진술이다. 참고로 코리올리 효과로 인해 북반구에서는 우측으로 편향한다. ② 코리올리 효과와 공전과는 아무런 관계가 없다. ④는 틀린 진술인데, 본문에 지구는 적도 기준으로 시간당 1,041마일의 빠른 속도로 회전하고, 극지방으로 갈수록 현저히 떨어진다고 하였다. 그러므로 정답은 ③이고, 본문에서도 이러한 현상이 발생하는 이유는 자전 중인 지구 때문이라고 밝히고 있다.

17-20

버지니아 대학의 심리학 교수인 Allen과 그의 동료들은 동남부 지역 공립 중학교에 다니는 도심 및 교외 지역 거주 184명의 아이들을 추적 관찰했다. 이들은 아이들이 13세일 때부터 3년 동안 1년 간격으로 아이들을 인터뷰했으며, 여기에 더해 아이들이 가장 친한 친구로 여기는 아이들뿐 아니라 아이들의 부모도 인터뷰했다. 저자들은 아이들이 20세에서 23세가 됐을 때 후속 인터뷰를 했다.
Allen에 따르면 "저희가 발견한 사실은 아이들의 인생 경로는 단순하다기보다는, 한 편에서는 친구들과의 관계를 돈독하게 하기 위해 노력하면서 다른 한 편에서는 비행과 약물 사용 같이 일탈 행동을 추구하는 친구들의 압박에 휩쓸리지 않으려 하는 마치 줄타기 곡예에 더 가깝습니다."
실제로 연구에 따르면 중학생 시절에 친구들의 압박을 효과적으로 이겨 낸 아이들은 범죄 행위에 뛰어들거나 알코올 또는 기타 약물 문제를 겪을 가능성이 낮았다. 불행하게도 친구들의 압박을 견딜 수 있는 능력으로 인해 고독해질 수 있다. 이러한 유형의 아이들은 성인이 되어서도 친구의 수도 적고 관계 또한 약했다.
어른이 되어 친구들과의 상호 작용이 가장 강한 아이들은 당연하게도 중도를 걷는 아이들로써, 친구들로부터의 영향에 열린 태도를 보이지만 이에 따라야 한다는 압박에 압도당하지는 않는 아이들이다. Allen에 따르면, "이에 잘 대처할 수 있는 아이들은 어른이 되어서도 긴밀한 우정을 나눌 수 있습니다. 이런 아이들은 저희가 관찰한 결과 연애 상대와의 의견 대립도 더 잘 대처할 수 있습니다. 알코올 및 약물 사용 문제를 겪을 가능성도 낮으며 범죄 행위를 저지를 가능성도 낮습니다.

어휘
suburban ⓐ 도시 교외의
straightforward ⓐ 간단한, 단순한
swept up into – ~에 휘말리다, 휩쓸리다
delinquency ⓝ 비행, 범죄
overwhelm ⓥ 휩싸다, 압도하다
substance use – 약물 사용
turn out to be – ~인 것으로 드러나다
turn one's back on – ~에 등을 돌리다, ~을 무시하다
bow to – 받아들이다, (마지못해) 인정하다
exhilarating ⓐ 아주 신나는, 즐거운
identify ⓥ 확인하다, 알아보다
tightrope walk – 줄타기 곡예, 신중한 행동을 요하는 상황
deviant ⓐ 벗어난, 일탈적인
peer pressure – 동료 집단으로부터 받는 사회적 압력
conform ⓥ 순응하다, 따르다
correspond with – ~에 부합하다, ~에 일치하다
better-adjusted ⓐ 더 잘 조절하는, 적응하는
accompany ⓥ 동반하다, 동행하다
assertively ⓐⓓⓥ 단정적으로, 적극적으로

17 연구 주제는 무엇인가?

① 약물 섭취가 10대 청소년과 어른에 미치는 영향
② 10대 때 친구들의 압박에 대처하는 것과 어른이 되어 사람들과 상호 작용을 하는 것 간의 관계
③ 10대 청소년의 약물 남용이 친구나 부모의 약물 남용과 일치하는 방식
④ 10대 때의 우정과 어른이 되어서의 우정 간의 유사성

정답 ②
해설 본문에 등장하는 연구는 10대 시절 친구들로부터 압박에 대처하는 모습과 향후 성장 이후 사람들과의 관계 형성에 관해 논하고 있다. 따라서 답은 ②이다.

18 10대 청소년 가운데 관계를 더 잘 조절할 줄 아는 어른으로 밝혀진 경우는 누구인가?

① 인기 있는 아이들이 무시하지만 부정적으로 공격하기 위해 찾으려 하지 않는 아이들
② 비행에는 등을 돌리는 아이들과 우정을 유지하는 아이들
③ 친구들의 압박은 이겨낼 수 있지만 압박에 동반되는 괴롭힘은 이겨낼 수 없던 아이들
④ 친구들의 압박을 따르지도 않고 그렇다고 적극적으로 거부하지도 않는 아이들

정답 ④
해설 "어른이 되어 친구들과의 상호 작용이 가장 강한 아이들은 당연하게도 중도를 걷는 아이들로써, 친구들로부터의 영향에 열린 태도를 보이지만 이에 따라야 한다는 압박에 압도당하지는 않는 아이들이다(Those who had the strongest interactions as adults, not surprisingly, were teens who walked a middle ground, remaining open to peer influence, but not allowing themselves to be overwhelmed by the pressure to conform)." 즉 압박에 굴하지 않지만 그렇다고 완전히 무시하지는 않는 아이들이다. 따라서 답은 ④이다.

19 밑줄 친 부분이 의미하는 것은 무엇인가?

① 참가하기로 결정한 사람들 입장에서는 마치 서커스에 있는 것과 같다.
② 살아남기 위해 찾아야 할 길이 매우 좁다.
③ 성장하면서 자신의 위치를 찾기가 점차 힘들어진다.
④ 영향을 미치는 여러 사람들 사이를 걷는 것은 아주 신나는 일이다.

정답 ②
해설 밑줄 친 부분의 의미는 "마치 줄타기 곡예에 더 가깝습니다"로, 결국 어느 한 쪽에 쏠리는 일 없이 중도를 걷기란 매우 힘들다는 의미이다. 따라서 답은 ②이다.

20 다음 중 옳지 않은 것을 고르시오.

① 연구는 배경이 각기 다른 10대 청소년들을 대상으로 삼았다.
② 연구에 참가한 10대 청소년들은 살아가면서 다른 시기가 되면 인터뷰를 받았다.
③ 참가자들은 1년에 세 번 연구진의 방문을 받고 질문을 받았다.
④ 연구에 참가한 10대 청소년들은 나라의 거대한 한 지역에서 선택되었다.

정답 ③
해설 참가자들은 "3년 동안 1년 간격으로(annually for three years)" 조사를 받았으며 따라서 답은 ③이다.

06 Practice Test 정답 및 해설

01	①	02	③	03	①	04	②	05	②	06	②	07	④	08	③	09	④	10	④
11	④	12	②	13	②	14	③	15	①	16	②	17	③	18	④	19	②	20	①

01-03

풍자와 역사와 인종 차별주의는 서로 우리의 과거와 현재에 고통스럽게 뒤얽혀 있으며, 이 모든 것이 〈허클베리 핀〉 속에 녹아들어 있다. 인종 차별주의는 우리 사회의 고질적 문제이므로, 인종 차별 문제를 표면화시킨 〈허클베리 핀의 모험〉 같은 책은 학교 식당이나 운동장과는 떨어진 안전한 곳에서 존재하는 작품인 〈맥베스〉와 〈위대한 유산〉 같은 작품에 익숙해진 문학 교실에서 수류탄처럼 폭발할 수 있는 작품이다. 우리가 만일 인종 차별주의가 수 세대 전에 사라진 세상에 살고 있다면, 〈허클베리 핀〉을 가르치는 것은 식은 죽 먹기로 간단한 일일 것이다. 하지만 우리는 그런 세상에 살고 있지 않다. 이 책을 가르치는 과정에서 우리가 겪고 있는 어려움은 우리가 교실이나 나라에서 지속적으로 직면하고 있는 어려움을 반영한다. 교육자들 입장에서 학생들에게 풍자를 해독하고, 역사를 이해시키고, 인종 차별주의와 편견을 발견할 때마다 혐오하도록 가르치는 것은 우리의 임무이다. 하지만 이는 평생이 걸리는 일이다. 단 한 편의 소설에게 이러한 문제에 대처하고 문제를 해결하라고 모든 부담을 지우는 것은 불공평한 일이다. 하지만 〈허클베리 핀〉 그리고 여러분은 변화를 일굴 수 있다.

어휘
- **irony** ⓝ 풍자, 반어법
- **intertwine** ⓥ 밀접하게 관련되다, 뒤얽히다
- **accustomed to** – ~에 익숙한
- **incumbent** ⓐ 해야 하는
- **repulse** ⓥ 혐오감을 주다, 구역질나게 하다
- **regrettably** (adv) 유감스럽게
- **racism** ⓝ 인종 차별주의
- **endemic** ⓐ 고질적인
- **eliminate** ⓥ 없애다, 제거하다
- **decode** ⓥ 해독하다
- **bigotry** ⓝ 심한 편견
- **stick to** – 방침을 고수하다

01 본문의 주제는 무엇인가?

① 특히 오늘날 세상의 여러 문제를 고려했을 때 <허클베리 핀의 모험>을 가르치는 일의 중요성
② <허클베리 핀의 모험>이 교실에서 인종 차별주의를 몰아내기 위해 하는 역할
③ <허클베리 핀의 모험>을 관심 없는 학생들에게 가르치기 위해 교사들이 직면하는 어려움
④ 오늘날의 사회에서 <허클베리 핀의 모험>이 야기하는 막을 수 있는 문제점들

정답 ①

해설 "교육자들 입장에서 학생들에게 풍자를 해독하고, 역사를 이해시키고, 인종 차별주의와 편견을 발견할 때마다 혐오하도록 가르치는 것은 우리의 임무이다. 하지만 이는 평생이 걸리는 일이다. 단 한 편의 소설에게 이러한 문제에 대처하고 문제를 해결하라고 모든 부담을 지우는 것은 불공평한 일이다. 하지만 〈허클베리 핀〉 그리고 여러분은 변화를 일굴 수 있다(As educators, it is incumbent upon us to teach our students to decode irony, to understand history, and to be repulsed by racism and bigotry wherever they find it. But this is the task of a lifetime. It's unfair to force one novel to bear the burden — alone — of addressing these issues and solving these problems. But *Huck Finn* — and you — can make a difference)." 즉 〈허클베리 핀의 모험〉을 학생들에게 가르치는 일은 인종 차별주의와 관련해 까다로운 문제이지만, 아직도 남아 있는 인종 차별주의 문제의 해결을 위해 "인종차별 문제를 표면화시킨(which brings the problem to the surface)" 〈허클베리 핀의 모험〉 같은 작품은 반드시 가르칠 필요가 있다는 것이 본문의 주장이다. 따라서 답은 ①이다.

---

02 본문에서 다음 중 유추할 수 없는 것은 무엇인가?

① <허클베리 핀의 모험>은 때로 학생들에게 큰 감정을 불러일으킨다.
② <허클베리 핀의 모험>을 가르치는 것은 학생들이 인종 차별주의를 거부하도록 가르치는 작은 발걸음이다.
③ <허클베리 핀의 모험>은 셰익스피어나 디킨스의 작품에 비해 열등한 소설이다.
④ 인종 차별주의는 오늘날에도 여전히 존재한다.

정답 ③

해설 〈맥베스〉와 〈위대한 유산〉은 "학교 식당이나 운동장과는 떨어진 안전한 곳에서 존재하는 작품(works which exist at a safe remove from the lunchroom or the playground)" 즉 인종 차별 문제와는 직접적 연관이 없는 작품을 의미한다. ③에서 말하는 것처럼 〈허클베리 핀〉보다 우월한 작품이기 때문에 등장한 것은 아니다. 따라서 답은 ③이다.

---

03 본문에 따르면 다음 중 옳은 것은 무엇인가?

① <허클베리 핀의 모험>을 가르치는 일은 까다로우며 그 이유는 책에 남아 있던 문제가 여전히 지금에도 상존하기 때문이다.
② <허클베리 핀의 모험>을 잘 아는 교육자는 이 책을 쉽게 가르칠 수 있다.
③ 교사들은 사회 문제에 관여해서는 안 되고 대신 사실을 가르치는 일을 고수해야 한다.
④ 셰익스피어의 이야기는 아이들의 실제 삶을 반영한다.

정답 ①

해설 "〈허클베리 핀〉을 가르치는 과정에서 우리가 겪고 있는 어려움은 우리가 교실이나 나라에서 지속적으로 직면하고 있는 어려움을 반영한다(The difficulties we have teaching this book reflect the difficulties we continue to confront in our classrooms and our nation)." 이는 보기 중에서 ①에 해당되는 내용이며 따라서 답은 ①이다.

04-05

역사가들은 기자들로부터 무엇을 배울 수 있을까? 사람들이 읽을 수 있도록 이야기의 틀을 짤 수 있는 방법 즉 이야기를 하는 능력이다. 아마도 미국 내에서 지난 30~40년 동안 가장 널리 읽히는 역사가로 Barbara Tuchman을 들 수 있는데, 이 사람은 7년 동안 언론인으로 활동하다가 역사에 관해 글을 쓰기 시작했고 이야기를 전달하는 방식과 이야기의 틀을 짜는 방식에 관해 상당히 주의를 기울인 사람이었다. 그리고 그녀는 독자를 찾는 데 성공했는데, 실제로 매우 중요한 독자를 찾는 데 성공했다. 존 F 케네디 대통령은 1962년 쿠바 미사일 위기 당시 소련에 전쟁을 선포하지 않았던 이유가 1차 세계 대전의 발발에 관해 저술한 Barbara Tuchman의 "8월의 포성"을 읽고 나서 어떻게 보면 강대국 중 아무도 전쟁을 원하지 않았음에도 너무나 쉽게 전쟁에 휘말리는 파멸의 지름길로 접어들 수 있다는 점을 깨달은 덕분이라고 밝혔다.

어휘 **slippery slope** 미끄러운 비탈길, 파멸에 이르는 길 **impede** ⓥ 방해하다

구문정리 President John F. Kennedy actually credited the fact that he did not declare war on the Soviet Union in 1962 over the Cuban missile crisis to the fact that he had just finished reading Barbara Tuchman's book, "The Guns of August," about the outbreak of World War I, and realized how easy it was to go down that slippery slope of great powers going to war when, in some sense, neither of them wanted it.

존 F 케네디 대통령은 1962년 쿠바 미사일 위기 당시 소련에 전쟁을 선포하지 않았던 이유가 세계 1차 대전의 발발에 관해 저술한 Barbara Tuchman의 "8월의 포성"을 읽고 나서 어떻게 보면 강대국 중 아무도 전쟁을 원하지 않았음에도 너무나 쉽게 전쟁에 휘말리는 파멸의 지름길로 접어들 수 있다는 점을 깨달은 덕분이라고 밝혔다.

구조분석

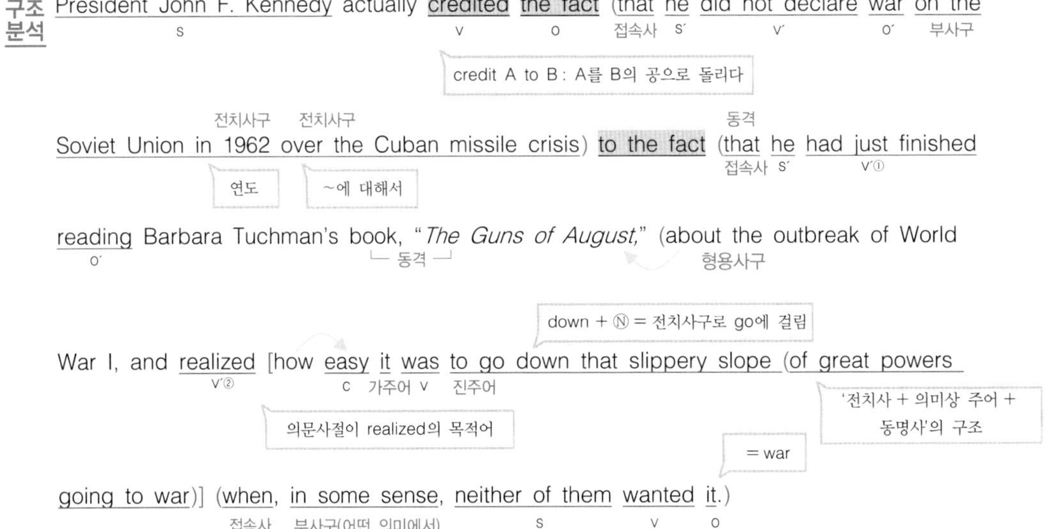

04 **Tuchman과 쿠바 미사일 위기와의 관련성은 무엇인가?**

① Tuchman은 케네디 대통령이 그러한 위기 상황에서 경청하는 유일한 조언자였다.
② Tuchman의 글은 케네디 대통령이 소련과 전쟁을 벌이지 않도록 설득했다.
③ Tuchman는 케네디 대통령에게 가능한 결과를 설명하느라 시간을 보냈다.
④ Tuchman은 위기를 통해 케네디 대통령의 정신 상태를 기록하기로 마음먹었다.

정답 ②

해설 "존 F 케네디 대통령은 1962년 쿠바 미사일 위기 당시 소련에 전쟁을 선포하지 않았던 이유가 1차 세계 대전의 발발에 관해 저술한 Barbara Tuchman의 '8월의 포성'을 읽고 나서(President John F. Kennedy actually credited the fact that he did not declare war on the Soviet Union in 1962 over the Cuban missile crisis to the fact that he had just finished reading Barbara Tuchman's book, "The Guns of August,)"라고 밝힌 부분에서 정답이 ②임을 알 수 있다.

05 **이 글에 따르면 다음 중 옳은 것은?**

① Barbara Tuchman은 글에서 이룬 것은 없지만, 그녀는 사실을 알고 있었다.
② 역사가들은 언론인들로부터 이야기를 흥미있게 전개하는 방법에 대해 배울 수 있다.
③ Barbara Tuchman은 도움을 주기 위하여 쿠바 미사일 위기에 관한 책을 썼다.
④ 언론인으로서의 Barbara Tuchman의 경력은 그녀의 역사가로서의 진보를 방해했다.

정답 ②

해설 "역사가들은 기자들로부터 무엇을 배울 수 있을까? 사람들이 읽을 수 있도록 이야기의 틀을 짤 수 있는 방법 즉 이야기를 하는 능력이다.(What are the things that historians can learn from journalists? Storytelling: How do you frame a story so that people are going to read it?)"를 보면 정답이 ②임을 알 수 있다.

06-07

한 항공사가 서로 다른 두 명의 여행자가 소유한 두 개의 여행 가방을 분실했다. 하필 두 여행 가방 모두 동일한 모양에 동일한 물품을 보유했다. 두 여행객의 청구 문제를 해결할 임무를 지닌 항공사 관리자는 항공사에서 여행 가방당 최대 100달러를 배상할 수 있다고 설명했으며 (가방에 든 물품의 가격을 직접 알아낼 수는 없었다), 그리고 골동품의 솔직한 평가액을 결정하기 위해 관리자는 두 여행자가 서로 상의하지 못하도록 두 사람을 따로 떼어 놓은 다음에 이들에게 2달러에서 100달러 사이로 골동품 가격을 적을 것을 요청했다. 관리자는 또한 두 사람에게 만일 두 사람이 같은 금액을 적어 냈다면 적어 낸 값을 두 개의 여행 가방의 가치로 보고 여행자들에게 돈을 배상하기로 했다. 하지만 만일 한 사람이 다른 사람에 비해 낮은 가격을 적었다면, 낮은 가격을 진짜 가격으로 여기고 두 여행자는 낮은 가격에 더해 보상이나 벌을 받는다. 즉 낮은 가격을 적은 여행자에게는 2달러가 추가로 지급되었고 높은 가격을 적은 여행자에게는 2달러를 깎기로 했다. 자신들이 적어 낼 금액을 결정하기 위해 두 여행자는 어떤 전략을 따라야 하는지가 바로 도전 과제이다.

어휘 **identical** ⓐ 동일한, 똑같은
tasked to − ~의 과업을 맡다
be liable for − ~에 대해 책임이 있다, ~의 지불 의무가 있다
appraised value − 평가액
confer ⓥ 상의하다

reimburse ⓥ 배상하다, 변제하다
deduction ⓝ 공제
bonus/malus – 보상 아니면 벌

06 **항공사 관리자는 왜 두 명의 여행객을 따로 떼어 놓았는가?**

① 여행객 각자 더 정직해질 것을 권유하고자
② 최선의 행동을 할 수 있는 결정을 내리기 위해 상의하지 못하게 하려고
③ 함께 도망치지 못하게 하려고
④ 평가액에 관해 더 분명하게 생각할 수 있는 자유를 더 누리게 하려고

정답 ②
해설 항공사에서 두 사람을 서로 떼어 놓은 이유는 "여행자가 서로 상의하지 못하도록(so they can't confer)" 하기 위함이다. 따라서 답은 ②이다.

07 **다음 중 옳은 것을 고르시오.**

① 다른 쪽보다 더 높은 값을 적어 낸 여행객은 아무것도 받지 못한다.
② 만일 두 여행객이 동일한 숫자를 제시한다면 배상금을 전혀 받지 못한다.
③ 총 금액 내 범위는 100달러이다.
④ 만일 한 여행객이 더 적은 수를 적어 낸다면 이 여행객은 추가적인 혜택을 얻게 된다.

정답 ④
해설 "낮은 가격을 적은 여행자에게는 2달러가 추가로 지급되었고 높은 가격을 적은 여행자에게는 2달러를 깎기로 했다($2 extra will be paid to the traveler who wrote down the lower value and a $2 deduction will be taken from the person who wrote down the higher amount)." 즉 낮은 가격을 적은 여행자가 추가적인 혜택을 보는 것이다. 따라서 답은 ④이다.

08-11

체외 수정, 임신 촉진제 사용의 급증, 30대나 40대가 되기 전까지 출산을 늦추는 여성의 증가 등으로 인해 지난 20년 동안 다생아 출산의 사례가 증가했다. 난자 생산을 유도하기 위해 호르몬을 사용한 다음에 난자를 체외에서 수정하고 자궁으로 다시 주입하는 시술법인 체외 수정이 미국에서 1980년에 이용 가능해졌다. 그 이후 전체 출생 가운데 쌍둥이 및 세 쌍둥이가 차지하는 비율이 7배 상승했다. 이제는 이런 다생아 출산이 사람들에게 더 이상 깊은 인상을 주는 것 같지는 않다. 다생아 출산은 쉬워졌지만, 이로 인한 위험은 모자 동일하게 매우 실제적으로 존재한다.
단생아와는 달리 다생아는 조산의 가능성이 크다(태아의 수가 많을수록 출산 시기가 점점 빨라진다). 유산의 위험도 높아진다. 제왕절개술이 더 빈번히 행해진다. 임신당뇨, 고혈압, 자간전증 등이 모두 발생할 수 있다. 다생아 출산은 또한 뇌성마비 같이 자녀에게 오랜 기간 동안 건강상의 악영향을 미칠 가능성이 있다. 단기적으로는 다수의 다생아 출산의 경우 신생아가 출산 합병증이나 사망할 위험성이 더 커진다. 그러나 주목할 만한 사례를 들자면 2009년 "여덟 쌍둥이의 엄마"인 Nadya Suleman에게서 태어난 여덟 명의 아이 모두 생존했다.

어휘
in vitro fertilization 체외 수정
fertility drug 임신 촉진제
fertilize ⓥ 수정시키다
uterus ⓝ 자궁
as a proportion of ~에 대한 비율
as opposed to ~와는 대조적으로
singleton ⓝ 외둥이, 단생아
fetus ⓝ 태아
cesarean section 제왕절개
hypertension ⓝ 고혈압
implication ⓝ 영향
birth complication 출산 합병증
postponement ⓝ 연기
conception ⓝ 착상
skyrocketing ⓐ 치솟는, 급증하는
induce ⓥ 유도하다, 촉진하다
implant ⓥ 심다, 주입하다
triplet ⓝ 세 쌍둥이
-fold ⓐ ~배
multiple ⓝ 다생아, 다둥이
premature ⓐ 조산의
miscarriage ⓝ 유산
gestational diabetes 임신당뇨
preeclampsia ⓝ 자간전증 (임신중독증의 일종)
cerebral palsy 뇌성마비
contributor ⓝ 기여자, 원인 제공자
inject ⓥ 주입하다, 주사하다
carry to term 아이를 낳을 때까지 품다

08 다음 중 유추할 수 있는 것은 무엇인가?

① Nadya Suleman은 임신 기간 동안 스스로를 돌보는 방법에 관해 연구해야 했다.
② 다생아 출산은 더 흔해지긴 했어도 여전히 매우 희귀하다.
③ 다생아 출산은 산모와 아이 입장에서 온갖 문제로 가득하다.
④ 일부 여성은 다생아 출산 가능성을 높이고자 체외 수정을 추구한다.

정답 ③
해설 특히 두 번째 단락을 통해 다생아 출산은 산모와 아이에게 여러 가지 문제를 야기한다는 사실을 알 수 있다. 따라서 답은 ③이다.

09 본문에 따르면 다음 중 다생아 출산 증가에 기여한 것으로 책임져야 할 것이 아닌 것은 무엇인가?

① 임신 촉진을 위해 사용되는 약 투여의 빠른 증가
② 체외 수정이 여성에 미치는 영향
③ 인생에서 늦은 시기까지 임신을 늦추게 됨
④ 현대 여성들이 체험하는 삶의 방식

정답 ④
해설 "체외 수정, 임신 촉진제 사용의 급증, 30대나 40대가 되기 전까지 출산을 늦추는 여성의 증가 등으로 인해 지난 20년 동안 다생아 출산의 사례가 증가했다(Thanks to in vitro fertilization (IVF), the skyrocketing use of fertility drugs and the increasing number of women who delay childbearing until their 30s or 40s, the incidences of multiple births have increased in the past two decades)." 보기 중에서 여기에 명시되지 않은 것은 ④이다.

10 체외 수정은 어떤 원리로 작동하는가?

① 여성에게 자궁 내 안전한 착상을 촉진하기 위해 꼭 필요한 호르몬이 주입된다.
② 난자 생성률에 변화를 주기 위해 약이 사용되고 이는 즉 난자가 아이를 품기에 더 효율적으로 변한다는 의미이다.
③ 호르몬으로 강화된 난자가 생성되고, 여성의 몸에서 이 난자를 추출한 다음에 실험실에서 배양된다.
④ 난자 생성이 촉진되고, 이 중 일부는 여성의 몸에서 추출해 수정된 다음 다시 여성에게 주입된다.

정답 ④
해설 본문에 따르면 체외 수정은 "난자 생산을 유도하기 위해 호르몬을 사용한 다음에 난자를 체외에서 수정하고 자궁으로 다시 주입하는 시술법(hormones are used to induce the production of eggs, which are externally fertilized and then implanted back into the uterus)"이다. 보기 중 이와 의미상 가장 가까운 것은 ④이다.

11 다음 중 사실은 무엇인가?

① 다생아 출산보다 단생아 출생인 경우 여성이 아이를 낳기 전에 아이를 잃게 될 가능성이 더 크다.
② 여덟 명의 아이를 낳은 여성은 아이들 중 일부가 발달 장애를 갖고 있을 것임을 이미 알고 있었다.
③ 다생아 출산의 합병증은 여성으로 하여금 자신의 여덟 아이 모두를 낳는 것을 막게 만들었다.
④ 위험에도 불구하고, 여성은 여덟 아이를 끝까지 품을 수 있었고 이 아이들 모두 생존했다.

정답 ④
해설 문제는 여덟 쌍둥이를 낳은 엄마에 관한 내용을 담고 있으며, 이 아이들은 결국 모두 생존했기 때문에 답은 ④이다.

12-14

위기를 인지해야 할 필요성에 관해 논하기 위해 "불타는 플랫폼"에 관해 말해 보자. 이 말은 조직의 변화에 관해 논하는 문헌에서 흔히 접하게 되는 표현으로, 1988년 북해에서 가동 중이던 석유 시추 플랫폼인 Piper Alpha에서 벌어진 끔찍한 사고를 일컫는다. 가스 누출로 폭발이 발생하면서 시추 시설을 반으로 쪼개 놓은 사건이었다. 한 기자가 쓴 글에 따르면 "생존자들은 악몽과도 같은 선택을 해야 했다. 150피트 높이에서 뛰어내려 불타는 바다 속으로 뛰어들든지 산산조각 나는 시추 시설에서 확실한 죽음을 맞이하든지." 당시 시추 시설의 책임자였던 Andy Mochan은 다음과 같이 말했다. "기름에 타 죽든가 뛰든가 둘 중 하나뿐이었고, 그래서 난 뛰어내렸다." 그는 결국 NATO와 영국 공군이 참여한 구조 작전을 통해 살아남았다.
인간이 겪은 이러한 비극적 사례로부터 다소 우스꽝스러운 기업 분야의 상투적인 문구가 등장하게 된다. 경영진이 "불타는 플랫폼"의 필요성에 관해 말하는 경우는 기본적으로 경영진들에게 직원들의 변화를 야기하도록 직원들을 겁줄 방법이 필요하다는 소리이다. 불타는 플랫폼을 창조한다는 것은 현재 상황을 직원들이 불타는 바다 속으로 뛰어들 수밖에 없는 매우 비관적인 상황으로 묘사하는 것이다. (그리고 "불타는 바다 속으로 뛰어든다"는 것은 직원들이 조직의 관행을 바꾼다는 의미가 된다. 이런 식으로 "불타는 플랫폼"을 활용하는 것은 사전에서 정의된 과장법과 같다 할 수 있다.) 간단히 말해 "불타는 플랫폼"은 "팀 여러분 타 죽는 것보다 바다 속으로 뛰어드는 위험한 길을 선택합시다. 이제 일하러 가세요"라고 말하면서 직원들의 사기를 높이는 대단한 이야기이다.

어휘
literature ⓝ (특정 분야의) 문헌[인쇄물]
rig ⓝ 굴착 시설, 시추 시설
disintegrate ⓥ 산산조각 나다
ridiculous ⓐ 우스꽝스러운
hyperbole ⓝ 과장법
presence of mind 침착성
trigger ⓥ 촉발시키다
nightmarish ⓐ 악몽 같은
superintendent ⓝ 관리자
executive ⓝ 경영 간부
uplifting ⓐ 희망을 주는, 사기를 높이는

12 본문의 주제는 무엇인가?

① 기업의 모습을 바꾼 비극
② "불타는 플랫폼"이라는 문구의 기원
③ 극도의 압박 속에서 결정을 내리기
④ 더 나은 보호를 제공하기 위한 안전 관행 변화

정답 ②
해설 본문은 "불타는 플랫폼"이 무엇을 의미하는지 그 기원과 용법에 관해 설명하고 있다. 따라서 답은 ②이다.

13 다음 중 밑줄 친 부분과 의미가 같은 것은 무엇인가?

① 나는 뛰라는 말을 들었을 때 뛰었고, 뛰지 않았더라면 지금 여기 있지 못했을 것이다.
② 나에게 남은 선택이 죽음이거나 알지 못하는 곳으로 뛰어드는 것뿐이었을 때 나는 기회를 잡는 편을 선택했다.
③ 내가 취한 결정은 내 미래를 결정했을 것이며, 나는 그 당시엔 침착하지 못했다.
④ 뛰어내리는 것은 그 순간이 올 때까지는 내가 할 것이라고 생각도 못 한 일이었다.

정답 ②
해설 밑줄 친 부분은 "기름에 타 죽든가 뛰든가 둘 중 하나뿐이었고, 그래서 난 뛰어내렸다"로 해석이 가능하며, 보기 중에서 이와 의미상 가장 가까운 것은 ②이다.

14 기업 용어 측면에서 "불타는 플랫폼"이란 문구는 어떤 용도로 쓰이는가?

① 부정적인 평가를 제시하여 기존에 행해진 것들의 방식을 바꾸기
② 사람들에게 자신이 열심히 하고 있다는 사실을 깨닫지 못하도록 하면서 열심히 일하게 만들기
③ 매력적이지 않은 대안을 제시하여 사람들에게 자신이 원하는 것을 하도록 만듦
④ 근로자들이 자신의 일을 두려워하게 만드는 좋지 못한 작업환경을 만듦

정답 ③
해설 '죽는 것 아니면 위험을 무릅쓰는 것' 가운데 하나를 선택하는 상황이라면 죽는 것보다는 위험을 무릅쓰는 것을 선택할 것이다. 즉 "불타는 플랫폼"은 사람들이 그다지 원하지는 않지만 어쩔 수 없이 선택할 수밖에 없는 선택지를 제공하고 이를 사람들이 하도록 만드는 것이다. 따라서 답은 ③이다.

15-18

우선 우리 교수들은 스스로에게 기본적인 질문을 던져야 한다. 내가 강의를 하는 이유는 무엇일까? 책을 읽거나 온라인 학습 모듈을 활용하면 편리성 차원에서는 덜 불편할지 몰라도 직접 접할 수 없는 강의를 통해 학생들에게 무엇을 전달할 수 있을 것인가. 교수가 실제로 눈앞에 존재하면서 강의가 실시간으로 진행되는 것이 학생들에게 큰 영향을 미친다는 점이 어느 정도는 분명히 답이라 할 수 있다. 위대한 교수는 학생들에게 정보를 제공할 뿐 아니라 학생들의 상상력을 사로잡고 학생들을 고무시킨다.
위대한 교수의 가장 중요한 목적이 정보 전달에만 있는 것은 아니다. 정보 전달을 위해서라면 교과서에서 읽어 올 부분을 할당해 주거나 노트의 전자 복사본을 배포하기 등의 다른 기법도 마찬가지로 효과적일 수 있다. 강의의 진정한 목적은 강의 중인 교수의 정신과 마음을 드러내는 것이고, 학생의 마음과 정신을 사로잡는 것이다. 교수가 강의 주제에 열성적인가? 왜 그럴까? 나도 교수처럼 강의를 통해 해당 주제에 관해 열광할 수 있을까? 내가 어떻게 하면 해당 주제를 활용해 환자들을 더 잘 돌볼 수 있을까? 이것이 내가 언제가 되고픈 의사나 간호사의 모습인가? 위대한 교수가 학생들에게 전해주는 혜택은 시험에 대비하기, 좋은 성적 얻기, 어떤 형태의 전문 자격증을 획득하기 등에 그치지 않는다. 위대한 강의는 학생들이 이전에 고려해 본 적 없던 새로운 의문, 연계성, 전망 등에 눈이 뜨이게 해 주고, 어떻게 살고 일할 것인지에 관해 새로운 가능성을 밝혀 준다. 의문의 여지없이 위대한 강의는 또한 강의에 집중하는 학생들이 더 좋은 점수를 받게끔 도와준다. 하지만 강의는 강의에서 다루는 주제가 어떤 목적 때문만이 아니라 그 자체만으로도 존재할 수 있게 하며, 위에 제시된 한정적이고 실용적인 이점 이외에도 그 자체만으로도 알아야 할 가치가 있어 보인다.

어휘
- **get across** – 전달하다, 이해시키다
- **inspire** ⓥ 고무하다, 격려하다
- **enthused** ⓐ 열광하는, 열변을 토하는
- **certification** ⓝ 증명서 교부, 자격증 획득
- **utilitarian** ⓐ 실용적인
- **pool** ⓥ 모으다
- **unfolding** ⓝ 전개됨, 펼쳐짐
- **transmit** ⓥ 전파하다, 전달하다
- **aspire** ⓥ 열망하다, 염원하다
- **for its own sake** 그 자체만을 위해
- **symbiotic** ⓐ 공생하는
- **consistently** (adv) 한결같이, 일관되게

---

15 강의를 듣는 것은 책을 읽는 것과 어떤 차이가 있는가?

① 교수의 열정을 들을 수 있고 강의 주제와 관해 같은 식으로 느끼는지 여부를 발견할 수 있다.
② 교수가 강의 주제에 관해 실제로 어떻게 느끼는지를 아는 것은 학생의 생각에 변화를 줄 수 있다.
③ 교수가 학생에게 관심을 보일 때 이들은 강의를 통한 혜택을 모두 얻을 수 있다.
④ 위대한 교수로서 같은 방에 있는 것이 여러분에게 해당 주제에 관한 더 많은 책을 읽도록 동기를 부여한다.

정답 ①

해설 "강의의 진정한 목적은 강의 중인 교수의 정신과 마음을 드러내는 것이고, 학생의 마음과 정신을 사로잡는 것이다(The real purpose of a lecture is to show the mind and heart of the lecturer at work, and to engage the minds and hearts of learners)"에서 드러나듯이 강의를 통해서 학생은 교수의 정신과 마음 즉 교수가 가진 감정을 느끼고 공감할 수 있다. 하지만 단순히 책을 읽는 것으로는 "정보 전달을 위해서라면 교과서에서 읽어 올 부분을 할당해 주거나 노트의 전자 복사본을 배포하기 등의 다른 기법도 마찬가지로 효과적일 수 있다(To this end, other techniques, such as assigning a reading in a textbook or distributing an electronic copy of the notes, can be equally effective)"에서 설명된 바와 같이 단지 지식을 전달하는 데 그칠 뿐이다. 따라서 답은 ①이다.

16 다음 중 밑줄 친 부분을 패러프레이즈한 것은 무엇인가?

① 교수는 학생들이 해결에 어려움을 겪고 있는 이러한 문제를 해결하도록 도와야 한다.
② 집중하는 학생들은 분명히 성적을 높일 수 있다.
③ 학생들이 제대로 된 질문을 하지 않으면 교수의 주의가 다른 곳으로 향하게 된다.
④ 학생의 질문이 더 나은 성적으로 이어진다.

정답 ②

해설 밑줄 친 부분은 "의문의 여지없이 위대한 강의는 또한 강의에 집중하는 학생들이 더 좋은 점수를 받게끔 도와준다"는 의미를 지니며, 보기 중에서 이와 의미상 가장 가까운 것은 "강의에 집중하면 좋은 점수가 잘 나온다"는 의미에서 ②이다.

17 본문에서 유추할 수 있는 것은 무엇인가?

① 교수와 학생은 공생하는 관계를 맺기 위해 서로를 개인적으로 좋아해야 할 필요가 있다.
② 저자는 자신이 위대한 교수임을 진정 믿는다.
③ 교과서의 수준을 뛰어넘는 감정을 선보이게 되면 강의를 활성화시키게 된다.
④ 교수는 자신의 강의 기법을 향상시키기 위해 자원을 모아서 서로를 도와야 한다.

정답 ③

해설 본문은 교수가 단순히 교과서에 등장하는 것을 가르쳐서 지식을 전달하는 것에 그치지 않고, "강의 중인 교수의 정신과 마음을 드러내는 것이고, 학생의 마음과 정신을 사로잡는" 즉 자신의 감정을 드러내어 학생과 교감을 하는 것이 중요함을 역설하고 있다. 따라서 답은 ③이다.

18 다음 중 사실인 것은 무엇인가?

① 강의는 일관되게 교과서에 충실해야 한다.
② 강의는 정보 전달에 집중해야 한다.
③ 교수는 성적을 향상시킬 수 없다.
④ 저자 자신이 교수이다.

정답 ④

해설 "우선 우리 교수들은 스스로에게 기본적인 질문을 던져야 한다. 내가 강의를 하는 이유는 무엇일까(To begin with, we lecturers must ask ourselves a basic question: why am I lecturing)?" 여기서 저자 또한 교수임을 알 수 있다. 따라서 답은 ④이다.

19-20

음악 비평가를 대상으로 한 조사에서, 펠릭스 멘델스존은 가장 뛰어난 음악 신동으로 뽑혔다. 의외로, 모차르트는 비평가들이 뽑은 top 10에 들지 못했다. 순위를 결정하는 두 가지 중요한 기준은 작곡가가 어린 나이에 작곡한 작품의 질과 양, 그리고 본지 주요 집필진들의 일부 강력한 주장이다. 18세 이하 최고의 작곡가 top 10의 면면을 보면, 흥미로운 사실이 드러난다. 작가 괴테가 약 200년 전에 말했던 것처럼, 모차르트의 작품을 같은 나이의 멘델스존의 작품과 비교하는 것은 "어린아이의 옹알거림"을 "성인의 세련된 말"에 비교하는 것과 같다.

어휘 **poll** ⓝ 투표, 여론 조사
child prodigy – 신동
put ⓥ 표현하다
put together – 모으다, 조합하다
compare ⓥ 비교하다
cultivated ⓐ 교양 있는, 세련된
hold oneself – 가만히[잠자코] 있다, 움직이지 않다
crown ⓥ ~의 정상에 올려놓다, 왕위에 앉히다
factor ⓝ 요소, 요인
leading ⓐ 주된, 뛰어난
revealing ⓐ 의미심장한, 흥미로운
prattle ⓝ 어린아이의 더듬거리는 말, 시시한 잡담
grown-up ⓝ 성인

---

19 모차르트가 선택받지 못한 이유는 무엇인가?

① 모차르트는 18세 이전에 작곡을 많이 하지 않았다.
② 모차르트가 어린 시절 작곡한 곡들은 멘델스존의 곡보다 떨어진다.
③ 편집자가 모차르트의 음악을 좋아하지 않았다.
④ 모차르트를 포함시키는 것은 다른 작곡가들에게 공정하지 못하다.

정답 ②
해설 순위를 결정하는 두 가지 중요한 기준은 작곡가가 어린 나이에 작곡한 작품의 질과 양, 그리고 잡지 집필진들의 강력한 주장이었는데, 그들은 모차르트가 멘델스존보다 떨어진다고 생각했으며, 이는 괴테의 얘기를 인용하는 부분(comparing the music that Mozart was writing as a child to Mendelssohn's at the same age is like comparing "the prattle of a child" to "the cultivated talk of a grown-up person.")에서 잘 드러나고 있다.

---

20 다음 중 괴테가 한 말을 가장 잘 바꿔 쓴 것은?

① 멘델스존 작품의 세련미는 모차르트의 작품을 투박하게 보이도록 했다.
② 성년기에 모차르트는 멘델스존의 청년 시절만큼이나 좋은 곡들을 작곡했다.
③ 모차르트는 엄청난 양의 훌륭한 음악을 작곡했지만, 멘델스존은 이에 비해 훨씬 적었다.
④ 모차르트는 음악의 사랑에 대해서는 어린아이 같았지만, 멘델스존은 어른스럽게 자신의 음악에 대해 잠자코 있었다.

정답 ①
해설 모차르트의 작품을 같은 나이의 멘델스존의 작품과 비교하는 것은 "어린아이의 옹알거림"을 "성인의 세련된 말"에 비교하는 것과 같다(comparing the music that Mozart was writing as a child to Mendelssohn's at the same age is like comparing "the prattle of a child" to "the cultivated talk of a grown-up person.")는 진술로부터 멘델스존의 작품이 더 훌륭하다는 것을 알 수 있다. 그러므로 정답은 ①이다.

07 Practice Test 정답 및 해설

01	①	02	②	03	①	04	①	05	④	06	②	07	①	08	④	09	②	10	②
11	②	12	①	13	②	14	②	15	①	16	④	17	④	18	④	19	③	20	①

01-02

책과 신문은 둘 다 모두 내용과 무관하게 단순히 그 형태에 의해 그 뒷이야기의 영향을 만들어 내기 때문에 그 특성이 고백적이다. 책에서 저자의 정신적 모험의 뒷이야기를 만들어 내는 것처럼, 신문에서도 서로 행동하고 상호 작용하는 공동체만의 뒷이야기를 만들어 낸다. 바로 이러한 이유 때문에 어두운 곳을 파헤칠 때 신문이 가장 강력하게 기능하는 것처럼 보이는 것이다. 실제 뉴스는 나쁜 소식이다. 즉 누군가에 관한 나쁜 이야기거나 누군가에게 관한 나쁜 소식인 것이다. 1962년에 미니애폴리스가 몇 달 동안 신문 하나 없이 보냈던 시절에, 당시 경찰국장이 이런 얘기를 했다. "정말로 저는 신문이 그립긴 합니다만, 내 직업상으로 본다면 신문이 영원히 없으면 하고 바랍니다. (범죄의) 아이디어를 내놓는 신문이 없으면 범죄도 줄거든요."

07

어휘 **confessional** ⓐ 고백적인
yield ⓥ 만들어 내다, 생산하다
seamy ⓐ 어두운
inside story 내막, 속사정, 뒷이야기
pass around 돌아가며 분배하다

01 문맥으로 보아 빈칸 (A)에 들어갈 적합한 것은?

① 신문 하나 없이
② 아무런 결과 없이
③ 문제없이
④ 신문기사를 검토하기 위하여

정답 ①
해설 뒷부분의 자신도 신문이 그립다는 진술로부터 신문이 없다는 것을 끌어낼 수 있다. 아무런 결과나 아무런 문제가 없다는 것은 본문의 글의 흐름과 맞지 않으며, ④의 경우 신문기사를 검토하기 위하여 몇 달을 보낸다는 것 역시 어색하다. 결국 신문은 그립지만, 신문을 통한 모방범죄나 범죄의 악영향을 고려한다면 없는 게 낫겠다는 진술에서 신문이 없는 몇 달을 보냈다는 것이 올바른 진술이다.

02 다음 문장이 들어갈 적당한 자리는?

바로 이러한 이유 때문에 어두운 곳을 파헤칠 때 신문이 가장 강력하게 기능하는 것처럼 보이는 것이다.

① [1]
② [2]
③ [3]
④ [3]

정답 ②

해설 for this reason이 강조되었으며, this reason이 언급된 부분을 찾아야 한다. ②가 정답이다. 그 이유는 책과 신문은 둘 다 모두 내용과 무관하게 단순히 그 형태에 의해 그 뒷이야기의 영향을 만들어 낸다고 하였고, 'the press page yields the inside story of the community in action and interaction' 즉 신문에서도 서로 행동하고 상호작용하는 공동체만의 뒷이야기를 만들어 낸다는 점에서 신문이 가장 강력하게 기능하는 것임을 알 수 있다.

03-05

갈릴레오의 천재성의 일부는 조형 미술에 담긴 이탈리아 르네상스의 정신을 수학적 정신 및 관찰의 정신으로 전환한 것에 있다. 그는 피렌체 화가들이 세상을 바라보면서 가졌던 경쟁적이면서 실증적인 욕구를 받아들인 다음 이들 욕구를 밤하늘을 보는 데 활용했다. 권위에 의심을 품고 이것저것 실험해 보는 갈릴레오의 지적인 행위는 그가 별을 향해 시선을 돌리기 이전에는 류트와 석고 바탕에 그려진 템페라화 등을 대상으로 먼저 이루어졌다. 사물의 관찰법을 두고 벌어지는 경쟁을 통해 지식이 어떻게 성장해 왔는지를 파악하려면 마사초가 그린 돌기둥에서부터 미켈란젤로의 뒤틀린 완벽함에 이르기까지 두 세기 동안 이어진 피렌체 화풍의 작품을 연구하는 것으로 충분하다. 물리학자이자 과학사가인 Mark Peterson이 지적한 바에 따르면, 젊은 시절의 갈릴레오는 기하학자로서 자신이 새로이 습득한 기술을 활용해 단테가 상상했던 지옥의 구조에 관해 강의했고, "규모가 커지는 것"의 숨겨진 진실을 파악했는데, 바로 그렇게나 거대한 지옥은 고전적인 공학 원리에 따르면 만들어질 수 없다는 것이었다. 하지만 화가나 시인은 종교적인 대상을 통해 안전하게 세상을 바라볼 수 있다. 반면에 갈릴레오는 자신의 망원경 렌즈를 통해 종교적인 대상이 아닌 것들을 바라봤다. 화가나 시인은 사람을 보고 사람에서 천사를 봤지만, 갈릴레오는 하늘을 보고 하늘에서 천사를 보지는 않았다.

어휘
- **plastic art** 조형 미술
- **Florentine** ⓐ 피렌체의
- **tempera** ⓝ 템페라화
- **geometer** ⓝ 기하학자
- **authority figure** 실력자, 권위 있는 인물
- **empirical** ⓐ 경험에 의거한, 실증적인
- **lute** ⓝ 류트
- **gesso** ⓝ 석고를 칠한 바탕
- **rival** ⓥ ~에 필적하다

03 저자는 갈릴레오를 어떻게 바라보고 있는가?

① 새로운 방식으로 과학을 바라보는 지식인
② 과학이 예술에 필적할 수 있다고 생각하던 바보
③ 친절한 사람이지만 그다지 지혜롭지는 않던 사람
④ 똑똑한 사람이지만 두뇌를 잘못된 방식으로 사용하던 사람

정답 ①

해설 "갈릴레오의 천재성의 일부는 조형 미술에 담긴 이탈리아 르네상스의 정신을 수학적 정신 및 관찰의 정신으로 전환한 것에 있다(Part of Galileo's genius was to transfer the spirit of the Italian Renaissance in the plastic arts to the mathematical and observational ones)." 즉 여기서 저자는 갈릴레오가 이전과는 다른 새로운 방식을 취한 천재적 인물임을 강조하고 있다. 따라서 답은 ①이다.

04 다음 중 빈칸에 가장 알맞은 것은 무엇인가?

① 자신의 망원경 렌즈를 통해
② 마치 망원경 렌즈를 가지고 있지 않던 것처럼
③ 렌즈에 무관하게
④ 예술적인 렌즈를 통해

정답 ①
해설 갈릴레오는 과학자이며 뭔가를 "바라보기(saw)" 위해서는 "망원경 렌즈를 통했을" 것으로 추론이 가능하다. 따라서 답은 ①이다.

05 다음 중 밑줄 친 부분을 패러프레이즈한 것은 무엇인가?

① 권위있는 인물의 지능에 의심을 던지는 실험은 음악, 예술, 또는 심지어 과학을 통해 만들어질 수 있다.
② 똑똑한 사람만이 재능을 가지고 권위에 도전할 수 있다.
③ 음악과 예술은 과학자들로 하여금 권위에 대항하는 새로운 실험을 하도록 권유한다.
④ 권위에 대한 도전은 과학 이전에는 음악과 예술에 종사하는 사람들을 통해 처음 이루어졌다.

정답 ④
해설 밑줄 친 부분은 "권위에 의심을 품고 이것저것 실험해 보는 갈릴레오의 지적인 행위는 별을 향해 시선을 돌리기 이전에는 류트와 석고 바탕에 그려진 템페라화 등을 대상으로 먼저 이루어졌다"로 해석이 되며, 이는 갈릴레오가 행한 권위에 대한 도전은 처음에는 음악과 미술을 통해 먼저 이루어졌다는 의미이다. 보기 중에서 이와 의미상 가장 가까운 것은 ④이다.

06-09

준비 여부와는 상관없이 영어는 이제 전 세계적인 비즈니스 언어이다. 점차 많은 수의 다국적 기업들이 지리적으로 다양한 직무와 사업적 노력의 일환으로 의사소통과 업무수행을 촉진하기 위해 영어를 쓸 것을 요구하고 있으며, 그런 기업들의 예를 들면 에어버스, 다임러 크라이슬러, 노키아, 르노, 삼성, 중국 마이크로소프트 등이 있다. 공통된 언어 방식을 도입하는 것은 단순히 좋은 생각에 그치는 것이 아니라, 꼭 필요한 것이며, 예를 들면 심지어 해외에서 영업을 하는 미국 기업이나 국내 소비자에 집중하는 프랑스 기업의 경우에도 그렇다. 파리에 본사를 둔 어느 한 기업의 본사 출신 판매원들이 한데 모인 것을 가정해 보자. 이 사람들이 모두 영어를 할 수 있을지 여부를 신경 쓸 필요는 없을 것이다. 이제 동일한 무리의 사람들이 마찬가지로 파리에 본사가 있는 한 기업에 방문 판매를 가는데, 잠재 고객이 될 사람들이 프랑스어를 할 줄 모르는 다른 지역에서 온 직원들을 데리고 왔을 경우를 고려해 보자. 바로 이것이 내가 일하던 어떤 회사에서 벌어졌던 상황이다. 두 곳의 프랑스 기업 직원들이 파리에서 함께 앉아 있었음에도 서로 의사소통을 할 수 없어서 협상을 매듭지을 수 없었다. 이는 충격적이고 정신이 번쩍 들게 하는 신호였으며, 그 기업에서는 즉각 기업의 언어 전략을 영어로 정했다. 세계적 공통어를 도입하는 정책은 쉬운 일이 아니며, 기업들은 예외 없이 도입 과정에서 실수를 경험한다. 이런 도입 정책은 급진적이고 준비 여부와는 상관없이 영어는 이제 전 세계적인 비즈니스 언어이다. 점차 많은 수의 다국적 기업들이 지리적으로 다양한 직무와 사업적 노력의 일환으로 의사소통과 업무수행을 촉진하기 위해 영어를 쓸 것을 요구하고 있으며, 그런 기업들의 예를 들면 에어버스, 다임러 크라이슬러, 노키아, 르노, 삼성, 중국 마이크로소프트 등이 있다. 공통된 언어 방식을 도입하는 것은 단순히 좋은 생각에 그치는 것이 아니라, 꼭 필요한 것이며, 예를 들면 심지어 해외에서 영업을 하는 미국 기업이나 국내 소비자에 집중하는 프랑스 기업의 경우에도 그렇다. 파리에 본사를 둔 어느 한 기업의 본사 출신 판매원들이 한데 모인 것을 가정해 보자. 이 사람들이 모두 영어를 할 수 있을지 여부를 신경 쓸 필요는 없을 것이다. 이제 동일한 무리의 사람들이 마찬가지로 파리에 본사가 있는 한 기업에 방문 판매를 가는데, 잠재 고객이 될 사람들이 프랑스어를 할 줄 모르는 다른 지역에서 온 직원들을 데리고 왔을 경우를 고려해 보자. 바로 이것이 내가 일하던 어떤 회사에서 벌어졌던 상황이다. 두 곳의 프랑스 기업 직원들이 파리에서 함께 앉아 있었음에도 서로 의사소통을 할 수 없어서 협상을 매듭지을 수 없었다. 이는 충격적이고 정신이 번쩍 들게 하는 신호였으며, 그 기업에서는 즉각 기업의 언어 전략을 영어로 정했다. 세계적 공통어를 도입하는 정책은 쉬운 일이 아니며, 기업들은 예외 없이 도입 과정에서 실수를 경험한다. 이런 도입 정책은 급진적이고 직원들로부터 분명한 저항을 불러일으킬 것이 거의 확실하다. 많은 사람들은 자신의 영어 실력이 다른 사람보다 못하다는 생각이 들면 자신의 입장이 불리하다는 생각이 들 것이고, 팀의 역동성과 성과가 악화될 가능성이 있고, 국가적 자존심도 영어 전략에 방해가 될 것이다. 하지만 세계 경제에서 살아남아 번성하기 위해서라면 기업들은 언어의 장벽을 뛰어넘어야 하고 최소한 지금은 영어가 거의 언제나 공통된 기반이 될 것이다.

어휘 **mandate** ⓥ 지시하다, 명령하다
facilitate ⓥ 용이하게 하다, 촉진하다
must ⓝ 꼭 필요한 것, 필수적인 것
geographically (adv) 지리적으로
sale call – 방문 판매
close a deal – 협상을 매듭짓다
wake-up call – 사람들의 주의를 촉구하는 일, 정신이 번쩍 들게 하는 일
invariably ⓐ 예외 없이, 언제나
stumble ⓥ 실수하다, 휘청거리다
radical ⓐ 급진적인
staunch ⓐ 확고한
get in the way – 방해되다
common ground – 공통되는 기반, 공통점
stifle ⓥ 억압하다, 질식시키다
originate in – ~에서 유래하다, ~에서 비롯하다
broker ⓥ 중개하다

06 본문의 주제는 무엇인가?

① 영어가 전 세계로 확산되는 것에 대한 저항
② 공통된 전 세계 차원의 비즈니스 언어의 필요성
③ 영어가 다른 이들에게 수용되는 속도
④ 영어의 사용이 비즈니스계에 미치는 영향

정답 ②

해설 본문은 저자의 사례를 빌어 왜 영어가 국제적인 비즈니스용 언어로 통용되어야 하는지를 설명하고 있다. 따라서 답은 ②이다.

07 다음 중 직원들이 영어로의 전환에 저항하는 이유가 아닌 것은 무엇인가?

① 직원들은 본사 사람들이 방문할 때마다 더 잘해야 한다는 압박을 받는다.
② 팀 구성원이 다른 언어로 의사소통을 하려고 노력하는 관계로 서로간의 관계가 고통 받게 된다.
③ 일부 직원들은 자신의 모국어를 다른 곳으로 제쳐 놓는 것이 자신의 모국어에 해가 되며 모국어를 덜 중요하게 만들 것이라 생각한다.
④ 모든 직원들은 영어의 수준이 서로 다르다. 영어 실력이 좋지 않은 사람들은 자신이 열등하다 느끼거나 그렇게 대우받을 수 있다.

정답 ①

해설 "많은 사람들은 자신의 영어 실력이 다른 사람보다 못하다는 생각이 들면 자신의 입장이 불리하다는 생각이 들 것이고(Many may feel at a disadvantage if their English isn't as good as others')"는 ④에 해당하며, "팀의 역동성과 성과가 악화될 가능성이 있고(team dynamics and performance can suffer)"는 ②에 해당하며, "국가적 자존심도 영어 전략에 방해가 될 것이다(national pride can get in the way)"는 ③에 해당한다. 하지만 ①은 본문에 언급된 바 없으므로 ①이 답이 된다.

08 국제적인 비즈니스에 영어가 중요한 이유는 무엇인가?

① 영어에 대한 지식이 없다면 국제 비즈니스는 서구 문화를 이해할 수 없기 때문에 억압당할 것이다.
② 대부분의 대형 기업은 영어권 국가에서 유래하므로 영어가 가장 편한 언어이다.
③ 수많은 사람들이 말하는 다수의 다른 언어보다 영어가 배우기 쉽기 때문이다.
④ 전 세계 여러 국가의 기업이 공통된 언어를 활용해 거래를 이끌어 내기 위해

정답 ④

해설 본문의 사례에서 볼 수 있듯이 영어는 "공통된 언어 방식(common mode of speech)"으로 "지리적으로 다양한 직무와 사업적 노력의 일환으로 의사소통과 업무수행을 촉진하기 위해(facilitate communication and performance across geographically diverse functions and business endeavors)" 도입된다. 따라서 답은 ④이다.

09 본문에서 유추할 수 있는 것은 무엇인가?

① 프랑스는 영어를 국제적인 비즈니스 언어로 가장 마지막에 도입한 국가이다.
② 영어가 국제적인 비즈니스 언어가 될 것이라는 전망에 모든 사람들이 기뻐하는 것은 아니다.
③ 미국인들은 이미 영어를 알고 있으므로 비즈니스에서 더욱 큰 성공을 보고 있다.
④ 많은 대형 글로벌 기업은 영어가 비즈니스 언어로 부상하고 있다는 것에 저항하고 있다.

정답 ②

해설 본문 후반부에서 설명하고 있듯이 공통 언어를 도입하는 일은 "직원들로부터 분명한 저항을 불러일으킬 것이 거의 확실하다(it's almost certain to meet with staunch resistance from employees)." 따라서 답은 ②이다.

10-13

식물인간 상태는 인간이 깨어는 있지만 인식의 징후를 전혀 나타내지 못하는 상태를 말한다. 혼수상태에서 회복될 때, 식물인간 상태(VS)/무반응 각성 증후군(UWS)은 인식의 징후 없는 각성의 도래가 특징이다. 이와는 대조적으로, 혼수상태는 인식도 없고 깨 있지도 못하는 상태를 말한다. 주변 환경에 대한 반응을 나타내지 못하는 것으로만 인식의 부재 여부를 추론할 수 있고, 우리가 행동 척도로는 감지하지 못할 수 있는 의식의 부재로서는 인식의 부재 여부가 추론되지 않는다. 이러한 이유 때문에, 여러 저자들은 '무반응 각성 증후군(Unresponsive Wakefulness Syndrome, UWS)' 이나 '혼수상태 후 무반응(post-coma unresponsiveness)'(NHMRC, 2004)이 VS보다 상태를 보다 정확하게 묘사하는 용어라고 한다.

식물인간 상태에 있는 사람은 눈을 뜨고, 정기적으로 잠에서 깼다가 잠에 들고, 큰 소음에 놀라 눈을 깜박이거나 누군가 손을 꽉 쥐면 손을 빼는 것 처럼 기본적인 반사 작용을 보일 수 있다. 또한 보조 없이도 심장 박동과 호흡을 조절할 수 있다. 하지만 식물인간 상태의 인간은 눈으로 물체를 따라가거나 음성에 반응하는 것 같은 의미있는 반응을 보이지는 못한다. 또한 감정을 느끼고 있다는 징후나 인지 기능을 나타낸다는 징후를 보이지 않는다.

VS/UWS 환자의 눈은 상대적으로 위치가 고정되어 있거나, 움직이는 물체를 추적하거나(시각적 추적), 완전히 동떨어진 식으로 움직이기도 한다. 수면-기상 주기가 재개되거나, 환자가 만성적인 각성 상태에 놓인 것으로 보일 수도 있다. VS/UWS 환자는 명백한 외부 자극 없이도 이를 갈거나, 마른침을 삼키거나, 미소 짓거나, 눈물을 흘리거나, 앓는 소리를 내거나, 신음하거나, 소리를 지를 수도 있다. VS/UWS 환자는 소리나 배고픔 또는 고통에 반응하지 않는다. VS/UWS 환자는 구두 명령에 따를 수 없고 신체 일부의 운동 반응이 부족하다. 게다가 VS/UWS 환자는 이해 가능한 용어로 대화를 할 수 없고, 시끄럽고 안절부절 못하며 과도한 운동성을 보일 수 있다.

임상의들이 마주한 가장 까다로운 과제 중 하나는 VS/UWS와 최소의식상태(minimally conscious state, MCS)를 구분하는 일이다.

MRI 같은 신경영상은 뇌 손상 및 기능적 능력의 평가에 널리 사용되는 반면, 행동평가는 현재까지는 의식의 징후를 감지하고 이를 통해 진단을 결정짓는 데 있어 "최적의 기준" 역할을 해 왔다. 어떤 사람이 오랫동안 식물인간 상태일 경우, 1) 4주 이상 식물인간 상태일 경우를 가리키는 '지속적인 식물인간 상태' 또는 2) 비 외상성 뇌 손상으로 인해 6개월 이상 식물인간 상태에 있거나 외상성 뇌 손상으로 인해 12개월 이상 식물인간 상태일 경우를 가리키는 '영구적인 식물인간 상태' 이 둘 중 하나로 간주될 수 있다. 어떤 사람이 영구적인 식물인간 상태에 놓인 것으로 진단을 받을 경우, 회복될 가능성은 극히 낮지만 그렇다고 불가능한 것은 아니다.

어휘
- **vegetative state** – 식물(인간) 상태
- **be characterized by** – ~을 특징으로 삼다
- **infer** ⓥ 추론하다
- **measure** ⓝ 척도, 기준
- **descriptive** ⓐ 기술하는, 묘사하는
- **regulate** ⓥ 조절하다, 조정하다
- **experience** ⓥ (특정한 감정 · 신체적 느낌을) 느끼다
- **awareness** ⓝ 자각, 인식
- **arousal** ⓝ 각성, 자극
- **responsiveness** ⓝ 민감성, 반응
- **consciousness** ⓝ 의식
- **reflex** ⓝ 반사 작용
- **assistance** ⓝ 보조, 도움
- **cognitive** ⓐ 인식의, 인지의
- **visual pursuit** – 시각적 추적
- **unsynchronised** ⓐ 동기화되지 않은, 동시에 이뤄지도록 맞춰지지 않은
- **chronic** ⓐ 만성적인
- **verbal** ⓐ 말로 된, 구두의
- **motor response** – 운동 반응
- **restless** ⓐ 들뜬, 불안한; 안절부절 못 하는
- **grunt** ⓥ 끙 앓는 소리를 내다
- **local** ⓐ 신체 일부의
- **comprehensible** ⓐ 이해할 수 있는
- **hypermobile** ⓐ 과도하게 움직이는

clinician ⓝ 임상의
neuroimaging ⓝ 신경영상
traumatic ⓐ 부상의, 외상의
be associated with – ~와 관련된, ~와 연관된
rule out – 제외시키다, 배제하다
minimally conscious state – 최소의식상태
thereby ⓐⓓ 그렇게 함으로써, 이를 통해
varying ⓐ 가지각색의, 다양한
determine ⓥ 알아내다, 밝히다
loved ones – 가족, 친척

10 본문의 주제는 무엇인가?

① 의료 전문가들이 VS/UWS를 다루는 과정에서 직면하는 어려움
② VS/UWS 환자와 연관된 다양한 특징
③ VS/UWS 상태에 놓였을 경우의 한계를 극복하기 위한 최선의 방법
④ VS/UWS 상태에 놓였을 경우 회복될 가능성

정답 ②
해설 본문은 VS/UWS 환자의 여러 특성에 관해 설명하고 있으며, 따라서 ②를 답으로 볼 수 있다.

11 분문에 따르면 다음 중 맞지 않는 것은 무엇인가?

① 식물인간 상태에 놓였을 경우, 감정과 인지 기능이 사라진다.
② 식물인간 상태에 놓인 환자는 반응을 나타내는 것으로 보이며, 왜냐하면 반응 가운데 일부가 의미 있는 반응이기 때문이다.
③ VS/UWS 환자의 눈이 어떻게 움직일 수 있는 것인지 또는 실제로는 움직이지 않을 수 있는 것인지에 관한 규칙은 존재하지 않는다.
④ 식물인간 상태에 놓인 환자에게서는 보조 없이 심장과 폐가 기능하는 모습을 볼 수 있다.

정답 ②
해설 식물인간 상태에 놓은 사람은 여러 반응을 보이긴 하지만, "식물인간 상태의 인간은 눈으로 물체를 따라가거나 음성에 반응하는 것 같은 의미있는 반응을 보이지는 못 한다." 따라서 답은 ②이다.

12 의사는 VS/UWS를 어떻게 진단하는가?

① MRI 및 행동평가를 조합하여 활용한다.
② 환자가 반응을 보이지 않는 기간이 얼마나 되는지를 확인한다.
③ 환자와 대화를 통해 문제의 원인을 밝힌다.
④ 다른 유사한 진단을 먼저 확인한 다음 배제시킨다.

정답 ①
해설 "MRI 같은 신경영상은 뇌 손상 및 기능적 능력의 평가에 널리 사용되는 반면, 행동평가는 현재까지는 의식의 징후를 감지하고 이를 통해 진단을 결정짓는데 있어 "최적의 기준" 역할을 해 왔다"를 보면 보기 ①이 VS/UWS 진단에 결정적 역할을 함을 알 수 있다. 따라서 답은 ①이다.

13 **빈칸에 가장 알맞은 것은 무엇인가?**

① 환자의 가족들은 보통 모든 희망을 잃는다
② 회복될 가능성은 극히 낮지만 그렇다고 불가능한 것은 아니다
③ 의사는 즉각 더 많은 연구를 시도한다
④ 주변에서 발생하는 모든 일들을 이해할 수 있다

정답 ②

해설 뇌사와 달리 식물인간 상태의 사람은 그대로 회복을 못 할 수도 있지만, 회복이 가능할 수도 있다. 이를 감안하면 ②가 답일 것으로 유추 가능하다.

14-16

사회 과학자들은 심리학자 Jonathan Freedman과 Scott Fraser가 1960년대 중반에 일련의 놀라운 데이터를 발표하게 되면서 그것의 효능을 처음 깨닫게 되었다. 이들은 캘리포니아주의 일반 거주구역에서 연구자가 자원봉사자로 가장하여 집집마다 집주인들에게 터무니없는 요청을 하는 실험을 시행하고 그 결과를 발표했다. 집주인들은 공익 서비스 목적의 커다란 간판을 집 앞뜰에 설치하도록 허용해 달라는 요청을 받았다. 간판이 어떤 모습인지를 이해시키기 위해 집주인들에게는 "운전은 조심스럽게"라고 엉망으로 쓰인 흉물스런 대형 간판에 매력적인 집의 모습이 가려지는 모습을 그린 사진을 제시했다. 비록 이 요청은 보통은 그리고 당연히 해당 지역의 다른 집단에 속하는 거주민들 중 대다수에게 (83%) 거부당했지만, 특정 집단의 사람들은 꽤나 호의적인 반응을 받았다. 이들 가운데 전체 76%가 자신의 집 앞뜰을 사용하도록 허가했다.
이처럼 놀라울 만큼의 준수도가 나온 가장 큰 이유는 2주 전에 이들에게 일어났던 일과 관련이 있다. 이들은 안전 운전과 관련해 사소한 약속을 한 바 있다. 다른 자원봉사자가 집에 찾아와서는 "안전 운전자가 됩시다."라는 내용의 자그마한 3인치 크기의 정사각형 모양의 간판을 밖에 세워달라고 요청한 적이 있었다. 이는 거의 모든 이들이 동의할 만큼 매우 사소한 요청이었다. 하지만 이 요청이 가져온 효과는 매우 컸다. 이 집주인들은 두 주 전에 사소한 안전 운전 관련 요청에 순진하게 응했기 때문에 크기가 매우 커진 또 다른 요청에도 두드러질 만큼 기꺼이 따르게 된 것이다.

어휘
preposterous ⓐ 말도 안 되는, 터무니없는
public-service 공익 서비스
letter ⓥ 글자를 쓰다
compliance ⓝ 준수, 따름
innocently (adv) 천진난만하게, 순진하게
trick ⓥ 속이다
obstructive ⓐ 방해하는, 시야를 가리는
pose ⓥ ~인 체하다, ~로 가장하다
obscure ⓥ 덮어 감추다, 씌우다
startling ⓐ 아주 놀라운
trifling ⓐ 하찮은, 사소한
comply with – 순응하다, 따르다
consent to – ~에 동의하다

14 본문의 주제는 무엇인가?

① 다른 이들의 요청에 더 잘 따라 줄 것을 사회에 교육시킴
② 승낙을 얻어내기 위하여 문에 발을 한 발짝 들이는 전략을 사용하는 것
③ 과학 발전의 이름으로 실험을 수행하기
④ 사회과학은 인간 행동에 관해 어떻게 문을 열었는지

정답 ②
해설 본문은 뭔가 말도 안 되는 듯한 부탁을 할 때, 바로 본론으로 들어가기보다 처음에 쉽게 승낙할 만큼 사소한 것을 제시해서 승낙을 받은 다음에 본론으로 들어가는 편이 성공률이 높다는 점을 말하고 있다. 따라서 답은 ②이다.

15 다음 중 밑줄 친 부분과 의미가 같은 것은 무엇인가?

① 사람들은 요청이 과하지 않는다고 생각을 했기 때문에 요청에 동의했다.
② 자그마한 간판은 집주인들의 요청에 따라 큰 간판으로 교체되었다.
③ 다른 사람들에게 안전 운전을 요구하는 것은 모든 사람들이 옳다고 인정하는 행위이다.
④ 작은 일에 동의하는 것이 더 큰 요청에 동의한다는 의미는 아니다.

정답 ①
해설 밑줄 친 부분은 "이는 거의 모든 이들이 동의할 만큼 매우 사소한 요청이었다"라는 의미를 지니며, 보기 중에서 이와 의미상 가장 가까운 것은 ①이다.

16 본문이 수록될 글은 무엇인가?

① 이용당하지 않도록 스스로를 보호해야 한다는 내용의 팸플릿
② 타락한 광고 회사에 관한 기사
③ 판매 전략에 대한 연구 논문
④ 인간 행동에 대한 연구

정답 ④
해설 본문은 사람들을 자신이 원하는 바로 설득시켜 행동하도록 하기 위해 취하는 전략에 관해 논하고 있으므로 ④를 답으로 볼 수 있다.

17-20

새로운 교육 기술을 주창하는 사람 중에서 가장 영리한 사람들은 강의의 힘을 인식한다. 카네기 멜론 대학의 컴퓨터 공학, 인간-컴퓨터 상호 작용, 설계 분야 교수인 랜디 포시는 아마도 컴퓨터 인터페이스를 통해서가 아니라 2007년에 행한 유명한 자신의 마지막 강의를 통해 교육에 있어 가장 큰 기여를 했을 것이다. 췌장암으로 죽어가고 있었지만 "당신의 어릴 적 꿈을 진짜로 이루기"라는 제목으로 행한 프레젠테이션을 통해 그는 아이디어가 불타오르고 발견과 삶에 대한 확산되는 열정이 넘쳐 흐르던 교수의 모습을 보여 줬다.
스탠퍼드 대학교에서 스티브 잡스가 2005년에 행한 졸업 축사 또한 이와 유사한 정신을 구현했다. 축사에서 잡스는 세 가지 이야기를 했는데, 첫 번째는 리드 칼리지에 입학하고 6개월 만에 자퇴한 것, 두 번째는 애플사 이사회에서 해고당한 것, 세 번째는 췌장암 진단을 받은 것이었다. 각기 상실에 관한 심지어는 실패에 관한 이야기였다. 하지만 잡스는 연설하는 동안 자신의 성공은 실패에서 태어난 것이고 실패가 없었다면 성공하지 못했을 것이라는 강력한 메시지를 전달했다. 결국 그의 메시지는 용기 즉 자신의 기분이 내키는 대로 하라는 용기에 관한 것이다.
포시와 잡스는 자신의 강의와 연설의 주제를 소규모 집단에 한정시키고, 소수 청중과의 더욱 직접적인 반응에 의존하여 강의를 진행할 수도 있었다. 이들은 자신의 메시지를 학습자들에게 다양한 질문을 던지고 반응에 따라 건설적인 피드백을 제공하는 대화형 컴퓨터 소프트웨어 프로그램에 삽입할 수도 있었다. 이들은 최신의 원격 교육 기술을 활용해 자신의 강의를 전화로 제공할 수도 있었다. 하지만 다행히도 이들은 그런 행위를 하지 않았다.
포시와 잡스는 위대한 강연자들이었으며, 그 이유는 이 두 사람이 최대한의 효율로 정보를 전달했기 때문이 아니라 우리로 하여금 생산적인 새로운 관점에서 우리의 삶에 관해 생각할 여지를 주었고 우리가 매일 행하는 일에서 새로운 의미를 추구하고 찾을 수 있도록 도와주었기 때문이다.

어휘
- apostle ⓝ 주창자
- brim over with ~으로 넘쳐흐르다
- embody ⓥ 구현하다
- phone in 전화하다
- anatomy ⓝ 해부학
- adversity ⓝ 고난, 역경
- at the forefront of ~의 선두[최전선]에 위치한
- trials and tribulations 갖가지 고난
- enmeshed in ~에 휘말린[얽힌]
- pancreatic cancer 췌장암
- commencement address 졸업식 연설, 졸업 축사
- embed A in B A를 B에 끼워 넣다[삽입하다]
- get across 전달하다
- pathology ⓝ 병리학
- devotedly (adv) 헌신적으로
- cast ⓥ ~로 묘사하다
- shy away 피하다

17 본문의 주제는 무엇인가?

① 대규모로 성공을 거두기 위해 인생의 고난을 극복하기
② 포시와 잡스가 보건 분야 전문 강연자에 비해 더 훌륭한 이유
③ 스스로 내용을 잘 알고 있다면 강연의 주제가 무엇인지는 관계가 없다.
④ 전문 강의에서는 청중에게 동기를 부여하기 위해 정보와 의미 있는 이야기를 결합해야 한다.

정답 ④

해설 포시와 잡스는 단순히 정보를 전하는 데 그치지 않고 자신의 체험을 기반으로 강력한 메시지를 전달했고 그 결과 "최대한의 효율로 정보를 전달했기 때문이 아니라 우리로 하여금 생산적인 새로운 관점에서 우리의 삶에 관해 생각할 여지를 주었고 우리가 매일 행하는 일에서 새로운 의미를 추구하고 찾을 수 있도록 도와주었기 때문에(not because they convey information with maximal efficiency, but because they get us thinking about our lives from fruitful new perspectives and help us to seek out and find new meaning in the work we do every day)" 위대한 강연자로 대우받고 있다. 따라서 강의에서도 이 두 사람의 사례를 도입하여 정보와 의미 있는 이야기를 결합해야 한다는 것이 본문의 전체적 주제이다. 그러므로 답은 ④이다.

18 밑줄 친 부분은 무엇을 나타내는가?

① 기술 기업에서 제공하는 모든 것을 헌신적으로 구매하는 사람들
② 기술의 도움을 통해 교육을 받는 사람들
③ 기술에 의존하지 않고 가르침을 행하는 강연자들
④ 기술 혁신의 최전선에 선 사람들

정답 ④

해설 밑줄 친 부분은 "새로운 교육 기술을 주창하는 사람"이란 의미를 가지며, 보기 중에서 문맥상 이와 가장 가까운 것은 새로운 기술을 받아들인다는 의미에서 ④이다.

07

19 세 번째 단락의 목적은 무엇인가?

① 포시와 잡스를 다른 사람들과 마찬가지로 갖가지 고난에 직면한 보통 사람들로 묘사하기
② 안전지대에서 벗어나 대부분의 사람들이 피하는 무언가를 시도한 사람들로 포시와 잡스를 찬양하기
③ 기술에 인생이 단단히 얽매인 사람조차 직접적인 상호 작용의 중요성을 깨달았음을 보여 주기
④ 위대한 강의를 전달하기 위해 포시나 잡스처럼 카리스마 있고 풍부한 지식을 갖출 필요는 없음을 증명하기

정답 ③

해설 세 번째 단락에서 "~할 수도 있었다(could have~)"라는 표현이 들어간 문장은 모두 강의를 위해 첨단 기술을 활용한 경우이다. 그런데 결국 포시와 잡스 모두 그런 기술을 사용할 수도 있었지만 결국은 사용하지 않았다. 즉 세 번째 단락에서 이 두 사람들은 첨단 기술을 사용할 수 있었음에도 직접 청중과 소통하는 것을 추구했다는 것을 알 수 있다. 따라서 답은 ③이다.

20 본문에 따르면 다음 중 옳은 것은 무엇인가?

① 잡스는 스탠퍼드 대학 졸업생들에게 졸업 연설을 했다.
② 포시와 잡스는 암으로 고통 받았지만, 같은 종류의 암은 아니었다.
③ 잡스는 자신이 말한 모든 실패 사례를 극복하지는 못했으나 중요한 것들은 극복했다.
④ 포시는 잡스와는 달리 청자에게 정보를 가르쳐 주는 것에 집중하였다.

정답 ①

해설 잡스는 2005년에 "스탠퍼드 대학교에서 졸업 축사(commencement address at Stanford University)"를 했다. 따라서 답은 ①이다.

08 Practice Test 정답 및 해설

01	④	02	②	03	④	04	②	05	④	06	③	07	④	08	②	09	③	10	③
11	④	12	④	13	③	14	①	15	④	16	②	17	③	18	①	19	②	20	②

01-03

유타 대학의 유전학자 Richard Cawthon과 그 동료들은 짧은 텔로미어가 짧은 수명과 연관이 있음을 발견했다. 60세 이상의 사람 가운데 텔로미어가 짧은 사람들은 심장병으로 사망할 확률이 세 배 높았고 전염병으로 사망할 확률이 여덟 배 높았다. 텔로미어가 짧아지는 현상은 노화와 관계가 있으나, 짧은 텔로미어가 흰머리처럼 노화의 신호에 불과할 뿐인지 아니면 실제로 노화에 기여하는지는 알려져 있지 않다.
만일 텔로미어가 암세포를 죽지 않게 만들어 준다면, 보통 세포의 노화를 막을 수 있을까? 우리는 텔로머라아제를 사용해 텔로미어의 길이를 유지하거나 되돌리는 방식으로 수명을 늘릴 수 있을까? 만약 그렇다면 텔로미어가 암을 유발할 위험 또한 높이는 것이 아닌가? 과학자들은 아직 확신하지 못하고 있다. 하지만 과학자들은 실험실 실험에서 텔로미어를 사용해 인간 세포를 정상 한계치를 훨씬 넘어서 분열시킬 수 있었으나, 이들 세포는 암을 유발하지 않았다.
만일 텔로미어가 인간 세포를 정기적으로 "불멸로 만들어" 준다면, 이론적으로 이식을 위해 종류와 상관없이 인간의 세포를 이식 목적으로 대량 생산하는 것이 가능해질 것이며, 여기엔 당뇨병 환자를 치료할 수 있는 인슐린 생성 세포, 근육위축병을 치료할 수 있는 근세포, 특정 유형의 관절염을 앓는 사람들을 위한 연골세포, 심각한 화상이나 상처를 입은 사람들을 위한 피부세포 등이 있다. 실험실에서 배양되는 인간의 정상세포가 무한정 공급되면 새로운 의약품과 유전자 치료법을 시험하려는 노력 또한 도움을 얻을 것이다.

어휘
- **telomere** ⓝ 텔로미어, 말단소체
- **infectious** ⓐ 전염되는
- **immortal** ⓐ 죽지 않는
- **cancerous** ⓐ 암에 걸린, 암을 유발하는
- **transplantation** ⓝ 이식
- **muscular dystrophy** – 근육위축병
- **arthritis** ⓝ 관절염
- **elixir** ⓝ 영약, 묘약
- **jump to conclusions** – 성급한 판단을 내리다
- **breakthrough** ⓝ 돌파구, 획기적 사건
- **cross-reference** ⓥ 상호 참조하다
- **go back to the drawing board** – 처음부터 다시 시작하다
- **administer** ⓥ 투여하다
- **associated with** – ~와 연계된
- **contribute to** – ~에 기여하다
- **telomerase** ⓝ 텔로머라아제, 말단소체 복원효소
- **routinely** ⓐ 정기적으로
- **immortal** ⓐ 죽지 않는
- **cartilage cell** – 연골세포
- **ingredient** ⓝ 재료, 성분
- **indefinitely** (adv) 무기한으로
- **deficient** ⓐ 부족한, 결핍된
- **hamper** ⓥ 방해하다

01 **텔로미어가 미치는 영향을 발견한 것이 어떤 중요성을 지니는가?**

① 유전학자들이 기다리던 암에 대한 최종 치료법으로 드러날 수 있다.
② 젊음의 영약을 만들 수 있는 재료인 것으로 드러날 수 있다.
③ 생산 자급이 급등할 것이라는 의미일 수 있다.
④ 인간 세포를 무한정으로 생산하여 다른 질병의 치료에 도움이 되는 데 이용될 수 있다.

정답 ④
해설 "만일 텔로미어가 인간 세포를 정기적으로 '불멸로 만들어' 준다면, 이론적으로 이식을 위해 종류와 상관없이 인간의 세포를 이식 목적으로 대량 생산하는 것이 가능해진다(If telomerase could be used routinely to 'immortalize' human cells, it would be theoretically possible to mass produce any human cell for transplantation)." 이는 ④의 내용과 일맥상통하며 따라서 답은 ④이다.

02 **다음 중 본문을 봤을 때 사실인 것은 무엇인가?**

① 사람들에게 더 많은 텔로미어를 공급하면 노화 과정을 무기한 늦출 수 있다.
② 과학자들은 자신들이 하는 말에 신중한 태도를 보이며 텔로미어에 관해 성급한 판단을 내리지 않는다.
③ 텔로미어를 사용해 인간 세포를 대량생산하려는 시도는 이미 시도된 바 있다.
④ 텔로미어는 정상보다 빠르게 작용하지 않지만 텔로미어가 부족한 사람들이 정상으로 되돌아가도록 한다.

정답 ②
해설 텔로미어에 관해 여러 긍정적 추측이 나오고 있지만 "과학자들은 아직 확신하지 못하고 있다(Scientists are not yet sure)." 즉 아직은 성급한 판단을 내릴 때가 아니라는 의미이다. 따라서 답은 ②이다.

03 **밑줄 친 부분이 의미하는 것은 무엇인가?**

① 아무리 노력해도 신약 검증과 유전자 치료는 현재까지는 인간 세포를 무한정 공급하는 것이 가능해 졌어도 성공적이지 못한 것으로 드러났다.
② 텔로미어를 통해 생산된 인간 세포는 신약 실험과 유전자 치료를 통해 실험실에서 만들어진 세포보다 더 뛰어나다는 것이 증명되었다.
③ 인간 세포를 실험실에 공급하는 것은 이미 무한정 이루어지고 있으며, 따라서 이번의 획기적 사건은 신약 실험과 유전자 치료에 거의 영향을 주지 못할 것이다.
④ 실험할 수 있는 인간 세포의 공급이 제한적이라 신약 치료와 유전자 치료가 방해 받고 있다.

정답 ④
해설 밑줄 친 부분은 "실험실에서 배양되는 인간의 정상세포가 무한정 공급되면 새로운 의약품과 유전자 치료법을 시험하려는 노력 또한 도움을 얻을 것이다"로 해석된다. 이는 역으로 말하면 실험실에서 배양되는 인간의 정상세포가 무한정 공급되지 않기 때문에 새로운 의약품과 유전자 치료법을 시험하기가 쉽지 않다는 것이다. 따라서 답은 ④이다.

08

04-05

문학연구는 독자들이 문학 속에서 좋은 것과 나쁜 것을 판단할 수 있도록 만드는 유일한 목적을 지닌 훈련이라는 주장에는 또 다른 위험이 있으며, 그런 주장은 당연한 가치 이상으로 유행되고 있는 것 같다. 이 말은 엄숙하고 고상한 것 같지만, 역시 의심스럽게 생각하지 않으면 안 된다. 왜냐하면 이 말은, 만일 어떤 사람이 이런 정신으로 책을 연구한다면, 그는 판단에 너무 바빠서 자기가 읽는 것을 이해하고 흡수하고, 그것을 자신의 일부로 만들고, 또 그것으로 자기의 생활을 형성할 시간이나 능력이 별로 없다는 것을 의미하기 때문이다. 판단과 상상력에 의한 경험은 서로 다르다. 그리고 후자를 전자에 희생시키기란 너무 쉽다. 또한 이런 종류의 판단은 보통 할 만한 가치가 없는 것이다. 그런 판단은 결국 극히 주관적이며, 예술작품을 조금이라도 진실로 이해하는 데 필요한 겸허한 자세에 의해 교정되지도 않고 유도되지도 않은 한 개인의 취미와 흥미의 반영인 것이다.

어휘 **have currency** 통용되고 있다
high-minded ⓐ 고상한
a work of art 문학작품
austere ⓐ 엄숙한
one thing ~ another … ~과 …은 서로 다르다

구문정리 Another danger lies in the doctrine, which seems to have more currency than it deserves, that the study of literature is a discipline with the single end of making readers able to judge what is good and bad in it.

문학연구는 독자들이 문학 속에서 좋은 것과 나쁜 것을 판단할 수 있도록 만드는 유일한 목적을 지닌 훈련이라는 주장에는 또 다른 위험이 있으며, 그런 주장은 당연한 가치 이상으로 유행되고 있는 것 같다.

구조분석

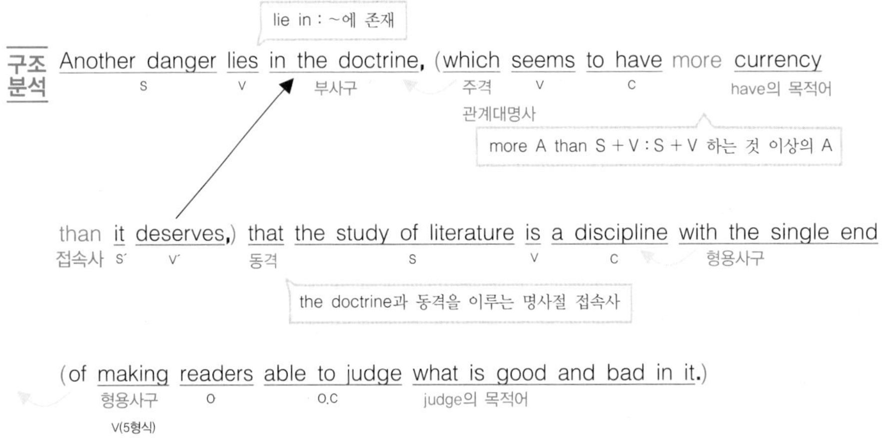

04 다음 중 빈칸에 알맞은 것은?

① 전자(판단)와 후자(경험)를 분리하는 것
② 전자(판단)를 위해 후자(경험)를 희생하는 것
③ 전자(판단)와 후자(경험)를 연결하는 것
④ 후자(경험)를 위해 전자(판단)를 희생하는 것

정답 ②

해설 문학을 올바르게 연구하는 것은 '자기가 문학작품을 이해하고 흡수하고, 그것을 자신의 일부로 만들고, 또 그것으로 자기의 생활을 형성'하도록 하는 것이다. 그런데 문학을 단지 좋은 것과 나쁜 것을 판단하도록 연구한다면, 이는 바람직한 연구법이 아니며, 이런 판단은 책을 통한 경험을 손상시키는 것이다. 이렇게 작품을 판단하려는 경우에는 경험을 가벼이 여기기 쉽다. 그러므로 판단을 위해 경험을 희생시킨다는 의미인 ②가 정답이다.

05 이 글의 주제는 무엇인가?

① 작문의 적절한 판단
② 문학을 통하여 자기반영하는 법
③ 인간의 형성
④ 문학의 연구

정답 ④

해설 이 글의 화제는 문학작품을 올바르게 연구하는 것이다. 어떤 식으로 나아가야 하는지를 판단과 경험을 대비하여 작가의 주장을 펼친 글이다. 참고로 ②의 문학을 통해 자기를 돌아본다는 것은 글의 화제가 아니라, 글을 읽은 이후의 감상에 해당한다.

06-07

개인들, 집단들 간의 지능 차이는 논쟁적인 이슈이다. 1800년대 후반, 다윈주의가 유행할 때는 유전적으로 결정된 능력이 매우 중요한 요인이었다. 대조적으로 1960년대에는 인간 지능은 "빈 서판"이라는 견해가 더 많은 지지를 받았다. 즉 모든 인간은, 잠재력을 개발하는 데 도움이 되는 환경에서는 훨씬 더 많은 능력을 발휘한다. 최근의 관점은 유전과 환경이 모두 중요한 역할을 한다는 것이다. 더 정확히 표현하자면, 지능에 있어서 유전 대 환경에 대한 현대적 관점은 "상호영향론"이다.

어휘
intelligence ⓝ 지능, 지성
take off (경기) 등이 상승하기 시작하다, 이륙하다
in favor of ~에 찬성하여, 편들어
conducive (to) ~에 도움이 되는
genetics ⓝ 유전적 특질, 유전학
controversy ⓝ 논쟁
genetically determined 유전적으로 결정된
blank slate 빈 서판
potential ⓝ 잠재력
interactionism ⓝ 상호영향론

06 다음 중 빈칸에 알맞은 것은?

① 의심할 여지없이
② 한 마디로 말해서
③ 더 정확히 표현하자면
④ 대체로 말해서

정답 ③

해설 앞 문장에 "유전과 환경이 모두 중요한 역할을 한다는 것"이라고 말하고 바로 뒷 문장에서 "지능에 있어서 유전 대 환경에 대한 현대적 관점은 '상호영향론'(the modern view about genetics vs environment in intelligence is 'interactionism')"이라고 한 것은 앞의 문장을 좀 더 자세히 서술한 것이다. 이를 적절하게 연결한 것으로는 ③이 타당하다.

07 이 글에 따르면 다음 중 올바른 것은?

① 1960년대에는 사람의 지능에 핵심적인 역할을 하는 것은 가족이라는 일반적인 견해가 생겨났다.
② 요즘 1800년대 말 유전학에 널리 퍼졌었던 사상이 다시 유행하고 있다.
③ 수십 년 전에는 사람은 지능에 있어서는 변할 수 없는 미래가 정해진 채로 태어난다고 생각했다.
④ 다윈주의로 인해 유전학과 지능의 문제가 토론의 중심에 서게 되었다.

정답 ④

해설 1960년대에는 인간 지능은 빈 서판이라 하였으므로 환경적인 요인을 중심으로 본 것이고, 1800년대에는 유전이 중요하다고 하였지만 지금은 환경이 중요하다고 하므로 ①, ②, ③ 모두 틀린 진술이다. 이에 비해 ④는 본문에서 "1800년대 후반, 다윈주의가 유행할 때는 유전적으로 결정된 능력이 매우 중요한 요인(In the late 1800's, as Darwinism took off, the role of genetically determined capability was considered very important)"이라 한 것을 근거로 올바른 표현임을 알 수 있다.

08-10

따라서 우리는 특별한 것이 아니라 일반적인 것을 바라봐야 하며, 우리의 학생은 대략적으로 인간으로 바라봐야 하며 유한한 삶이 주는 모든 기회와 변화에 노출된 사람으로 봐야 한다. 만일 인간이 태어나 우리나라의 땅에서 벗어나지 못하게 되거나, 하나의 계절이 일 년 내내 지속되거나, 모든 사람의 재산이 확고하게 자리 잡혀 있어서 재산을 결코 잃지 않게 되는 경우에나 기존의 교육법에 확실한 이점이 존재할 것이다. 하지만 자신만의 천직을 갖도록 자라난 아이는 결코 천직을 잃지 않을 것이며, 다른 상황으로 인한 어려움에 직면할 필요가 없을 것이다. 하지만 매 세대마다 이전 세대의 일을 뒤엎는 상황에서, 우리가 인간사가 덧없더라는 점을 고려했을 때 그리고 우리 시대의 불안하고 불편한 정신을 고려했을 때, 아이를 마치 아이가 방 밖으로 전혀 나가기 않으려 하는 것처럼 그리고 아이가 주변에 마치 항상 하인을 둔 것처럼 가르치는 것만큼 무의미한 교육 계획은 없을 것이다. 이 측은한 존재는 위나 아래로 한 발 걷게 되면 길을 잃는다. 이는 아이에게 고통을 참으라고 가르치는 것이 아니라 고통을 느끼라고 훈련시키는 것이다.

어휘
scholar ⓝ 학생, 장학생
attached to – ~의 소속의
established ⓐ 기존의, 확립된
fleeting ⓐ 순식간의, 덧없는
overturn ⓥ 뒤집히다, 뒤엎다
wretched ⓐ 비참한, 측은한
varied ⓐ 다양한, 다채로운
predecessor ⓝ 전임자
particular ⓐ 특별한
in the abstract – 개략적으로
grasp ⓥ 붙잡다
calling ⓝ 직업, 천직
restless ⓐ 불안한
conceive ⓥ 상상하다, 아이를 가지다
unforeseeable ⓐ 예측할 수 없는
equip A with B – A에게 B를 갖추게 하다
nonsensical ⓐ 무의미한, 터무니없는
not so much A as B – A라기보다는 B

구문정리 But when we consider the fleeting nature of human affairs, the restless and uneasy spirit of our times, when every generation overturns the work of its predecessor, can we conceive a more senseless plan than to educate a child as if he would never leave his room, as if he would always have his servants about him?
하지만 매 세대마다 이전 세대의 일을 뒤엎는 상황에서, 우리가 인간사가 덧없더라는 점을 고려했을 때 그리고 우리 시대의 불안하고 불편한 정신을 고려했을 때, 아이를 마치 아이가 방 밖으로 전혀 나가기 않으려 하는 것처럼 그리고 아이가 주변에 마치 항상 하인을 둔 것처럼 가르치는 것만큼 무의미한 교육 계획은 없을 것이다.

구조분석 But [when(부사절 접속사) we(S′) consider(V′) the fleeting nature(O′) (of human affairs, the restless and uneasy spirit of our times,)(형용사구) (when(관계부사) every generation(S″) overturns(V″) the work of its predecessor,(O″))]

의문문
can(조동사) we(S) conceive(V(3형식)) a more senseless plan(O) than to educate a child (as if(접속사) he(S′) would never leave(V′) his room(O′), as if(접속사) he(S′) would always have(V′) his servants(O′) about him(부사구)?)

as if : 마치 ~인 것처럼

---

08 본문의 주제는 무엇인가?

① 인간사는 예측이 불가능하며 우리의 교육은 미래의 공백을 채워야 한다.
② 교육은 자신에게 닥칠 수 있는 어떤 일이든지 대처할 수 있는 지식을 갖추게 할 만큼 다양해야 하다.
③ 새로운 세대마다 이전 세대 사람들이 했던 것과 동일한 실수를 범하지 않도록 교육을 받아야 한다.
④ 만일 아이가 교육을 받지 않았더라면 그 아이는 미래를 빼긴 것이다.

정답 ②

해설 '하지만 자신만의 천직을 갖도록 자라난 아이는 결코 천직을 잃지 않을 것이며, 다른 상황으로 인한 어려움에 직면할 필요가 없을 것이다(the child brought up to his own calling would never leave it, he could never have to face the difficulties of any other condition)'. 즉 본문은 기존의 교육 방식은 오히려 학생들을 '길을 잃게 만드는' 교육이기 때문에 자신만의 천직을 갖도록 아이들을 훈련시키는 교육이 이루어져야 함을 논하고 있다. 따라서 답은 ②이다.

09 다음 중 밑줄 친 것과 가장 유사한 것은 무엇인가?

① 교육에 관해 아무 생각이 없는 사람들이 임신한 아이는 인생의 실패자이다.
② 교육 계획의 결정은 아이의 미래에 대한 고려가 있어야 한다.
③ 아이를 바깥 세계의 도전에 직면할 수 있도록 교육시키지 않는 것은 터무니없는 일이다.
④ 자신이 미래에 경험할 것에 관해서만 교육을 받은 아이는 전혀 교육을 받은 것이 아니다.

정답 ③

해설 밑줄 친 부분은 '아이를 마치 아이가 방 밖으로 전혀 나가기 않으려 하는 것처럼 그리고 아이가 주변에 마치 항상 하인을 둔 것처럼 가르치는 것만큼 무의미한 교육 계획은 없을 것이다'로 해석이 이루어지며, 보기 중에서 이와 의미상 가장 가까운 것은 ③이다.

10 빈칸에 가장 알맞은 것을 고르시오.

① 특별한 것일 뿐 아니라 일반적인 것
② 일반적인 것이라기보다는 특별한 것
③ 특별한 것이 아니라 일반적인 것
④ 상황에 따라 일반적인 것이나 특별한 것

정답 ③

해설 '만일 인간이 태어나 우리나라의 땅에서 벗어나지 못하게 되거나, 하나의 계절이 일 년 내내 지속되거나, 모든 사람의 재산이 확고하게 자리 잡혀 있어서 재산을 결코 잃지 않게 되는 경우(if one season lasted all the year round, if every man's fortune were so firmly grasped that he could never lose it)'는 일반적이지 않은 특이한 경우이며, 이러한 특별한 경우에나 기존의 교육 방식이 도움이 되지 일반적인 경우에는 그렇지 않다는 것이 본문의 주장이므로, 빈칸에 적합한 것은 '특별한 것이 아니라 일반적인 것'을 의미하는 ③이 가장 적합하다.

11-13

딸꾹질을 멈추기 위한 민간 처방법은 수없이 존재한다. 이들 처방법이 먹히는 것으로 여겨지는 이유는 혈액 내에서 이산화탄소가 축적되면 딸꾹질이 멈추는데, 이산화탄소 축적은 사람이 숨을 멈추면 발생하는 현상이기 때문이다. 뇌에서 위장으로 향하는 미주신경이 자극받을 경우에도 딸꾹질이 완화된다. (미주신경의 자극은 사람이 물을 마시거나 혀를 잡아당길 때 발생한다).
집에서 딸꾹질을 멈추려면 다음 방법을 시도해 보라. 1) 숨을 멈춘다. 2) 한 잔의 물을 빠르게 마신다. 3) 누군가가 여러분을 겁주게 (아니면 더 좋은 방법인 놀래키게) 한다. 4) 스멜링솔트를 사용한다. 5) 혀를 강하게 당긴다. 6) 혀 뒷면에 티스푼 반 정도의 물기 없는 설탕을 놓는다 (2분 간격으로 이를 세 번 반복한다. 어린아이일 경우 필요하다면 설탕 대신 옥수수 시럽을 사용한다).
"유명 인사 열 명의 이름을 대기" (이 방법은 사람이 딸꾹질에 주의를 쏟지 못하게 만들고 따라서 횡격막을 이완시키는 데 도움이 되기도 한다), "귀에 손가락 집어넣기", 면봉으로 입천장 간질이기, 티스푼 하나 분량의 꿀 삼키기 등 다른 많은 방법도 제시되는데, 딸꾹질에 걸린 사람은 자신이 편하다고 생각하는 방법만을 시도해야 하며, 일부 방법은 유아 (꿀이나 설탕을 사용하는 경우), 삼키는 것에 어려움을 겪는 노인, 건강에 문제가 있는 사람들 등에는 적합하지 않을 수 있음을 알아야 한다. 민간 처방에 관해 의문이 있거나 딸꾹질을 멈추는 데 실패한 사람은 더 많은 정보를 얻기 위해 의사에게 연락한다.

어휘 remedy ⓝ 치료(법)
vagus nerve – 미주신경
diaphragm ⓝ 횡격막
palate ⓝ 입천장, 구개
abate ⓥ 약해지다
jolt ⓥ 충격을 주다, 갑자기 움직이게 만들다
build-up ⓝ 축적, 쌓임
alleviate ⓥ 완화하다
tickle ⓥ 간질이다
old wives' tale – 실없는 이야기
ease off – 완화되다

11 본문의 어조는 어떠한가?

① 딸꾹질을 멈추는 이상한 방법에 관한 웃기는 이야기들
② 세대를 거쳐 내려오는 실없는 이야기
③ 딸꾹질을 멈추기 위해 저자가 계속 들어온 쓸모없는 충고들
④ 딸꾹질을 멈추는 방법에 관한 전문적인 의학적 조언

정답 ④
해설 본문은 어떻게 하면 딸꾹질을 멈출 수 있는지에 관해 전문적인 조언을 제공하고 있다. 따라서 답은 ④이다.

12 다음 중 어느 유형에 속하는 사람들이 상기 조언을 따라야 하는가?

① 매우 어린아이들
② 삼키는 데 어려움을 겪는 나이 든 사람들
③ 건강에 문제가 있는 사람들
④ 임신한 여성

정답 ④
해설 "일부 방법은 유아 (꿀이나 설탕을 사용하는 경우), 삼키는 것에 어려움을 겪는 노인, 건강에 문제가 있는 사람들 등에는 적합하지 않을 수 있음을 알아야 한다(be aware that some are not suitable for infants (honey, sugar methods), elderly with swallowing problems and others with health problems)." 즉 보기 중에서 ④만이 본문에 언급되지 않았다. 따라서 답은 ④이다.

13 다음 중 ______________________ 제외하면 모두 거짓이다.

① 물을 마시는 것은 딸꾹질을 멈추는 데 도움을 준다고 알려진 바 없다.
② 다른 이의 관심을 다른 곳으로 돌리는 것은 횡격막을 느슨하게 한다.
③ 핏속에 이산화탄소의 수치를 올리는 것이 딸꾹질을 없애는 데 도움이 된다.
④ 스멜링솔트의 냄새를 맡으면 갑자기 신체에 충격이 가서 딸꾹질을 멈추게 할 수 있다.

정답 ③
해설 "혈액 내에서 이산화탄소가 축적되면 딸꾹질이 멈추는데, 이산화탄소 축적은 사람이 숨을 멈추면 발생하는 현상이기 때문이다(carbon dioxide build-up in the blood will stop hiccups, which is what happens when a person holds their breath)." 따라서 ③이 답이 된다. 참고로 ②는 다른 사람(somebody)의 관심을 다른 곳으로 돌리는 게 아니라 딸꾹질을 하는 사람의 관심이어야 한다. ④의 경우는 스멜링솔트로 인해 갑자기 신체에 충격이 가해진다는 근거가 본문 속에 없다.

14-16

내가 이전에 말한 대로 아름다움에 대한 전반적으로 그리고 가장 간단한 정의는 '아름다움은 기쁨을 주는 것'이다. 그리고 사람들은 먹는 것, 냄새 맡는 것, 그 외 신체적인 감각이 예술로 여겨지게 된다는 점을 받아들이게 된다. 이제는 대체로 Benedetto Croce로부터 유래된 미학 이론에 대체되었으며, 비록 Croce의 이론은 수많은 비판에 직면했지만, 예술은 직감으로 간단히 정의할 경우 완벽하게 정의된다는 그의 전반적인 원리는 이전의 어떤 이론에 비해 훨씬 더 분명한 의미를 갖는다. '직감' 및 '서정성' 같은 모호한 단어에 따라 이론을 적용하기엔 어려움이 존재한다. 하지만 이와 같은 예술의 정교하면서도 포괄적인 이론은 '아름다움'이란 말이 없이도 잘 통할 수 있다는 점이 바로 즉각적으로 주목할 만한 요점이라 할 수 있다.

어휘
sensation ⓝ 감각
aesthetics ⓝ 미학
tenet ⓝ 주의, 원리
illuminating ⓐ 이해를 돕는, 분명한
lyricism ⓝ 서정성
inclusive ⓐ 포괄적인
expound ⓥ 상세히 설명하다
contradictory ⓐ 모순되는
supersede ⓥ 대체하다, 대신하다
flood ⓝ 쇄도, 범람
intuition ⓝ 직감
vague ⓐ 모호한
elaborate ⓐ 정교한
as yet – 아직까지
field of vision – 시계, 시야
dogmatic ⓐ 독단적인

구문 정리
It has now been superseded in the main by a theory of aesthetics derived from Benedetto Croce, and though Croce's theory has met with a flood of criticism, its general tenet, that art is perfectly defined when simply defined as intuition, has proved to be much more illuminating than any previous theory.
이제는 대체로 Benedetto Croce로부터 유래된 미학 이론에 대체되었으며, 비록 Croce의 이론은 수많은 비판에 직면했지만, 예술은 직감으로 간단히 정의할 경우 완벽하게 정의된다는 그의 전반적인 원리는 이전의 어떤 이론에 비해 훨씬 더 분명한 의미를 갖는다.

구조 분석
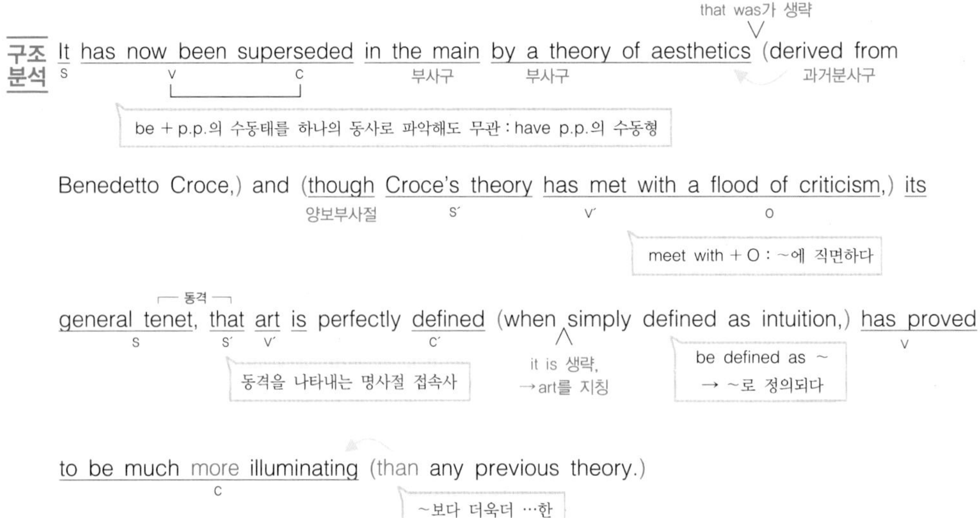

14 Croce의 미학 이론에 대한 의견은 무엇인가?

① 모호한 관계로 완벽한 이론은 아니고 많은 비판에 직면했지만 지금까지는 최고의 이론이다.
② 아직까지 이 이론을 겨냥한 비판의 분량으로 봤을 때 이 이론은 진지하게 받아들일 수 없을 것이다.
③ 이 이론은 사람들이 걸핏하면 비판하는 지금 같은 시대에 미학 이론을 상세히 설명하는 것이 얼마나 어려운 일인지를 보여 줬다.
④ 이 이론은 미학에 대한 우리의 기본 본능에게 말을 걸지만, 이는 Croce의 이론이 불충분하다고 생각하는 비판론자들에겐 충분치 않다.

정답 ①

해설 '비록 Croce의 이론은 수많은 비판에 직면했지만, 예술은 직감으로 간단히 정의할 경우 완벽하게 정의된다는 그의 전반적인 원리는 훨씬 더 분명한 의미를 갖는다(though Croce's theory has met with a flood of criticism, its general tenet, that art is perfectly defined when simply defined as intuition, has proved to be much more illuminating).' 보기 중에서 이와 가장 가까운 것은 ①이다.

15 본문에 따르면 다음 중 맞는 것은 무엇인가?

① 직감에 바탕을 둔 이론은 극도로 제한적이고 좁은 시야를 갖고 있다.
② 이론을 뒷받침하기 위해 직감을 활용하는 것은 아무도 이론이 완전히 잘못되었다고 말할 수 없음을 의미한다.
③ 아름다움은 즐거운 것들을 묘사하는 데 사용될 뿐 아니라 즐겁지 않은 것들을 묘사하는 데도 사용된다.
④ 인간의 감각을 통해 경험되는 것들을 예술 작품으로 묘사하는 것이 가능하다.

정답 ④

해설 '사람들은 먹는 것, 냄새 맡는 것, 그 외 신체적인 감각이 예술로 여겨지게 된다는 점을 받아들이게 된다(people are driven into admitting that eating and smelling and other physical sensations can be regarded as arts)'. 이는 즉 인간의 감각은 예술로 승화된다는 의미가 된다. 따라서 답은 ④이다.

16 빈칸에 가장 알맞은 것을 고르시오.

① 최신 개념
② 이전의 이론
③ 모든 모순되는 생각
④ 독단적인 이론

정답 ②

해설 Croce의 이론은 이전의 이론을 '대체(supersede)'하고 주류가 된 이론이며, '정교하면서도 포괄적인(elaborate and inclusive)' 이론이고 '빈칸의 것보다' '훨씬 더 분명한 의미를 갖는(much more illuminating)' 이론이다. 따라서 '빈칸'에 들어가는 것은 '이전의 이론'을 의미하는 ②이다.

17-20

우리 집에 있는 전자시계는 내가 태엽을 감아 주는 시계보다 시간은 더 정확하지만, 나는 전자시계로 시간을 거의 보지 않는다. 내 생각에 시계가 똑딱이는 소리는 나를 편안하게 만들어 주는 것 같다. 나는 다양한 시계추에 내 귀를 갖다 대면, 시계추가 앞뒤로 움직이면서, 내 인생을 부드럽게 흔들어 주는 느낌이 좋다. 이렇게 똑딱이는 소리는 내게 하루가 흐르고 있음을 측정할 수 있게 해 준다. 그리고 이는 침묵의 비유이기도 한다. 어쨌든 침묵이란 무소음이 아니라, 이와 같이 메트로놈 같이 규칙적인 박자를 세심하게 인지하는 것이며, 이러한 박자는 새로운 삶을 가져다 주면서 내일의 사망자 명단에 이름을 새기는 힘이다. 우리의 인생이 똑딱이며 지나가는 것에 침묵하며 주의를 기울이는 이러한 체념 행위에는 쾌락과 공포가 존재한다.

침묵의 대척점에 있는 것 가운데 가장 표현력이 뛰어나고 유창한 것은 음악이다. 이는 음악이 소리를 통해 침묵을 깨기 때문이 아니라 음악이 침묵의 움직임을 방해하기 때문이다. 모든 예술은 이와 비슷한 행위를 한다. 책은 앞장과 뒷장 간의 사건을 멈추게 하고, 그림은 사건을 벽에 고정시킨다. 하지만 음악은 죽음을 맞을 수밖에 없는 운명의 근원으로 본능적으로 도달한다. 음악은 트랙 단위로 시간을 멈추었다가 다시 창조한다. 박자와 리듬을 지시하고, 시간을 활기가 띠게 하고, 시간을 멈추게 한다는 것은 매우 초자연적인 행위이다.

무한한 시간의 삶 속에서, 시간을 움직이고 멈추게 하는 음악가는 신이 된 것 같은 놀이를 한다. 이것이 음악이 주는 편안함과 환희이다. 바로 퇴락에 대비한 해결 방법이 어딘가에 존재한다는 사실이다.

음악은 더 이상 거의 존재하지 않으며 침묵 속으로 스스로를 증식한다. 이는 아마도 여러분에게 전혀 이해가 되지 않겠지만, 내게 설명할 시간을 주기 바란다. 음악을 방해물이라고 부르는 것은 또한 음악을 사건으로 부르는 것과 마찬가지이며, 이전에 아무 사건이 없었다가 이후 사건을 통해 연속되는 경우에만 우리의 관심을 이끌 수 있는 사건이기도 하다. 대략 35년 전 처음 바흐의 B단조 미사를 들었을 때 나도 그런 경험을 했으며, 이는 마치 허허벌판에 거대한 돌기둥이 솟아오르는 것과 같았는데 돌기둥 주위 아무것도 없는 것이 특징인 위엄 있는 존재감을 드러내는 모습이었다.

어휘
- **wind** ⓥ 태엽을 감다
- **pendulum** ⓝ 시계추
- **metaphor** ⓝ 은유, 비유
- **metronomic** ⓐ 메트로놈의, 기계적으로 규칙적인
- **resignation** ⓝ 체념
- **contradiction** ⓝ 반박, 대척점에 위치한 것
- **temporal** ⓐ 시간의, 현세의
- **decay** ⓝ 부패, 퇴락
- **uneventfulness** ⓝ 별탈없음
- **magisterial** ⓐ 위엄 있는
- **ghostly** ⓐ 유령의, 영적인
- **deteriorating** ⓐ 악화 중인, 쇠퇴하는
- **ticking** ⓝ 시계의 똑딱이는 소리
- **meter** ⓝ 계량기
- **subtle** ⓐ 세심한, 미묘한
- **inscribe** ⓥ 새기다, 쓰다
- **eloquent** ⓐ 유창한
- **viscerally** (adv) 본능적으로, 근원적으로
- **antidote** ⓝ 해독제, 해결책
- **precede** ⓥ ~에 앞서다
- **monolith** ⓝ 거대한 돌기둥
- **awful** ⓐ 무서운, 장엄한
- **multitude** ⓝ 아주 많은 수, 다수

17 본문의 제목으로 가장 알맞은 것은 무엇인가?

① 음악은 악마이다.
② 침묵은 금이다.
③ 새로운 그리고 장엄한 침묵
④ 음악의 허무함

정답 ③

해설 "어쨌든 침묵이란 무소음이 아니라, 이와 같이 메트로놈 같이 규칙적인 박자를 세심하게 인지하는 것이며, 이러한 박자는 새로운 삶을 가져다주면서 내일의 사망자 명단에 이름을 새기는 힘이다(Silence, after all, is not an absence of noise but a subtle acknowledgment of this metronomic beat, the force that both brings new life and inscribes tomorrow's obituaries)." 즉 본문에서 제시되는 침묵은 새로운 힘이자 장엄한 느낌을 주는 힘이다. 따라서 답은 ③이다.

18 왜 음악인은 신에 비유되는가?

① 음악인과 신만이 시간을 제어할 수 있기 때문에
② 음악인은 신과 마찬가지 방식으로 숭배되기 때문에
③ 음악인은 신으로부터 사람들에 감동을 주는 방식을 배웠기 때문에
④ 둘 다 사람들에게 영적인 영향을 준다고 여겨지기 때문에

정답 ①

해설 "무한한 시간의 삶 속에서, 시간을 움직이고 멈추게 하는 음악가는 신이 된 것 같은 놀이를 한다(the musician who makes time start and stop plays at being God)." 따라서 답은 ①이다.

19 본문에 따르면 다음 중 사실은 무엇인가?

① 침묵은 아무것도 들리지 않는다는 의미이다.
② 예술 작품은 시간을 어지럽히는 힘을 갖고 있다.
③ 음악인은 음악인이라 정당하게 불릴 수 있다.
④ 음악은 인생 문제 중 다수를 해결할 수 있다.

정답 ②

해설 "이는 음악이 소리를 통해 침묵을 깨기 때문이 아니라 음악이 침묵의 움직임을 방해하기 때문이다(not because music breaks silence with its sounds but because it interrupts its motion)." 그리고 시간이 흐르는 모습을 "침묵의 비유(metaphor for silence)"라고 일컬었으니, 음악은 시간을 어지럽힌다고 볼 수 있다. 따라서 답은 ②이다.

20 본문 다음의 주제로 가장 가능성이 높은 것은 무엇인가?

① 바흐 같은 사람도 작곡했음에 자랑스러움을 느꼈을 만한 유형의 현대 음악에 대한 분석
② 35년 전 저자에게 큰 영향을 준 음악과 현재 저자에게 영향을 미치지 못하는 음악 간의 비교
③ 왜 저자는 음악이 점차 쇠퇴하고 있으며 마침내 사라질 것이라고 생각하는지에 대한 설명
④ 현재까지 작곡된 음악 가운데 가장 영향력이 큰 음악에 대한 리뷰

정답 ②

해설 "음악은 더 이상 거의 존재하지 않는다(Music scarcely exists any more)"는 저자가 지금의 음악을 바라보는 시각이며, 저자는 35년 전 바흐의 B단조 미사를 처음 들었을 때가 음악이 자신의 관심을 이끈(seize attention) 사건으로 보고 있다. 따라서 다음 문단부터는 35년의 전 바흐의 B단조 미사처럼 자신에게 엄청난 영향을 미친 영향과, "더 이상 거의 존재하지 않는" 것으로 취급되는 현재의 음악을 비교할 것으로 유추 가능하다. 따라서 답은 ②이다.

08

09 Practice Test 정답 및 해설

01	②	02	①	03	③	04	①	05	②	06	①	07	②	08	③	09	②	10	④
11	①	12	②	13	④	14	②	15	②	16	①	17	①	18	②	19	③	20	①

01-02

한 의대생이 엑스레이로 폐 질환을 진단하는 과정을 듣고 있다고 가정해 보자. 그 학생은 캄캄해진 방에서 환자의 가슴에 놓인 형광판에 비치는 어슴푸레한 자취를 관찰하고 방사선 전문의가 그림자에 담긴 두드러진 특징에 관해 전문어로 조수들에게 논평하는 것을 듣는다. 학생은 처음에는 완전히 당혹스러울 뿐이다. 왜냐하면 엑스레이 사진으로는 오로지 심장과 갈비뼈의 그림자랑 그 사이에 몇 가닥 가늘고 기다란 얼룩만 볼 수 있기 때문이다. 전문가들은 상상력을 통해 만들어 낸 것을 그럴듯하게 말하고 있는 것 같아 보이고, 학생은 대체 이들이 무슨 소리를 하는지 알지 못한다. 그러다가 몇 주 동안 수업을 계속 들으면서 다른 여러 환자들의 사례가 담긴 항상 새로운 사진들을 신중하게 바라보다 보면 불확실하나마 이해가 가게 된다. 점차 갈비뼈에 관해서는 잊고 폐를 바라보게 되는 것이다. 그리고 결국에는 총명함을 잃지 않고 끈기 있게 계속하다 보면 학생의 눈앞에 생리적인 다양성과 병리학상의 변화, 흉터, 만성 감염 및 급성 질환의 신호 등 엄청난 양의 세부 정보가 담긴 풍성한 전경이 펼쳐지게 된다. 학생은 이제 새로운 세상으로의 문을 연 것이다. 아직은 전문가가 볼 수 있는 것의 일부밖에 보지 못하지만 이제는 사진이 분명하게 이해가 가기 시작하고 사진을 두고 이루어진 대부분의 논평도 이해가 가기 시작한다.

어휘
diagnosis ⓝ 진단
shadowy ⓐ 어슴푸레한, 그늘이 진
radiologist ⓝ 방사선 전문의
puzzled ⓐ 어리둥절해하는, 당혹스러운
blotch ⓝ 얼룩, 반점
figment ⓝ 허구, 가공의 일
dawn on ~이 깨닫게 되다
panorama ⓝ 전경, 파노라마
physiological ⓐ 생리적인, 생리학상의
fraction ⓝ 일부, 부분
excel in – ~에서 뛰어나다
alienate ⓥ 소외감을 느끼게 만들다
hamper ⓥ 방해하다
pulmonary ⓐ 폐의
fluorescent screen 형광판
technical language 전문어
spidery ⓐ 거미 다리 같은, 가늘고 기다란
romance ⓥ (이야기를) 신나게[그럴듯하게] 하다
tentative ⓐ 주저하는, 임시의; 불확실한, 모호한
persevere ⓥ 인내하며[굴하지 않고] 계속하다
significant ⓐ 중요한, 의미 있는
pathological ⓐ 병적인, 병리학상의
radiology ⓝ 방사선의학
exasperated ⓐ 몹시 화가 난, 격분한
prominent ⓐ 두드러진, 현저한

01 본문에서 유추할 수 있는 것은 무엇인가?

① 모든 의대생이 방사선의학을 이해할 수 있는 것은 아니지만 최고의 학생은 방사선의학에서 뛰어난 성과를 거둘 것이다.
② 방사선의학 분야는 이해하기까지 오랜 시간과 많은 경험이 필요한 분야이다.
③ 방사선 전문의들이 자신들이 보고 있는 것을 보지 못하는 의대생들을 보고 몹시 화를 내는 것은 흔한 일이다.
④ 방사선 전문의들이 사용하는 전문어는 다른 용어와 크게 다르며 많은 의대생들에게 소외감을 느끼게 만든다.

정답 ②
해설 의대생들은 처음에는 엑스레이 영상을 이해하지 못했지만 계속 끈기 있게 참여하면서 노력을 하다 보면 어느 순간에 눈이 트이게 되면서 점차 이해의 폭을 넓히게 된다. 여기서 이해하기까지 시간과 노력을 꽤 들여야 함을 알 수 있다. 따라서 답은 ②이다.

02 왜 의대생들은 방사선 전문의들이 처음에 언급한 것을 보지 못할까?

① 의대생들은 엑스레이 사진에서 가장 두드러진 특징만을 볼 수 있을 뿐 그 이상은 보지 못한다.
② 의대생들은 뼈랑 근육 및 조직을 구분하지 못한다.
③ 의대생들은 엑스레이로 뭔가 더 흥미로운 것을 하고 싶었기 때문에 엑스레이와 관련한 기술적 부분을 지루하다고 판단했다.
④ 의대생들은 의대에서 공부할 때 엑스레이와 관련하여 훈련을 거의 받지 못했고 이것은 의대생들이 엑스레이 이미지를 이해하는 데 방해가 되었다.

정답 ①
해설 의대생들은 처음에는 엑스레이 사진에 담긴 것들을 이해하지 못하기 때문에 심장과 갈비뼈같이 경험 없이도 그냥 눈에 들어오는 것만을 판독할 수 있다. 즉 가장 두드러진 특징만을 보는 것이다. 그런 상황에서는 사진에 담긴 엄청난 양의 세부 정보를 파악할 수 없으므로 전문의가 언급한 것도 당연히 볼 수 없다. 따라서 답은 ①이다.

09

03–04

도덕의 증거는 동물 행동 연구에서 발견되어 왔다. 동물들이 힘없는 동료에게 먹을 것을 주는 일화는 매우 흔하다. 도덕은 놀이로부터 발달한다. 도덕은 규칙과, 위반에 대한 벌칙으로 이루어진 일종의 게임이다. 동물들은 선택하면서 놀이를 하고 계속해서 놀이에 참여하는 데는 공감, 공정, 협력, 신뢰가 중요하다. 습관적으로 배신하는 동물은 함께 놀아 주지 않는다. 이를 통해 동물들은 무엇이 용인되고 무엇이 그렇지 않은지, 즉 무엇이 옳고 그른지를 알게 된다. 사회적 동물에게 있어서 놀이는 사회성을 기르는 데 필수적이다. 또한 모든 동물들에게 사회성의 규칙은 도덕이다.

어휘
morality ⓝ 도덕
disabled ⓐ 장애가 있는, 무능한
evolve ⓥ 발달하다, 진화하다
break ⓥ 위반하다
fairness ⓝ 공정함, 공평함
acceptable ⓐ 용인할 수 있는, 무난한
feed ⓥ 제공하다
remarkable ⓐ 현저한
punishment ⓝ 처벌
empathy ⓝ 공감
cooperation ⓝ 협력

03 밑줄 친 it은 무엇을 나타내는가?

① 놀이로부터 얻은 도덕성
② 습관적으로 하는 배신
③ 동물들과 함께 놀이를 하는 것
④ 용인되는 행동

정답 ③

해설 "동물들은 선택하면서 놀이를 하고 계속해서 놀이에 참여하는 데는 공감, 공정, 협력, 신뢰가 중요하다. 습관적으로 배신하는 동물은 함께 놀아주지 않는다(Animals play out of choice, and continued participation depends upon empathy, fairness, co-operation and trust. Animals that habitually cheat don't get played with.)"를 근거로 동물들은 동료와 더불어 놀이를 하면서, 사회성을 기르고 규칙을 습득한다. 그러므로 여기에서 it은 '동물들과 함께 놀이를 하는 것'을 뜻한다.

04 이 글에서 추론할 수 없는 것은?

① 동물들은 놀이를 할 때 자신들의 새로운 규칙을 만든다.
② 놀이를 함께 하도록 허용된 동물들은 도덕성을 기르게 된다.
③ 놀이를 새로 접한 동물들은 아마도 속이거나 용인될 수 없는 행동을 할 수 있다.
④ 놀이를 많이 하는 동물들은 사회적인 인식을 더 많이 하게 된다.

정답 ①

해설 동물들이 놀이를 할 때 자신들이 규칙을 새로 만든다는 내용은 본문에서 끌어낼 수 없는 진술이다.

05-06

고대 그리스인들은 호머의 서사시 〈일리아드〉를 이야기 이상으로 생각했다. 그들은 일리아드가 실제 전쟁을 기록하고 조상들의 실제 전투를 보여 준다고 믿었다. 그러나 현재 학자들은 대부분 이에 대해 더 회의적이다. 일리아드는 호머가 태어나기 수백 년 전 문화, 호머에게조차도 전설이었을 문화를 그려 내기 때문이다. 학자들은 영웅적 과장과 시적 수사 속에 역사적 사실의 단편이 감추어져 있을 수도 있다는 점은 인정하지만 그 정도는 매우 미미할 것이다.

어휘
- **ancient** ⓐ 고대의
- **chronicle** ⓥ 연대 기록하다, 상술하다 ⓝ 연대기
- **authentic** ⓐ 진짜의, 근거 있는, 인증된
- **skeptical** ⓐ 회의적인, 의심하는
- **legendary** ⓐ 전설의, 믿기 어려운
- **tuck** ⓥ 밀어 넣다, 감싸다
- **hyperbole** ⓝ 과장
- **epic** ⓝ 서사시
- **reflect** ⓥ 반영하다, 나타내다
- **struggle** ⓝ 전투, 분투
- **thrive** ⓥ 번성하다
- **kernel** ⓝ 낟알, 핵심
- **layer** ⓝ 층
- **embroidery** ⓝ 자수, 과장

05 밑줄 친 어구가 뜻하는 것은?

① 일리아드는 자서전적이었다.
② 일리아드는 허구가 아니었다.
③ 일리아드는 꿈에서 비롯되었다.
④ 일리아드는 사실이 아니었다.

정답 ②

해설 "일리아드를 이야기 이상으로 생각했다(he Iliad was something more than fiction)"는 의미는 일리아드는 허구가 아니라고 생각했다는 뜻이다.

06 다음 중 올바른 진술은?

① 일리아드에서 서술된 사건들은 고대 그리스인들에게 실제로 일어난 일이라고 생각되었다.
② 학자들은 일리아드의 사건들은 완전히 허구라고 생각한다.
③ 호머는 더 나은 작품을 만들기 위하여 사실적인 정확성을 없앴다.
④ 고대 그리스인들은 사건들이 과장되었다는 것을 알았지만, 신경 쓰지 않았다.

정답 ①

해설 "그들은 일리아드가 실제 전쟁을 기록하고 조상들의 실제 전투를 보여 준다고 믿었다(They thought it chronicled a real war, and reflected the authentic struggles of their ancestors)"를 근거로 그리스인들은 일리아드를 실제 일어난 일이라고 믿고 있었다는 것을 알 수 있다.

07-10

여기 하나의 아이디어가 있다. 연간 예산 계획을 짜기 시작할 때 마케터들은 마케팅 예산을 가지고 70대 30으로 나눠야 한다. 70%는 사업의 리듬 즉 (제품 출시, 최대 판매 기간, 협찬 등) 기업의 관점에서 벌어지는 여러 활동의 일정을 뒷받침하는 마케팅과 통신 분야의 자금 지원을 위해 쓰인다. 30%는 따로 떼어놓는데, 훨씬 더 자발적인 방식으로 사용되며, 마케터들이 유행하는 주제를 활용하고 현재 중요한 문제에 관해 소비자들과 접촉하는 방법을 통해 소셜 미디어 내에서 자사의 브랜드를 활성화시키는 역할을 한다.
여러분이 소셜 미디어 속에서 성공하길 원하고 대화에 끼고 싶다면 자신의 브랜드와 메시지를 현재 유행하는 주제 안에 엮어 내야 한다는 사실을 마케터들은 알고 있다. 자신의 앞에 기회가 놓였음에도 가용한 마케팅 예산이 없거나 마케팅 계획이 확정되어서 새로운 활동을 할 여지가 더 이상 없다면 좌절감이 밀려든다.
오늘날의 성공적인 마케터들은 유연하고 유동적인 인물이며, 사전에 정해진 행사 기간뿐만이 아니라 365일 내내 자사 브랜드를 소비자들의 삶에 맞춰 조절한다. 만일 소셜 미디어 마케팅의 주제가 적절성과 정확성에 있다면, 성공할 수 있는 최고의 기회는 민첩한 대처와 발생하는 기회를 최대한 이용할 수 있을지 여부에 달려 있다.

어휘
- **at the outset** – 처음에
- **sponsorship** ⓝ 후원, 협찬
- **spontaneous** ⓐ 자발적인, 즉흥적인
- **trending** ⓐ 유행하는
- **set in** – 시작되다, 밀려들다
- **nimble** ⓐ 민첩한, 날렵한
- **bucket** ⓝ (엄청난) 양
- **set aside** – 따로 떼어 놓다, 따로 챙겨 놓다
- **tap into** – ~을 활용하다
- **weave** ⓥ (이야기를) 엮다
- **align A with B** – B에 맞춰 A를 조절하다
- **budgetary** ⓐ 예산의

pay off – 급료를 주고 해고하다, 돈을 주고 매수하다
doom to – ~하도록 운명 짓다, ~할 수밖에 없게 되다
capitalize on – ~을 이용하다, 활용하다
stand in the way – 방해가 되다, 훼방 놓다
fast-paced ⓐ 빠르게 진행되는

07 **본문의 주제는 무엇인가?**

① 마케팅 개시 이전에 이루어져야 할 예산 관련 결정
② 성공적인 마케터들은 예산을 어떻게 조정하는가
③ 예산안 수립은 왜 마케터들에게 중요한가
④ 마케팅 분야에 있어 소셜 미디어의 중요성

정답 ②
해설 본문은 성공적인 마케터는 마케팅 예산을 70 : 30으로 나누어 집행한다는 사실을 말하고 있으며, 왜 이렇게 구분할 필요가 있는지를 설명하고 있다. 따라서 답은 ②이다.

08 **따로 떼어놓은 30%의 용도는 무엇인가?**

① 마케팅팀이 더 좋아 보이도록 하기 위해
② 방해하려는 사람들을 돈으로 매수하기 위해
③ 갑자기 필요한 순간이 왔을 때 쓰기 위해
④ 실수한 것을 정리하기 위해

정답 ③
해설 본문에 따르면 30%는 "소셜 미디어 내에서 자사의 브랜드를 활성화시키는 역할(activate their brand within social media)"을 한다. 즉 "자신의 앞에 기회가 놓였음에도 가용한 마케팅 예산이 없거나 마케팅 계획이 확정되어서 새로운 활동을 할 여지가 더 이상 없다면 좌절감이 밀려든다(Frustration sets in when an opportunity is right there in front of you, but there is no marketing budget available or the marketing plan is finalized and there just isn't room for new activities)"와 같은 상황에 처하지 않도록 "적절하고 정확하게(relevant and authentic)" 30%를 활용해 소셜 미디어 마케팅을 펼치는 것이다. 따라서 답은 ③이다.

09 **빈칸에 알맞은 것을 고르시오.**

① 가능한 멀리 간다
② 사전에 정해진 행사 기간뿐만이 아니라
③ 핵심 목표에 집중한
④ 최상의 마케팅을 보장한다

정답 ②
해설 "오늘날의 성공적인 마케터들은 유연하고 유동적인 인물이며 365일 내내 자사 브랜드를 소비자들의 삶에 맞춰 조절한다(Successful marketers today are flexible and fluid, aligning their brands with the lives of their consumers all 365 days)." 이는 마케팅 예산 가운데 30%를 차지하는 소셜 미디어 마케팅을 의미하며, 문맥상 나머지 70%는 "사전에 정해진" 마케팅을 의미함을 알 수 있다. 따라서 답은 ②이다.

10 **본문에서 유추할 수 있는 것은 무엇인가?**

① 기업은 소비자들이 실제 원하는 것에는 관심이 없고 대신에 자신들이 생각하기에 소비자들이 원해야 한다고 보는 것에 더 신경 쓴다.
② 소비자들은 오늘날의 중요한 문제에 관해 자신들과 동일한 방식으로 느끼는 것으로 판단되는 기업에 자신들이 반응하고 있음을 알게 된다.
③ 여러분은 마케팅 예산을 완전히 확정하면 실패할 수밖에 없고 어떤 좋은 생각도 여러분을 구해 줄 수 없게 될 것이다.
④ 오늘날 성공적인 마케팅은 현 추세를 인식하고 빠르게 진행되는 습성을 지닌 소셜 미디어를 이용하는 것에 달려 있다.

정답 ④
해설 "만일 소셜 미디어 마케팅의 주제가 적절성과 정확성에 있다면, 성공할 수 있는 최고의 기회는 민첩한 대처와 발생하는 기회를 최대한 이용할 수 있을지 여부에 달려 있다(If social media marketing is largely about being relevant and authentic, the best chance for success is to be nimble and take advantage of the opportunities that arise)." 즉 소셜 미디어상에서 시의적절하고 민첩하게 마케팅을 수행해야 성공적 마케팅이 가능하다는 의미이다. 따라서 답은 ④이다.

11–13

09

미국은 노동자들의 생산성이 매우 높고 교육도 꽤 잘 받았기 때문에 그 결과 기술 분야에서 다른 국가에 비해 경쟁 우위를 점하고 있다. 미국의 대학교육은 세계 최고의 수준으로 여겨지며 그 자체가 성장 요소로 기능한다. 컨설팅업체 IHS 글로벌 인사이트의 분석가 나리만 베라베시는 미국의 대학교육이 외국 학생들에게 수출이 되고, 이 학생들은 미국으로 몰려들어 미국에서 공부를 하는 특권을 누리기 위해 등록금을 전액 지불한다는 사실을 사람들이 종종 잊곤 한다고 언급했다.
달러화의 가치가 하락할수록 미국에서 공부하는 비용 또한 점차 낮아진다. 예를 들어 2009년 가을에만 미국 고등학교 졸업생 가운데 자그마치 70%가 대학으로 진학했고, 2006년에서 2009년까지 외국인 학생의 수가 11% 증가했다. 미국의 직업 시장은 더 많은 교육을 받는 것에 의지하고 있다. 모든 부유한 국가는 경쟁력을 유지하기 위해서는 어떤 분야에서든 계속 위를 향해야 한다고 보고 있다. 중국은 거의 모든 제품을 생산할 수 있지만 이러한 제품을 생산하기 위한 혁신은 보유하고 있지 못하며, 이러한 차이로부터 최고의 일자리가 기인한다. 경쟁 우위를 유지하기 위해 미국은 혁신적인 대학 졸업생들을 특히 과학 분야에서 지속적으로 배출해야 하며 기존 근로자들이 새로운 직업 분야로 옮겨갈 수 있도록 추가적인 재교육을 받도록 해야 한다. 최근의 경기 불황은 직업을 구하는 사람의 유형과 이들이 구할 수 있는 직업의 유형 간의 간극을 분명하게 보여 줬다. 기계 기술자나 건축 기술자로 훈련을 받은 사람들은 현재 필요한 간호나 교사 관련 일자리를 얻기에 필요한 기술을 갖고 있지 못하다. 뉴저지 주 프린스턴 소재 이코노믹아웃룩 그룹의 수석 분석가 버나드 부몰은 미국 경제의 일자리와 근로자 간의 불일치가 확연히 드러날 만큼 크다는 점에 동의했다. 6개월이 넘도록 실직 상태인 사람이 가장 위험하다. 어떤 일을 평생 훈련받은 것은 갑작스럽게 직업을 바꾸고자 할 때 전혀 도움이 되지 않는다. 직업을 바꾸고자 할 때 필요한 기술이나 자격 요건을 갖추지 못한 것이다.

어휘 **workforce** ⓝ 노동자, 근로자
whopping ⓐ 엄청 큰
retraining ⓝ 재훈련, 재교육
builder ⓝ 건축 기술자
glaring ⓐ 확연한
qualifications ⓝ 자격 요건
inevitably (adv) 필연적으로, 아니나 다를까
higher education – 고등 교육, 대학 교육
competitive edge – 경쟁 우위
machinist ⓝ 기계 기술자
going ⓐ 영업 중인, 현행의
mismatch ⓝ 어울리지 않음, 맞지 않음
easier said than done – 행동보다 말이 쉽다

11 본문의 제목으로 가장 알맞은 것은 무엇인가?

① 미국 수출의 미래는 혁신에 달려 있다.
② 미국에 비해 창의력이 부재한 중국
③ 더 나은 학교를 어떻게 만들고 유지할 것인가
④ 미국 고용 부문의 새로운 미래

정답 ①

해설 교육과 혁신이 미국 경쟁력의 원천이며 미국은 앞으로도 선두권을 유지할 수 있도록 노력해야 한다고 말하고 있다. 따라서 답은 ①이 가장 적절하다. 참고로 ④의 경우를 보면 본문이 고용 그 자체보다는 고용을 위한 혁신과 교육에 관해 중점적으로 말하고 있으므로 답으로 보기엔 적합하지 않다.

12 다음 중 빈칸에 가장 알맞은 것은 무엇인가?

① 하지만 이러한 일자리는 말로는 쉬울지 몰라도 실제는 그렇지 않다
② 경쟁 우위를 유지하기 위해
③ 미국은 상석을 유지할 수 있기 때문에
④ 이러한 일자리가 필연적으로 씨가 마르기 시작할 때

정답 ②

해설 "미국은 노동자들의 생산성이 매우 높고 교육도 꽤 잘 받았기 때문에 그 결과 기술 분야에서 다른 국가에 비해 경쟁 우위를 점하고 있다(America has a competitive lead over others in the technology field as a result of its workforce being highly productive and quite well-educated)." 즉 미국의 경쟁 우위는 높은 교육 수준과 기술적 우위에 기인한다. 따라서 미국이 "혁신적인 대학 졸업생들을 지속적으로 배출해야 하는(continue creating innovative college graduates)" 이유는 바로 "경쟁 우위를 유지하기 위해서"이다. 따라서 답은 ②이다.

13 본문 바로 다음 문단의 주제로 가장 알맞은 것은 무엇인가?

① 앞으로 중국은 미국과 어떻게 경쟁할 것인가
② 미국 내 일자리를 유지할 만큼의 인력이 존재하지 않으면 어떤 일이 벌어질 것인가
③ 미국으로부터 창출되는 차세대 새로운 혁신
④ 미국에서 근로자들은 어떻게 새로운 기술을 습득하는가

정답 ④

해설 본문 마지막 단락에서는 '실업자와 존재하는 일자리 사이의 큰 간극'에 관해 말하면서, 이 부조화를 좁혀야 근로자들이 일자리를 구할 수 있음을 말하고 있다. 따라서 다음 단락에는 근로자들이 간극을 좁히기 위해 새로운 기술을 습득하는 방법에 관해 논할 것이므로 ④가 답이 된다.

14-16

사실 세계에서 가장 잘 알려진 말인 OK는 어떤 진지한 일의 결과로 발생된 것이 아니다. 1830년대 말에는 미국 신문에서 약어를 쓰는 것이 유행이었고, 당시에는 재미있으려고 했던 행위이지만 지금 와서는 그렇게 재미있어 보이지 않는다. 멧 캐프는 OK가 "모두 맞음(all correct)"을 의도적으로 틀리게 쓴 "oll korrect"의 약어임을 알고 있던 보스턴 모닝포스트의 독자들이 어떤 즐거움을 느꼈는지 설명하기 위해 한 장(章) 분량을 소비했다. 내 입장에서는 왜 이 농담이 재미가 있는지 이해가 되지 않는다. 하지만 당시 앤드루 잭슨의 평판을 깎으려 했던 사람들이 그가 문서의 서명을 할 때 철자를 몰라서 약어인 OK를 사용했다는 루머를 유포했다. 멧 캐프는 이 루머가 거짓임을 인정했지만, 이 OK는 사람들 사이에서 받아들여지면서 실제 쓰이는 말로 유행하게 되었다. OK는 전화 교환원들이 "모두 확인됐음(all clear)"의 의미로 쓰기 위해 선택한 말이 되었다. OK는 전 세계로 빠르게 확산되었다. 엄밀히 말해 달에서 맨 처음 한 말은 바로 OK라고 한다. 토드 비머가 9/11 테러 사건 당시 영웅적인 비행을 하면서 뱉은 말도 OK였다. OK라고 하는 것도 이제는 꽤나 흔하기 때문에 네드 플랜더스처럼 "오클리 도클리"라고 장식을 붙여 말할 필요도 있다. OK가 놀라운 점은 말의 유명세나 말의 탄생 때문에 아니라 OK가 미국인들의 사고방식을 상징하기 때문이다. 20세기에 외국인들은 OK가 "미국의 단순함과 실용성, 낙관주의" 등을 암시하는 것으로 보았다. 오늘날 OK는 그야말로 미국이 품는 관용과 다름에 대한 존중의 개념을 의미한다. 지금처럼 불안한 시기에 두 글자로 된 짧은 단어가 사람들을 하나로 묶을 수 있다는 사실을 알고 있는 것만으로도 안도감이 든다.

어휘
- **come about** – 일어나다, 발생하다
- **abbreviation** ⓝ 약어, 축약
- **deliberate** ⓐ 의도적인, 고의의
- **lose** ⓥ 이해되지 못하다
- **discredit** ⓥ ~의 신용을 떨어뜨리다, ~의 평판을 나쁘게 하다
- **stick** ⓥ 받아들여지다, 인정받다
- **traction** ⓝ 매력, (사람의 마음을) 끄는 힘
- **technically** (adv) 엄밀히 말해
- **embellishment** ⓝ 꾸밈, 장식
- **symbolism** ⓝ 상징(주의)
- **simplicity** ⓝ 단순함, 평이함
- **pragmatism** ⓝ 실용주의
- **optimism** ⓝ 낙관주의
- **tolerance** ⓝ 용인, 관용
- **respect for** – ~에 대한 존중

14 본문에 따르면 유추할 수 있는 것은 무엇인가?

① OK는 당분간 계속 쓰일 것이지만 결국에는 다른 단어로 대체될 것이다.
② OK같은 말은 때로는 원래 의도에서 벗어나더라도 일상 영어의 일부가 되기도 한다.
③ 오늘날 OK는 다른 여러 말들과 함께 대부분의 사람들에게 있어 미국다운 것이 어떤 의미를 갖는지를 요약해 보여 준다.
④ OK에는 관련된 단어의 정의와 의미가 다양하게 존재하며, 이들은 시간과 함께 변하게 될 것이다.

정답 ②

해설 원래 OK는 농담 삼아 만들어진 말인데, 시간이 흐르면서 '누구나 사용하는 보편적인' 단어가 되었다. 따라서 원래 의도에서 벗어나서 일상 영어의 일부가 되었다는 의미의 ②를 답으로 볼 수 있다. 참고로 ③의 경우를 보면 본문에 OK가 '미국의 단순함과 실용성, 낙관주의를 상징(implying "American simplicity, pragmatism, and optimism)' 한다고 설명되어 있어서 ③을 답으로 볼 수 있겠지만, ③에 등장한 '다른 여러 말들(several other words)'이 본문에는 등장하지 않고 오직 OK의 경우만 나와 있으므로 ③을 답으로 보기는 힘들다.

---

15 **본문에 따르면 어떻게 OK는 흔히 사용되는 말이 되었는가?**

① 앤드루 잭슨이 사용했다.
② 전신 교환원들이 사용하기 시작했다.
③ 미국인들이 일상어로 사용하기 시작했다.
④ 토드 비머가 말했다.

정답 ②

해설 앤드루 잭슨 또는 그의 정적 덕분에 OK가 유행한 것은 어디까지나 '농담(joke)'의 의미로 유명해졌을 뿐, 지금의 의미로 사용되었던 것은 아니므로 ①은 답이 될 수 없다. 우선은 전신 교환원들이 OK를 사용한 다음에 '세계 곳곳에 퍼져 누구나 사용하는 보편적 단어가 되었지', 미국인들이 일상어로 사용한 다음에 전신 교환원들이 사용한 것은 아니다. 따라서 답은 ③이 아니라 ②이다.

---

16 **다음 중 빈칸에 가장 알맞은 것은 무엇인가?**

① 미국인들의 사고방식을 상징한다
② 얼마나 많은 사람들이 생각 없이 OK를 사용하는가
③ OK가 수많은 사람들마다 얼마나 다른 의미를 갖는가
④ OK가 갑자기 생겨나 매우 큰 의미를 갖게 되었다는 생각

정답 ①

해설 "20세기에 외국인들은 OK가 '미국의 단순함과 실용성, 낙관주의' 등을 암시하는 것으로 보았다(20th century foreigners saw the word as implying 'American simplicity, pragmatism, and optimism')." 또한 "OK는 그야말로 미국이 품는 관용과 다름에 대한 존중의 개념을 의미한다(the word simply means the American concept of tolerance and respect for difference)." 즉 OK는 "미국인들의 사고방식을 상징"하는 단어인 것이다. 따라서 답은 ①이다.

17-20

페이월(paywall)은 인터넷 이용자들이 유료 구독 없이 웹 콘텐츠에 접속하지 못하게 막는 시스템이다. 현재 사용 중인 페이월에는 "하드" 페이월과 "소프트" 페이월이 있다. "하드" 페이월은 구독이 되어 있지 않는 상태에서는 콘텐츠 접근을 최소화하거나 아예 불허하며, 반면에 "소프트" 페이월은 구독 없이 이용자가 볼 수 있는 컨텐츠를 어느 정도 융통성 있게 허용하는데, 예를 들면 선별적으로 무료 컨텐츠 제공하기 그리고/또는 한 달에 제한적인 수의 기사를 무료로 제공하기, 책의 몇 페이지나 기사의 몇 단락을 맛보기로 제공하기 등이 있다. 신문에서는 수익 증가를 목적으로 자사 홈페이지에 페이월을 시행했는데, 신문사는 종이 신문 구독과 광고 수익이 하락하면서 수익이 감소 중에 있다.

페이월은 온라인 컨텐츠에 과금하는 방식으로 기업에 추가 수익을 안겨다 줄 용도로 사용되며 종이 신문 구독자의 수를 증가시키기 위해서도 사용된다. 일부 신문은 온라인 접속만 제공하는 것보다 일요일판 종이 신문 배당과 함께 온라인 접속을 묶어 더 싼 값에 제공한다. BostonGlobe.com과 NYTimes.com같은 뉴스 사이트에서 이러한 방법을 사용하며, 그 이유는 이 방법으로 온라인 수익뿐 아니라 종이 신문의 판매 부수 또한 증가시키기 때문이다 (그 결과 광고 수익은 더욱 증가한다).

온라인 광고 수익의 창출은 신문사 입장에서는 계속 진행 중인 싸움이다. 현재 온라인 광고는 동일한 신문 광고가 가져다 주는 수입의 10%~20%에 불과하다. "디지털 광고 소득과 페이월을 통한 디지털 구독은 종이 신문이 완전히 사라질 경우 [신문사에서] 압박을 견디기 위해 필요한 형태로 볼 수 없다." Poynter미디어 전문가인 Bill Mitchell에 따르면 페이월이 지속 가능한 수익을 거두기 위해서는 신문사는 과거 무료 컨텐츠와는 달리 온라인 컨텐츠에서 돈을 지불할 만한 (고품질, 혁신 등의) "새로운 가치"를 창출해야 한다. 페이월의 사용에 대한 대부분의 신문 보도는 페이월을 종이 신문 구독의 증가에 따른 수익 상승으로 인한 상업적 성공 또는 페이월 자체의 수익을 통한 상업적 성공의 관점에서만 분석한다. 하지만 순전히 이윤 추구를 목적으로 하는 수단인 페이월의 사용은 이용 가능한 민주적인 신문 보도에 관한 언론 윤리 문제를 야기한다.

어휘
- **access** ⓥ 접속하다, 접근하다
- **flexibility** ⓝ 융통성, 탄력성
- **implement** ⓥ 시행하다
- **circulation** ⓝ 판매 부수
- **duplicate** ⓐ 똑같은
- **sustainable** ⓐ 지속 가능한
- **news coverage** – 신문 보도
- **profit-driven** ⓝ 이윤 추구
- **flagging** ⓐ 줄어드는, 쇠약해 가는
- **warrant** ⓥ 정당하게 만들다, 보증하다
- **resurgence** ⓝ 부활
- **come to the forefront** – 세상의 주목을 받게 되다
- **paid subscription** – 유료 구독
- **selective** ⓐ 선별적인
- **charge for** – ~에 대한 요금을 청구하다
- **ongoing** ⓐ 계속 진행 중인
- **take the strain** – 압박을 견디다
- **merit** ⓥ ~할 가치가 있다
- **pertaining to** – ~에 관한
- **last-ditch** ⓐ 최후의 시도로 하는, 필사적인
- **exclusive** ⓝ 독점 기사
- **entice** ⓥ 유도하다, 유인하다
- **bypass** ⓥ 우회하다

구문 정리

It is said that "neither digital ad cash nor digital subscriptions via a paywall are in anything like the shape that will be needed for [newspapers] to take the strain if a print presence is wiped away."

"디지털 광고 소득과 페이월을 통한 디지털 구독은 종이 신문이 완전히 사라질 경우 [신문사에서] 압박을 견디기 위해 필요한 형태로 볼 수 없다."

구조 분석

via + Ⓝ : ~을 걸쳐서, ~에 의해

It(가주어) is said(V) that(진주어) "neither digital ad cash nor digital subscriptions(S´) (via a paywall)(전치사구)

neither A nor B : A, B 어느 쪽도 아닌

are(V´) in anything(부사구) (like the shape)(형용사구) (that(주격 관계대명사) will be needed(V´) for [newspapers] to take the strain(의미상 주어 + to 부정사) /

if a print presence(S´) is wiped away(V´).")

조건을 나타내는 부사절 접속사

09

17 본문의 주제는 무엇인가?

① 페이월은 신문사에서 더 많은 수익을 창출하기 위해 사용하지만 종이 신문 사업이 붕괴될 경우 필요하게 될 만큼의 수익을 거두지는 못한다.
② 페이월은 온라인 콘텐츠에 잡아 먹히고 있는 자사의 사업을 구원할 수 있는 최후의 시도로 신문사들이 사용한다.
③ 페이월은 신문사가 만족을 취할 만큼의 소득을 거두지 못하고 소비자들도 좋아하지 않기 때문에 아무에게도 도움이 되지 않는다.
④ 페이월은 신문사가 점차 줄고 있는 자신들의 자산을 회복시킬 수 있는 뛰어난 방법이지만 소비자들에게 충분히 적극적으로 마케팅이 이루어지지는 않고 있다.

정답 ①
해설 '페이월은 온라인 컨텐츠에 과금하는 방식으로 기업에 추가 수익을 안겨다 줄 용도로 사용된다(paywalls are used to bring in extra revenue for companies by charging for online content)'. 그런데 '디지털 광고 소득과 페이월을 통한 디지털 구독은 종이 신문이 완전히 사라질 경우 [신문사에서] 압박을 견디기 위해 필요한 형태로 볼 수 없다(neither digital ad cash nor digital subscriptions via a paywall are in anything like the shape that will be needed for [newspapers] to take the strain if a print presence is wiped away)'. 즉 페이월은 종이 신문이 사라질 경우 이를 대체하기엔 부족하다. 따라서 답은 ①이다.

18 신문사는 자사의 온라인 사이트의 트레픽을 어떻게 상승시키는가?

① 독점 기사가 컨텐츠에 포함되어야 하고 주요 뉴스를 첫 번째로 보도해야 한다.
② 컨텐츠의 품질이 구독을 정당화할 수 있을 만큼 높아야 한다.
③ 구독료가 사람들을 끌 수 있을 만큼 낮아야 한다.
④ 컨텐츠의 일부가 유로 컨텐츠로 독자를 유인할 수 있도록 무료여야 한다.

정답 ②
해설 신문사는 페이월 수익을 높이기 위해서는 또는 온라인 접속량를 상승시키기 위해서는 "과거 무료 컨텐츠와는 달리 온라인 컨텐츠에서 돈을 지불할 만한 (고품질, 혁신 등의) '새로운 가치'를 창출해야 한다(must create 'new value' (higher quality, innovative, etc.) in their online content that merits payment which previously free content did not)." 따라서 답은 ②이다.

19 다음 중 본문에서 다룬 주제는 무엇인가?

① 종이 매체의 부활
② 하드 페이월과 소프트 페이월을 우회하는 법
③ 온라인 광고의 낮은 수익
④ 전체 보도의 언론 윤리

정답 ③
해설 "현재 온라인 광고는 동일한 신문 광고가 가져다 주는 수입의 10%~20%에 불과하다(currently an online advertisement only brings in 10 - 20% of the funds brought in by a duplicate print ad)." 즉 아직 온라인 광고로는 충분한 수익을 얻기 힘들다는 사실을 알 수 있다. 따라서 답은 ③이다.

20 다음 중 밑줄 친 부분을 가장 잘 페러프레이즈한 것은 무엇인가?

① 페이월에 따르면 뉴스 접속을 위해 돈이 필요하므로 뉴스 접속 비용 부과가 민주적이라 할 수 있을지 문제가 야기된다.
② 민주 국가의 요구와 오직 돈을 벌기 위해 존재하는 기업의 요구 모두를 만족시키는 것은 거의 불가능하다.
③ 오직 한정된 수의 독자만이 민주적인 컨텐츠에 접근할 수 있도록 하기 위해 페이월을 사용하는 행위의 윤리가 세상의 주목을 받게 되었다.
④ 언론에서 이윤이 점차 중요해지면서 사람들은 대중을 위해 최고의 봉사를 하기 위해 페이월을 수단으로 삼아 컨텐츠에 대한 접근을 제한하는 것이 윤리적인지 여부를 궁금해 한다.

정답 ①

해설 밑줄 친 부분은 해석하면 '순전히 이윤 추구를 목적으로 하는 수단인 페이월의 사용은 이용 가능한 민주적인 신문 보도에 관한 언론 윤리 문제를 야기한다'이며, 이를 달리 표현하면 '페이월은 뉴스 접속 시 돈을 요구하므로 이윤 추구만을 목적으로 하는 것인데, 민주적 관점에서 돈 없이도 누구에게나 뉴스 접속이 가능케 한다는 윤리적 개념과는 충돌이 생기기 때문에 문제가 될 수 있다'이다. 보기 중에서 이와 의미상 유사한 것은 ①이다.

10 Practice Test 정답 및 해설

01	④	02	④	03	①	04	①	05	③	06	②	07	③	08	④	09	②	10	④
11	①	12	②	13	③	14	④	15	③	16	①	17	③	18	③	19	②	20	①

01-03

페르세포네는 그리스 신화 속 명계의 여왕이다. 그녀는 제우스와 수확의 여신인 데메테르의 딸이다. 페르세포네는 너무나 아름다워서 모두가 그녀를 사랑했고, 하데스조차 그녀를 원했다. 어느 날 페르세포네가 엔나의 평원에서 꽃을 따고 있었을 때 땅이 갑자기 열리면서 하데스가 나와서는 페르세포네를 납치해 갔다. 제우스랑 모든 것을 바라보는 태양신 헬리오스를 제외하고는 아무도 이를 눈치채지 못했다.
상심한 데메테르는 지상을 배회하면서 헬리오스가 사정을 설명하기 전까지 딸을 찾아 헤맸다. 데메테르는 너무도 분노하여 모든 것을 버리고 고독 속으로 달아났으며, 그 결과 지상에서는 더 이상 번식이 이루어지지 않았다(열매가 맺히지 않았다). 이런 사태가 오래 지속될 수는 없다는 것을 깨달은 제우스는 헤르메스를 하데스에게 보내서 페르세포네를 풀어 주게 했다. 하데스는 마지못해 동의했지만 돌아가기 전에 페르세포네에게 석류(또는 일부 출처에 따르면 석류씨)를 줬다. 페르세포네가 석류를 먹자, 그녀는 영원히 명계에 속하게 되었고 1년 중 3분의 1은 명계에 머물러야 했다. 그 외 기간 동안은 어머니와 머무르게 되었다. 페르세포네가 하데스와 있을 때 데메테르는 어떤 것도 성장시키기를 거부했고 그 결과 겨울이 시작되었다. 이 신화는 자연이 꽃피고 죽는 것을 상징한다.

어휘
the underworld – 저승, 명계
wander ⓥ 돌아다니다, 방황하다
reveal ⓥ 드러내 보이다, 밝히다
cease ⓥ 중단되다, 그치다
grudgingly (adv) 마지못해, 억지로
grant ⓥ 승인하다, 허락하다
diatribe ⓝ 비판
demented ⓐ 정신 이상의, 미친
irrational ⓐ 비이성적인
broken-hearted ⓐ 상심한, 슬픔에 잠긴
abduct ⓥ 납치하다
withdraw ⓥ 물러나다, 철수하다
fertile ⓐ 생식력 있는, 비옥한
pomegranate ⓝ 석류
overbearing ⓐ 고압적인
sinful ⓐ 죄가 되는, 죄악의
persevering ⓐ 인내심이 강한, 불굴의
superficial ⓐ 깊이 없는, 피상적인

01 왜 제우스는 페르세포네가 풀려나야 한다는 것을 깨달았는가?

① 하데스는 데메테르에게 큰 신세를 졌고 제우스는 이를 허락한 존재였다.
② 데메테르의 분노가 제우스의 삶에 문제를 야기했다.
③ 하데스는 더 이상 페르세포네를 곁에 두고 싶지 않아 했다.
④ 지구는 작물을 더 이상 생산하지 못하거나 초목을 지탱해 줄 수 없었다.

정답 ④

해설 딸이 납치된 것을 알게 된 "데메테르는 너무도 분노하여 모든 것을 버리고 고독 속으로 달아났으며, 그 결과 지상에서는 더 이상 번식이 이루어지지 않았다(Demeter was so angry that she withdrew herself in loneliness, and the earth ceased to be fertile)." 그 결과 제우스가 페르세포네를 풀어 줘야겠다는 사실을 깨닫게 된다. 따라서 답은 ④이다.

02 본 이야기가 전달하는 메시지로 가장 가까운 것은 무엇인가?

① 딸이 혼자 돌아다니도록 놔두면 위험하다는 경고
② 너무 고압적인 어머니에게 찬성하는 의미의 주장
③ 인간의 죄를 저지르는 행동에 대한 비판
④ 계절이 변하는 이유에 대한 설명

정답 ④

해설 본문은 왜 계절이 변화하는지를 그리스 신화의 틀을 빌어 설명하고 있다. 따라서 답은 ④이다.

03 하데스에 관해 유추할 수 있는 것은 무엇인가?

① 그는 여자를 원하지는 않았고, 특히 아름다움을 이유로 여자를 원하지 않았다.
② 그는 꽤 자주 여성을 납치하던 것으로 알려졌었다.
③ 그가 숲을 돌아다닐 때마다 여성들은 두려워했다.
④ 그는 진실로 페르세포네를 여동생이자 친구로 사랑했다.

정답 ①

해설 "페르세포네는 너무나 아름다워서 모두가 그녀를 사랑했고, 하데스조차 그녀를 원했다(Persephone was such a beautiful young woman that everyone loved her, even Hades wanted her for himself)." 이는 역으로 말하면 하데스는 본래는 아무 아름다운 여성이나 원하는 신이 아니지만 페스세포네는 그런 하데스도 원할 만큼 아름다웠다는 의미이다. 따라서 답은 ①이다.

10

04-06

비만이더라도 남자는 여자보다 근육량이 높은 경향을 보인다. 여자는 체중의 대략 10% 이상이 지방으로 되어 있다. 게다가 여러 연구에서 드러난 바로는 남자의 신진대사는 같은 체중과 나이의 여자의 신진대사보다 3~10% 정도 높다. 이는 우리로 하여금 생리학적 진실에 다가가게 해 준다. 바로 근육을 더 많이 보유할수록 신진대사도 점점 높아져서 칼로리를 더 많이 소비한다는 점으로, 심지어 쉬고 있을 때도 칼로리를 많이 소비하게 된다는 것이다. 군살의 유형 또한 중요하다. 남자는 몸속 깊숙이, 특히 주로 배 쪽에 위치한 장기 주변에 축적되는 내장지방이 여자보다 더 많은 경향을 보인다. 이런 유형의 지방은 이리저리 움직이지는 않을지 모르지만, 남자의 허리둘레를 키우거나 배가 튀어나오게 만든다. 여자는 피부 아래, 그 중에서도 주로 허리께와 넓적다리에 쌓이는 피하지방이 더 많은 경향을 보인다. 이런 유형의 지방은 이리저리 움직이고, (슬프게도) 손에 잡히기도 한다.
이러한 두 유형의 지방 중에서 내장지방이 더 위험하고 수많은 건강 문제와 연관이 있지만, 카이로 대학의 2009년 연구에 따르면 내장지방은 피하지방보다 더 빨리 대사작용이 이루어진다. 이는 즉 피하지방이 빼기 더 어렵다는 것이고, 살을 빼려는 여성 입장에서 이는 또 다른 장애물이 된다.

어휘 **obese** ⓐ 비만인
physiological ⓐ 생리학상의, 생리적인
accumulate ⓥ 축적하다
jiggle ⓥ 움직이다
subcutaneous fat – 피하지방
comparable ⓐ 비교할 만한
metabolism ⓝ 신진대사
visceral fat 내장지방
midsection ⓝ 중간부, 배쪽
girth ⓝ 허리둘레
informed ⓐ 잘 아는, 박식한

04 본문의 목적은 무엇인가?

① 체중과 관련해 남성과 여성이 서로 다른 문제에 직면하고 있음을 보여 주기 위해
② 왜 자신들은 남성이 할 수 있는 것을 할 수 없는지를 여성에게 이해시키기 위해
③ 다른 성 간에 체중을 조절하는 데 있어 최상의 접근법에 관해 조언하기 위해
④ 체중 조절의 서로 다른 방법에 관해 가능한 가장 잘 아는 의견을 제시하기 위해

정답 ①
해설 본문은 남성과 여성의 몸에 쌓이는 지방의 성향이 다르고 신체적 조건도 다르기 때문에 체중과 관련해 직면한 상황 또한 다르다는 사실을 지적하고 있다. 따라서 답은 ①이다.

05 본문에 따르면 남성과 비교해 여성이 지닌 이점은 무엇인가?

① 남성은 지방을 움직이게 할 수 있는 능력이 없지만 여성에겐 있다.
② 여성이 지닌 지방은 눈에 잘 띄고 따라서 여성은 더 빨리 나아질 수 있다.
③ 여성은 비교 대상인 남성에 비해 의학적 차원에서 지방으로 인한 고통을 덜 받는다.
④ 여성은 남성보다 더 건강한 방식으로 신체에서 지방을 잘 제거할 수 있다.

정답 ③
해설 남자는 여자에 비해 내장지방이 쌓이는데, 건강과 관련해서는 내장지방이 피하지방보다 더 큰 문제이다. 따라서 답은 ③이다.

06 본문의 밑줄 친 부분과 같은 의미를 가지면서 다른 방식으로 표현된 것은 무엇인가?

① 이런 유형의 지방은 같은 방향으로 움직이지 않을지 모른다.
② 이런 유형의 지방은 이리저리 움직이지는 않을지 모른다.
③ 이런 유형의 지방은 정말로 단단하다.
④ 이런 유형의 지방은 움직이지 않는 거대하고 단단한 하나의 덩어리이다.

정답 ②
해설 밑줄 친 부분은 “이런 유형의 지방은 이리저리 움직이지는 않을지 모르지만”으로 해석되며, 보기 중에서 이와 의미상 가장 가까운 것은 ②이다.

07-10

의미의 검증 가능성 기준은 논리 실증주의의 필수요소이다. 의미의 검증 가능성 기준이 최초에 가장 간단한 형태일 경우에 따르면, 종합적 진술의 의미는 의미의 검증 가능성 기준을 경험적으로 검증하는 방법이다. (분석적 진술은 논리적으로 실증 가능한 것으로 여겨진다.) 이러한 원칙의 요점은 형이상학적 진술을 의미 없는 것으로 분류하는 것이며, 그 이유는 이러한 형이상학적 진술은 분명히 경험적으로 검증될 수 없기 때문이다 (본체는 경험의 영역이 아니라는 칸트의 주장이 이 경우에 있어 널리 쓰이는 예이다). 이와 같은 검증 가능성 기준에 대한 최초의 명확한 진술은 곧 너무 강력한 것으로 보였는데, 형이상학적 진술뿐 아니라 분명히 경험적으로 의미 있는 진술도 의미 없는 것으로 간주되었기 때문이다. 모든 구리엔 전기가 통한다는 진술을 그 예로 볼 수 있고, 범위에 한계가 없는 보편적으로 정량화된 진술과 예를 들면 달의 뒤편에 산맥이 있다는 것 같이 당시에 개념적 이유가 아닌 기술적 이유로 경험의 영역을 벗어난 진술도 이에 포함된다. 이러한 까다로움은 기준의 수정으로 이어진다. 후자가 실제로는 아닐지언정 최소한 원칙적으로라도 경험적 검증을 허용하기 위해서라면, 전자는 실증적 확증에 대한 검증을 완화하기 위해서이다. 따라서 관측된 사례를 기반으로 모든 구리에 전기가 통한다는 사실은 검증은 안 될지라도 확증은 가능해진다. 반증 사례가 없는 상태에서 전기를 통하는 구리의 사례가 지속적으로 관측되면 모든 구리에 전기가 통한다는 사실이 뒷받침 또는 확증되고, 따라서 "모든 구리에 전기가 통한다"는 말의 의미는 이러한 확증의 실험적 방법으로서 이해될 수 있다.

어휘
- **verifiability** ⓝ 검증 가능성
- **logical positivism** 논리 실증주의
- **empirical** ⓐ 경험에 의거한, 실증적인
- **metaphysical** ⓐ 형이상학적인
- **formulation** ⓝ 명확한 설명, 명료한 진술
- **conceptual** ⓐ 개념의, 구상의
- **positivist** ⓝ 실증주의자
- **criterion** ⓝ 기준
- **synthetic** ⓐ 종합적인
- **verification** ⓝ 검증
- **noumenal matter** 본체
- **quantified** ⓐ 정량화된, 수량화된
- **counterinstance** ⓝ 반증 사례

10

구문 정리

This initial formulation of the criterion was soon seen to be too strong; it counted as meaningless not only metaphysical statements but also statements that are clearly empirically meaningful, such as that all copper conducts electricity and, indeed, any universally quantified statement of infinite scope, as well as statements that were at the time beyond the reach of experience for technical, and not conceptual, reasons, such as that there are mountains on the back side of the moon.

이와 같은 검증 가능성 기준에 대한 최초의 명확한 진술은 곧 너무 강력한 것으로 보였는데, 형이상학적 진술뿐 아니라 분명히 경험적으로 의미 있는 진술도 의미 없는 것으로 간주된다. 모든 구리엔 전기가 통한다는 진술을 그 예로 볼 수 있고, 범위에 한계가 없는 보편적으로 정량화된 진술과 예를 들면 달의 뒤편에 산맥이 있다는 것 같이 당시에 개념적 이유가 아니라 기술적 이유로 경험의 영역을 벗어난 진술도 이에 포함된다.

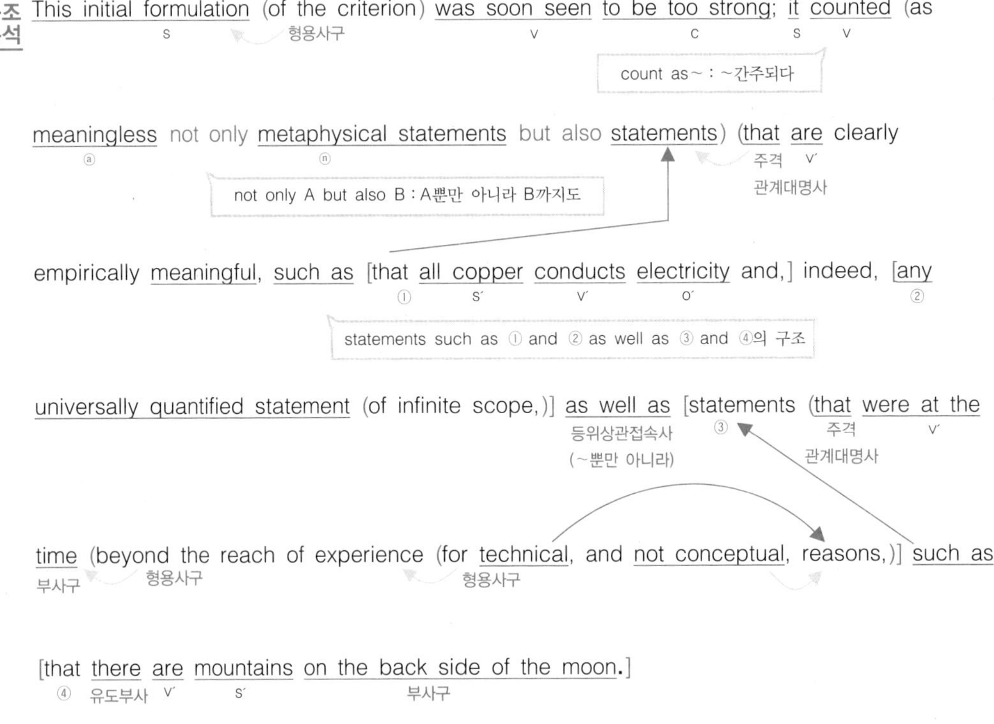

07 본문의 주제는 무엇인가?

① 형이상학적이면서 실증적으로 검증된 진술의 무의미함
② 왜 분석적 및 종합적 진술은 동일한 것으로 이해되지 않는가
③ 검증가능성과 그 기준의 완화
④ 모든 구리는 전기가 통하는지 그렇지 않은지에 관해 발견하고자 하는 긴 임무

정답 ③

해설 본문은 논리 실증주의의 필수 요소인 의미의 검증 가능성 기준에 관해 설명하고 있다. 그리고 뒤이어 엄격한 검증 가능성의 기준을 완화하는 이유에 대해 적고 있다. 따라서 답은 ③이다.

08 본문 앞에 직접적으로 등장하는 글의 주제로 가장 가까운 것은 무엇인가?

① 실증적 검증의 여러 다양한 예
② 의미의 검증 가능성 기준의 의미
③ 논리 실증주의자들 간의 공동체에서의 칸트의 관계
④ 논리 실증주의에 대한 전반적인 생각

정답 ④

해설 본문은 "의미의 검증 가능성 기준은 논리 실증주의의 필수 요소이다(The verifiability criterion of meaning was essential to logical positivism)"로 시작해 의미의 검증 가능성 기준에 관해 상세히 설명하고 있다. 그러므로 본문 앞에서는 논리 실증주의에 관해 나오고 그 다음 본문에 들어가 의미의 검증 가능성 기준에 관해 설명했을 것이라는 유추가 가능하다. 따라서 답은 ④이다. 즉 ②의 경우에 의미의 검증 가능성은 본문에서 언급되는 내용이지 본문의 앞부분에 나올 내용은 아니다.

09 **다음 중 밑줄 친 부분과 의미상 가장 가까운 것은 무엇인가?**

① 우리가 구리의 전기 전도성을 검증할 수 없다면 이를 확증하는 것 또한 분명히 할 수 없을 것이다.
② 구리에 전기가 통할 때를 관찰하는 방식으로 우리는 실제로 전기가 통하는지를 확증할 수 있지만 그렇다고 이를 검증할 수 있는 것은 아니다.
③ 확증과 검증 간의 관계는 구리의 전기 전도성으로는 거의 알 수 없다.
④ 우리가 실제로 구리에 전기가 통하는 것을 관찰할 수 있는 경우는 확증되거나 검증될 수 없다.

정답 ②

해설 밑줄 친 부분을 해석하면 "따라서 관측된 사례를 기반으로 모든 구리에 전기가 통한다는 사실은 검증은 안 될지라도 확증은 가능해진다"이며, 보기 중에서 이와 의미상 가장 가까운 것은 ②이다.

10 **다음 중 옳은 진술은 무엇인가?**

① 분석적 및 종합적 진술 둘 다 논리 실증주의자들에 의해 의미 있는 것으로 받아들여지지 않는다.
② 의미의 검증 가능성 기준의 본래 범위는 최초 생겨난 이후부터 변함없이 남아 있다.
③ 과학자들은 달 뒷면에 산이 있다고 검증할 수 있었다.
④ 형이상학적 진술을 100% 확실하게 실증적으로 언급하는 것은 불가능하다.

정답 ④

해설 "이러한 형이상학적 진술은 분명히 경험적으로 검증될 수 없다(such statements … could obviously not be empirically verified)." 즉 형이상학적 진술은 경험을 통한 100% 실증적 검증이 불가능함을 알 수 있다. 따라서 답은 ④이다.

11-13

여성들은 걸으면서나 다양한 주제에 관해 말하면서 이를 닦을 수 있는 데 반해 남자는 그러기가 매우 힘든지 궁금해 해본 적 없는가? 왜 전체 특허 중 99%가 남자가 등록한 것일까? 왜 스트레스를 받은 여성은 말을 하는 것일까? 수많은 남편들이 쇼핑을 싫어하는 이유는 무엇일까? 바바라피즈와 앨런피즈에 따르면 "우리의 뇌가 연결된 방식과 우리의 몸 전체에서 고동치는 호르몬은 우리가 태어나기 훨씬 전부터 우리가 생각하고 행동하는 방식을 대체적으로 지시하는 두 가지 요소이다. 우리의 본능은 간단히 말해 우리의 신체가 주어진 일군의 상황에서 행동하는 방식을 결정하는 유전자이다." 맞다. 사회화, 정치, 양육 등은 우선 제쳐 놓고라도 남자와 여자는 뇌에서 엄청난 차이가 나며, 본질적으로 다른 식으로 그리고 결과적으로 좌절스러운 방식으로 행동하는 경향이 있다. "말을 듣지 않는 남자 지도를 읽지 못하는 여자"에서 전제하는 것은 이러한 차이점이 남녀 관계 형성에 방해가 되는 경우가 너무 많고 우리의 기본적인 충동을 이해하는 일은 자신을 더 잘 인식하는 데 도움이 되며 남자와 여자 두 성 간의 관계를 향상시키는 데 도움이 된다는 것이다. 바바라피즈와 앨런피즈는 전 세계를 여행하고, 전문가와 대화하고, 민족학자, 심리학자, 생물학자, 신경과학자들의 최신 연구를 공부하는 등 이 책의 연구를 위해 3년을 보냈지만, 이 두 사람의 결과물은 딱딱한 "자연 과학"서처럼 읽히지 않는다. 사실 이 두 저자는 자신들의 책이 재밌고, 흥미 있고, 쉽게 읽힐 의도로 쓰였다는 점을 언급하는데 상당한 노력을 기울였다. 간단히 말해 이 책의 근본 목적은 "보통의 남녀 즉 대부분의 남녀가 대부분의 시간 동안 대부분의 상황에서 그리고 과거 대부분의 시간 동안 어떻게 행동했는지"에 관해 논하는 것이다.

어휘 pulse through 고동치다
intrinsically adv 본질적으로
frustrating ⓐ 좌절스러운
cutting-edge ⓐ 최신의
hard science – 자연 과학
hardened ⓐ 단련된, 완고한
upbringing ⓝ 양육
beinclined to – ~하는 경향이 있다
premise ⓝ 전제
ethnologist ⓝ 민족학자
go to lengths to – (~하기 위해) 많은 애를 쓰다
perpetuating ⓐ 지속되는

---

11 다음 중 밑줄 친 구문과 의미상 가장 가까운 것은 무엇인가?

① 하지만 이 책은 진중한 과학 이론서의 형식으로 쓰이지 않았다
② 비록 이 책은 단련된 과학자들이 읽어 줄 의도로 쓰였지만
③ 비록 이 책은 과학적 사실을 전혀 담고 있지 않지만
④ 마치 이들의 저서가 자연 과학에 관심이 있는 사람들을 위해 쓰여진 것처럼

정답 ①
해설 밑줄 친 부분은 해석하면 "이 두 사람의 결과물은 딱딱한 "자연 과학"서처럼 읽히지 않는다"이며, 보기 중에서 이와 의미상 가장 가까운 것은 ①이다. 참고로 본문에 등장하는 책은 최신 연구 성과를 담고 있는 서적이지만 단지 형식을 딱딱한 서적처럼 구성하지 않았을 뿐이다. 따라서 ③을 답으로 봐서는 안 된다.

---

12 바바라피즈와 앨런피즈는 무엇을 믿었는가?

① 남자와 여자는 본질적으로 동일하다.
② 우리의 호르몬과 유전자가 우리가 세상에서 행동하는 방식을 결정한다.
③ 아기는 태어날 때 백지 상태와 같고 우리의 주변 환경이 우리가 특정한 방식으로 행동하도록 우리의 모습을 형성한다.
④ 여자와 남자 모두 지속되는 고정 관념을 애용한다.

정답 ②
해설 "우리의 뇌가 연결된 방식과 우리의 몸 전체에서 고동치는 호르몬은 우리가 태어나기 훨씬 전부터 우리가 생각하고 행동하는 방식을 대체적으로 지시하는 두 가지 요소이다(the way our brains are wired and the hormones pulsing through our bodies are the two factors that largely dictate, long before we are born, how we will think and behave)" 및 "사회화, 정치, 양육 등은 우선 제쳐 놓고라도 남자와 여자는 뇌에서 엄청난 차이가 있다(socialization, politics, or upbringing aside, men and women have profound brain differences)" 이 두 문장을 보면 유전자적 차이 즉 성별에서부터 그리고 호르몬 차원에서부터 남녀 간의 차이가 존재하며, 사회화, 정치, 양육 같은 후천적인 요소로 남녀 구분이 생기는 것은 아님을 알 수 있다. 따라서 답은 ②이다.

---

13 다음 중 빈칸에 가장 알맞은 것은 무엇인가?

① 남자와 여자 사이 차이를 줄이는 데
② 남자와 여자가 다른 식으로 말한다는 점을 이해하는 데
③ 남자와 여자 두 성 간의 관계를 향상시키는 데
④ 미국 문화에서 남자와 여자 간의 관계를 분석하는 데

정답 ③

해설 본문의 "우리의 기본적인 충동을 이해하는 일은 자신을 더 잘 인식하는 데 도움이 되고(understanding our basic urges can lead to greater self-awareness)"에서 기본적 충동이란 남녀 간의 유전적 및 호르몬 차원에서 생성되는 충동을 의미하며 따라서 이러한 충동을 이해한다는 것은 남녀가 각자 스스로를 이해하고 여기서 더 나아가 남녀 간 서로를 이해하고 관계를 향상시키는 데 도움이 된다는 것으로 유추 가능하다. 따라서 답은 ③이다. 참고로 ①이 답이 되지 못하는 이유는, 이 책에서는 남녀 간의 차이가 엄연히 존재하고 있다는 점을 강조하며 그 차이를 줄이는 것이 이상적인 해결로 언급되지는 않기 때문이다.

14-15

미국 정부는 전 세계 사람들이 우리의 녹색 종잇조각(달러)을 사랑한다는 사실을 통해 이득을 본다. 정부는 그럼 실제로는 어떻게 이득을 보는 것일까? 시뇨리지(화폐 주조차익)란 것을 통해 거두는데, 이 시뇨리지란 말은 쓰기도 어렵고 설명하기도 어렵다. 옛날에 시뇨리지는 정부가 1달러를 발행하는 데 드는 비용이 1달러보다 덜 들었기 때문에 벌 수 있었던 소득이다.
예를 들어 1달러 지폐를 발행하는 데 2센트가 든다고 가정해 보자. 그러면 정부는 1달러를 발행한 다음 그걸 가지고 뭔가를 사면 순식간에 98센트를 버는 것이다. 심하게 간략화한 것이긴 하지만 이해를 위한 출발점으로는 이 정도면 괜찮다. 오늘날 미국의 연방 준비 제도 이사회는 돈의 공급을 관장한다. 그리고 연방 준비 제도 이사회가 돈의 공급을 관장하는 방식 중 하나는 재무부 단기 증권을 파는 것이다. 만약 연방 준비 제도 이사회가 돈의 공급을 늘리고 싶다면 재무부 단기 증권 (즉 미국의 국채)을 은행으로부터 사들인다. 이렇게 되면 재무부 단기 증권은 유통과정에서 벗어나서 기본적으로는 달러로 교체된다. 이렇게 세상에 더 많은 달러가 짠하고 생겨난다. 핵심은 이것이다. 유통되는 달러가 많다는 점은 연방 준비 제도 이사회가 더 많은 재무부 단기 증권을 보유한다는 의미이다. 그리고 달러와는 달리 재무부 단기 증권은 이자소득을 얻을 수 있다. 따라서 연방 준비 제도 이사회는 수익을 거둔다. 연방 준비 제도 이사회는 재무부 단기 증권을 팔지 않고 보유하며, 이는 이자 소득도 얻는 남는 장사이다. 기본적으로 여러분이 미국 달러를 현금으로 보유한다는 것은 연방 준비 제도 이사회에 무이자 대출을 하는 셈이다.

어휘 **poof** ⓝ 휙, 팟 하며 물체가 갑자기 사라지는 것을 묘사하는 소리
the Federal Reserve – 미국의 연방 준비 제도
treasury bill – (미) 재무부 단기 증권
government bond – 국채
circulation ⓝ 유통
presto ⓝ 마술사가 짠, 이얏 하고 내는 소리
pay off – 성공하다
interest-free loan – 무이자 대출
reference(= refer to) – ~을 나타내다, ~라 하다
depreciate ⓥ 가치를 절하하다
unwarranted ⓐ 부당한, 부적절한

14 본문에서 유추할 수 없는 것은 무엇인가?

① 연방 준비 제도 이사회에서 재무부 단기 증권을 많이 보유할 경우 시중에 유통되는 달러가 더 많아진다.
② 정부가 돈을 찍어서 돈을 버는 것을 시뇨리지라고 한다.
③ 유통 중인 돈을 늘리면 연방 준비 제도 이사회는 돈을 벌게 된다.
④ 미국 달러를 많이 보유하는 것은 미국 달러의 가치를 절하시키고 영향력을 줄일 수 있는 쉬운 방법이다.

정답 ④

해설 "만약 연방 준비 제도 이사회가 돈의 공급을 늘리고 싶다면 재무부 단기 증권(즉 미국의 국채)을 은행으로부터 사들인다. 이렇게 되면 재무부 단기 증권은 유통과정에서 벗어나서 기본적으로는 달러로 교체된다. 이렇게 세상에 더 많은 달러가 짠 하고 생겨난다(If the Fed wants to increase the money supply, it buys some treasury bills (government bonds) from banks. So a treasury bill is taken out of circulation and replaced, basically, with dollars. Presto. More dollars in the world)." 이는 ①에 해당되는 사항이다. "시뇨리지는 정부가 1달러를 발행하는 데 드는 비용이 1달러보다 덜 들었기 때문에 벌 수 있었던 소득이다(seigniorage was the revenue the government earned because it costs less than a dollar to print a dollar)." 이는 ②에 해당되는 사항이다. "유통되는 달러가 많다는 점은 연방 준비 제도 이사회가 더 많은 재무부 단기 증권을 보유한다는 의미이다. 그리고 달러와는 달리 재무부 단기 증권은 이자소득을 얻을 수 있다. 따라서 연방 준비 제도 이사회는 수익을 거둔다(more dollars in circulation means more treasury bills at the Fed. And unlike dollars, the treasury bills earn interest. So the Fed profits)." 이는 ③에 해당되는 사항이다. 그리고 ④는 "여러분이 미국 달러를 현금으로 보유한다는 것은 연방 준비 제도 이사회에 무이자 대출을 하는 셈이다(Basically, when you hold onto U.S. cash, you're giving the Federal Reserve an interest-free loan)"와 정반대되는 내용이다. 따라서 답은 ④이다.

---

15 "휙"과 "짠"이 나타내는 것은 무엇인가?

① 벌어지는 일이 부당한 일이다.
② 저자가 말하는 것은 사실이다.
③ 마법처럼 순식간에 벌어진다.
④ 비난은 모두 부당한 비난이다.

정답 ③

해설 'poof(휙)'이나 'Presto(짠)' 같은 표현은 마술을 묘사할 때 쓰는 표현이며 본문에서는 마법과 같이 달러가 생기고 연방 제도 이사회가 돈을 버는 방식을 묘사한다. 따라서 답은 ③이다.

16-17

검열 회피를 목적으로 기호를 활용하는 것은 언어 그 자체만큼 오래되었다. 남북전쟁 전 미국에서 해리엇 터브먼(Harriet Tubman)이 노예 상태에서 탈출한 탈주자들과 의사소통을 할 때 사용한 방식은 노예 추적자들이 이해하지 못할 숨겨진 의미가 담긴 노래를 부르는 것이었다. 한 학자는 암호 작성과 암호 해독의 순환은 "언어 변화의 주요 원동력"이라 말한다. 예를 들어 프랑스에서는 기존 단어의 음절을 치환하는 방식으로 베를랑(verlan)이라는 명칭의 은어가 창조되었다. 베를랑 용어 가운데 다수가 불법적 행위를 논하기 위한 암호로부터 유래된 것이기 때문에, 새로 만들어진 형태의 베를랑 용어의 의미를 알아보는 경우가 너무 많아질 경우 이 과정이 반복되는 경우가 종종 있었다. 이러한 방식을 통해 ("여성"을 의미하는 표준적인 단어인) femme에서 meuf가 생겨났고, 여기서 결과적으로 fenmeu가 생겨났다. 이와 유사하게, 온라인 상의 암호화된 기호는 이전에는 비밀이었던 의미가 잘 알려지면서 점차 변화하게 되었다. 인터넷 환경에서 이러한 기호는 이모티콘, 밈 또는 기타 이미지를 포함하여 말 또는 시각적 모티브의 형태로 나타날 수 있다. 찰스턴 대학(College of Charleston)에서 인터넷 문화를 연구하는 라이언 밀너(Ryan Milner)는 기호의 특정한 형태는 근본적으로는 기호가 나타내는 의미에 비해서는 중요도가 떨어진다고 말한다. 하지만 밀러는 시각적 기호는 내재된 모호함 덕분에 검열을 회피하는 데 특히나 효과적임이 입증되었다고 언급한다. 그리고 시각적 기호가 온라인 상에서 신속하게 확산될 수 있는 능력을 갖춘 것은 내집단과 외집단을 형성할 수 있는 시각적 기호의 능력에서 기인한 것이다. 밀너는 다음과 같이 말한다. "시각적 기호가 보다 난해해질수록 그리고 내집단 내에서만 보다 재밌어 할수록, '만일 이걸 이해하고 재미의 일부가 된다면, 당신은 우리 편이다' 하지만 '이해 못한다면 우리 편이 아니다' 같은 신호가 보다 크게 드러납니다."

어휘 symbolism ⓝ 상징주의, 기호[부호]사용
antebellum ⓐ (특히 미국 남북) 전쟁 전의
code ⓝ 암호
syllable ⓝ 은어
give rise to − ~이 생기게 하다, ~을 낳다
analogously ad 비슷하게
ultimately adv 근본적으로, 본질적으로
inherent ⓐ 내재하는
in-group ⓝ 내집단
esoteric ⓐ 소수만 이해하는, 난해한
educated ⓐ 교양 있는
censorship ⓝ 검열
fugitive ⓝ 도망자, 탈주자
transpose ⓥ 순서를 뒤바꾸다, 치환하다
illicit ⓐ 불법의
in turn − 차례차례, 결과적으로
manifest ⓥ 드러내다, 나타내다
note ⓥ 언급하다
ambiguity ⓝ 애매성, 모호함
out-group ⓝ 외집단
leave out − 배제하다, 무시하다

16 본문에 따르면 다음 중 맞는 것은 무엇인가?

① 인터넷상에서 시각적 기호는 말보다 더 빨리 확산된다.
② 모두 특정 시각적 기호를 보게 되면 그것이 어떤 의미인지를 안다.
③ 시각적 기호는 그 명확성 때문에 인터넷상에서 검열하기가 쉽다.
④ 암호화된 기호를 이해하는 사람은 종종 집단에서 배제된다.

정답 ①

해설 "그리고 시각적 기호가 온라인상에서 신속하게 확산될 수 있는 능력을 갖춘 것은 내집단과 외집단을 형성할 수 있는 시각적 기호의 능력에서 기인한 것이다"를 보면, 시각적 기호가 인터넷 상에서 신속하게 확산이 가능함을 알 수 있다.
"하지만 밀러는 시각적 기호는 내재된 모호함 덕분에 검열을 회피하는 데 특히나 효과적임이 입증되었다고 언급한다"를 보면, 시각적 기호를 보면 모두 의미를 알 수 있다는 ②와 시각적 기호가 명확하다 말하는 ③은 본문과 내용이 다름을 알 수 있다. "시각적 기호가 보다 난해해질수록 그리고 내집단 내에서만 보다 재밌어 할수록, '만일 이걸 이해하고 재미의 일부가 된다면, 당신은 우리 편이다' 하지만 '이해 못 한다면 우리 편이 아니다' 같은 신호가 보다 크게 드러납니다."는 ④의 내용과 반대되며, 따라서 ④ 또한 답이 될 수 없다.

17 빈칸에 들어갈 가장 알맞은 것은 무엇인가?

① 특정 공동체 내에서만 통한다.
② 교양 있는 사회로부터 거부당한다
③ 언어 변화의 주요 원동력이다
④ 언어 진화를 막는다

정답 ③

해설 빈칸 다음을 보면 암호처럼 기존 단어를 바꾸는 것으로 새로운 단어가 만들어졌음을 알 수 있고, 온라인 상의 암호화된 기호도 특정한 의미와 함께 언어의 역할을 한다는 것을 알 수 있다. 즉, 암호 작성과 암호 해독은 언어의 범위를 넓히고 언어의 변화를 이끌어내는 것으로 유추할 수 있다. 따라서 답은 ③이다.

10

18-20

911 테러 이후 이민을 제한하는 행위를 정당화시키려는 이유로 점차 흔하게 제시되는 것은 바로 시민의 안전을 보호해야 할 필요성이다. 어쨌든 국제 테러분자들이 존재하는 이상 최소한 일부 외국인들로 인해 제기되는 위협에 대해 의심하기란 힘들 것이다. 아무도 테러분자들의 공격으로부터 무고한 시민들을 보호하는 문제에 관한 도덕적 중요성을 부인할 수는 없을 것이다. 하지만 비판론자들은 이민을 제한하는 행위가 실제로 바라는 것만큼의 안보를 제공할 수 있을지 의문을 표한다. 예를 들어 Chandran Kukathas는 두 가지 중요한 문제를 제기했다. 첫 번째로 그는 이민 제한법이 합법적 이민은 감소시킬 것이지만, 현실적으로 모든 불법 이민을 척결하지는 못할 것임을 언급했다.

그리고 물론 그의 지적이 테러 문제에 있어 적절하다 볼 수 있는 이유는, 테러 임무를 기꺼이 수행할 정도로 자신의 대의명분에 대해 열과 성을 다하는 테러분자들은 자신들이 공격하고자 하는 시민들이 속한 나라로 입국하는 행위가 불법이라고 해서 테러 행위를 단념할 가능성은 없기 때문이다. 두 번째로 외국인들은 관례적으로는 이민자로서가 아니라 짧은 기간 동안 관광객, 이주 노동자, 객원 유학생, 단기 출장 등의 이유로 입국하기 때문에, 어느 한 국가에서 모든 합법 및 불법 이민을 척결한다 한들 그것만으로는 충분치 않을 것이기 때문이다. 따라서 한 국가에서 모든 이민을 불가능하게 한들, 임시 방문객들의 흐름도 제한하지 않는 이상 모든 외국 테러분자를 배제할 수 있을 거라는 희망은 합리적으로는 품을 수 없을 것이다.

어휘
- **justification** ⓝ 정당한 이유
- **pose** ⓥ 위협을 제기하다
- **realistically** (adv) 현실적으로
- **cause** ⓝ 대의명분
- **routinely** (adv) 관례적으로, 일상적으로
- **preclude** ⓥ 못하게 하다, 불가능하게 하다
- **spotlight** ⓝ 주목, 관심
- **deter** ⓥ 단념시키다, 그만두게 하다
- **hand out** – 나누어 주다
- **immigration** ⓝ 이주, 이민
- **restrict** ⓥ 제한하다
- **relevant** ⓐ 관련 있는, 적절한
- **dissuade** ⓥ (~하지 않도록) 설득하다, 만류하다
- **exclude** ⓥ 제외시키다, 배제하다
- **minorities** ⓝ 소수자
- **would-be** ⓐ ~이 되려고 하는
- **whereby** (adv) 그것에 의해서
- **under the radar** – ~ 모르게, ~의 눈에 띄지 않게

---

18 본문에 따르면 다음 중 사실은 무엇인가?

① 국민을 위한 보안조치 수립은 911 테러 이후에도 아무 변화가 없었으며 그 이유는 항상 911 테러가 쟁점이었기 때문이다.
② 이민법에 관심이 집중될 때 사람들은 보통 자신들의 도덕적 원칙을 잊는다.
③ 테러를 저지르려는 자들은 합법적으로 입국이 불가능하다고 해서 입국을 단념하지 않을 것이다.
④ 911 테러로 다른 국가에 이민하길 원하는 사람들 간에 공포가 증가했다.

정답 ③

해설 "테러 임무를 기꺼이 수행할 정도로 자신의 대의명분에 대해 열과 성을 다하는 테러분자들은 자신들이 공격하고자 하는 시민들이 속한 나라로 입국하는 행위가 불법이라고 해서 테러 행위를 단념할 가능성은 없기 때문이다(foreign terrorists who feel so passionately about their causes so as to be willing to carry out terrorist missions are not likely to be dissuaded from doing so by the illegality of entering the country whose citizens they seek to attack)." 따라서 답은 ③이다.

19 **다음 중 빈칸에 가장 알맞은 것은 무엇인가?**

① 만일 한 나라에서 어떻게든 이민을 불가능하게 한다면
② 한 국가에서 모든 이민을 불가능하게 한들
③ 이민이 한 국가에서 불가능해진 경우
④ 비록 이민이 아직 한 국가에서 완전히 불가능해진 것은 아니지만

정답 ②

해설 "외국인들은 관례적으로는 이민자로서가 아니라 짧은 기간 동안 관광객, 이주 노동자, 객원 유학생, 단기 출장 등의 이유로 입국하기 때문에, 어느 한 국가에서 모든 합법 및 불법 이민을 척결한다 한들 그것만으로는 충분치 않을 것이기 때문이다(even if a state could somehow eliminate all legal and illegal immigration, this would not be enough because foreigners routinely enter countries, not as immigrants, but for shorter periods as tourists, guest workers, visiting students, or for short business trips)." 즉 외국인들의 이민을 막을 뿐 아니라 잠시 방문하는 것도 막지 못한다면 아니면 "임시 방문객들의 흐름도 제한하지 않는 이상(unless it also restricted the flow of temporary visitors)" 테러분자들이 입국하는 것을 완전히 막을 수는 없다는 것이 본문 전체의 주제이다. 이를 감안하고 봤을 때 빈칸에 들어갈 가장 알맞은 것은 ②이다.

20 **다음 중 Chandran Kukathas의 의견 중 하나를 반영한 것은 무엇인가?**

① 테러분자들의 공격을 예방하는 방법은 한 국가로의 입국을 전부 없애야만 가능하다.
② 한 국가에서 계속 여행용 비자를 배포할 경우 그 국가는 자신을 상대로 벌어지는 공격에 대비해야 한다.
③ 테러분자들의 공격을 막으려면 합법적인 이민과 불법적인 이민을 구분해야 한다.
④ 대부분의 테러분자들은 사법 당국의 눈에 띄지 않기 위해 한 국가에 불법적으로 입국하려 한다.

정답 ①

해설 Chandran Kukathas는 "이민 제한법이 합법적 이민은 감소시킬 것이지만, 현실적으로 모든 불법 이민을 척결하지는 못한다(while laws to limit immigration may well decrease legal immigration, they will not realistically be able to eliminate all illegal immigrants)"와 앞 문제 해설에서 언급된 바 있는 "아예 한 나라에 외국인들이 이민뿐 아니라 일시적인 형태라도 입국하는 것 자체를 아예 막지 않는 이상 테러를 막을 수는 없다"를 주장했다. 따라서 답은 ①이다.

10

11 Practice Test 정답 및 해설

01	②	02	①	03	③	04	③	05	③	06	③	07	①	08	④	09	③	10	③
11	②	12	③	13	④	14	①	15	①	16	③	17	②	18	④	19	①	20	②
21	④	22	④	23	①	24	③	25	①	26	①	27	④	28	③	29	②	30	②

01-03

오늘날 커피는 사실상 현대의 직장환경에서 보편적으로 접할 수 있는 요소라 할 수 있다. 우리 중 대다수는 매일 홀짝이는 수 갤런의 갈색 액체가 몸에 좋지 않을 거라는 은밀한 두려움을 품고 있다. 우리는 예를 들면 커피가 일일 액체 섭취 권장량에 도움을 준다는 증거처럼 초인적인 양의 커피를 먹어도 안전할 거라는 약간의 증거에 매달린다. 그리고 우리는 커피가 우리를 이전보다 더욱 건강하게 만들 수 있다는 결과를 은연중에 나타내는 연구가 등장하면 또 한 잔의 커피를 마신다. 지난 주 '실험생물학회'에 제시된 한 연구에서는 카페인이 투여된 쥐의 근력에 뚜렷한 혜택이 있음을 보여 준 듯하다. 코번트리 대학의 연구진은 실험동물의 두 주요 근육(횡경막과 다리의 핵심 근육인 장지신근)이 카페인 요법을 받기 전과 후에 어떻게 변화하는지를 살폈다. 연구진은 성체 쥐로부터는 카페인 섭취와 근육 능력의 증가 사이에 강한 상관관계가 존재함을 파악했고, 나이가 많은 실험체(쥐)로부터는 다소 미약한 관계가 있음을 파악했으며, 청소년기에 해당하는 쥐에는 작지만 측정 가능한 영향이 있음을 발견했다. 과학자들은 자신들이 발견한 결과는 노후에 접어드는 사람들에겐 의미가 있을 것이라고 말했으며, 이는 근육이 나이가 들수록 약해지며 이로 인해 발을 헛디디거나 넘어지거나 기타 작은 사고를 당할 가능성이 높아지기 때문이다. 매일 아침 커피 한 잔을 홀짝이는 것으로 근력을 유지할 수 있길 원하지 않는 사람이 과연 누가 있겠는가?

어휘
- **universal** ⓐ 일반적인, 전 세계적인
- **slurp** ⓥ 홀짝이다, 후루룩 소리를 내다
- **contribute to** – ~에 기여하다
- **appreciable** ⓐ 뚜렷한, 주목할 만한
- **extensor digitorumlongus** – 장지신근
- **trip** ⓝ 발을 헛디딤
- **muscle tone** – 근긴장, 근력
- **detrimental** ⓐ 해로운
- **the masses** – 민중, 대중
- **harbor** ⓥ (생각을) 품다
- **cling to** – ~을 고수하다, ~에 매달리다
- **intake** ⓝ 섭취(량)
- **diaphragm** ⓝ 횡경막
- **golden years** – 노후
- **mishap** ⓝ 작은 사고
- **extol** ⓥ 극찬하다
- **wonder drug** – 특효약
- **kick** ⓝ 강한 효과

01 본문에서 유추할 수 없는 것은 무엇인가?

① 커피를 마시는 것에는 확실한 혜택이 있다.
② 커피를 마시는 것은 사람의 건강에 해가 된다.
③ 커피/카페인에는 아직 발견되지 못한 많은 혜택이 존재한다.
④ 대부분의 사람들은 커피가 나이 들어 건강에 이롭다면 커피를 마실 것이다.

정답 ②
해설 본문에는 커피가 몸에 좋지 않을 것이라는 막연한 두려움은 언급되지만 구체적으로나 실제 사례를 통해 커피가 어떤 해를 주는지 명시된 부분은 없다. 따라서 답은 ②이다.

02 이 글의 주제로 가장 알맞은 것은 무엇인가?

① 당신의 커피 중독을 옹호하는 최근 연구
② 커피를 끊어야 할 몇 가지 이유
③ 사람들은 여전히 커피를 많이 마신다
④ 지금 하는 행위가 나중에 영향을 미치는 이유는 무엇인가

정답 ①
해설 커피는 흔하게 접할 수 있지만, 본문에서는 우리가 이미 알고 있는 것을 제외하고 커피의 또 다른 혜택에 관해 말하고 있다. 즉 커피를 많이 마시는 사람들에게 나름의 혜택이 존재한다는 것을 알려 주는 글이다. 따라서 답은 ①이다.

03 본문에 따르면 대부분의 사람들이 커피를 마시는 이유로 가장 가까운 것은 무엇인가?

① 사람들은 의학적 혜택 때문에 커피를 마신다.
② 사람들은 커피 맛을 좋아하기 때문에 커피를 마신다.
③ 사람들은 카페인의 효과 때문에 일하면서 커피를 마신다.
④ 사람들은 물의 섭취량을 충족시켜야 하기 때문에 커피를 마신다.

정답 ③
해설 커피는 일하면서 흔하게 접하는 음료이며, 주로 커피 속 카페인 효과 때문에 마시게 된다. 따라서 답은 ③이다. 본문에는 맛에 관한 내용은 없으므로 ②는 답이 될 수 없고, 커피가 몸에 좋지 않을지도 모른다는 막연한 두려움을 가지면서도 사람들이 커피를 마신다는 것은 역으로 말하면 의학적 혜택 때문에 먹는다는 의미는 아니라는 것이다. 따라서 ①도 답은 아니다. 본문에서 언급된 일일 액체 섭취 권장량은 커피를 많이 마시는 사람들이 막연하게 커피를 마시면 이런 도움도 있을지 모른다는 희망사항을 언급한 것이지, 권장량을 채우려고 커피를 마시는 것은 아니므로 ④도 답이 될 수 없다.

04-06

"언어는 사회적 현실에 대한 지표이다. 언어는 사회적 문제 및 과정에 대한 모든 사고에 크나큰 영향을 준다." 이러한 이유 때문에 여성을 배제하는 언어나 남성과 여성을 동등하게 대우하지 않는 언어는 수많은 남자 및 여성의 입장에서 여성을 더 열등한 존재로 바라보는 사회가 영구히 지속되도록 기여한다는 주장이 있다. 이러한 언어를 "성차별적" 언어라고 한다.
"남자(man)"나 "인류(mankind)"같이 man을 포함하는 단어를 사람을 포괄적으로 지칭하기 위해 사용하거나, 남성의 성질을 지닌 전치사인 "he", "him", "himself" 등을 남녀 모두를 지칭하기 위해 포괄적으로 사용하는 경우는 소년 소녀가 성인으로 성장하는 과정에서 소년의 입장에서는 자아를 팽창시키지만 소녀의 입장에서는 자아를 죽이는 일로 여겨지며 따라서 인간이라는 종에 있어 남성이 표준이고 여성은 표준에서 벗어난 것이라는 암시를 강화시킨다.
성차별적 언어는 또한 'man'이 포함된 단어의 용법과 남성형 대명사가 남녀 모두를 지칭하는 용법이 남성만을 지칭하는 용법과 서로 혼용되는 상황에서 애매함을 불러일으킨다. 이렇게 두 가지 해석이 가능한 것은 성차별적 언어를 반대하는 사람들 눈에는 여성이 일부 경우에 "남자"의 범주로 받아들여지는 특권을 누릴 수 있다는 식으로 추론이 이루어진다는 점에서 성차별적인 것으로 인식된다.

어휘
condition ⓥ 영향을 미치다
contribute to − ~에 기여하다
sexist ⓐ 성차별적인
ego ⓝ 자부심, 자아
deflate ⓥ 기를 꺾다, 죽이다
implication ⓝ 함축, 암시
deviation ⓝ 일탈, 탈선
intermingle ⓥ 섞다, 섞이다
inference ⓝ 추론
inadequacy ⓝ 부적당함
demoralizing ⓐ 의기소침하게 만드는, 사기를 꺾는
exclude ⓥ 제외하다, 배제하다
perpetuation ⓝ 영구화, 지속됨
generic ⓐ 포괄적인, 통칭의
inflate ⓥ 부풀리다, 팽창시키다
reinforcement ⓝ 강화
the norm − 표준, 규범
ambiguity ⓝ 애매성, 모호함
discrimination ⓝ 차별
perpetuate ⓥ 영구화하다, 영속시키다
promising ⓐ 유망한, 촉망되는
perplexing ⓐ 난처하게 하는

04 여성과 관련한 성차별적 언어에서 유추할 수 있는 것은 무엇인가?

① 성차별적 언어는 일부 남성의 여성에 대한 증오에서 발생한다.
② 여성 스스로가 성차별적 언어를 영속시킨다.
③ 불평등하다는 감정 및 부적당하다는 감정을 불러일으킨다.
④ 여성은 지속적으로 불평등한 대우를 받고 있다.

정답 ③

해설 성차별적 언어는 "인간이라는 종에 있어 남성이 표준이고 여성은 표준에서 벗어난 것이라는 암시를 강화(reinforcement of the implication that man is the norm and women the deviation of the species)"하는 불평등한 감정과 "'man'이 포함된 단어의 용법과 남성형 대명사가 남녀 모두를 지칭하는 용법이 남성만을 지칭하는 용법과 서로 혼용되는 상황에서 애매함을 불러일으킨다(contributes to ambiguity in circumstances where usage of words including 'man' and singular masculine pronouns referring to men and women is intermingled with usage referring to men only)"는 점에서 적절치 못한 혼란을 야기한다. 따라서 답은 ③이다.

05 다음 중 사실은 무엇인가?

① 성차별적 언어가 여성에게 더 많은 힘을 준다.
② 대부분의 사람들은 여성이 '남성'으로 받아들여지는 특권을 느껴야 한다고 이미 믿고 있다.
③ 남성의 성질을 지닌 대명사가 남녀 모두를 지칭하다가 때로는 남성만을 지칭하는 것은 혼란스러운 일이다.
④ 남성만이 성차별적 언어의 영향을 받는다.

정답 ③
해설 man이 남성을 지칭하기도 하면서 남녀 모두를 지칭하는 경우 용법에 혼란과 애매함을 야기한다. 따라서 답은 ③이다.

06 밑줄 친 부분과 가장 유사한 것은 무엇인가?

① 성인이 되기를 바라지 않는 소녀들에게 유망한
② 성인에게 고무적인
③ 10대 소녀들을 의기소침하게 만드는
④ 곧 성인이 될 소녀들을 난처하게 만드는

정답 ③
해설 밑줄 친 부분을 해석하면 "소년 소녀가 성인으로 성장하는 과정에서 … 소녀의 입장에서는 자아를 죽이는 일로 여겨진다"이다. 자아를 죽인다는 것은 결국 소녀가 기를 못 펴고 움츠러들게 만든다는 의미이다. 따라서 답은 ③이다.

07-10

미국인들은 해외여행을 하면 미국이 가장 잘할 것으로 생각했던 것을 다른 나라가 잘하는 것을 보고 종종 놀라곤 한다. 사실 수많은 미국 기업이 여전히 세계를 선도하는 이유 중 하나는 이들 기업이 경쟁자를 벤치마킹해서 모범적 경영 기법을 모방하기 때문이다. 하지만 우리가 다른 나라로부터 배워야 한다고 미국 정치인에게 제안을 하면 그 정치인은 마치 당신을 화성에서 온 사람처럼 바라볼 것이다. 심지어 이런 비교를 하는 것이 왠지 비애국적이기도 하다.
만일 한 정치인이 "프랑스는 우리보다 더 나은 보건 시스템을 보유하고 있다"라는 말을 했다고 가정해 보면, 나는 비록 이 언급이 가장 객관적인 관점에서 봤을 때 사실이라 하더라도 그 정치인은 선거에서 패배할 것이라고 거의 확신한다. 수많은 사람들 입장에선 미국만 중요하다. 미국 이외 다른 곳에서의 경험은 아무 상관도 없다. 의회에서 자신이 여권이 없다고 자랑했던 의원이 많았음을 기억해 보라.
이런 면에서 미국의 경향을 보면 상대적으로 하락하고 있음이 드러나는 현 시점에서 한 가지 실제 희망적인 것을 말하면, 미국 젊은이들 중 좀 더 많은 수가 교육 목적으로 해외로 떠나고 있다는 점이다. 작년 대략 25만 명 정도가 다른 나라로 유학을 갔고, 10년 전에는 이것의 절반이었다. 젊은이들 사이에서 좀 더 큰 국제의식을 함양하고 다른 나라가 우리보다 훨씬 많은 것들을 잘한다는 것을 직접 체험하는 것이 바로 젊은이들의 해외 진출을 통한 가치이다. 하지만 우리나라의 정치 지도자 중 많은 수는 우리를 여러 면에서 능가하는 나라에서 무엇을 배울 수 있는지 묻기보다, 우리나라의 타고난 위대함을 가지고 전폭적인 찬사를 늘어놓아 박수를 받는 것을 선택한다. 이들은 이민자들에게 국경을 닫는 정도에 그치지 않고 외국의 생각을 차단하면 우리가 겪는 문제에 대한 답을 발견할 수 있다고 시사한다.

어휘 emulate ⓥ 모방하다
electoral ⓐ 선거의
irrelevant ⓐ 무관한, 상관없는
trend line 추세선
surpass ⓥ 능가하다
inherent ⓐ 내재하는, 타고난
unpatriotic ⓐ 비애국적인
objective ⓐ 객관적인
boast ⓥ 자랑하다
consciousness ⓝ 의식, 자각
unqualified ⓐ 전폭적인; 자격 없는
xenophobic ⓐ 외국을 혐오하는

07 본문의 주제는 무엇인가?

① 미국 정치인들은 자국의 문제를 해결하는 방법에 관한 아이디어를 얻기 위해 다른 나라를 살펴볼 필요가 있다.
② 미국 정치인들은 다른 나라에 관해 말하는 방식을 봤을 때 외국을 혐오하는 것으로 생각된다.
③ 미국 정치인들은 선출되기 전에 가능한 많이 여행해야 한다.
④ 만일 더 많은 미국인들이 여행을 한다면 문제가 많이 줄어들 것이다.

정답 ①
해설 알고 보면 "미국이 가장 잘할 것으로 생각했던 것을 다른 나라가 잘하는(how well other countries do the things we used to think America does best)" 경우가 많고 미국 기업은 "경쟁자를 벤치마킹해서 모범적 경영 기법을 모방(benchmark the competition and emulate best practices)"하고 있지만, 정치계에서는 그렇기는커녕 "우리 나라의 정치 지도자 중 많은 수는 우리를 여러 면에서 능가하는 나라에서 무엇을 배울 수 있는지 묻기보다, 우리나라의 타고난 위대함을 가지고 전폭적인 찬사를 늘어놓아 박수를 받는 것을 선택한다(many of our political leaders, rather than asking what we can learn from the countries that have surpassed us in various ways, choose instead to win applause with unqualified boasts of our inherent greatness)." 본문은 미국 정치인들이 이런 자국 중심주의에서 벗어나 국내의 시스템 개선을 위해 해외로 눈을 돌릴 것을 주장하고 있다. 따라서 답은 ①이다.

08 다음 중 사실이 아닌 것은 무엇인가?

① 자신이 해외로 나가 본 적이 없다는 사실에 자부심을 갖는 의원이 많이 있다.
② 다른 나라가 미국보다 낫다고 말하는 정치인은 미국인들에 의해 거부당할 것이다.
③ 다른 나라에서 교육 과정의 일부를 보내는 미국 학생의 수가 늘고 있다.
④ 프랑스의 보건 시스템은 미국보다 낫지 않다. 단지 서로 다를 뿐이다.

정답 ④
해설 본문에서 프랑스의 보건 시스템에 관해 언급한 것은 하나의 사례를 가정하기 위한 것일 뿐이고, 그 외에 프랑스의 보건 시스템이 미국보다 좋거나, 나쁘거나, 별 차이 없다는 식으로 결론을 내린 것은 없다. 따라서 답은 ④이다.

09 본문 초반부에 저자가 암시한 것은 무엇인가?

① 미국인들은 세계 어디를 가든 미국 기업을 접할 것이라 기대한다.
② 미국은 여전히 많은 기업들이 세계 최고인 것으로 여겨진다.
③ 해외를 여행할 때 미국인들이 겪는 경험은 이전에 예측하지 못한 경험이다.
④ 미국 정치인들은 보통 미국인들의 생각을 바꾸기 위해 자신의 여행 경험을 활용할 필요가 있다.

정답 ③

해설 "미국인들은 해외여행을 하면 미국이 가장 잘할 것으로 생각했던 것을 다른 나라가 잘하는 것을 보고 종종 놀라곤 한다(When Americans travel abroad, they are often surprised at how well other countries do the things we used to think America does best)"에서 미국인들이 놀라는 이유는 결국은 해외에서 전에 미국에 있을 때에는 경험하지 못했던 발전된 것을 경험했기 때문에 놀라는 것이다. 따라서 답은 ③이다.

---

10 밑줄 친 부분에서 이해할 수 있는 것은 무엇인가?

① 이는 미국 밖의 일부 사람들도 믿는다.
② 이는 사실일지도 모른다.
③ 이는 긍정적인 것은 아니다.
④ 이는 비난이 아니다.

정답 ③

해설 밑줄 친 부분은 "수많은 사람들 입장에선 미국만 중요하다"로 해석된다. 본문은 미국이 자국 중심주의를 버려야 한다는 점을 강조하고 있으므로 미국만 중요하다고 보는 것을 긍정적으로 볼 리 만무하다. 따라서 답은 ③이다.

11-13

'네이처(Nature)'지에 실린 최근 보도에 따르면, 오레곤 보건과학대학의 과학자들이 성공적으로 한 명의 남성과 두 명의 서로 다른 여성의 유전 정보를 보유한 인간 배아를 창조했다고 한다. 이 획기적인 기술은 어머니로부터 치명적인 미토콘드리아병이 자녀에게 전파되는 것을 막으려는 의도로 만들어졌다.
미토콘드리아병은 세포 내에서 에너지를 만드는 작은 조직인 미토콘드리아가 원래대로 기능하지 못할 경우 발생한다. 그 결과로는 세포의 죽음에서 생체 시스템 전체의 구동 정지에 이르기까지 심신을 쇠약하게 하는 질병이 발생한다. 미토콘드리아는 에너지 생산에 필수적이기 때문에 이 미토콘드리아병으로 고통받는 사람들은 보통 뇌, 간, 심장 및 그 외 에너지를 많이 필요로 하는 장기에 문제가 발생한다. 이러한 유형의 질병은 가볍고 위협이 되지 않는 것에서부터 정상적 생활을 불가능하게 만들고 치명적인 것에 이르기까지 다양하다.
만약 이 시술법이 이행될 경우, 부모가 셋인 체외 수정은 궁극적으로는 미토콘드리아병의 발병률을 가능하면 0이 되도록 감소시킨다는 의미가 된다. 하지만 이러한 시술법을 사용하는 이유 자체는 숭고할지 몰라도, (유사한 연구가 시행된) 영국에서는 이미 이러한 피임법이 과연 윤리적인지를 두고 격렬한 논쟁이 진행 중에 있다. 많은 생명윤리학자들은 이 시술법이 가능하다는 것이 반드시 시행해야 한다는 것을 의미하는 것은 아니라고 언급하고 있다.

어휘
embryo ⓝ 배아
genetic ⓐ 유전의, 유전학의
ground-breaking ⓐ 획기적인
pass on – ~에게 전파하다
mitochondrial ⓐ 미토콘드리아의
structure ⓝ 조직
mitochondria ⓝ 미토콘드리아
debilitating ⓐ 심신을 쇠약하게 하는
range from A to B – 범위가 A에서 B까지 다양하다
incapacitating ⓐ 정상적인 생활을 못하게 만드는, 무력하게 하는
implement ⓥ 이행하다, 시행하다
IVF (= in vitro fertilization) – 체외 수정
intense ⓐ 극심한, 치열한
contraception ⓝ 피임
ethical ⓐ 윤리적인
tamper with – 조작하다, 변경하다

make way for – ~에 길을 열어주다, 자리를 내주다
invasive ⓐ 침습성의, 급속히 번지는
pioneering ⓐ 선구적인
keep up with – ~에 뒤지지 않다, ~를 맞추다
reproduction ⓝ 생식, 번식
avert ⓥ 방지하다, 피하다
complications ⓝ 합병증

11 **본문에서 제기된 윤리적 의문으로부터 추론할 수 있는 것은 무엇인가?**

① 현대적이지만 위험성이 존재하는 방법을 시행할 수 있도록 길을 내주는 방향으로 현재의 피임법을 조작할 것인가
② 자연적인 두 명의 부모를 통한 생식법을 조작하는 것은 과연 조작법을 찾았다는 이유로 옳다고 볼 수 있는가
③ 우리의 과학자들은 이와 같은 침습적 방식을 통해 치료해야 하는 이러한 질병을 탐지할 수 있을 만큼 충분히 훈련되어 있는가
④ 이러한 기술을 개발하고자 주어진 이유가 인도적이거나 경제적인 관점에서 주도되는 것인가

정답 ②

해설 "만약 이 시술법이 이행될 경우, 부모가 셋인 체외 수정은 궁극적으로는 미토콘드리아병의 발병률을 가능하면 0이 되도록 감소시킨다는 의미가 된다. 하지만 이러한 시술법을 사용하는 이유 자체는 숭고할지 몰라도, (유사한 연구가 시행된) 영국에서는 이미 이러한 피임법이 과연 윤리적인지를 두고 격렬한 논쟁이 진행 중에 있다(If the process is implemented, three-parent IVF is ultimately meant to diminish the incidence of mitochondrial diseases to as close to zero as possible. However, while the reason for the procedure seems noble, there has already been intense debate in Britain (where similar research has been done) over whether or not such contraception methods are ethical)." 즉 전통적인 생식법을 조작해 질병의 발병을 늦출 수 있는 방법을 찾았지만, 이 방법이 과연 윤리적으로 용납될 수 있는 것인지를 두고 논란이 벌어진 것이다. 따라서 답은 ②이다.

12 **밑줄 친 부분을 올바로 패러프레이즈한 것은 무엇인가?**

① 이러한 기술을 활용해 미토콘드리아병의 확산을 방지한다는 것은 어머니가 자식에게 질병을 전하지 않는다는 의미이다.
② 아이에게 치명적인 영향을 미치는 미토콘드리아병은 현대식 수술기법을 활용해 우선 어머니부터 치료되어야 한다.
③ 이와 같은 선구적인 시술법의 목적은 미토콘드리아병이 부모에서 아이로 전염되는 것을 막기 위함이다.
④ 아이가 미토콘드리아병을 부모로부터 유전받을 경우 합병증을 피하기 위해 즉각적인 관심이 필요하다.

정답 ③

해설 밑줄 친 부분은 "이 획기적인 기술은 어머니로부터 치명적인 미토콘드리아병이 자녀에게 전파되는 것을 막으려는 의도로 만들어졌다"로 해석되며, 보기 중에서 의미상 가장 가까운 것은 ③이다.

13 우리의 몸 속에서 미토콘드리아가 제 기능을 발휘하지 못할 경우 어떤 결과를 낳는가?

① 신체 기능이 정상적인 계획을 따르지 못한다.
② 필수 장기가 신체의 요구를 맞추지 못해 점차 둔화된다.
③ 혈액순환이 느려지면 곧바로 장기가 제 기능을 발휘하지 못하게 된다.
④ 신체 에너지가 모자라게 되어 내장이 손상을 입는다.

정답 ④

해설 "미토콘드리아는 에너지 생산에 필수적이기 때문에(Because mitochondria are essential for energy production)", 미토콘드리아병에 걸리면 "보통 뇌, 간, 심장 및 그 외 에너지를 많이 필요로 하는 장기에 문제가 발생한다(problems with organs in high need of energy — such as the brain, liver, heart and more)." 즉 장기가 충분한 에너지를 얻지 못하면서 손상을 입는 것이다. 따라서 답은 ④이다.

14-16

여러분이 A를 보고 있고 A에는 x라는 속성이 있더라도, 다음에 볼 A가 마찬가지로 x라는 속성을 지닐지 여부는 논리적으로는 결과가 나오지 않는다. x라는 속성을 지닌 A도 있고 그렇지 않을 A도 있으므로, 연언을 정의를 통해 사실로 규정하지 않는다면, 즉 여러분이 x라는 속성을 지닐 경우에만 어떤 것을 A로 취급한다고 규정하지 않는다면 A는 x일 수도 있고 아닐 수도 있다. 하지만 이럴 경우 '모든 A는 x이다'라는 진술은 동어반복이 되고 실증적 정보를 전달하지 못한다. (동어 반복이란 같은 말을 표현을 달리 해 두 번 하는 것으로, 즉 '총각은 결혼하지 않은 남자이다'처럼 말하는 것이다.)
'모든 A는 x이다'라는 동어 반복적이지 않은 결론은 A만을 관찰하고 얻은 결과가 아닐 뿐 아니라, 그런 관찰을 두 번 해서도, 2천 번 해서도, 20억 번 해서도 얻은 결과도 아니다. 이러한 점을 설명하기 위해 사용된 가장 널리 알려진 예는 백조와 관련이 있다. 호주 발견 이전 수천 년 동안 서양인들이 목격한 백조는 모조리 흰색이었고, 모든 백조가 하얗다는 것을 모든 사람들은 당연하게 받아들인 것 같다. '백조처럼 하얀' 같은 표현이 흔했고, '모든 백조는 하얗다'라는 진술은 종교개혁 시기나 그 이후에 흔히 쓰이던 표준 논리학 교과서에 되풀이되어 등장하는 예시로 쓰인 덕분에 친숙한 표현이었다. 하지만 유럽인들이 호주를 발견했을 때 그들은 최초로 검은 백조를 목격했다. 이들은 검은 백조는 검은 색이니까 백조가 아니라 다른 종류의 새라고 말하는 식으로 다른 이름을 부여하여 이에 대응할 수도 있었다. 이는 '모든 백조는 하얗다'라는 진술을 정의만 놓고 보면 옳은 것으로 만들어 버려서 결국 정보적 내용은 지니지 못하게 하는 것이다. 하지만 대신에 유럽인들은 검은 백조도 사실은 백조임을 받아들였고, '모든 백조는 하얗다'는 진술은 거짓이 되었다 하지만 이것이 의미하는 것은 아무리 수많은 사람들이 아무리 오랜 기간 동안 단 하나의 예외도 없이 하얗다고 했더라도 모든 백조가 하얗다는 것은 아니라는 점이다. 데이비드 흄이 말했던 것처럼 '이런 단계를 밟는 것이 겉보기에 아무리 쉬워 보이더라도 이성으로는 결코 영원히 이룰 수 없는 것이다.' 하지만 이는 결국 '모든 A가 x의 특징을 지닌다'는 형태를 지닌 제한 없는 일반적인 진술은 진술 그 차제의 속성에 있어 실증적으로 검증이 불가능하다는 것을 의미한다.
그리고 당황스러운 사실은 과학적 법칙은 이러한 류의 진술이 특징이라는 점이다. 따라서 이들의 제한 없는 보편성은 이들을 실증적으로 검증하기가 아무리 사람이 이름 붙일 수 있는 엄청난 횟수만큼 관찰을 하더라도 영원히 불가능하게 만든다. 따라서 카를 포퍼에 따르면 검증 원리로부터 도출한 결론은 과학적 법칙은 의미 없는 진술이고 정보적 내용이 빠져 있다는 것이다. 검증 원리는 모든 과학적 법칙을 배제하고, 따라서 모든 과학을 배제한다.

어휘 **follow** ⓥ 논리적 결과가 뒤따르다
conjunction ⓝ 연언; 논리학에서 2개 또는 그 이상의 명제들을 결합하여 하나의 연언 명제를 만들어 내는 연결어
stipulate ⓥ 규정하다, 명기하다
tautology ⓝ 동어 반복, 항진명제; 모순을 범하지 않고는 부정할 수 없게 되어 있는 진술을 가리키는 논리학 용어
empty A of B – A에서 B를 비우다
unrestrictedly (adv) 제한 없이, 자유로이
empirically (adv) 실증적으로
the Reformation – 종교개혁
generality ⓝ 일반론, 보편성
verification principle – 검증원리

구문정리 Either it may or it may not — there may be some A's with this characteristic and some without — unless of course you make the conjunction true by definition, which is to say you stipulate that something is to count as an A only if it has the characteristic x.
x라는 속성을 지닌 A도 있고 그렇지 않을 A도 있으므로, 연언을 정의를 통해 사실로 규정하지 않는다면, 즉 여러분이 x라는 속성을 지닐 경우에만 어떤 것을 A로 취급한다고 규정하지 않는다면 A는 x일 수도 있고 아닐 수도 있다.

구조분석

may or S may not : 아마도, ~이든지 아니든지

(Either it may or it may not) — there may be some A's (with this characteristic) and some
양보절 / there: 유도부사 / may be: V / some A's: S① / (with this characteristic): 형용사구 / some: S②

~하지 않는다면

(without) — [unless (of course) you make the conjunction true (by definition,)
(without): 형용사구 / unless: 접속사 / you: S′ / make: V′ / the conjunction: O′ / true: O.C′

without this characteristic에서 생략

앞문장이나 일부를 받는 선행사

which is to say ∧ you stipulate that something is to count as an A
which: S′ / is: V′ / to say: C′ / ∧ (that 생략) / you: S″ / stipulate: V″ / that: O″ / something: S‴ / is: V‴ / to count as an A: C‴

count as ~ : ~로 간주되다, 생각되다

접속사(조건) : ~라는 조건에서만

(only if it has the characteristic x.)]

14 "모든 백조는 하얗다"는 진술에서 유추할 수 있는 것은 무엇인가?

① 이 진술이 거짓임을 증명할 수 있는 증거는 없었지만 거짓인 진술이고 지금까지 항상 거짓이었던 진술이다.
② 호주에서 검은 백조가 발견되기 전까지 이 진술은 과거에는 거짓이었다.
③ 이 진술에서 백조가 어디에 사는지와 상관없이 백조의 색이 하얗다는 것은 정보적 내용이다.
④ 수백만 및 수조 마리의 백조를 목격했다면, 이 진술은 진실이라 검증이 가능하다.

정답 ①

해설 "아무리 수많은 사람들이 오랜 기간 동안 단 하나의 예외도 없이 하얗다고 했더라도 모든 백조가 하얗다는 것은 아니라는 점이다"라는 진술에서 보듯이 "모든 백조는 하얗다"는 진술은 거짓임을 증명할 수 없었기 때문에 모든 사람들이 참인 것으로 판단했지만, 실제로는 검은 백조가 등장했기 때문에 참이 아닌 진술이었던 것이고 앞으로도 검은 백조가 존재하는 이상 계속 참이 될 수 없는 진술이다. 따라서 답은 ①이다.

15 다음 중 동어 반복의 예는 무엇인가?

① 나는 대회에 참가하여 무료 사은품을 받았다.
② 나는 대회를 재빠르게 판단하였다.
③ 많은 사람들이 대회에 참여하기 위해 노력했다.
④ 경쟁에 참여하는 모든 이들이 무엇인가를 받았다.

정답 ①

해설 동어 반복은 "같은 말을 표현을 달리해 두 번 하는 것"이며, 보기 중에서 이에 해당되는 것은 같은 의미를 지닌 "무료"와 "사은품"이 반복되는 ①이다.

16 본문에서 유추할 수 없는 것은 무엇인가?

① 모든 과학적 법칙은 실증적으로 검증이 불가능하다.
② 호주의 발견은 이전에 본 적 없는 동물의 발견과 함께했다.
③ 백조의 진화는 호주에 사는 백조를 통해 가장 잘 알 수 있다.
④ 유럽의 모든 이들은 호주로 가기 전에는 백조가 모두 하얗다고 동의했다.

정답 ③

해설 본문에 따르면 과학적 법칙은 "진술 그 차제의 속성에 있어 실증적으로 검증이 불가능한(of their very nature, not empirically verifiable)" 진술이다. 이는 ①에 해당한다. 호주에서 이전에 본 적 없는 검은 백조가 등장했고 이는 ②에 해당된다. 검은 백조 발견 이전에는 "모든 백조가 하얗다는 것을 모든 사람들은 당연하게 받아들인 것 같다(everyone seems to have taken it for granted that all swans were white)"는 ④에 해당한다. 따라서 본문 어디에도 등장하지 않는 ③이 답이 된다.

17-19

강인한 성격의 울버린은 눈을 사랑하는 육식동물이면서 때로는 "산의 악마"라고도 불리는데, 기후 변화로 인해 멸종 위기에 처한 종의 목록에 곧 합류할지도 모른다. 그러나 정부에서 말하는 기온 상승으로 인해 생존에 꼭 필요한 서식지를 잃게 될 북극곰 및 기타 여러 동물과 울버린을 같은 반열에 두는 일은 울버린 입장에서는 사실 의심스러운 영예라 할 수 있다. 연방 정부의 야생 동물 담당 관리들은 금요일에 미국 본토 48개 주에서 멸종 위기종 보호법을 통해 보호받는 동물에 울버린을 포함할 것을 제안했다. 이는 부시 행정부에서 두 번이나 거부당한 조치이며 2010년 오바마 행정부 때는 다른 위험한 종에게 우선순위가 있다는 이유로 미뤄진 조치이다. 이 조치에 따르면 알래스카 이외 지역에서 가죽 목적으로 덫을 놓아 울버린을 잡는 행위가 금지될 공산이 크다. 하지만 연방 정부 관리들은 울버린이 멸종 위기 동물의 반열에 오른 것을 수단으로 삼아 기후 변화의 원인으로 비난받는 온실가스를 규제하지는 않겠다고 밝혔다. 그리고 스노모빌 운전과 스키 리조트에서부터 벌목에 이르기까지 기타 인간의 활동 또한 축소되지는 않을 것이며, 그 이유는 이들 활동이 울버린에 큰 위협을 가하는 것으로는 보이지 않기 때문이라고 관리들은 밝혔다.
미 본토 48개 주에는 대략 250에서 300마리의 울버린이 있으며, 주로 로키 산맥 북부에 위치한 주인 몬태나, 아이다호, 와이오밍, 워싱턴 주에 소규모의 고립된 집단을 이루고 있다. 캐나다와 알래스카 주에는 이보다 더 많은 개체수의 울버린이 살고 있다. 과학자들에 따르면, 최대 40파운드까지 무게가 나가고 회색곰에 맞설 만큼 강인한 울버린도 암컷 울버린이 굴에 자리 잡아 새끼를 키우는 데 필요한 깊은 산속 눈이 감소할 것으로 예측되는 지금의 환경을 당해낼 수는 없다. 정부 관리들에 따르면 아이다호 중부 같은 일부 지역에서는 거주에 적합한 서식지가 완전히 사라져 버렸다.

어휘 **tenacious** ⓐ 강인한, 집요한
carnivore ⓝ 육식동물
dubious distinction – 의심스러운 영예
endangered species – 멸종 위기에 처한 종
Lower 48 states – 하와이와 알래스카를 제외한 미국 본토의 48개 주
imperil ⓥ 위험에 빠뜨리다
curtail ⓥ 축소시키다
contiguous U.S. – 미국 근방
states-clustered ⓐ 무리를 이룬
max out – 최대 한도에 달하다
stand up to – ~에 저항하다, 맞서다
den ⓝ (야생 동물이 사는) 굴
habitat ⓝ 서식지
environmentalism ⓝ 환경 결정론, 환경 보호주의
encroach on – ~을 침입하다
prioritize ⓥ 우선시하다, 우선순위를 매기다
roam ⓥ 배회하다, 돌아다니다

17 본문의 주제는 무엇인가?

① 정부와 환경 보호주의 사이의 관계
② 위험한 상황에 처한 울버린을 대상으로 곧 취해질 조치
③ 동물의 서식지를 침범해 들어오는 인간의 이기심
④ 미국 내에서 위험에 처한 특정 종들

정답 ②
해설 본문은 울버린이 멸종 위기에 처한 동물로 보호대상이 되었으며, 이에 따라 여러 후속조치가 취해질 것임을 논하고 있다. 따라서 답은 ②이다.

18 다음 중 정부에서 인지하고 있는 울버린이 처한 위험이 아닌 것은 무엇인가?

① 집을 만들 수 있을 만큼 눈이 오지 않아서 어린 울버린이 생존하지 못한다.
② 어미가 새끼를 키우기 위해 필요한 환경이 사라져 가고 있다.
③ 울버린이 사는 환경이 사라져 가고 있다.
④ 울버린이 배회하는 땅이 인간의 레저 활동으로 인해 점령당하고 있다.

정답 ④

해설 "그리고 스노모빌 운전과 스키 리조트에서부터 벌목에 이르기까지 기타 인간의 활동 또한 축소되지는 않을 것이며, 그 이유는 이들 활동이 울버린에 큰 위협을 가하는 것으로는 보이지 않기 때문이라고 관리들은 밝혔다(And other human activities — from snowmobiling and ski resorts to timber harvest and — would not be curtailed because they do not appear to be significant threats to wolverines, officials said)." 여기서 정부는 스노모빌 운전과 스키 리조트 같은 인간의 레저 활동은 울버린이 처한 위기로 보지 않는다는 사실을 알 수 있다. 따라서 답은 ④이다.

19 본문에서 "긍정적인 요소로만 볼 수 없는 것"과 같은 의미를 지닌 것은 무엇인가?

① 의심스러운 영예
② 두 번 거부당한 조치
③ 덫을 놓아 울버린을 잡는 행위의 금지
④ 규제하는 수단

정답 ①

해설 보기 중에서 dubious distinction은 "의심스러운 영예"를 의미하며, 즉 기쁜 일이지만 단순히 기쁘다고만 볼 수 없는 것을 의미한다. 따라서 답은 ①이다.

20-23

맨해튼의 53번가와 렉싱턴애비뉴에 위치한 '잠바 주스(Jamba Juice)' 매장에는 주스용 오렌지와 윙윙 소리를 내는 믹서기와 함께 사업에 꼭 필요한 도구가 있다. 바로 날씨 전문 채널인 '웨더 채널(Weather Channel)'이다. 매장의 점주는 웨더 채널의 웹사이트를 수시로 확인한 다음에 온도 및 비 예보 사항을 직원의 근무시간을 관리하는 소프트웨어에 기입한다. 잠바 주스의 뉴욕 지부장인 Nicole Rosser는 "날씨는 저희 사업에 큰 영향을 줍니다"라고 말했다. 예를 들어 수은주가 다음날 화씨 95(섭씨 35)도에 도달한다는 예보가 뜨면, 소프트웨어는 더운 날씨에 가게에 사람들이 많이 몰렸던 과거 기록에 기반을 두어 더 많은 직원이 근무하도록 일정을 짤 것을 제시한다. Rosser의 말에 따르면 53번가 매장의 경우 이는 바쁜 11시에서 2시까지 근무시간에 일하는 직원의 수가 보통은 4~5명이었는데 7명으로 늘어난다는 의미이다.
지난 10년간 '데이포스(Dayforce)'나 '크로노스(Kronos)' 같은 기업에서 개발된 이렇게 강력한 기능을 가진 근무시간 관리 소프트웨어는 유통 및 음식점 체인에서 널리 도입되었다. 2009년 잠바가 구입한 크로노스의 프로그램은 일정을 15분 단위로 나눈다. 따라서 만약 특정 상점에서 점심시간대에 손님이 급증했다가 1시 45분에 잦아들게 되면, 소프트웨어에서는 원래 9시부터 2시까지 근무시간이 잡혀있던 직원들의 근무시간 가운데 15분을 삭감할 것을 제안하기도 한다. 잠바의 CFO인 Karen Luey는 이 근무시간 조정 소프트웨어가 "본사의 노동비용에서 400~500 베이시스 포인트를 삭감하는 데 도움을 줬다"고 밝혔고, 이는 4~5%를 의미하며, 1년에 수백 만 달러를 절감한 것이다. 770개의 매장을 가진 잠바 주스에서는 점주들은 매장의 주 단위 근무시간을 엑셀에 작성한 다음 조합해 보곤 했다. 이 방법으로는 직원 중에 매장 매니저와 1~2명의 시프트 매니저를 제외하면 대체로 모두 파트타임으로 일하는데 점주들이 25~30명의 직원의 근무시간을 배정하는데 대략 두 시간이 걸렸다. 크로노스의 소프트웨어를 활용하면, 근무시간 조정이 30분밖에 걸리지 않는다.

어휘
- **whir** ⓥ 기계가 돌며 윙윙 소리를 내다
- **the mercury** ⓝ 수은주
- **increment** ⓝ 증가량
- **outlet** ⓝ 직판점, 매장
- **slot in** – ~을 위한 자리를 마련하다
- **compensation** ⓝ 보상
- **blender** ⓝ 믹서기
- **break down** – 나누다, 끊다
- **basis point** – 베이시스 포인트; 1/100 퍼센트
- **piece together** – 조합하다, 종합하다
- **decently** ⓐⓓ 꽤, 제대로
- **accommodate** ⓥ 수용하다

20 저자의 의견은 무엇인가?

① 직원들은 고용주에 의해 이용당하고 있다.
② 소프트웨어가 경제적으로 회사에 이득을 준다.
③ 매장 내 분위기가 점차 경쟁적으로 변했다.
④ 직원들은 제대로 된 대우를 받지 못하고 있다.

정답 ②

해설 본문은 "강력한 기능을 가진 근무시간 관리 소프트웨어(powerful scheduling software)"가 기업에게 큰 경제적 이득을 안겨줬음을 한 기업의 사례를 들어 설명하고 있다. 따라서 답은 ②이다.

21 매장은 돈을 어떻게 절약하는가?

① 돈을 많이 벌 수 있는 바쁘고 붐비는 시간에 매장을 열고 더딘 기간에는 문을 닫는다.
② 직원들은 팁을 받기 위해 열심히 일하고 벌어들인 돈을 자신들을 잘 대우하는 회사에게 돌려준다.
③ 매장은 전체 직원을 덜 고용하면서 직원에게 돈을 덜 받고 더 오랜 시간 일하라는 요구를 한다.
④ 직원은 바쁜 시간대가 얼마나 지속되는가에 따라 분 단위로 정확하게 근무 일정이 정해지고 그에 따라 돈을 받을 뿐이다.

정답 ④

해설 근무시간 관리 소프트웨어는 기업이 "본사의 노동비용에서 400~500 베이시스포인트를 삭감하는 데 도움을 줬다(helped us take 400, 500 basis points out of our labor costs)." 즉 소프트웨어로 근무시간을 분 단위로 조절할 수 있게 된 덕분에 기업은 노동비용을 절감하고 결국 비용을 절약할 수 있게 된 것이다. 따라서 답은 ④이다.

22 다음 중 본문에서 유추할 수 있는 것은 무엇인가?

① 직원들은 새로운 근무일정에 매우 만족해 한다는 보고가 있었다.
② 소프트웨어는 아직 실패한 경우가 없었고, 매일같이 매우 정확한 상태를 유지하고 있다.
③ 웨더 채널은 처음에 이러한 사실에 짜증을 느꼈고 보상을 요구했다.
④ 직원들은 어느 날에서 다음 날까지의 정확한 일정을 알지 못한다.

정답 ④

해설 "따라서 만약 특정 상점에서 점심시간대에 손님이 급증했다가 1시 45분에 잦아들게 되면, 소프트웨어에서는 원래 9시부터 2시까지 근무시간이 잡혀있던 직원들의 근무시간 가운데 15분을 삭감할 것을 제안하기도 한다(So if the lunchtime rush at a particular shop slows down at 1:45, the software may suggest cutting 15 minutes from the shift of an employee normally scheduled from 9 a.m. to 2 p.m.)." 이 말은 즉 그날 상황에 따라 근무시간이 바뀔 수 있고 이를 직원들이 미리 알 수는 없다는 의미이다. 따라서 답은 ④이다.

---

23 다음 중 밑줄 쳐진 부분을 패러프레이즈한 것은 무엇인가?

① 소프트웨어에서 날씨가 더울 것으로 예측하면, 더 많은 직원들이 추가 고객들을 수용하여 일할 수 있도록 일정이 짜인다.

② 바깥 날씨가 더울 때 더 많은 사람들이 주스를 마시므로, 초여름에 매장을 준비시키는 것이 중요하다.

③ 더운 날에는 고객들이 매장에 더 많이 오며, 매장에 추가로 사람이 몰리면 공급에 문제가 생긴다.

④ 더운 날에는 줄이 길다는 것이 잘 알려져 있으므로 고객들은 직원들에게 인내를 갖고 대하라는 조언을 받는다.

정답 ①

해설 밑줄 쳐진 부분을 해석하면 "예를 들어 수은주가 다음날 화씨 95(섭씨 35)도에 도달한다는 예보가 뜨면, 소프트웨어는 더운 날씨에 가게에 사람들이 많이 몰렸던 과거 기록에 기반을 두어 더 많은 직원이 근무하도록 일정을 짤 것을 제시한다"이고, 보기 중에서 이와 의미상 가장 가까운 것은 ①이다.

24-26

예술품의 복원은 예술품의 보존과 관련이 있다. 복원은 예술작품을 복원자가 생각하는 "원래" 상태로 되돌리려 하는 과정이다. 복원은 과거에는 흔히 시행되었다. 하지만 20세기 말에 복원에 대한 별개의 개념이 고안되었는데, 이 개념은 예술 작품을 미래를 위해 보존하는 것에 더 관심을 가지며 작품을 새 것처럼 보이게 만드는 것에는 관심을 덜 가진다. 복원은 논란의 대상이 되며, 그 이유는 예술 작품을 "보기 좋게" 만든다는 목표 하에서 작품의 원래 재료에 돌이킬 수 없는 변화를 가져오는 경우가 종종 있기 때문이다. 보존의 발전과 함께 최근에 형성된 이러한 태도는 모든 복원을 복원 이전으로 되돌릴 수 있기 위해 형성된 것이다.
복원 과정에서 프레스코에 생긴 손상을 복원하기 위해 수채화 물감을 사용하는 것은 복원 이전으로 거의 완벽히 되돌릴 수 있기 위해 사용하는 기법의 한 사례이다. 이 기법은 밀라노에 위치한 다빈치의 "최후의 만찬"을 20년 동안 복원하는 과정에서 사용되었다. 오늘날 가장 널리 사용되는 복원 기법 중 하나는 "Tinted Varnish Treatment(색이 들어간 광택제 처리)"이다. 이 과정은 작품을 완전히 청소하고 광택제를 바른 다음에 시행된다. 복원 과정에서 마지막 단계는 원래의 물감이 빠진 것으로 보이는 부분이나, 구멍을 메운 곳이나, 그 외 고르지 못한 부분을 작업하는 것이다. 그 다음에 복원자는 색이 들어가지 않은 광택제 위에 색이 들어간 광택제를 바른다. 이렇게 하면 문제 있는 부분에 "색이 다시 칠해진" 듯한 착시 현상을 유발하는데, 실제로는 색이 들어간 광택제가 발라졌을 뿐이다. 색이 들어간 광택제를 사용할 때 가장 흔하게 사용된 기법은 "점묘법"으로, 물감의 색과 비슷한 빛을 반사하기 위해 사용된다. 이 기법은 변화를 주기 위해 작은 점을 일렬로 활용하는 기법이다.

어휘 **art restoration** 예술품복원
pristine ⓐ 새 것 같은
reversible ⓐ 되돌릴 수 없는
conservation ⓝ 보호, 보존
irreversible ⓐ 돌이킬 수 없는
inpaint ⓝ 그림 복원

tinted ⓐ 색을 띄는
patched ⓐ 빠진 곳을 매운
stipple ⓥ 점묘법으로 그리다
out of favor – 소외되는, 눈 밖에 난
detrimental ⓐ 해로운
varnish ⓝ 광택제
irregularity ⓝ 이상한 곳, 고르지 못한 곳
variance ⓝ 변화, 변동
oft-used ⓐ 자주 쓰이는
degradation ⓝ 악화

24 본문의 주제는 무엇인가?

① 논란이 많은 예술품 복원
② 악영향을 미치는 예술품 복원
③ 현대의 예술품 복원
④ 예술품 복원의 개념

정답 ③
해설 본문은 과거와는 다른 현대 미술복원에 있어 대세가 되는 복원기법에 관해 논하고 있다. 따라서 답은 ③이다.

25 본문에 따르면 예술품 복원은 어떻게 변화하였는가?

① 예전에는 예술품은 미적 목적을 갖고 복원되었으며 미래를 따로 고려하지는 않았다.
② 예술품 복원은 원래 화필이 있으면 어떻게든 되었다.
③ 예술품 복원은 과거에는 원본 예술품에 매우 모욕적인 것으로 여겨졌다.
④ 현재 예술품 복원은 원본 회화를 개선하는 방향으로 나가고 있다.

정답 ①
해설 현대의 예술품 복원은 "예술 작품을 미래를 위해 보존하는 것에 더 관심을 가지며 작품을 새 것처럼 보이게 만드는 것에는 관심을 덜 가진다(is more concerned with preserving the work of art for the future, and less with making it look pristine)." 이를 역으로 따지면, 과거에는 작품을 미적인 점에 중점을 두고 새것처럼 보이는데 힘을 썼지만 작품에 "돌이킬 수 없는 변화(irreversible change)"를 가하는 경우가 있었고 즉 현재 어떻게 보이는가에만 신경을 썼지 미래에 관해서는 신경 쓰지 않았음을 알 수 있다. 따라서 답은 ①이다.

26 다음 중 옳은 것을 고르시오.

① 현재의 예술품 복원법은 작품을 다시 칠하기보다는 다시 칠해진 것 같은 느낌을 주는 데 있다.
② 원본 회화는 상태가 더욱 악화되는 것을 막기 위해 절대로 완전히 세척시키지 않는다.
③ 예술품 복원은 정확히 하는 법을 안다면 꽤나 신속하게 이루어진다.
④ 최근의 예술품 복원은 현재를 위해 예술을 갱신시키는 방향으로 나아가고 있다.

정답 ①
해설 현대의 복원 기법을 사용할 경우 "이렇게 하면 문제 있는 부분에 "색이 다시 칠해진" 듯한 착시 현상을 유발하는데, 실제로는 색이 들어간 광택제가 발라졌을 뿐이다(This gives the illusion that the spots have been "re-painted", while in fact it is just a spot of tinted varnish)." 즉, 작품에 색을 다시 칠하는 것이 아니라 칠한 듯한 느낌을 주는 것이다. 따라서 답은 ①이다.

27-30

조세 공정성의 수익자 부담 원칙에 따르면 공공지출을 통해 혜택을 입는 사람들은 지출에 대한 비용을 지불하기 위한 세금의 부담을 져야 한다. 예를 들어 도로 건설을 통해 혜택을 입는 사람들은 도로의 유지비용을 지불해야 하고, 비행기에 탑승하는 사람들의 항공관제 비용을 지불해야 하는 것 등이 있다. 이 수익자 부담 원칙은 미국 조세 제도 일부의 근간이 된다. 예를 들어 휘발유에 부과되는 연방정부의 세금으로부터 얻는 수익은 구체적으로 주간 고속도를 포함한 연방도로의 유지관리 및 개선 목적으로 따로 책정된다. 이런 방식을 통해 고속도로 제도의 혜택을 입는 운전자들은 제도를 위한 비용을 지불하게 된다. 수익자 부담 원칙은 경제적인 관점에서 봤을 때 매력적이며, 그 이유는 공공지출의 타당한 주요 사유 중 하나인 공공재 이론과도 잘 부합되기 때문이다. 만일 정부의 역할이 국민들에게 다른 방식으로는 구할 수 없는 재화를 공급하는 데 있다면, 해당 재화를 통해 얻는 혜택에 비례해 국민 각자에게 비용을 청구하는 것은 자연스러운 것으로 보인다.
하지만 실제적으로 고려해 봤을 때 수익자 부담 원칙만을 모든 조세제도의 기반으로 삼는 것은 불가능한 일이다. 정부가 제공하는 수많은 유형의 프로그램 각각에 따라 특정한 조세를 부과하는 것은 매우 번거로운 일일 것이다. 또한 수익자 부담 원칙을 조세의 기반으로 두려는 시도는 종종 조세 공평성의 또 다른 주요 원칙인 응능부담의 원칙과 충돌한다. 응능부담의 원칙은 세금 부담능력이 큰 사람이 더 많은 세금을 지불해야 한다는 의미이다. 응능부담의 원칙은 보통 소득이 낮은 사람보다 소득이 높은 사람이 더 많은 세금을 지불해야 한다는 의미로 해석된다. 종종 응능부담의 원칙은 소득이 높은 사람이 더 많은 세금을 지불해야 한다는 주장뿐만 아니라 소득 가운데 세금으로 지불하는 비중이 더 높아야 한다는 주장을 하기 위해 사용된다.

어휘 tax fairness – 조세 공평성
upkeep ⓝ 유지비
specifically ⓐⓓⓥ 구체적으로, 특별히
reserve ⓥ 따로 잡다, 남겨 두다
justification ⓝ 타당한 이유, 정당한 이유
public goods – 공공재
cumbersome ⓐ 번거로운
ability-to-pay principle – 응능부담의 원칙 (각종 과세에 있어서 납세자의 부담능력에 맞게 공평한 과세를 해야 한다는 조세원칙)
discard ⓥ 버리다, 폐기하다
tried and tested ⓐ 확실히 믿을 수 있는
impose A on B – A를 B에 가하다, 부과하다
strict ⓐ 엄격한

27 본문의 주제는 무엇인가?

① 소득이 낮은 가구에게 혜택을 주는 것으로 증명된 두 가지 시각
② 정부가 더 많은 과세소득을 거둘 수 있는 두 가지 방식의 제안
③ 두 가지 확실히 믿을 수 있지만 폐기된 조세원칙
④ 조세제도 이행을 관장하는 두 가지 주요 원칙

정답 ④
해설 본문은 수익자 부담 원칙과 응능부담의 원칙이라는 두 가지 조세제도의 기반에 관해 설명하고 있다. 따라서 답은 ④이다.

28 다음 중 수익자 부담 원칙과 응능부담의 원칙의 차이에 관해 옳은 것은 무엇인가?

① 전자는 경제 프로그램과 연관이 있고 후자는 복지 프로그램에 초점을 맞췄다.
② 전자는 사회에 더 많은 혜택을 가져다주려 하고 있고 후자는 혜택에 엄격한 제한을 가하려 한다.
③ 전자는 한 사람이 얼마나 이용하는지에 집중하고 후자는 한 사람이 얼마나 지불할 수 있는지에 집중한다.
④ 수익자 부담 원칙은 대체로 응능부담의 원칙보다 공정한 것으로 여겨진다.

정답 ③

해설 수익자 부담 원칙에 따르면 "공공지출을 통해 혜택을 입는 사람들은 지출에 대한 비용을 지불하기 위한 세금의 부담을 져야 한다(those who benefit from public spending should bear the burden of the tax that pays for that spending)." 즉 이용한 만큼 세금 부담을 지는 것이다. 그리고 응능부담의 원칙에 따르면 "세금 부담능력이 큰 사람이 더 많은 세금을 지불해야 한다(those with greater ability to pay a tax should pay more)." 즉 지불할 수 있는 만큼 세금 부담을 지는 것이다. 보기 중에서 이러한 특징을 잘 설명한 것은 ③이다.

29 밑줄 친 것을 정확하게 패러프레이즈한 것을 고르시오.

① 돈은 있으나 가난한 사람보다 돈을 더 쓰길 원하지 않는 사람은 다른 사람들에게 응능부담의 원칙을 다른 방식으로 해석하는 방법을 가르쳐야 한다.
② 응능부담의 원칙에 대한 가장 보편적인 해석은 더 지불할 수 있는 사람은 돈을 더 지불해야 한다는 것이다.
③ 응능부담의 원칙을 가장 잘 해석하기 위해서는 가난한 사람과 부유한 사람이 동일한 금액을 지불할 것을 요청받았음을 기억하는 것이 중요하다.
④ 응능부담의 원칙은 가난한 사람들이 세금을 지불할 수 없을 때 부유한 사람들이 가난한 사람들을 도와야 한다는 것이다.

정답 ②

해설 밑줄 친 부분은 "응능부담의 원칙은 보통 소득이 낮은 사람보다 소득이 높은 사람이 더 많은 세금을 지불해야 한다는 의미로 해석된다"로 해석되며, 보기 중에서 이와 의미상 가장 가까운 것은 ②이다.

30 본문에 따르면 수익자 부담 원칙이 널리 쓰이지 않는 이유는 무엇인가?

① 정부 프로그램을 담당하는 사람들이 수익자 부담 원칙을 수립하기 위해 협력할 능력이 안 된다.
② 정부 프로그램 각각에 별개의 세제를 수립하는 것은 현실적이지 못하다.
③ 성공하기 위해 요구되는 구체적인 사항을 작업할 필요가 없다.
④ 담당자들은 해당 체제를 최선의 것으로 보지 않는다.

정답 ②

해설 "하지만 실제적으로 고려해 봤을 때 수익자 부담 원칙만을 모든 조세제도의 기반으로 삼는 것은 불가능한 일이다. 정부가 제공하는 수많은 유형의 프로그램 각각에 따라 특정한 조세를 부과하는 것은 매우 번거로운 일일 것이다(Practical considerations, however, make it impossible to base the entire tax system on the benefits principle. It would be too cumbersome to have a specific tax for each of the many distinct programs that the government offers)." 여기서 모든 프로그램에 일일이 서로 다른 조세를 부과하기란 사실상 불가능하기 때문에 수익자 부담 원칙만을 조세제도의 근간으로 쓸 수 없는 것이다. 따라서 답은 ②이다.

12 Practice Test 정답 및 해설

01	③	02	④	03	①	04	④	05	②	06	③	07	③	08	④	09	②	10	①
11	②	12	④	13	③	14	①	15	③	16	③	17	④	18	②	19	②	20	④
21	①	22	③	23	③	24	②	25	④	26	①	27	②	28	④	29	②	30	④

01-03

나이가 들었다는 것은 커피를 타거나, 열쇠를 정렬하거나, 쇼핑에 갈 때 우리가 매일 당연하게 생각하고 떠올리게 되는 작동 기억뿐만 아니라 정신 작용을 둔화시킨다는 것은 피할 수 없는 인생의 현실이다. 나이든 사람들은 종종 제 기능을 못하는 시각 및 청각으로 인해 약해진 상태에서 질문이든, 소음이든, 웃기는 농담이든 간에 외부 자극에 훨씬 느리게 반응한다. 마찬가지로 나이 든 뇌는 새로운 것들을 배우는 데 더 오랜 시간이 걸린다. 그리고 최근의 연구에 따르면 같은 업무를 두고 생각의 경로에 차이가 존재한다. 기능성 MRI 및 뇌영상장치 등 문제 해결 과정에서 뇌의 활동을 보여 줄 수 있는 기기를 통해 나이 든 사람들은 뇌의 다른 영역을 사용하는 경우가 더 잦다는 것이 나타나며, 이는 부모님들이 흔히 한탄하면서 하는 말씀인 '애들은 우리랑 생각이 아예 다르구나'에 신빙성을 더하게 된다.

항상 모든 것이 빨리 돌아가는 세상에서는 생각이 늦는다는 것은 노인들이 자신감을 잃게 만들고 자신이 혹시 알츠하이머에 걸린 것은 아닌지 두려워하게 한다. 꼭 그런 것은 아니다. 자연적인 노화의 수많은 특성은 20대에 시작되고, 70대나 80대일 때에만 두드러질 뿐이다. 하지만 반응시간이 둔화되고 공간적 방위가 감소하면 차를 운전하는 일 같이 한때는 하기 쉬웠던 일이 어려워진다. 사람들이 생각하는 것과는 반대로 치명적인 자동차 사고 대부분의 원인은 10대가 아니라 노인들에게 있다. 노인들에겐 반대쪽에서 차들이 다가오는데 좌회전을 하는 것은 매우 위험한 일이다. 그리고 현금 인출기나 공항 보안라인이 노인들을 당황시키는 것에는 타당한 이유가 존재한다. 특히 노인들 뒤에 참을성 없는 건방진 젊은이들이 줄지어 있을 때 더욱 그렇다.

어휘
- working memory – 작동 기억
- aggravate ⓥ 악화시키다
- map ⓥ (전체 모양을) 보여 주다
- lament ⓝ 한탄
- blunted ⓐ 둔화된
- account for – ~의 원인이 되다
- treacherous ⓐ 위험한, 신뢰할 수 없는
- whippersnapper ⓝ 건방진 애송이
- set down – 정렬하다
- impaired ⓐ 손상된, 제 기능을 못하는
- credence ⓝ 신빙성
- destined ⓐ ~할 운명의
- spatial orientation – 공간적 방위
- oncoming ⓐ 다가오는, 닥치는
- flummox ⓥ 당황스럽게 만들다, 혼란스럽게 만들다

01 **본문에 따르면 다음 중 옳은 것은 무엇인가?**

① 현금 인출기는 노인들이 이용하기 간편하다.
② 젊은이들은 자연적인 노화가 시작될 무렵에 알츠하이머병에 걸릴까봐 두려워한다.
③ 노인들은 새로운 기술을 배우는 데 어려움을 겪는다.
④ 자연적인 노화는 70대나 80대가 되기 전까지는 시작되지 않는다.

정답 ③

해설 "나이 든 뇌는 새로운 것들을 배우는 데 더 오랜 시간이 걸린다(Older brains take longer to learn new things)." 따라서 답은 ③이다.

02 **본문에서 유추할 수 없는 것은 무엇인가?**

① 노인들은 젊었을 때와 동일한 반응시간을 갖지 못한다.
② 노인들은 항상 바로 농담을 이해하지는 못한다.
③ 노인들은 젊은이들보다 도로에서 더욱 위험한 존재들이다.
④ 노인들은 젊은이들과 어울리는 것을 좋아하지 않는다.

정답 ④

해설 "나이 든 사람들은 종종 제 기능을 못하는 시각 및 청각으로 인해 약해진 상태에서 질문이든, 소음이든, 웃기는 농담이든 간에 외부 자극에 훨씬 느리게 반응한다(Often aggravated by impaired sight and hearing, elders respond more slowly to an external stimulus, be it a question, a loud noise, or a funny joke)"는 ①과 ②에 해당하며, "사람들이 생각하는 것과는 반대로 치명적인 자동차 사고 대부분의 원인은 10대가 아니라 노인들에게 있다(Contrary to what one might think, it's not the teens but the seniors who account for most fatal car accidents)"는 ③에 해당한다. ④는 본문에 언급된 바 없으므로 답으로 볼 수 있다.

03 **다음 중 밑줄 친 것과 가장 유사한 것은 무엇인가?**

① 부모들이 공통적으로 갖는 불만이 사실임을 나타냄
② 부모들이 말을 할 때 더욱 신뢰가 가도록 보이게 함
③ 부모들이 자녀를 더 잘 이해하도록 권장함
④ 부모들이 자녀를 꾸중할 때 부모들에게 (꾸중하는 이유에 대한) 신빙성을 주도록 함

정답 ①

해설 밑줄 친 부분은 해석하면 "부모님들이 흔히 한탄하면서 하는 말씀 …에 신빙성을 더하게 된다"이며, 보기 중에서 이와 의미상 가장 가까운 것은 ①이다. 참고로 ④는 본문의 "부모의 한탄"이 아니라 "부모의 꾸중"에 관한 내용이므로 답이 될 수 없다.

12

04-06

점성술은 천체의 상대적인 위치와 그와 관련된 여러 세부적인 요소가 성격, 인간사, 기타 속세의 일에 관해 유용한 정보를 제공해 준다는 내용을 지닌 일련의 체제, 전통, 그리고 믿음이다. 점성술을 수행하는 사람들은 점성술사 또는 점성가라 한다.

점성술에 기반을 둔 개념이 도입된 수많은 전통과 용례가 처음으로 기록된 시기는 기원전 3천 년경이다. 비록 현대의 과학자들은 점성술을 유사과학이나 미신으로 치부하지만, 점성술은 역사에 걸쳐 문화, 초기 천문학, 베다, 성경, 그 외 다양한 학문의 형성에 한 몫을 했다.

점성술과 천문학은 근대 이전에는 종종 구분이 되지 않았고, 당시에는 뭔가를 예측하거나 점을 통해 지식을 얻으려는 욕구가 전체 관측의 동기 부여 요소 가운데 가장 주요한 것이었다. 천문학은 르네상스 이후 18세기까지의 시기 동안 점차적으로 점성술과 분리되기 시작했다. 결국 천문학은 천체 및 천문학적 현상에 대한 과학적인 연구로서 이러한 천문학적 현상에 대한 점성술적 이해와는 거리를 두는 차별성을 갖게 되었다

점성술사들은 천체의 움직임 및 위치가 지구상의 생명체에 직접적인 영향을 주거나 인간의 기준에서 경험하는 사건에 어느 정도 영향을 준다고 믿는다. 현대의 점성술사들은 점성술을 상징적 언어, 예술의 한 형태, 또는 점의 한 형태로 정의한다. 이렇게 정의에 각각 차이가 존재하지만, 점성술에서 공통적으로 가정하는 것은 천체의 위치가 과거 및 현재의 사건을 해석하는 것과 미래를 예측하는 데 도움을 준다는 것이다.

어휘
- **astrology** ⓝ 점성술
- **hold** ⓥ (신념 · 의견 등을) 가지다
- **celestial body** – 천체
- **practitioner** ⓝ 수행하는 사람, (기술을 요하는 일을) 정기적으로 하는 사람
- **astrologer** ⓝ 점성술사
- **astrologist** ⓝ 점성가
- **pseudoscience** ⓝ 유사과학
- **superstition** ⓝ 미신
- **astronomy** ⓝ 천문학
- **indistinguishable** ⓐ 구분이 안 되는
- **divinatory** ⓐ 점의, 예견적인
- **diverge from** – ~에서 분리되다, 나뉘다
- **astrological** ⓐ 점성술의
- **correspond to** – ~와 일치하다
- **divination** ⓝ 점
- **placement** ⓝ 배치, 위치
- **speak out against** – ~에 반대한다는 의사를 분명하게 밝히다
- **have no time for** – ~을 싫어하다

04 다음 중 옳은 것은 무엇인가?

① 성경은 점성술에 반대한다는 의사를 분명하게 밝힌다.
② 천문학과 점성술은 지금도 여전히 매우 유사하다.
③ 점성술사는 지구상의 생명체가 천체의 움직임에 영향을 준다고 믿는다.
④ 현대의 과학자들은 점성술을 싫어한다.

정답 ④

해설 "현대의 과학자들은 점성술을 유사과학이나 미신으로 치부한다(contemporary scientists consider astrology a pseudoscience or superstition)." 즉 이들은 점성술을 전혀 좋게 보고 있지 않은 것이다. 따라서 답은 ④이다.

05 왜 사람들은 하늘을 바라보기 시작했는가?

① 하늘에서 기이한 것을 보았기 때문에
② 미래를 예측하고 싶었기 때문에
③ 점성술사가 되고 싶었기 때문에
④ 다른 사람들로부터 동기를 부여 받았기 때문에

정답 ②

해설 본문에 따르면 사람들이 하늘을 관측했던 이유는 "뭔가를 예측하거나 점을 통해 지식을 얻으려는 욕구(with the desire for predictive and divinatory knowledge)" 때문이었다. 따라서 답은 ②이다.

06 점성술에 관해 유추할 수 있는 것은 무엇인가?

① 점성술은 점차 널리 수용되는 과학이 되어가고 있다.
② 점성술을 활용한 예측을 통해 범죄자들을 잡을 수 있다.
③ 점성술을 통해 인간의 행동을 이해할 수 있다.
④ 점성술은 천문학을 더욱 탐구하고자 하는 필요성을 통해 창조되었다.

정답 ③

해설 "점성술사들은 천체의 움직임 및 위치가 지구상의 생명체에 직접적인 영향을 주거나 인간의 기준에서 경험하는 사건에 어느 정도 영향을 준다고 믿는다(Astrologers believe that the movements and positions of celestial bodies either directly influence life on Earth or correspond somehow to events experienced on a human scale)." 즉 점성술사들은 점성술을 통해 인간의 행동을 예측하는 것이 가능하다고 보는 것이다. 따라서 답은 ③이다.

07-10

(모든 형태의 설득에 관한 연구를 의미하는) 수사학이라는 큰 범주의 학문 분야하에서 고대 그리스 로마 시대의 학생들은 수 년에 걸쳐 논리와 감정 및 말을 침착하게 담금질하는 방법에 대한 전략적 이해를 얻고자 노력했다. 말을 잘 하는 것은 논거의 모든 측면을 분석하는 방법을 배우는 것 그리고 의견을 표하기 전에 청중과의 공통점에 도달하는 가능한 모든 방법을 분석하는 것에 좌우된다. 오늘날의 읽기와 쓰기에 관한 우리의 접근법과 유사하게, 언어 능력 훈련은 지식에 대한 포괄적이면서 매우 중요한 접근법이었고, 여기에 심리학 및 사회적 상호작용에 대한 추가적인 강조가 이루어졌다.

평균적으로 오늘날 미국인은 하루에 약 16,000개의 단어를 말로 한다. 가정 생활, 사회적 상호작용, 직장 등에서 언어 능력의 역할을 고려해 보면, 효과적인 의사소통 능력은 우리가 지닐 수 있는 가장 중요한 기술임을, 그 어느 때 보다도 지금 쉽게 알 수 있다. 만일 우리가 사람을 당황케 하거나, 모호하거나, 이해하기 힘든 식으로 말을 한다면, 우리가 얼마나 똑똑한 사람인지, 근면한 사람인지, 아니면 심지어 좋은 사람인지는 중요하지 않으며, 사람들은 우리가 이해하기가 힘들고 같이 일하기 힘든 사람임을 알게 될 것이다. 상호작용이 모두 껄끄러운 관계로 타인에 대한 우리의 유용성이 감소하게 된다. 이와는 대조적으로, 만일 우리가 말을 명확하게 잘 할 수 있다면, 사람들은 우리가 이해하기 쉬운 사람임을 알게 될 것이다. 사람들은 우리를 '이해하게' 될 것이다. 사람들은 우리를 좋아하게 될 것이다.

최근에 나는 어떤 건축가와 함께 일을 했는데, 그 사람은 다음과 같은 불평을 말했다. '전 졸업하면 뭔가를 디자인하는 일을 하게 될 거라 생각하면서, 수 년간 학교에 다녔어요. 하지만 제 업무 시간의 약 90%가 아이디어를 설명하고, 프레젠테이션 작업하고, 팀과 고객 간의 논의를 관리하는 데 쓰이는 것이 현실이네요.' 그 사람의 논평은 거의 모든 고등 직업의 경우에 유효하다. 당신이 작업장에서 부지런히 일하면서 눈부신 성과를 보였더라도, 당신이 홀로 노력한 것 만큼 중요한 것은, 당신의 사회적인 가치와 팀원으로서의 가치는 당신이 전화, 줌 회의, 영업 및 기술 프레젠테이션, 고객과의 상호작용 등에 능숙하게 대처할 수 있는가의 능력에 따라 판단된다. 만일 이것이 설득력이 떨어지는 것 같다면, 고위 임원 가운데 대중 연설 능력이 떨어지는 사람이 얼마나 되는지 떠올려 보라. 명확하고 효과적인 언어 능력의 중요성을 감안하면, 당신은 우리가 학교에서 이를 배우는 데 많은 시간을 썼을 것이라고 생각할 것이다. 하지만 적어도 서양에서는, 우리 대부분에게 있어 교육은 12~20년간의 종이를 통한 읽기와 쓰기 및 수학문제 해결로 구성된다. 우리 사회가 점차 지식기반 사회이자 정보기반 사회로 변모하면서, 수사학 및 언어 능력의 교육에 대한 인기는 거의 완전히 사라지게 되었다. 우리 중 많은 사람들은 삶에 있어 중심적인 활동을 실습할 대비가 되지 않은 채 졸업하고, 언어 능력은 여전히 우리가 생각지도 못한 가장 중요한 주제로 남아 있다.

어휘 discipline ⓝ 학문 분야, 학과목
antiquity ⓝ 고대(특히 그리스 · 로마 시대)
poise ⓝ 침착
avenue ⓝ 방안, 수단
comprehensive ⓐ 포괄적인, 종합적인
strained ⓐ 껄끄러운, 불편한
observation ⓝ 논평, 의견
virtually ⓐⓓ 사실상, 거의
toil ⓥ 부지런히 일하다, 애쓰다
far-fetched ⓐ 믿기지 않는, 설득력이 떨어지는
entirely ⓐⓓⓥ 완전히, 전적으로
compromise ⓥ (특히 무분별한 행동으로) ~을 위태롭게 하다
degradation ⓝ 저하, 쇠퇴
excel at – ~에 뛰어나다
rhetoric ⓝ 수사학
temper ⓥ 단련하다, 담금질하다
assay ⓥ 평가 분석하다, 평가하다
commonality ⓝ 공통점
off-putting ⓐ 당황하게 하는, 어리둥절하게 하는
get ⓥ 이해하다
hold true – 유효하다, 딱 들어맞다
brilliant ⓐ 눈부신, 뛰어난
endeavour ⓝ 노력, 애씀
fall out of favor – 총애를 잃다, 눈 밖에 나다
cultivate ⓥ 기르다, 함양하다

---

07 본문의 주제는 무엇인가?

① 삶에서 말을 더 많이 할수록 우리의 사업과 개인 영역이 위태로워질 것이다.
② 우리의 말하기 능력은 우리가 지금의 상태를 유지할 경우 심각하게 쇠퇴할 위험이 있다.
③ 우리는 더 이상 우리 삶의 대부분의 시간에 하는 일을 실습하는 법을 배우지 않는다.
④ 우리는 삶의 대부분을 말을 하고 주변 사람들을 알아가는 데 보낸다.

정답 ③

해설 본문은 의사소통 능력 및 언어능력의 중요성에 관해 말하고 있으며, 특히 마지막 단락에서는 언어능력이 중요함에도 정작 학교에서는 언어능력을 키우는 법에 관해 교육이 잘 이루어지지 않고 있고 때문에 졸업 이후에도 언어능력 문제가 여전히 해결이 필요한 중요 문제임을 강조하고 있다. ③에서 "우리 삶의 대부분의 시간에 하는 일"은 언어를 사용한 의사소통을 의미하고, 의사소통법을 실습하는 법을 더 이상 배우지 않고 있다는 ③의 내용은 본문의 주제와 일치한다. 따라서 답은 ③이다.

08 본문에 언급된 건축가는 어떻게 자신의 업무 생활을 예측하지 못했는가?

① 그 여성은 자신의 디자인이 다른 사람들로부터 받은 것들에 의존한다는 것을 깨닫지 못했다.
② 그 여성은 건축가들이 조용한 삶을 살 것이라 생각했지만, 실제로 건축가는 매우 사교적이어야 한다.
③ 그 여성은 자신이 디자인을 하는데 많은 시간을 보내지만 설명하는데 더 많은 시간을 보낼 것이라 추측했다.
④ 그 여성은 자신이 주로 디자인을 하리라 추정했지만 실제로는 의사소통에 더 많은 시간을 보내야 했다.

정답 ④

해설 "하지만 제 업무 시간의 약 90%가 아이디어를 설명하고, 프레젠테이션 작업하고, 팀과 고객 간의 논의를 관리하는 데 쓰이는 것이 현실이네요"를 보면, 이 건축가는 업무 시간의 대부분이 생각했던 것과는 달리 디자인 업무가 아니라 의사소통 업무에 동원되었음을 말하고 있다. 따라서 답은 ④이다.

09 본문에 따르면 다음 중 사실인 것은 무엇인가?

① 우리의 의사소통이 불만족스러울스록 스스로를 더 많이 함양하게 될 것이다.
② 업계 최고의 사람들은 보통 효과적인 의사소통 기술을 보유한다.
③ 형편없는 의사소통 기술은 지성으로 숨길 수 있다.
④ 모든 직업에서 성공하려면 뛰어난 말하기 능력이 필요하다.

정답 ②

해설 본문은 특히 "고위 임원 가운데 대중 연설 능력이 떨어지는 사람이 얼마나 되는지 떠올려 보라"는 말과 함께 언어능력 및 의사소통 능력의 중요성에 관해 말하고 있다. 즉 "당신이 작업장에서 부지런히 일하면서 눈부신 성과를 보였더라도, 당신이 홀로 노력한 것만큼 중요한 것은, 당신의 사회적인 가치와 팀원으로서의 가치는 당신이 전화, 줌 회의, 영업 및 기술 프레젠테이션, 고객과의 상호작용 등에 능숙하게 대처할 수 있는가의 능력에 따라 판단된다." 여기서 답은 ②임을 유추할 수 있다.

10 빈칸에 가장 알맞은 것은 무엇인가?

① 당신은 우리가 학교에서 이를 배우는 데 많은 시간을 썼을 것이라고 생각할 것이다
② 우리는 다른 기술을 배우기도 전에 언어 능력에 뛰어나다
③ 아이들은 보다 효과적인 의사소통 능력을 갖고 성장하고 있다
④ 잘못된 것에 더 많이 집중하면서 교육의 가치가 떨어지고 있다

정답 ①

해설 빈칸 뒤를 보면 언어능력의 중요성에 비해 학교에서는 읽기와 쓰기가 강조되지 언어능력은 그다지 강조되지 않음을 알 수 있다. 즉 언어능력의 중요성을 감안하면 학교에서 언어능력에 관해 많이 배울 것이라 생각하겠지만, 실제로는 그렇지 않다는 것이다. 그리고 빈칸 뒤 문장이 Yet으로 시작된다는 것을 감안하면, '언어능력에 관해 많이 배울 것이라는' 생각과 달리(Yet) 실제는 그렇지 않다는 것임을 유추할 수 있다. 따라서 답은 ①이다.

11-13

다이앤 루이스는 빅스 퍼니처에 붙은 2015년까지 무이자 할부 판매를 선언한 광고판을 본 순간 네바다주 헨더슨에서 시행되는 점포 정리 세일의 유혹을 받게 된다. 그녀는 아들을 근처에서 놀도록 놔두면서 기존의 침대 세트를 교체할 새 침대 세트가 필요하기 때문에 여기에 올 수밖에 없었다고 말했다. 이 정도의 거래 조건이면 새 침대 세트를 살 수 있는 것이다. 루이스의 남편은 8개월 동안 실직 상태였다가 최근에 일자리를 얻었고, 그녀 또한 이 지역 내 대다수 사람들과 마찬가지로 고통을 겪었다. 비록 이 부부는 주택담보 대출금 상환에 2개월 정도 밀려 있었고 신용 카드 빚도 모두 합해 2만 달러에 달한다. 하지만 루이스는 이러한 상황을 이겨낼 수 있을 것이라고 긍정적으로 생각한다. 루이스는 좀 더 기다려야 할 것이라고 생각하면서도 제안이 너무 좋았고 제안이 승인되기를 바란다. 승인이 되면 뭔가를 살 수 있게 되는 것이다. 어쨌든 2015년이 되려면 아직 멀어 보인다고 미용사인 루이스는 말했다. 이러한 유형의 행동은 전혀 새로운 것이 아니다. 심각한 타격을 입은 소비자들이 절약이 해결책이라고 주장한 것이 작년이었다. 하지만 이제는 모든 것을 잊고 말았다. 전국을 휩쓴 끔찍한 경기 불황은 경제 대공황 시기에 이와 비슷한 수준으로 아니면 더 최악의 형태로 고통을 겪은 조부모 세대와 좀 더 비슷하게 될 수 있도록 사람들로 하여금 절약을 약속하고 사치를 삼가겠다는 약속을 하게 만들었다. 하지만 다이어트 결심은 깨려고 존재하는 것처럼 이러한 약속도 마찬가지 결과를 낳았다.

어휘
- **proclaim** ⓥ 선언하다, 선포하다
- **liquidation sale** – 점포정리 세일, 제고처분 세일
- **all told** – 모두 합해서
- **frugality** ⓝ 절약, 검소
- **indulgence** ⓝ 하고 싶은 대로 하기, 사치
- **prospect** ⓝ 가망, 가능성
- **tempt into** – ~하도록 유혹하다, 부추기다
- **mortgage** ⓝ 주택담보 대출금
- **hard-hit** ⓐ 심각한 타격을 입은
- **refrain from** – ~을 삼가다
- **stave off** – 늦추다, 피하다

---

11 본문의 주제는 무엇인가?

① 네바다주의 좋은 거래
② 검약 결심을 깨다
③ 경제난 속에서 새 직장을 얻다
④ 신용 카드 빚

정답 ②

해설 주택담보 대출금 상환이 연체되었고, 신용 카드 빚도 2만 달러 있는 다이앤 루이스 씨가 해야 할 일은 쓸데없는 소비를 최대한 줄이고 검약하는 것이다. 하지만 그녀는 무이자 할부에 혹해 침대 매트리스를 샀다. 최근의 경제 불황을 겪으면서 '전국을 휩쓴 끔찍한 경기 불황은 경제 대공황 시기에 이와 비슷한 수준으로 아니면 더 최악의 형태로 고통을 겪은 조부모 세대와 좀 더 비슷하게 될 수 있도록 사람들로 하여금 절약을 약속하고 사치를 삼가겠다는 약속을 하게 만들었다'. 하지만 다이앤 루이스 씨처럼 결심을 유지하지 못하는 경우도 있는 법이다. 따라서 답은 ②이다.

---

12 본문의 내용과 맞는 것을 고르시오.

① 다이앤 루이스는 지금이 구매를 하기에 가장 좋은 때로 생각했다.
② 다이앤 루이스는 침대 세트를 지불할 돈을 모두 낼 수 있었다.
③ 미국인들은 과거 대공황 시대 조부모 세대가 감내한 생활방식을 믿지 못한다.
④ 작년에 소비자들은 앞으로 더 검약하겠다고 했다.

정답 ④

해설 본문을 보면 "심각한 타격을 입은 소비자들이 절약이 해결책이라고 주장한 것이 작년이었다(Hard-hit consumers were claiming frugality was the way forward only just last year)"라고 명시되어 있다. 따라서 답은 ④이다.

---

13 다음 중 빈칸에 가장 알맞은 것은 무엇인가?

① 그리고 경제 대공황의 영향을 늦추다
② 비록 조부모님은 이에 어떻게 대처할지에 관해 경고한 적 없지만
③ 경제 대공황 시기에 이와 비슷한 수준으로 아니면 더 최악의 형태로 고통을 겪은
④ 미래에 대한 가망 때문에 행복했다고 말하려는 것이 아니었던

정답 ③

해설 "전국을 휩쓴 끔찍한 경기 불황은 사람들로 하여금 절약을 약속하고 사치를 삼가겠다는 약속을 하게 만들었고(The terrible economic downturn that swept over the nation brought about promises of saving and refraining from indulgences)", 이는 "조부모 세대와 좀 더 비슷하게 될 수 있기 위함(in order to be more like their grandparents)"이었다. 역으로 생각해 보면 지금의 경기 불황을 겪은 세대가 조부모 세대와 좀 더 비슷하게 되고자 하는 이유는 조부모 세대 또한 끔찍한 불황을 겪고 살아남았기 때문에 이들처럼 행동하면 경기 불황에서 생존할 수 있기 때문일 것이다. 따라서 답은 ③이다.

14-16

요즘 아이들이란 결혼도 안 한다. 집도 안 산다. 게다가 전 세계 자동차 업계 입장에선 당황스럽게도 듣자 하니 차를 소유해야겠다는 강하고 지속적인 욕구도 그다지 느끼지 않고 있다. 최근에 뉴욕타임스는 GM에서 밀레니얼 세대와 이어지기 위해 쏟았지만 조금 당황스러운 결과를 낳은 노력이 무엇인지 드러내 보여줬다. 밀레니얼 세대는 1980년대에서 90년대에 출생한 대규모 세대군으로 이들의 점차 성장하는 소비력은 미국의 재계에서 물건을 파는 방식을 탈바꿈시키고 있다. 자동차업계 입장에서는 안 된 일이지만, 오늘날의 10대 및 20대는 바퀴 세트(자동차)를 구매하는 데 관심이 없어 보인다. 이들은 운전도 딱히 하고 싶어 하지 않는다. 뉴욕타임스에서 언급한 바에 따르면 2008년도 기준으로 19세 이하의 차를 운전할 가능성이 있는 사람들 가운데 면허를 가진 사람은 반도 되지 않았고, 이 수치는 1998년 3분의 2에서 감소한 것이다. 20세에서 24세 중 면허를 가진 사람의 수도 줄었다. CNW의 연구에 따르면 21세에서 34세 사이 성인은 미국에서 팔린 새로운 차량 중 27%만 구매했고, 이는 1985년 최고치인 38%와 큰 격차가 있다. 작년에 있은 주요 회의에서 도요타 USA 회장 Jim Lentz는 자동차업계가 직면한 도전을 꽤나 우울하게 요약해서 제시한 바 있다. "우리는 오늘날 젊은이들이 이전 세대만큼 차에 그다지 관심을 보이지 않는 무거워지는 현실에 직면해야 한다. 많은 젊은이들은 운전면허를 따는 것보다 최신 스마트폰을 사는 것 또는 최신 게임기를 사는 것에 더 신경을 쓴다"라고 Jim Lentz는 말했다. 자동차 업체들에게 있어 수십 억 달러가 걸린 질문은 과연 이러한 변화가 진정 영구적인 것으로서 밀레니얼 세대에게 있어 확고히 굳어진 태도 변화의 결과이자 이들이 성년이 되어서도 지속될 변화인지 아니면 지금 젊은이들에게 특히나 가혹한 경제 상황의 결과일 뿐인지 여부이다.

12

어휘 to the dismay of – ~의 입장에서는 당황스럽게도
pullback the curtain on – ~을 드러내 보이다
the Millennials – 밀레니얼 세대
keen on – ~을 아주 좋아하는, ~을 열중하는
a far cry – 상당한 거리, 심한 격차
baked-in ⓐ 굳어진, 타고난
abiding ⓐ 지속적인, 변치 않는
bewildered ⓐ 당황한, 갈피를 못잡은
cohort ⓝ 집단, 군
fraction ⓝ 일부, 부분
doleful ⓐ 애절한, 우울한
consistent with – ~와 일치하는

14 본문의 주제는 무엇인가?

① 차를 구매하는 것은 젊은이들 입장에서 과거처럼 중요하지는 않다.
② 운전면허는 과거보다 따기가 까다로워졌다.
③ 자동차 회사들은 차량 가격을 낮춰야 한다.
④ 차를 소유하는 일은 밀레니얼 세대에게 있어 신분의 상징이다.

정답 ①
해설 본문은 과거 세대에 비해 요즘 세대는 차를 반드시 사야 한다고 생각하지 않는다는 점을 말하고 있다. 따라서 답은 ①이다.

15 밑줄 친 a far cry는 어떤 의미를 갖는가?

① 슬프게도
② ~와 유사하게
③ 매우 차이나는
④ ~와 일치하는

정답 ③
해설 밑줄 친 a far cry는 "심한 격차", "큰 차이"를 의미하며 따라서 답은 ③이다.

16 본문에서 유추할 수 있는 것은 무엇인가?

① 젊은이들은 결국에는 차를 살 것이다.
② 젊은 차량 구매자를 위한 시장이 존재하지 않는다.
③ 자동차업계는 매우 우려하고 있다.
④ 젊은이들의 태도를 변화시키기엔 할 수 있는 것이 없다.

정답 ③
해설 "자동차업체들에게 있어 수십억 달러가 걸린 질문은 과연 이러한 변화가 진정 영구적인 것으로서 밀레니얼 세대에게 있어 확고히 굳어진 태도 변화의 결과이자 이들이 성년이 되어서도 지속될 변화인지 아니면 지금 젊은이들에게 특히나 가혹한 경제 상황의 결과일 뿐인지 여부이다(The billion-dollar question for automakers is whether this shift is truly permanent, the result of a baked-in attitude shift among Millennials that will last well into adulthood, or the product of an economy that's been particularly brutal on the young)." 이 말인즉슨 자동차 업계는 젊은이들이 차를 사지 않는 것이 생각의 근본적인 변화로 인한 영구적인 것인지 아니면 경제가 어렵기 때문에 발생한 일시적인 것인지 궁금해하고, 영구적인 변화가 아닐까 두려워한다. 따라서 답은 ③이다.

17-20

공정함으로서의 정의는 자유로운 사회에서 주요 정치적 기구와 사회적 기구가 공정한 합의를 이루었음을 기술하는 데 목적이 있다. 여기서 말하는 주요 정치적 기구와 사회적 기구의 예로는 정치 구조, 법체계, 경제, 가족 등을 들 수 있다. 이러한 주요 기구들 간의 합의는 사회의 기본 구조이기도 하다. 기본 구조는 정의가 위치한 장소이기도 하며 그 이유는 이러한 기구는 사회적 삶이 지닌 주요한 혜택 및 부담을 분배하는 역할을 하기 때문이다. 예를 들어 누가 어떤 기본적 권리를 보유할 것인지, 누가 어떤 종류의 일을 얻게 될 기회를 갖게 될 것인가, 누가 사회적인 인정을 받을 것인지, 소득과 부의 분배는 어떻게 될 것인지 등이 있다.
사회의 기본 구조의 형태는 시민의 삶에 중대한 영향을 주며, 이들이 지닌 가능성에 영향을 줄 뿐 아니라 이들이 지닌 목표, 태도, 관계, 성격 등에도 영향을 준다. 사람들의 삶 구석구석에 이렇게 지대한 영향을 주는 기구에는 정당화가 필요하다. 자신이 속한 사회를 떠나는 일은 대부분의 사람들에겐 현실적인 선택지가 아니기 때문에, 시민들이 국가 내에 머무른다는 것이 이들이 자신들이 속한 기관들 간의 합의에 동의한 것이나 다름없다고 볼 수는 없다. 그리고 기본적 구조에 관한 규율은 강제적으로 이행되며 종종 상당한 처벌이 뒤따르기 때문에, 특정한 일련의 규칙의 이행을 정당화하려는 요구는 더욱 심화된다.
Rawls(롤스)는 공정함으로서의 정의를 제시하면서 논의 대상인 자유로운 사회는 위에 기술된 합리적인 다원주의를 특징으로 삼고, 합리적으로 형편에 맞는 환경 하에 놓여 있고, 모든 이의 기본적 요구가 충족되는 것이 가능할 만큼의 충분한 자원이 있다고 가정한다. Rawls는 사회가 자급자족적이고 닫힌 구조이며 따라서 시민들은 출생을 통해서만 그 사회에 편입되고 죽음을 통해서만 사회에서 벗어날 수 있다는 간략한 가정을 했다. 그는 주로 이상적인 이론에 자신의 관심을 집중했고, 형사 사법 관련 문제로부터는 거리를 두었다.

어휘
- **arrangement** ⓝ 합의
- **profound** ⓐ 엄청난, 중대한
- **consent to** – ~에 동의하다
- **imposition** ⓝ 시행
- **pluralism** ⓝ 다원주의
- **applaud** ⓥ 칭찬하다, 성원을 보내다
- **constitution** ⓝ 구조
- **pervasive** ⓐ 구석구석 스며드는
- **coercively** adv 강제적으로, 위압적으로
- **mark** ⓥ 특징짓다
- **petition** ⓥ 진정하다, 탄원하다
- **prescribe** ⓥ 처방을 내리다, 규정하다

17 본문의 목적은 무엇인가?

① 시민들에게 Rawls의 뒤를 이어 자신이 속한 사회를 떠나라고 권장하기
② 사회 구조의 벽을 붕괴시키기
③ 사회의 시민들이 보유한 기본권에 변화를 이끌어 내기 위한 탄원을 하기
④ Rawls의 사회에 관한 이론을 검토하기

정답 ④
해설 "공정함으로서의 정의"는 롤스가 주창한 개념이며, 본문은 이 개념에 기반한 Rawls의 사회론에 관해 말하고 있다. 따라서 답은 ④이다.

18 본문에 따르면 다음 중 옳은 것은 무엇인가?

① 우리의 삶에 영향을 미치지 못하는 기관은 실제로는 정당화될 필요가 없다.
② 사회의 구조는 인간 삶의 모든 부분에 영향을 미친다.
③ 대부분의 사람들은 자신이 속한 사회가 싫다면 그 사회를 떠날 수 있다.
④ 사회의 규칙이 싫은 사람은 칭찬을 받는다.

정답 ②

해설 "사회의 기본 구조의 형태는 시민의 삶에 중대한 영향을 주며, 이들이 지닌 가능성에 영향을 줄 뿐 아니라 이들이 지닌 목표, 태도, 관계, 성격 등에도 영향을 준다(The form of a society's basic structure will have profound effects on the lives of citizens, influencing not only their prospects but more deeply their goals, their attitudes, their relationships, and their characters)"는 ②에 해당한다. 따라서 답은 ②이다.

19 다음 중 밑줄 친 것과 의미가 같은 것은 무엇인가?

① 형사 사법 관련 문제에 답을 하기 위해 노력하다
② 형사 사법 관련 의문을 회피하다
③ 형사 사법 관련 문제의 해결책을 규정하다
④ 형사 사법 관련 이론으로 다시 돌아가다

정답 ②

해설 밑줄 친 부분은 "형사 사법 관련 문제로부터는 거리를 두었다"로 해석되며, 보기 중에서 이와 의미상 가장 가까운 것은 ②이다.

20 빈칸에 들어갈 알맞은 표현은?

① 소득과 부의 분배
② 닫힌 사회
③ 특정한 일련의 규칙
④ 합리적 다원주의

정답 ④

해설 본문에서, 공정함으로서의 정의는 자유로운 사회에서 주요 정치적 기구와 사회적 기구가 공정한 합의를 이루었음을 기술하는 데 목적(Justice as fairness aims to describe a just arrangement of the major political and social institutions of a liberal society)이 있고, 이러한 주요 기구들 간의 합의는 사회의 기본 구조(The arrangement of these institutions is a society's basic structure)라고 하였으므로, 해당 부분에 언급한 내용은 바로 합리적 다원주의가 된다.

21-23

예를 들어 지난봄에 나는 내가 새로 출간한 책에 대한 주요 서평이 처음으로 등장했다는 내용의 이메일을 받았다. 서평은 런던타임스(The Times of London)에 수록되어 있었다. 서평을 읽고 싶어서 나는 링크를 클릭했지만 유료 회원 전용이라는 메시지만 볼 수 있었다. 그래도 나는 1파운드만 내고 한 달 동안 시험 구독을 해 보라는 제안에 혹했었다.
나는 소비자이자 신문에 실리는 글을 쓰는 입장에서 유료 전용 서비스에 별 불만은 없다. 하지만 가입하기 전에 상세한 항목을 읽어 봤다. 예상대로 신용카드 정보를 제공해야 했고 시험 서비스 이용 기간이 만료된 다음에는 자동적으로 구독자로 등록이 되게 되어 있었다. 구독료는 월 26파운드(약 40달러)였다. 나는 여기엔 관심이 없었고 왜냐하면 나는 유료 구독자가 될 생각이 없었기 때문이다. 난 그저 기사 하나만 읽고 싶었을 뿐이었다.
하지만 나는 이런 상세한 항목 때문에 흥미를 잃고 말았다. 취소하려면 취소 15일 이전에 고지해야 했고 따라서 한 달 무료 서비스의 실제 유효 기간은 고작 이 주에 불과했다. 더군다나 나는 런던타임스에 영국 업무 시간에 맞춰 수신자 부담이 아닌 전화번호로 직접 전화를 걸어야 했다. 이는 짜증나면서도 걱정되기 그지없었다. 나는 건망증이 심한 사람이고 (영국도 아닌) 미국에서 대학교수로 일하는 사람이라, 이런 상황하에서 나는 여러 달 동안 구독을 계속 유지할 공산이 크다는 생각이 들었고 내가 결국 그 기사를 읽는 데 든 비용은 최소 100파운드나 될 것이라는 생각이 들었다.
나는 런던타임스의 대변인인 크리스 던컨(Chris Duncan)과 이야기를 했다. 그는 런던타임스가 독자들에게 취소하기 전에 전화를 해 줄 것을 요구하는 이유는 신문이 보도를 통해 다루는 영역을 독자들이 제대로 인식할 수 있도록 하기 위함이라고 밝혔다. 하지만 내가 이로 인해 영국 이외의 독자들이 직면하게 된 불편함을 지적하자 그는 런던타임스가 구독 정책에서 해당 측면을 재고해 보겠다고 밝혔다. 내 생각에 런던타임즈의 무료 시험 서비스는 독자들을 호도할 위험이 있고 투명하지도 못하다. 빠져나오기가 번거롭고 전체 서비스 패키지는 신문을 발행하는 측과는 대조적으로 잠재적인 구독자들에게는 최선의 정책으로 보이지 않기 때문이다.

어휘 **prominent** ⓐ 중요한, 눈에 잘 띄는, 유명한
pay wall – 지불 장벽 ; 인터넷에서 일정액의 돈을 지불해야 내용을 볼 수 있도록 한 것
tempt ⓥ 유혹하다, 설득하다
take out – (공식적인 문서 · 서비스를) 받다
subscription ⓝ 구독
beef ⓝ 불평
the fine print – (계약서 등에서 놓치기 쉬운) 작은 글자 부분, 세세한 항목
enrol(= enroll) ⓥ 등록하다
expire ⓥ 만료되다, 만기가 되다
subscription rate – 구독료
turn ~ off – ~를 지루하게[흥미를 잃게] 만들다
business hour – 업무 시간
toll-free ⓐ 수신자 부담의
absent-minded ⓐ 건망증이 심한, 딴 데 정신이 팔린
appreciate ⓥ 제대로 인식하다
scope ⓝ 범위, 영역
coverage ⓝ 보도
misleading ⓐ 호도[오도]하는, 오해의 소지가 있는
opt out – 빠져나오다
cumbersome ⓐ 복잡하고 느린, 번거로운
in the best interest of – ~에게 있어 최선의, ~에게 가장 큰 이익이 되는
potential ⓐ 잠재적인
put ~ off … – ~에게 …에 대한 흥미를 잃게 만들다
dissuade ⓥ ~을 하지 않도록 설득하다
repercussion ⓝ 영향

12

21 밑줄 쳐진 부분이 의미하는 것은 무엇인가?

① 유료 서비스에 딱히 문제를 느끼지 않는다.
② 유료 서비스에 신경을 쓰지 않는다.
③ 유료 서비스는 정당하지 않다고 생각한다.
④ 유료 서비스는 널리 확산되어야 한다고 생각한다.

정답 ①

해설 밑줄 쳐진 "I have no beef with pay walls"에서 beef는 "불평"을 의미하며, pay wall은 "인터넷에서 일정액의 돈을 지불해야 내용을 볼 수 있도록 한 것" 즉 "유료 전용 서비스"를 의미한다. 그래서 밑줄 쳐진 문장의 의미는 "유료 전용 서비스에 별 불만은 없다"이다. 보기 중에서 이러한 의미와 가장 가까운 것은 ①이다. 참고로 ②의 의미는 '상관도 없다' 또는 '관심 자체가 없다'에 가깝기 때문에 ①과는 차이가 크다.

22 본문의 목적은 무엇인가?

① 사람들에게 구독자가 되려는 흥미를 잃게 만들기
② 독자에게 신문 구독자가 되도록 권유하기
③ 왜 저자는 구독자가 되지 않았는지 설명하기
④ 신문에게 구독 여부를 묻지 않도록 설득하기

정답 ③

해설 본문은 왜 처음에는 유료 구독도 고려해 봤던 저자가 결국에는 구독을 하지 않았는지 설명하고 있으며, 특히 마지막 단락에서는 무료 체험 구독을 미끼로 유료 구독으로 유도하는 기법에 문제가 있으므로 결국에는 유교 구독자가 되지 않았음을 말하고 있다. 따라서 답은 ③이다.

23 본문에서 크리스 던컨에 관해 암시된 사항은 무엇인가?

① 그는 시스템이 변해야 한다는 것은 알고 있었지만 시스템을 바꿀 의지는 없었다.
② 그는 뭔가를 바꾸기 위해 최선을 다하고 있지만 상급자들에 의해 손이 묶인 상태이다.
③ 그는 해외 구독자들을 대상으로 정책이 미치는 영향에 관해 다시 생각해 볼 것이다.
④ 그는 기자 정신에 대해서는 관심이 없고 오로지 돈을 버는 일에만 관심이 있다.

정답 ③

해설 크리스 던컨은 런던타임스의 대변인이며 저자가 영국 이외의 지역에 거주하는 사람들이 구독 정책과 관련하여 직면하게 된 문제점에 관해 말하자 구독 정책을 재고해 보겠다고 밝혔다. 따라서 답은 ③이다.

24-26

거주지의 분리와 권력 가진 자들이 도입하는 언어에 관한 우리의 논의를 계속 이어 가자면, 내가 보기엔 다음 탄원서의 문구에 관해 생각해 볼 필요가 있다. "도덕적이고, 독실하며, 법을 준수하는 시민의 입장에서 우리의 공동체를 폐쇄 공동체로 유지하면서 우리 자신의 공동체를 지켜야 한다는 우리의 바람은 편견에 의한 것도 아니고 차별에 의한 것도 아니다." 이 탄원서는 Levittown의 사람들이 인종 통합을 늦추고자 1957년에 발의한 탄원서이다. 주목할 만한 점은 지금 미국에서는 2차 세계 대전이 끝난 지 한참이 지났고 편견과 차별에 대응하여 사회적 제재도 이루어지고 있다는 점이다. 이 탄원서는 아니라고 주장하지만 실제로는 편견과 차별을 지지한 것이다. 다른 예를 들면 "우리는 인종 통합을 찬성하지만, 이는 어디까지나 흑인들이 자신들이 준비가 되었음을 보여 줄 때에만 가능하다." 인종 차별에 관해 말하는 것이 사람을 인종 차별주의자로 만들어 준다는 유명한 개념과 친숙한 사람들은 이러한 전략을 인식할 것이다. 이러한 주장의 형식은 새로운 것이 아니라 과거에도 있었던 오래된 것임을 이해하는 것이 중요하다. 미국 남북 전쟁 이후 노예제를 금하는 사회적 제재가 이루어졌지만, 과거 노예를 소유했던 자들이 사실상 노예제를 행한 것과 다름없던 "흑인 단속법"을 전쟁 이후 만들려 했으면서도 말로는 남북 전쟁이 실제로는 노예제에 관한 전쟁이 아니었다고 주장하는 것을 볼 수 있다.

어휘
- **segregation** ⓝ 구분, 분리
- **law-abiding** ⓐ 법을 준수하는
- **undiscriminating** ⓐ 차별하지 않는
- **integration** ⓝ 통합
- **effectively** adv 실질적으로
- **erect** ⓥ 확립하다, 만들다
- **perpetrate** ⓥ 저지르다, 자행하다
- **petition** ⓝ 진정서, 탄원서
- **unprejudiced** ⓐ 편견이 없는
- **stave off** – 늦추다, 피하다
- **sanction** ⓝ 제재, 인가
- **endorse** ⓥ 지지하다, 보증하다
- **Black Codes** – 흑인 단속법
- **humane** ⓐ 인도적인

24 본문의 주제는 무엇인가?

① 여전히 미국 전역에서 느낄 수 있는 남북 전쟁의 악영향
② 인종 차별에 반대한다고 주장하면서 실제로는 인종 차별을 자행하는 사람들
③ 노예제는 인도적이지 않다는 생각의 사회적 수용
④ 과거의 편견을 대체하는 새로운 편견

정답 ②
해설 본문은 말로는 인종 차별에 반대한다고 하면서 실제로는 인종 차별을 찬성했던 과거 사례를 제시하고 있다. 따라서 답은 ②이다.

25 본문 앞의 내용은 무엇인가?

① 인종 차별을 반대하는 탄원서
② 권력자의 집
③ 부패한 권력자
④ 주택과 관련한 인종 차별

정답 ④

해설 "거주지의 분리와 권력 가진 자들이 도입하는 언어에 관한 우리의 논의를 계속 이어 가자면(Continuing from our conversation around housing segregation and the language employed by those with power)"에서 "계속 이어간다"는 표현 때문에 본문 앞에서는 주택과 관련한 차별이 논의되었음을 유추할 수 있다. 따라서 답은 ④이다.

26 다음 중 하나를 제외하면 모두 사실이다.

① 남북 전쟁은 흑인 단속법의 통과에 대한 반응으로 일어났다.
② 과거 노예 주인들은 남북 전쟁이 노예제와 인종에 기반한 것이 아니라고 사람들이 믿게 만들려 했다.
③ 탄원서는 인종 통합에 대항하려는 의도였다.
④ 남북 전쟁을 통해 노예제에 반대하는 의견이 부상했다.

정답 ①

해설 "미국 남북 전쟁 이후 노예제를 금하는 사회적 제재가 이루어졌지만, 과거 노예를 소유했던 자들이 사실상 노예제를 행한 것과 다름없던 '흑인 단속법'을 전쟁 이후 만들려 했으면서도 말로는 남북 전쟁이 실제로는 노예제에 관한 전쟁이 아니었다고 주장하는 것을 볼 수 있다(As social sanction emerged against slavery after the Civil War, you found former slave–holders insisting that the War actually wasn't about slavery — even as they sought to erect Black Codes which effectively perpetrated slavery)." 여기서 전쟁 이후에도 흑인 단속법과 같은 조치가 만들어졌음을 알 수 있으며, 따라서 답은 이와 정반대되는 내용인 ①이다.

27-30

발레와 미식축구 선수와의 관계는 수학과 작가와의 관계와 같다. 수학은 묘한 매력이 있지만 이질적인 분야이자 금기에 가깝고, 수학이 지닌 난공불락의 성격 때문에, 실제로 수학에 매료된 두려움을 모르는 사람도 소수 존재했다. Lewis Carroll(루이스 캐롤), Thomas Pynchon(토머스 핀천), David Foster Wallace(데이비드 포스터 월리스) 등 고난도 수학에 저돌적으로 뛰어든 소수의 작가들은 가장 창의적인 문장을 구축하거나 이야기를 창조할 수 있었다.

지난 50년 동안 표준화된 시험을 치른 사람은 알겠지만, 수학과 "어학 과목"은 학교 수업 과정 대부분에서 서로 대응되는 주요한 두 축을 차지하고 있다. 두 과목 모두 문장 성분표와 구구단 같은 기본적인 것들을 기계적으로 암기하는 것에 방점을 두고 시작한다. 그러나 두 과목은 이후엔 머리를 더 복잡하게 만드는데, 영어(국어) 수업에서는 글 표면이 아닌 그 아래에 도사리고 있는 생각에 집중하고자 문법을 폐기시켰고, 수학 수업은 평범하게 흔히 쓰이는 대수학은 제외시키고 대신 넓어지는 미적분의 범위처럼 하늘 높이 치솟고 있다.

여러분이 운전을 할 수 있을 만큼의 나이가 들면, 성년 시절에 뇌의 어떤 부위를 사용할 계획인지가 결정되었을 가능성이 크고, 현대 사회에서 최소한도로 요구되는 것 이상은 필요로 하지 않을 분야를 결정하였을 가능성이 크다. 핀다로스와 뉴턴을 쉽게 인용할 수 있던 다방면의 지식을 가진 학자의 시대는 이미 오래 전에 끝났다. 1940년대에 캠브리지 대학의 수학자인 G. H. Hardy(하디)는 "수학자가 드리는 사과문"에서 어쩌면 수학이란 과목이 지닌 미학적 가치에 관해 가장 유창한 변명을 한 바 있다. "대부분의 사람들은 수학이란 이름만 들어도 겁을 내서 너무나 자연스럽게 수학이 지닌 어리석음마저도 과장할 준비가 되어 있다."

어휘 **what A is to B, C is to D** – A와 B와의 관계는 C와 D와의 관계와 같다

discipline ⓝ 분야, 학과목
intrepid ⓐ 용맹무쌍한, 두려움을 모르는
impregnability ⓝ 난공불락, 견고
headlong adv 저돌적으로
parallel ⓐ 서로 일치하는, 대응되는
heady ⓐ 어지러운, 흥분시키는
textual ⓐ 원문의, 본문의
earthbound ⓐ 평범한, 세속적인
eloquent ⓐ 유창한, 설득력 있는
unaffectedly adv 영향을 받지 않고, 자연스럽게
avenue ⓝ 수단, 방안
rear ⓥ 키우다, 기르다
go by the name of – ~라는 이름으로 통하다
embellish ⓥ 이야기를 꾸미다, 포장해서 말하다
quiver ⓥ 떨다
appreciate ⓥ 진가를 알아보다
beguiling ⓐ 묘한 매력이 있는
by virtue of – ~ 덕분에, ~에 의해서
venture into – 위험을 무릅쓰고 과감히 뛰어들다
standardized ⓐ 표준화된
rote memorization – 기계적 암기
lurk ⓥ 숨어 있다, 도사리다
leave off – 빼먹다, 제외하다
catholic ⓐ 폭넓은, 다방면의
aesthetic ⓐ 미학적인
commemorate ⓥ 기념하다
whereby adv (그것에 의하여) ~하는
get behind the wheel – 운전하다
ferocious ⓐ 흉포한, 맹렬한
ardent ⓐ 열렬한, 열정적인
undervalued ⓐ 저평가된

구문 정리 What ballet is to football players, mathematics is to writers, a discipline so beguiling and foreign, so close to a taboo, that it actually attracts a few intrepid souls by virtue of its impregnability.
발레와 미식축구 선수와의 관계는 수학과 작가와의 관계와 같다. 수학은 묘한 매력이 있지만 이질적인 분야이자 금기에 가깝고, 수학이 지닌 난공불락의 성격 때문에, 실제로 수학에 매료된 두려움을 모르는 사람도 소수 존재했다.

구조 분석 What ballet is to football players, mathematics is to writers, / a discipline (so beguiling (a) and foreign (a), so close (a) to a taboo (부사구),) that it (S') actually attracts (V') a few intrepid souls (O') (by virtue of its impregnability.) (부사구)

동격: mathematics — a discipline

what C is to D, A is to B : A와 B에 대한 관계는 C와 D에 대한 관계와 같다

so ~ that S + V → 너무나 ~해서 S + V하다

by virtue of : ~ 덕분에, ~라는 이유로

27 첫 단락의 목적은 무엇인가?

① 작품 속에 수학적 지식을 드러낸 작가들을 기념하는 운동을 개시하기 위해
② 서로 상반되는 것들은 각자 멀리 떨어져 있지만, 결합될 경우 뭔가 대단한 것을 만들어 낸다는 점을 설명하기 위해
③ 약간의 노력을 통해 두 가지 학습방안을 따를 수 있도록 뇌를 훈련하는 것이 어떻게 가능할지를 보여주기 위해
④ 문학과 과학 간의 격차를 좁히기 위한 시도에 걸맞은 것으로 보이는 것들을 축하하기 위해

정답 ②

해설 본문에서는 수학과 어학이 서로 정반대되는 관계에 있지만 루이스캐롤처럼 정반대되는 것을 조합한 사람은 가장 창의적인 문장이라는 시너지 효과를 창출했다고 말하고 있다. 보기 중에서 이에 해당되는 것은 ②이다.

28 다음 중 밑줄 친 부분을 패러프레이즈한 것은 무엇인가?

① 성년이 되면 새로운 것을 더 배울 수 있도록 뇌가 변해야 함에도 그렇지 않는 상태에 이르게 된다.
② 운전을 할 수 있는 나이가 될 때까지 키워 준 사회에 최소한이라도 보답을 하고 싶다면 뇌를 향상시키라.
③ 운전이 가능할 수 있을 만큼 책임감이 있는 것으로 생각될 경우, 인생에 관한 결정을 스스로 내릴 수 있을 만큼 책임감이 있는 것이다.
④ 어른이 되면 뇌가 수학을 다루는 것이 편안한지 언어를 다루는 것이 편안한지를 선택하게 된다.

정답 ④

해설 밑줄 친 부분은 "여러분이 운전을 할 수 있을 만큼의 나이가 들면, 성년 시절에 뇌의 어떤 부위를 사용할 계획인지가 결정되었을 가능성이 크고, 현대 사회에서 최소한도로 요구되는 것 이상은 필요로 하지 않을 분야를 결정하였을 가능성이 크다"로 해석되며, 이는 즉 "어느 정도 나이를 먹으면, 뇌의 어느 부위 즉 본문의 사례를 들면 수학인지 언어인지를 주로 쓰게 될 것인지 결정하게 되고, 안 쓰는 부위는 사회가 요구하는 최소한도의 수준만 만족하는 데 그치게 된다"이다. 보기 중에서 이에 해당되는 것은 ④이다.

29 다음 중 G. H. Hardy가 한 말을 요약한 것은 무엇인가?

① 만일 수학이 다른 이름으로 통용되었을 경우 그 흉포한 명성을 잃게 되었을 것이다.
② 실제로 수학을 하는 것보다 수학에 대해 품은 생각이 더 두렵게 여겨진다.
③ 수학을 편하게 대하는 사람들은 다른 사람들을 겁주기 위해 수학의 난이도를 포장해서 말한다.
④ 수학은 수학의 가장 열렬한 추종자마저 두려움에 떨게 만들 수 있다.

정답 ②

해설 G. H. Hardy의 말은 "대부분의 사람들은 수학이란 이름만 들어도 겁을 내서 너무나 자연스럽게 수학이 지닌 어리석음마저도 과장할 준비가 되어 있다(most people are so frightened of the name of mathematics that they are ready, quite unaffectedly, to exaggerate their own mathematical stupidity)"이며, 이는 "수학 그 자체가 두렵기보다 수학 하면 떠오르는 것이 더 두렵게 느껴지기도 한다"는 의미이다. 보기 중에서 이와 의미상 가장 가까운 것은 실제보다 생각이 더 무섭다는 의미에서 ②이다.

30 본문에 따르면 Lewis Carroll, Thomas Pynchon, David Foster Wallace등이 공통적으로 보유한 것은 무엇인가?

① 글쓰기와 수학에 관한 이들의 능력이 처음에는 동료들로부터 저평가를 받았고 나중에야 진가를 알아보게 되었다.
② 모두 궁극적으로는 자신들을 유명하게 만들어 준 경력과는 다른 경력을 추구하기를 원했다.
③ 겉보기와는 완전히 다르게 이들 중 누구도 수학을 정식으로 배운 적 없었다.
④ 이들은 수학과 글쓰기를 매우 성공적으로 결합해 왔다.

정답 ④

해설 이 세 사람은 "고난도 수학에 저돌적으로 뛰어든 소수의 작가들은 가장 창의적인 문장을 구축하거나 이야기를 창조할 수 있었다(The few writers who have ventured headlong into high-level mathematics have been among our most inventive in both the sentences they construct and the stories they create)." 즉 수학적 지식이 문장의 창의성에 도움을 준 것이며 이는 수학과 언어의 성공적 결합이라 할 수 있다. 따라서 답은 ④이다.

13 Practice Test 정답 및 해설

01	②	02	③	03	①	04	①	05	④	06	③	07	③	08	④	09	①	10	②
11	②	12	③	13	③	14	①	15	④	16	②	17	①	18	①	19	①	20	②
21	④	22	③	23	①	24	①	25	③	26	④	27	③	28	②	29	③	30	①

01-03

"프랑스어 할 줄 아세요(Parlez vous Français)?" "스페인어 할 줄 아세요(Habla Español)?" "독일어 할 줄 아세요(Sprechen sie Deutsch)?" 외국어를 익히려고 한 적은 있는지? 그렇다면 외국어를 배운다는 것은 뇌를 문장으로 이루어진 프레첼처럼 비비 꼬이게 하는 외국어의 문법 구조를 이해하려는 정신적 체조와 같은 것이라고 생각이 드는가? 자, 여러분이 영어만 할 줄 아는데 광둥어만 이해할 수 있는 사람과 만나는 경우를 생각해 보자. 말로는 메시지를 전달할 수 없으니 무슨 행동을 할까? 마임의 기술을 최대한 이끌어 낸 다음에 몸짓을 활용할 것인가? 그렇게 하면 당장 필요한 것이나 기분은 전할 수 있겠지만, 그 외는 불가능할 것이다.

여기서 언어와 의사소통의 차이가 발생하는 것이다. 인간의 언어는 신체를 통한 의사소통보다 훨씬 더 복잡한 표현법이다. 수많은 단어를 자유자재로 사용할 수 있는 것과는 별개로 추가적인 효과를 내기 위해 어조나 말의 높낮이를 조절할 수 있다. 여러분이 배고픔을 표현하기 위해 "배고파 죽겠다!"고 외칠 때와 이와 비교해 조용히 배를 문지를 때 사람들이 보이는 반응의 차이를 비교해 보라. 이렇게 미묘한 점에서 복잡한 덕분에 저명한 언어학자 노엄 촘스키를 포함한 여러 사람들은 언어는 나머지 동물과 인간을 구분 짓는 인간만의 독특한 특성이라고 선언했다.

어휘
- **pick up** – (습관 · 재주 등을) 익히게 되다
- **syntactical** ⓐ 구문의, 문장과 관련한
- **dredge up** – (추억을) 일깨우다, 기억해 내다
- **tone** ⓝ 어조
- **famished** ⓐ 배가 고파 죽을 지경인
- **trait** ⓝ 특성
- **gymnastics** ⓝ 체조
- **mandarin Chinese** – 광둥어
- **at one's disposal** – ~의 마음대로 이용할 수 있게
- **pitch** ⓝ 말의 높낮이
- **intricacy** ⓝ 복잡한 상황, 복잡함

---

01 저자는 노엄 촘스키가 어떤 생각을 갖고 있다고 말하는가?

① 인간은 언어를 통해 자신의 성격을 드러낸다.
② 인간은 스스로를 표현하기 위해 언어를 사용한다는 점에서 동물과 구분된다.
③ 사람이 스스로를 표현하기 위해 선택하는 말은 사람의 감정에 관해 많은 것을 말한다.
④ 동물은 인간으로부터 언어를 배우지만 여전히 인간의 세계보다 훨씬 많이 뒤떨어져 있다.

정답 ②

해설 "인간의 언어는 신체를 통한 의사소통보다 훨씬 더 복잡한 표현법이다(Human language is a far more complex expression than physical communication)." "저명한 언어학자 노엄 촘스키를 포함한 여러 사람들은 언어는 나머지 동물과 인간을 구분 짓는 인간만의 독특한 특성이라고 선언했다(people, including renowned linguist Noam Chomsky, have declared that language is a uniquely human trait that separates us from the rest of the animal world)." 이 두 가지 요소를 조합해 보면 답은 ②임을 알 수 있다.

02 본문은 무엇에 관한 글인가?

① 다른 사람과 의사소통을 나누기 위해 새로운 언어를 배우는 일의 까다로움
② 몸짓 언어를 통해 자신의 감정을 정확하게 나타내는 인간의 능력
③ 신체적 의사소통보다 자신이 말하고자 하는 바를 표현할 때 언어를 통하는 것에 더 큰 혜택
④ 인간에게 스스로를 더 잘 표현할 수 있는 능력을 주는 언어

정답 ③

해설 "마임의 기술을 최대한 이끌어 낸 다음에 몸짓을 활용할 것인가? 그렇게 하면 당장 필요한 것이나 기분은 전할 수 있겠지만, 그 외는 불가능할 것이다(Dredge up your best miming skills and use gestures? With that, you may be able to communicate your immediate needs and emotions, but little else)." "인간의 언어는 신체를 통한 의사소통보다 훨씬 더 복잡한 표현법이다" "수많은 단어를 자유자재로 사용할 수 있는 것과는 별개로 추가적인 효과를 내기 위해 어조나 말의 높낮이를 조절할 수 있다(Aside from having millions of words at your disposal, you also have tone and pitch for added effect)" 등을 보면 단순히 몸짓을 통한 신체적 의사소통보다 언어를 통한 의사소통이 더 복잡하고 세밀한 내용을 전달할 수 있음을 알 수 있다. 따라서 답은 ③이다.

03 빈칸에 들어갈 가장 알맞은 것은 무엇인가?

① 여기서 언어와 의사소통의 차이가 발생하는 것이다.
② 언어와 의사소통 간의 차이는 무엇인가?
③ '언어'와 '의사소통' 간의 관계를 문제로 보는 것에서부터 시작하자.
④ 언어와 의사소통을 구분하는 것이 중요하다.

정답 ①

해설 빈칸을 기준으로 앞에서는 신체 언어를 통한 단순한 의사소통에 관해 말하고 있으며 뒤에서는 어조와 높낮이 같은 여러 요소를 활용해 복잡하면서 세부적인 내용을 전달하는 언어에 관해 말하고 있다. 따라서 빈칸에는 이러한 차이점을 언급하는 내용이 나와야 할 것이다. 따라서 답은 ①이다. 참고로 ②나 ④가 답이 되려면 빈칸 다음에 언어와 의사소통에 관한 사항이 같이 등장해야 하는데, 본문에서는 빈칸 앞에서 의사소통에 관한 사항이 나오기 때문에 ②와 ④가 답이 될 수 없는 것이다.

04-06

수많은 운전자들의 입장에서 탁 트인 길은 "접촉 사고(fender bender)"로 알려진 사건이 벌어질 가능성이 가장 큰 주차장, 진입로, 교차로 같은 장소만큼 위험하지는 않다. 접촉 사고는 보통 연루된 차량에 사소한 피해를 입히는 사소한 사고이지만, 차량의 주인 입장에서는 여전히 큰 문제이다. 대부분의 자동차 보험사에서는 접촉 사고로 인한 손상 및 부상을 보장하지만, 사소한 사고라도 소식이 들리면 그 이후에 운전자의 자동차 보험료를 인상할 권리 또한 지니고 있다. 이러한 이유로 운전자 차원에서 접촉 사고 비용을 자체적으로 처리하는 것이 특이한 경우는 아니다.
접촉 사고가 이런 이름을 갖게 된 것은 일반적인 사고 상황에서 펜더(fender)가 피해의 대부분을 받기 때문이다. 예를 들어 교차로에서 갑자기 운전자가 차를 멈추면 다른 운전자가 뒤범퍼나 트렁크를 들이받게 된다. 다른 운전자가 다가오는 차량들을 살피지 않고 차도를 벗어나려 할 수 있는데, 이것이 다른 운전자들에게 위험을 가져다 줄 수 있다. 그 결과 조수석에 저속 충돌이 발생할 수 있다. 접촉 사고 유형의 차 사고는 대형 주차장에서도 발생할 수 있는데, 자동차들이 최적의 위치를 점유하기 위해 경쟁하거나 운전자가 주의를 기울이지 않다가 잘못된 방향으로 움직였기 때문이다.
좋은 소식은 접촉 사고로 큰 부상이나 손상을 입을 경우는 거의 없다는 점이지만, 나쁜 소식은 대부분의 보험사에서는 크든 작든 모든 사고는 신고가 이루어져야 한다고 요구한다는 점이다. 이는 즉 일반적으로는 접촉 사고가 신고된 현장에 경찰관이 등장한 다음 관련 사고 및 운전자에 관해 관찰한 모든 사항을 기록해야 한다는 의미이다. 나중에 법적 주장을 뒷받침하기 위해 운전자 측에서 손상 정도와 차량의 위치를 촬영하기도 한다. 보험 회사에서 결국에는 수리 비용과 요구된 치료 비용을 감당하겠지만, 접촉 사고로 인해 발생하는 다른 법적인 문제가 가끔 생겨날 수도 있다.

어휘
treacherous ⓐ 신뢰할 수 없는, 위험한
intersection ⓝ 교차로
insurance agency – 보험사
passenger side – 조수석
inattentive ⓐ 주의를 기울이지 않는
dent ⓝ 찌그러진 곳
driveway ⓝ 진입로
fender bender – 가벼운 자동차 사고, 접촉 사고
premium ⓝ 보험료
jostle for – ~을 두고 경쟁하다
bolster ⓥ 강화하다, 뒷받침하다
get bent out of shape – 화내다

04 본문에 따르면 사람들이 접촉 사고가 났을 때 보험회사를 피하는 이유가 무엇인가?

① 보험료가 오르는 위험을 무릅쓰고 싶지 않기 때문이다
② 누구에게 사고의 책임이 있는지 보험회사에서 결정할 것에 두려움을 느끼기 때문이다
③ 경찰에 반감을 갖기 때문이다
④ 아무에게도 경찰과 보험회사 직원을 기다릴 시간이 없기 때문이다

정답 ①
해설 보험사는 "사소한 사고라도 소식이 들리면 그 이후에 운전자의 자동차 보험료를 인상할 권리 또한 지니고 있다(also have the right to raise a driver's premiums following the report of even a minor accident)." 따라서 사람들은 접촉 사고가 나면 보험료가 오르는 사태를 막고 싶으므로 보험사에 알리지 않고 합의를 보려 할 것이다. 그러므로 답은 ①이다.

05 본문에 따르면 다음 중 옳지 않은 것은 무엇인가?

① 법적인 이유로 사고 현장에서 사진을 찍는다.
② 사고가 보고될 경우 경찰이 관여해야 한다.
③ 접촉 사고는 발생할 경우 주차장에서 벌어질 가능성이 매우 크다.
④ 경찰은 이런 사소한 사고를 처리해야 한다는 것을 싫어하므로 사람들이 개인적으로 사고를 처리한다.

정답 ④

해설 "접촉 사고가 신고된 현장에 경찰관이 등장한 다음 관련 사고 및 운전자에 관해 관찰한 모든 사항을 기록해야 한다(a police officer must come to the scene of a reported fender bender and document all that he or she observes about the accident and drivers involved)"는 ①과 ②에 관련된 사항이고 본문의 "접촉 사고(fender bender)로 알려진 사건이 벌어질 가능성이 가장 큰 주차장, 진입로, 교차로(parking lots, driveways or intersections, for these places are where the event known as a "fender bender" is most likely to occur)"는 ③에 해당하는 사항이다. 하지만 ④는 본문 어디에도 관련된 사항이 존재하지 않는다. 따라서 ④가 답이 된다.

06 본문에 따르면 이러한 유형의 사고가 "접촉 사고"라 불리는 이유는 무엇인가?

① 사람들이 사고 후 자기 차의 펜더를 구부리기 때문에
② 사람들이 사고가 벌어지면 화를 내기 때문에
③ 이러한 사고는 주로 차량의 범퍼 부근에서 벌어지기 때문에
④ 이러한 사고는 차량이 서로 접촉할 수 있는 부위에서만 거의 항상 벌어지기 때문에

정답 ③

해설 "접촉 사고가 이런 이름을 갖게 된 것은 일반적인 사고 상황에서 펜더(fender)가 피해의 대부분을 받기 때문이다(A fender bender is so named because the fenders often receive the bulk of the damage in typical accident scenarios)." 따라서 답은 ③이다.

07-10

GE, 구글, IBM, 존슨앤드존슨, 네슬레, 유니레버, 월마트 같이 사업에 냉철한 접근법을 취하는 것으로 알려진 기업들 가운데 점차 많은 수가 사회와 기업 실적 간의 교차 지점을 다시금 고안하는 방식을 통해 공유 가치를 창조한다는 중요한 움직임에 이미 착수한 상태이다. 하지만 공유 가치가 함유한 변혁의 힘에 관한 우리의 인식은 여전히 초창기에 불과하다. 변혁의 힘을 인식하려면 지도자와 관리자가 새로운 기술과 지식을 개발해야 하며, 여기엔 사회가 필요로 하는 것을 훨씬 깊숙이 이해하는 일, 기업 생산성의 진정한 근원이 무엇인지를 더욱 폭넓게 이해하는 일, 영리와 비영리의 경계를 넘나들며 협력할 수 있는 능력 등이 있다. 그리고 정부는 반드시 공유 가치에 반하는 것이 아닌 공유 가치를 가능케 하는 방향으로 규제를 하는 방법을 배워야 한다.

자본주의는 인간의 욕구 충족, 효율성 향상, 일자리 창출, 부의 증진 등을 위한 더 없이 좋은 수단이다. 하지만 자본주의를 좁은 개념에서 인지한 탓에 기업들이 사회의 더 광범위한 도전 과제에 대처할 수 있는 가능성을 전적으로 활용할 수 있는 길이 막혔다. 이런 기회는 오랫동안 내내 존재해 왔지만 간과되어 왔다. 기업이 자선 공여자로서가 아니라 기업답게 활동하는 것이 우리가 직면한 긴급한 문제를 해결하는 가장 강력한 힘이다. 지금이야말로 자본주의를 새로이 이해할 시기이다. 사회의 요구는 거대하면서 점차 증가 중에 있으며, 그 와중에 소비자, 고용인, 새로운 세대의 젊은이 등은 기업으로 하여금 점차 조치를 강화할 것을 요구하고 있다.
기업의 목적은 영리 그 자체가 아니라 공유 가치를 재정의하는 것이어야 한다. 이는 세계 경제에서 혁신과 생산성이 다시금 파도처럼 급증하게 할 것이다. 또한 자본주의를 재구성하고 자본주의와 사회와의 관계를 재정의할 것이다. 다른 것보다 아마 가장 중요한 것은 공유 가치를 생성하는 방법을 습득하는 것은 바로 기업의 정당화를 위한 최고의 기회라는 점이다.

13

어휘
hard-nosed ⓐ 냉철한
shared value – 공유 가치
genesis ⓝ 기원, 초창기
conception ⓝ 이해
overlook ⓥ 간과하다
donor ⓝ 공여자, 기부자
step up – 증가하다, 강화하다
reshape ⓥ 재구성하다
best interests – 최선의 이익
disseminate ⓥ 퍼뜨리다, 전파하다
long-held ⓐ 오랫동안 간직한
catch up – 따라잡다
reliant on – ~에 의존하는
embark on – ~에 착수하다
reconceive ⓥ 다시 고안하다, 다시 생각하다
unparalleled ⓐ 더 없이 좋은, 비할 데 없는
harness ⓥ 이용하다, 활용하다
charitable ⓐ 자선의
pressing ⓐ 긴급한
per se – 그 자체
legitimize ⓥ 정당화하다
have ~ at heart – ~을 염두에 두다
take over – 장악하다
uphill ⓐ 힘겨운
identify A with B – A와 B를 동일시하다
strong position – 유리한 위치

07 본문의 목적은 무엇인가?

① 사람들에게 자본주의는 언제나 사회의 최선의 이익을 염두에 두어 왔고 앞으로도 항상 그럴 것임을 보여 주기
② 더 많은 사람들에게 사회의 문제를 해결하기 위해 노력하는 기업을 위해 일하도록 권장하기
③ 사람들에게 자본주의에 관해 새로운 시각을 갖고 기업의 또 다른 미래를 고려하도록 격려하기
④ 사회를 장악하게 될 새로운 유형의 자본주의에 관한 정보를 전파하기

정답 ③
해설 본문은 이윤 추구에 집중하는 과거 자본주의 방식에서 벗어나 “공유 가치”를 창조하는 새로운 자본주의의 개념을 받아들여 “혁신과 생산성이 다시금 파도처럼 급증하게(the next wave of innovation and productivity growth)” 만들고 “자본주의를 재구성하고 자본주의와 사회와의 관계를 재정의(reshape capitalism and its relationship to society)”할 것을 주장한다. 따라서 답은 ③이다.

08 본문에 따르면 다음 중 맞지 않은 것은 무엇인가?

① 자본주의의 미래는 사회의 선을 위해 함께하는 기업에 달려 있다.
② 자본주의에 대한 잘못된 이해로 인해 자본주의가 실제로는 할 수 있는 선한 행위가 불가능해졌다.
③ 새로운 유형의 자본주의가 성공하려면 오랫동안 간직해 온 생각을 다시 고려해야 할 필요가 있다.
④ 자본주의의 원래 개념을 쟁취하기 위한 투쟁이 있을 것이고 원래 개념이 다시 번성할 것이다.

정답 ④
해설 본문은 자본주의의 기존 개념에서 벗어나 새로운 개념을 받아들일 것을 주장하고 있지 기존의 개념을 다시 받아들여야 한다는 투쟁에 관해서 그리고 기존 개념이 다시 유행할 것이라는 점은 언급된 바 없다. 따라서 답은 ④이다.

09 본문에서 유추할 수 있는 것은 무엇인가?

① 사회는 자본주의에 대한 지식과 자본주의가 우리에게 해 줄 수 있는 것을 재평가할 필요가 있다.
② 대기업은 자본주의를 파괴하려는 정부와의 힘겨운 투쟁에 직면하고 있다.
③ 사회는 누군가에게 자신들을 돌봐 주도록 허용하기 전에 스스로를 돌보는 법을 배울 필요가 있다.
④ 사회는 자본주의가 어떻게 기능하는지를 이해하지만 권력을 가진 이들은 이를 따라잡을 필요가 있다.

정답 ①
해설 본문은 “좁은 개념(narrow conception)”에서 자본주의를 인지하기보다 “자본주의를 새로이 이해(new conception of capitalism)”할 것을 주장하며, 자본주의와 사회와의 관계를 재정의하여 자본주의가 사회의 요구에 어떤 일을 할 수 있을지 다시 고려할 것을 주장한다. 따라서 답은 ①이다.

10 다음 중 밑줄 친 부분과 닮은 것은 무엇인가?

① 기업은 단지 이득을 거두는 동안에는 사회가 스스로와 동일시하고픈 존재가 더 이상은 아니다.
② 기업은 사회로부터 이득을 거두는 대신에 사회와 상호 의존하는 존재가 되어야 한다.
③ 기업의 목적을 정의할 경우 기업이 이득을 거두는 대상인 사회에 있어 기업이 어떤 가치를 지니는지 증명하는 것은 기업에 달려 있다.
④ 성공을 위해 기업에 의존하는 것은 기업 입장에서 유리한 위치에 있다고는 할 수 없는 것이다.

정답 ②
해설 밑줄 친 부분은 “기업의 목적은 영리 그 자체가 아니라 공유 가치를 재정의하는 것이어야 한다”로 해석 가능하며, “공유 가치”를 재정의해야 한다는 것은 즉 사회와 자본주의가 서로 가치를 공유하여 서로를 의존하는 관계가 되어야 한다는 의미이다. 따라서 답은 ②이다.

11-13

반 이상의 가정에서 학생들은 교육을 "가정 문제"로 여긴다고 말했고, 이로 인해 가정 내에서 빈번하게 갈등과 긴장이 야기된다. 교육 관련 또 다른 갈등 유발 영역은 부모가 학교에서 자녀의 "실패"에 화를 내거나 소리를 지르는 등 매우 격한 감정적인 반응을 보일 경우가 종종 있다는 것이다. 또 다른 흔한 갈등 요인으로는 부모가 성적이 뛰어난 다른 집 아이와 자신의 아이를 비교하는 일로, 학생들은 자신들이 더 좋은 성적을 내도록 동기를 부여하기 위해 부모가 종종 이런 종류의 비교를 하는 것이라 인식하고는 있지만 종종 그 반대의 효과를 낳기도 한다는 것을 시인한다.
친의 말에 따르면 이보다 더 우려되는 것은 많은 아이들 입장에서 이렇게 계속해서 비교당하는 일은 자존감에 문제를 야기하거나 심지어 우울증으로 이어진다는 것이다. 부모가 지속적으로 행한 비교와 압박이 견딜 수 없을 지경이 되어 자신의 정신 건강에 매우 부정적인 영향을 주었다고 보고한 밍의 경우를 살펴보자. "마치 아무것도 해낼 수 없다는 기분이 들고요. 그러니까, 보통 부모님이 절 가르쳐 주시고 나면, 마치, 제가, 마치 항상, 자존감이 낮은 것은 그나마 제가 영향을 가장 적게 받은 정도라 할 수 있고요, 하지만 최악의 것은, 그러니까 우울증 같은 거죠. 마치 더 이상 아무것도 할 수 없는 것 같아요."

어휘
- **friction** ⓝ 마찰, 갈등
- **constant** ⓐ 지속적인
- **self-esteem** ⓝ 자존감, 자부심
- **unbearable** ⓐ 견딜 수 없는
- **positive reinforcement** 긍정적 강화; 바람직한 행동을 할 때마다 보상을 주어 그 행동의 발생을 증가시키는 방법
- **shortcomings** ⓝ 결점, 단점
- **lecture** ⓥ 잔소리하다, 설교하다
- **resentment** ⓝ 분함, 억울함

11 본문에서 부모를 상대로 어떤 조언을 도출할 수 있겠는가?

① 자녀들에게 하고 싶은 것을 하게 허용하라.
② 자녀들에게 긍정적 강화를 제공하라.
③ 자녀에게 화를 낸 다음 언제나 사과하라.
④ 자녀의 학교 성적이 좋지 않다면 자녀에게 우울증이 있는 것은 아닌지 인식하라.

정답 ②
해설 본문은 자녀를 자극하여 더 좋은 결과를 얻게 하려고 하는 행동이 오히려 부정적인 영향을 자녀에게 주고 심하면 자녀가 우울증에 걸리기까지 한다는 점을 언급한다. 즉 다른 아이와의 비교를 통한 부정적 영향이 아닌 긍정적 영향을 자녀에게 줘야 한다는 것이다. 따라서 답은 ②이다.

12 본문에 따르면 다음 중 옳은 것은 무엇인가?

① 자녀는 언제든지 부모로부터 일단 동기를 부여받게 되면 동기를 부여하기 위한 기술에 어떤 차이가 있든지 관계없이 더 잘하게 된다.
② 소리 지르는 것 말고는 자녀에게 의사를 전달하는 방법이 거의 없다.
③ 교육과 관련한 단점은 부모와 자녀간의 갈등 대부분의 원인이 된다.
④ 자녀에게 소리를 지르는 것은 자녀가 부모의 말을 거의 듣지 않으므로 거의 효과가 없다.

정답 ③

해설 본문은 자녀의 교육과 관련해 자녀를 압박하거나 비교하는 등의 행위가 자녀에게 부정적인 영향을 주고 부모 자식 간의 갈등을 유발한다는 내용을 담고 있다. 따라서 답은 ③이다.

13 본문의 주제는 무엇인가?

① 자녀는 부모에게 꾸중을 듣기 싫어한다.
② 대부분의 부모는 자신이 아는 최선의 방식으로 일을 한다.
③ 많은 부모에게 도움이 되려고 하는 일들이 이들의 자녀의 교육에 해를 끼친다.
④ 교육은 아이에게 해를 미칠 정도로 중요한 것이 되어서는 안 된다.

정답 ③

해설 본문은 부모가 자녀의 학업 성취를 높이고 동기를 부여하기 위해 하는 행위가 오히려 자녀의 교육에 악영향을 주고 있음을 말하고 있다. 따라서 답은 ③이다.

14-15

미국이 경제 대공황으로부터 벗어날 수 있도록 도와줄 수 있는 프로그램을 개발하는 과정에서 루즈벨트 대통령은 또한 미국인들의 두려움을 가라앉히고 자신감을 회복시켜야 했고, NRA를 포함한 뉴딜 정책의 프로그램에 대한 지지를 확보해야 했다. 이를 완수하기 위해 루즈벨트 대통령이 취한 방법 중 하나는 미국인들에게 다가갈 수 있는 가장 직접적인 방법이었던 라디오를 활용한 방법이었다. 1930년대에 거의 모든 가정은 라디오를 갖추고 있었고, 보통 식구들은 하루에 몇 시간 동안 함께 모여 앉아 좋아하는 프로그램을 들으며 보내곤 했다. 루즈벨트는 대중의 관심을 불러일으킬 만한 주제에 관해 논하던 자신의 라디오 담화를 "노변정담"이라 불렀다. 편안하고 느긋한 분위기의 그의 말은 미국인들에게 마치 대통령이 직접 자신들에게 말을 하는 듯한 느낌을 주었다. 루즈벨트는 미국인들의 두려움과 근심을 해결할 뿐 아니라 미국 정부가 취한 처지와 행동에 관해 국민들에게 말해 주고자 대통령 임기 동안 노변정담을 계속 활용했다.

어휘 **presidency** ⓝ 대통령 임기[직]
subconsciously (adv) 잠재의식 상태에서
suppress ⓥ 진압하다, 억압하다
deliberately (adv) 의도적으로, 계획적으로
smear ⓥ 중상하다, 비방하다

14 루즈벨트는 자신의 대통령직을 강화하기 위해 라디오를 어떻게 이용했는가?

① 그는 사람들로 하여금 대통령이 자신들에게 직접 말하는 것과 같은 느낌이 들게 하였고, 사람들의 근심거리를 다루어 주였고, 국민들과 함께했다.
② 그는 의도적으로 그리고 잠재의식 상태에서 청취자들이 자신을 더욱 지지하게 만드는 쇼를 방송하기 위해 라디오를 사용했다.
③ 그는 라디오가 사람들에게 중요한 문제에 관해 가르치는 방식을 통해 사람들의 무료 교육을 지지하기로 서약했다.
④ 그는 자신의 반대파가 자신을 중상하기 위해 사용하는 것들에 관해 라디오에서 말했고 청취자들에게 험담에 맞설 것을 권장한다.

정답 ①

해설 "편안하고 느긋한 분위기의 그의 말은 미국인들에게 마치 대통령이 직접 자신들에게 말을 하는 듯한 느낌을 주었다. 루즈벨트는 미국인들의 두려움과 근심을 해결할 뿐 아니라 미국 정부가 취한 처지와 행동에 관해 국민들에게 말해 주고자 대통령 임기 동안 노변정담을 계속 활용했다(Informal and relaxed, the talks made Americans feel as if President Roosevelt was talking directly to them. Roosevelt continued to use fireside chats throughout his presidency to address the fears and concerns of the American people as well as to inform them of the positions and actions taken by the U.S. government)." 즉 루즈벨트는 노변정담을 통해 국민들에게 가까이 다가가 그들의 근심을 덜어 주려 했던 것이다. 따라서 답은 ①이다.

15 다음 중 빈칸에 가장 알맞은 것은 무엇인가?

① 자신에 관한 선전을 활용하기 위해
② 공산주의자들을 억압하기 위해
③ 국민들을 상대하기 위해
④ 두려움을 가라앉히기 위해

정답 ④

해설 보기를 빈칸에 대입했을 때 루즈벨트가 노변정담을 통해 "미국인들의 두려움과 근심을 해결"해 주었다는 내용과 가장 부합되는 것은 ④이다.

16-17

저명한 인물은 마지막 숨을 내쉬는 순간에도 특별한 유언을 해야 한다. 그는 종잇조각에 유언을 적은 다음에 친구들에게 평가를 받아야 한다. 그는 자신의 삶에 마지막이 다가올 때까지는 그런 특별한 것을 미뤄둬서는 안 되고, 최후의 숨을 내뱉으면서 장엄하게 영원의 세계로 떠날 수 있게 마지막 순간에 도와줄 지적인 영혼을 신뢰해서는 안 된다. 절대 안 된다. 그런 최후의 순간에 인간은 의지가 되기엔 몸과 마음이 너무 기진맥진해지고 진이 다 빠지기 쉽다. 그리고 어쩌면 그를 구원하기 위해 그가 말하고 싶은 바로 그 내용을 생각해 내지 못할 수도 있다. 그리고 주변에 눈물짓고 있는 친구들이 성가시게 하는 것은 차치하고서라도, 더 안 좋은 것은 거의 틀림없이 그는 자신이 예상하는 것보다 먼저 최후의 숨을 내뱉어야 할지 모른다는 점이다. 사람은 그런 상황에서 해야 할 멋진 말을 항상 생각해 낼 수 있는 것은 아니고, 따라서 그런 말을 미루는 것은 순전히 자기중심적인 허세일 뿐이다. 한 사람이 자신의 마지막 순간을 준비되지 못한 상태에서 맞이했음에도 좋은 말을 남긴 것이 기록된 경우는 거의 없고, 마지막 순간까지 그럴 것이라 믿어진 사람이 심각한 실수를 저질러 황망하게 세상을 떠나지 않은 경우는 거의 없다.

어휘
distinguished ⓐ 저명한
exhausted ⓐ 진 빠진
natty ⓐ 산뜻한, 멋진
ostentation ⓝ 허세
attend to – 처리하다, 돌보다
fagged ⓐ 기진맥진한
as likely as not – 거의, 틀림없이, 십중팔구
egoistic ⓐ 이기적인
botch ⓝ 실수
well-deserved ⓐ 충분한 자격이 있는

16 저자는 (사람이) 마지막 말을 준비하는 것을 미루는 것에 대해 뭐라 하는가?

① 처리해야 할 많은 다른 문제들이 있으므로 미루는 것이 좋다.
② 당신은 마지막 말을 준비해 두지 않아도 된다고 생각하는 것은 자신을 과대평가하는 것이다.
③ 사람이 할 수 있는 가장 부적절한 것이다.
④ 당신의 마지막 말을 듣고자 모인 사람들에게 다소 사려 깊지 못한 것이다.

정답 ②
해설 사람은 마지막 임종의 상황에서 해야 할 멋진 말을 항상 생각해 내는 것은 아니므로, 그런 말을 미루는 것은 순전히 자기중심적인 허세일 뿐이다. 즉 자신에 대한 과대평가일 뿐이다.

17 이 글의 제목은 무엇인가?

① 위대한 사람들의 마지막 유언
② 죽기 전에 해야 할 최고의 것
③ 최후의 날에 대비해 어떻게 준비하는 것이 최선인지
④ 충분한 자격이 있는 사후세계로의 행로

정답 ①
해설 위대한 사람들은 마지막 죽는 순간에도 특별한 유언을 해야 한다는 내용을 담은 Mark Twain의 글이며, 정답은 ①이다.

18-20

과일과 채소를 먹으라고 수년간 말해 온 기업들이 점차 우리에게 얼굴에 농산물을 바르라고 제안하고 있다. 사과 아이크림에서 라즈베리 세럼에 이르기까지 피부 관리 제품에 자연 식품 성분이 들어가고 있으며, 여기에 덧붙여 이들 제품을 사용하면 붓기가 빠지거나, 홍조가 가시거나, 주름이 펴진다는 식의 선전 문구도 붙는다.
이론적으로 식물 성분을 크림과 모이스처에 첨가하는 것은 이치에 닿는 행위라는 것이 전문가들의 의견이다. 과일과 채소는 태양, 오염, 매연, 해충, 그 외 피해로부터 자신들을 자연적으로 보호해 주는 항산화 화합물로 가득하다. 그리고 이런 성분이 식물에게 먹힌다면 인간에게도 먹히지 않을 이유는 없지 않을까? 하지만 주의할 점은, 성분이 효력을 발휘하고 피부에 침투할 수 있도록 하려면 제품이 세심하게 만들어져야 한다. 시험관에서는 효력이 좋을 것으로 보이던 식품이 공기에 닿는 순간 파괴되거나 다른 성분과 섞이면 효력을 잃는 경우도 빈번하다. 마이애미 주의 피부과 전문의이자 저자이면서 연구가인 Leslie Baumann은 "진짜 문제가 되는 것은 음식은 입으로 섭취하기엔 좋을지 몰라도, 이것이 사람의 몸 어딘가에 바를 때에도 좋다는 소리는 아니며 왜 그런지 설명이 가능한 이유도 매우 많이 존재한다는 것이다"라고 말했다.

어휘 **produce** ⓝ 농산물
whole-food ⓝ 건강에 좋은 자연 식품, 유기농법으로 제조된 무첨가 식품
puffiness ⓝ 붓기
redness ⓝ 홍조
antioxidant ⓐ 항산화의
compound ⓝ 화합물

penetrate ⓥ 관통하다, 침투하다
topical ⓐ 사람 몸 국소의, 사람 몸 어딘가에
pinch ⓥ 꼬집다
negligible ⓐ 무시해도 될 정도의
precede ⓥ ~에 앞서다
dermatologist ⓝ 피부과 전문의
infuse ⓥ 스미게 하다, 우러나다
correspond to ― ~에 일치하다
take issue with ― ~에 이의를 제기하다
withhold ⓥ 주지 않다

18 본문의 주제는 무엇인가?

① 피부 관리에 식품을 추가하는 것은 좋은 생각으로 보이지만 자동적으로 좋은 결과를 낳는 것은 아니다.
② 식품은 섭취했을 경우 몸에 좋다면 몸에 발랐을 경우에도 좋다.
③ 농산품에서 만들어진 제품이 최대한 가장 좋은 성분을 보유하도록 보장하는 방법
④ 대체 왜 사람들은 음식이 피부 관리용 제품으로 사용될 수 있다는 것을 믿게 되는가

정답 ①
해설 "진짜 문제가 되는 것은 음식은 입으로 섭취하기엔 좋을지 몰라도, 이것이 사람의 몸 어딘가에 바를 때에도 좋다는 소리는 아니며 왜 그런지 설명이 가능한 이유도 매우 많이 존재한다는 것이다(The big issue is that a food may be great when taken by mouth … but there are all sorts of reasons why that doesn't mean it's going to be great when you put it on topically)." 즉 피부 관리를 위해 음식을 피부에 바르는 것은 좋은 행동이라고는 말할 수 없다는 것이다. 따라서 답은 ①이다.

19 기업에서는 음식 성분이 스며든 피부 관리용 제품이 무엇을 할 수 있다고 주장하는가?

① 주름이 덜 보이게 피부를 펴 준다.
② 피부에 나타나는 홍조의 깊이를 키운다.
③ 피부를 꼬집어서 더 부풀어 젊어 보이도록 빛나게 한다.
④ 표면에 존재하는 해로운 박테리아의 존재를 소멸한다.

정답 ①
해설 이들 기업은 자사 제품을 사용하면 "붓기가 빠지거나, 홍조가 가시거나, 주름이 펴진다(reduce puffiness, erase redness or smooth wrinkles)"고 주장한다. 따라서 답은 ①이다.

20 본문 앞 단락의 주제로 가장 알맞은 것은 무엇인가?

① 특정 과일 및 채소에서 찾을 수 있는 많은 수의 항산화제
② 식사시 충분한 양의 과일과 채소를 섭취하는 것의 중요성
③ 기업은 알지만 우리에게 제공하지 않는 아름다움의 비결
④ 현대의 도시생활로 인해 우리의 피부가 입는 피해

정답 ②
해설 "과일과 채소를 먹으라고 수년간 말해 온 기업들(After years of telling us to eat our fruits and vegetables, companies)"이란 표현으로 미루어 볼 때 본문 앞에서는 과일과 채소를 섭취하는 것과 관련된 내용이 나왔을 것으로 유추 가능하다. 따라서 답은 ②이다.

21-23

은행은 예금자가 누구이든 원할 때마다 돈을 인출할 수 있도록 한다. 하지만 은행 금고에 보관된 현금과 연방 준비 제도 이사회에 예치한 금액은 전체 또는 대부분의 예금자들이 모두 돈을 동시에 인출할 경우 이들을 만족시키기엔 충분치 않을 것이다. 이는 즉 은행업에 근본적으로 부정직한 요소가 있다는 의미인가? 많은 이들은 그렇다고 생각한다. 이따금 은행산업에 대해 비판하는 유명 인사들이 은행이 비유동적인 대출을 보유하는 것을 금지시키는 규제를 실시할 것을 요구한다. 하지만 하나의 비유를 통해 은행이 아는 일과 왜 그것이 생산적인지를 설명할 수 있을 것이다.
렌터카 대리점을 예로 들어보자. 이런 대리점이 있기 때문에 예를 들어 애틀랜타에서 신시내티로 여행가는 사람은 보통 차가 필요할 때 차를 탈 수 있음을 확신하게 된다. 하지만 빌릴 수 있는 차보다 신시내티로 여행갈 가능성이 있는 사람들이 훨씬 더 많다. 렌터카 사업은 주어진 주 내에 방문객 가운데 실제 등장할 사람들은 소수에 불과하다는 사실에 따라 운영된다. 여기엔 사기 따위는 연관되어 있지 않다. 여행객들은 실제 구할 수 있는 차의 수는 제한적이지만 언제든 필요할 때마다 거의 항상 차를 구할 수 있다는 것을 믿는다. 그리고 이들의 판단은 옳다. 은행도 마찬가지 일을 한다. 예금자는 실제 구할 수 있는 현금의 양은 제한적이지만 언제든 필요할 때마다 거의 항상 현금을 얻을 수 있다는 것을 믿는다. 그리고 이들의 판단 또한 옳다.

어휘
- **depositor** ⓝ 예금자
- **vault** ⓝ 금고, 귀중품 보관실
- **every once in a while** – 때로는
- **illiquid** ⓐ 비유동적인, 현금으로 바꾸기 어려운
- **trickery** ⓝ 사기, 협잡
- **folly** ⓝ 어리석은 행동
- **fortunes** ⓝ 성쇠, 부침
- **withdraw** ⓥ 인출하다
- **deposit** ⓝ 예치금
- **prominent** ⓐ 유명한, 중요한
- **analogy** ⓝ 비유
- **varied** ⓐ 다양한, 다채로운
- **downturn** ⓝ 하강, 침체
- **bring ~ back down to earth** – ~을 꿈에서 깨워 현실로 되돌리다
- **inherently** ⓐⓓⓥ 본질적으로
- **get away with** – 처벌을 모면하다
- **fraudulent** ⓐ 사기를 치는
- **travesty** ⓝ 모방, 모조품

---

21 본문의 주제는 무엇인가?

① 은행을 이용하는 다양한 예금자
② 은행업의 어리석은 행동
③ 은행 금고에 보관된 돈
④ 은행이 작동되는 방식의 타당성

정답 ④

해설 본문은 은행이 비록 모든 예금자들에게 단번에 돌려줄 만큼의 예금을 보유하고 있지는 않지만, 이것에 어떤 문제가 있는 것은 아닌 어디까지나 합리적인 것임을 렌터카 업체의 비유를 통해 설명하고 있다. 따라서 답은 ④이다.

22 다음 중 밑줄 친 것을 정확하게 패러프레이즈한 것은 고르시오.

① 은행업이 부패로 인해 위협받는 상황에서 이는 무엇을 의미하는가?
② 은행업은 현실로 돌아오기 전에 얼마나 더 얻을 수 있는가?
③ 은행산업 전체가 본질적으로 사기를 치는 업종인가?
④ 은행산업에 종사하는 사람들이 이런 거짓말로부터 처벌을 모면하도록 허용될 것인가?

정답 ③
해설 밑줄 친 부분은 "이는 즉 은행업에 근본적으로 부정직한 요소가 있다는 의미인가?"로 해석되며, 보기 중에서 이와 의미상 가장 가까운 것은 ③이다.

23 두 개의 빈칸에 들어갈 가장 적합한 것은 무엇인가?

① 이들의 판단은 옳다.
② 이는 모방이다.
③ 이는 예상되는 바이다.
④ 이들의 수는 아직 보증된 바 없다.

정답 ①
해설 보기를 빈칸에 대입했을 때 문맥상 가장 합당한 것은 "렌터카이든 은행이든 이용객들은 자신이 원할 때 서비스를 이용할 수 있다(they can almost always get)는 것을 믿으며, 이는 옳은 판단이다"라는 의미에서 ①이다.

24-26

우리 인류가 때로는 패배와 멸종이 거의 확실한 상황에서도 오랫동안 천적과 단호히 맞서 싸워 온 자랑스러운 역사를 보유하고 있지만, 어쩌면 가장 큰 승리를 거두기 직전에 현장을 떠나는 바보 같고 비겁한 행위를 할지도 모른다.
물론 나도 알프레드 노벨의 인생에 관한 책을 읽은 바 있다. 그 책에 따르면 노벨은 외로우면서 사려 깊은 사람이었다. 노벨은 폭발력이 완벽하게 방출되게 한 사람으로, 폭발력은 창조적인 선이나 파괴적인 악을 실현할 수 있으면서 선택의 여지는 주지 않고 양심이나 분별력의 통제는 받지 않는 힘이다.
노벨은 자신의 발명품이 잔인하고 피비린내 나는 목적으로 오용되는 모습을 지켜봤다. 노벨은 심지어 궁극적인 폭력에 접근하려던 자신의 탐구 행위가 결과적으로는 최후의 파괴로 이어질 것임을 예견했을지도 모른다. 일부는 노벨이 냉소적으로 변했다고 하지만 나는 그걸 믿지는 않는다. 내 생각에 노벨은 제어 장치 즉 안전밸브를 만들기 위해 노력했고, 인간의 마음과 인간의 정신에서 마침내 안전밸브를 찾아냈다고 생각한다. 내가 보기에 노벨의 생각은 노벨상의 범주를 보면 분명히 드러난다.
노벨상은 인간의 지식과 인간이 사는 세상의 지식을 계속해서 증가시키고 지속하기 위해 수여되며, 이해와 의사소통을 위해 수여된다. 이들은 문학의 기능이기도 하다. 그리고 노벨상은 다른 모든 것들의 정점인 평화를 수용할 수 있는 역량을 입증하기 위해 수여된다.

어휘 **stand firm against** – ~에 단호히 맞서다
on the eve of victory – 승리 직전에
conscience ⓝ 양심
culmination ⓝ 정점, 최고조
innate ⓐ 선천적인
virtue ⓝ 선행, 미덕
disturbed ⓐ 대단히 불행한
extinction ⓝ 멸종
perfect ⓥ 완벽하게 하다
probing ⓝ 탐구
be out of one's depth – 자기능력 밖의 상황에 처한
humanities ⓝ 인문학
left to one's own devices – 제멋대로 하게 내버려 둔
with a bang – 성공적으로, 모두의 주목을 받으며

24 밑줄 친 부분의 의미는 무엇인가?

① 사회의 미덕을 기반으로 하여 도덕적이거나 윤리적인 근간에 따라 생성된 통제 요소가 존재하지 않는다.
② 어떤 용도로 사용될 수 있으며 사용될 수 없음을 규제하는 법칙은 존재하지 않는다.
③ 사회의 윤리적이며 도덕적인 기준은 이를 통해 준수되지 않는다.
④ 정해지지 않은 시간 동안 제멋대로 하도록 내버려 두었다.

정답 ①
해설 밑줄 친 부분은 "양심이나 분별력의 통제는 받지 않는"의 의미를 지니며, 보기 중에서 이와 의미상 가장 가까운 것은 "도덕적이거나 윤리적인 근간에 따라 생성된 통제 요소가 없다"는 의미의 ①이다.

25 본문에 따르면 다음 중 잘못된 것은 무엇인가?

① 노벨은 지식 발전의 측면을 강화하기 위해 상을 제정했다.
② 노벨은 사회에 엄청난 선물과 부담을 가져다 준 책임이 있다.
③ 노벨은 분명히 매우 불행하고 슬픈 사람이었다.
④ 노벨은 더 이상 살아 있지 않지만 그의 유산은 지금까지 남아 있다.

정답 ③
해설 본문 세 번째 단락의 의미는 "노벨은 자신의 발명품이 오용되는 것을 지켜봐야만 했고, 어떤 사람들은 노벨이 이 때문에 냉소적으로 변했을지도 모른다고 하지만 내가 보기엔 노벨은 불운에 굴하지 않고 안전장치 노벨상을 만들었다"로 요약 가능하다. 즉 ③에서 말하는 것처럼 노벨이 불행한 사람일 뿐이라고는 할 수 없다. 따라서 답은 ③이다.

26 다음 중 본문의 제목으로 가장 알맞은 것은 무엇인가?

① 노벨이 모두의 주목을 받으며 도착했다.
② 노벨은 진정 누구였는가
③ 노벨의 삶과 야망
④ 노벨을 이해하기

정답 ④
해설 본문은 결국 노벨이 어떤 사람이었고 왜 노벨상을 만들었는지에 관해 자신의 생각을 밝힌 글이다. 따라서 답은 ④이다.

27-30

일부 학생들은 최소한의 노력만 들여서 과제를 대충 끝내고 싶어 한다. 이런 학생들이 보통 더 심한 위반을 저지르는데, 그 이유는 이들은 과제물을 판매하는 웹사이트에서 과제물을 구매할 가능성이 가장 높기 때문이다. 이들은 온라인에서 글을 다량으로 긁은 다음에 붙여 넣고서 출처를 표시하지 않을 가능성이 가장 높다. 이들은 또한 글 전체를 "빌린" 다음에 마치 그 글이 자신의 원본인 양 내보이려 할 가능성이 가장 높다.
학생들이 게으를 때 취할 수 있는 해결책은 무엇인가? 슬프게도 학생들 스스로가 학업을 진지하게 받아들이지 않는 이상 유일한 해결책은 아마도 정신이 번쩍 들게 하는 것 이외엔 없을 것이며, 이는 표절 행위를 저지른 학생에게 표절을 적발한 교사를 통해 분명한 언어로 낙제점을 주거나 아니면 심지어 학업상의 부정행위를 이유로 고소를 하는 것 등을 의미한다. 그러고 나서 학생들이 자신의 성적에 남은 통탄할 만한 "오점"으로 인해 다른 학교로 전학할 수 없게 되었음을 깨닫게 되면, 이들 학생들은 마침내 표절의 심각성을 깨닫게 될 것이다.
하지만 이러한 학업상의 위반행위의 심각성과는 관계없이 학생들은 항상 표절에 의존해 왔고, 이는 주로 언급된 이유로 인해 벌어졌으나 때로는 손쉽게 파악되지는 않는 이유로 인해 벌어졌으며, 학생들은 앞으로도 계속 표절을 저지를 것이다. 어쨌든 표절을 완전히 예방할 수는 없지만 만일 학생들이 표절로 인해 발생할 수 있는 심각한 영향에 관해 교육을 받는다면, 어쩌면 소수의 학생이라도 표절을 범하지 않기 위해 단호한 노력을 취할 것이고, 이들은 결과적으로는 동급생들에게도 영향을 줄 수 있을 것이다.

어휘
- get by with – ~으로 어떻게든 해나가다
- pass off – ~인 척 행사하다
- wakeup call – 주의를 촉구하는 일, 정신이 번쩍 들게 하는 일
- plagiarism ⓝ 표절
- file charges – 고소하다
- grievous ⓐ 통탄할 만한, 비통한
- resort to – ~에 기대다, 의존하다
- identifiable ⓐ 파악 가능한, 알아볼 수 있는
- repercussion ⓝ 영향
- valiant ⓐ 단호한
- integral ⓐ 필수적인
- peer influence – 또래의 영향
- put somebody off – 사람들이 ~에 대한 흥미를 잃게 만들다
- accolade ⓝ 포상, 칭찬
- take on – 떠맡다
- see fit – ~하는 것이 적절하다고 생각하다, ~하기로 결정하다
- norm ⓝ 표준, 일반적인 것

구문 정리

Sadly, unless they decide to take their studies seriously, the only solution is probably a wakeup call, one that will be delivered in no uncertain terms by an instructor who catches them in the act of plagiarism, rewards them with a failing grade, and perhaps even files charges for academic dishonesty.

슬프게도 학생들 스스로가 학업을 진지하게 받아들이지 않는 이상 유일한 해결책은 아마도 정신이 번쩍 들게 하는 것 이외엔 없을 것이며, 이는 표절 행위를 저지른 학생에게 표절을 적발한 교사를 통해 분명한 언어로 낙제점을 주거나 아니면 심지어 학업상의 부정행위를 이유로 고소를 하는 것 등을 의미한다.

구조분석 Sadly, (unless they decide to take their studies seriously,) the only solution is probably a wakeup call, one (that will be delivered in no uncertain terms by an instructor) [who catches them in the act of plagiarism, rewards them with a failing grade, and perhaps even files charges (for academic dishonesty.)]

- Sadly: 문장부사 / unless: 조건부사절 (~하지 않는다면) / they: S′ / decide: V′ / to take their studies seriously: O′ / the only solution: S / is: V
- take + O + seriously : 진지하게 받아들이다
- wakeup call: C
- one: 동격의 one(a wakeup call과 동격을 이룬다)
- that: S′, 주격 관계대명사 / will be delivered: V′ / in no uncertain terms: 부사구 / by an instructor: 부사구
- who: 주격 관계대명사
- catches: V① / them: O / in the act of plagiarism: 부사구 / rewards: V② / them: O / with a failing grade: 부사구
- files: V③ / charges: O
- file charges for : ~에 대해 고소하다

27 **본문의 주제는 무엇인가?**

① 왜 학생들은 때때로 표절할 필요가 있다고 생각하는가
② 왜 표절이 나쁜지 학생들을 이해시키기 위해 교사가 필요한 이유는 무엇인가
③ 학생들은 왜 표절을 하며 어떻게 표절을 예방할 수 있는가
④ 또래의 영향이 표절을 억제하는 데 이렇게나 큰 영향을 미치는 이유는 무엇인가

정답 ③

해설 본문은 학생들이 왜 표절을 하는지, 그리고 표절은 어떻게 막을 것인지에 관해 논하고 있다. 따라서 답은 ③이다.

28 **다음 중 밑줄 친 부분의 의미는?**

① 학생들이 표절을 원하는 근본적인 이유를 찾는 것이 해결책을 찾기 위한 핵심 비결이다.
② 표절한 사람들이 어떤 취급을 받는지에 관한 냉혹한 현실에 직면하는 것이 표절을 막기 위한 유일한 방법이다.
③ 보통은 단지 학생들에게 표절은 부도덕하다고 말하는 것만으로도 학생들이 표절에 관심을 끊게 만들기에 충분하다.
④ 학생들에게 학창 생활 초기에 표절에 관해 말하는 것은 표절의 잘못된 점을 가르치기 위해 필요하다.

정답 ②

해설 밑줄 친 부분은 “유일한 해결책은 아마도 정신이 번쩍 들게 하는 것 이외엔 없을 것이다”로 해석된다. 여기서 정신이 번쩍 들게 만든다는 것은, 잠을 깨운다는 것이 아니라 밑줄 친 부분 뒤에 제시된 바대로 단호한 조치를 취한다는 의미이다. 보기 중에서 이와 의미상 가장 가까운 것은 ②이다.

29 **본문에 따르면 표절을 저지른 책임은 누구에게 있는가?**

① 자신을 위해 더 큰 칭찬을 얻을 목적으로 학생들이 더 높은 점수를 얻도록 도와야 한다고 스트레스를 받는 교사
② 학생들은 학업 성취와 함께 혼자 완수할 수 있는 것보다 더 많은 일을 떠맡아야 한다는 극도의 압박에 시달리고 있다.
③ 프로젝트 완수를 위해 해야 할 일을 하고 싶지는 않으면서 좋은 성적을 얻고 싶어 하는 학생
④ 학업 성적은 좋지 않고 나중에 공부할 기회를 늘리기 위해 높은 점수를 받아야 하는 학생

정답 ③
해설 본문 첫 번째 단락 전체가 바로 왜 어떤 학생들이 표절을 저지르는지 설명하고 있다. 이를 통해 표절을 저지르는 학생들은 해야 할 일은 안 하면서 결과만을 바라기 때문에 남의 것을 베끼는 학생들임을 알 수 있다. 따라서 답은 ③이다.

30 **본문에서 유추할 수 있는 것은 무엇인가?**

① 일부 학생은 항상 표절을 저지르겠다는 결정을 내린다.
② 표절은 만일 교사들이 표절 금지에 관해 학생들을 교육한다면 완전히 사라질 것이다.
③ 표절의 심각성은 독창적인 작업이 줄어들 경우 덜해질 것이다.
④ 표절은 일류 대학에 입학하려는 사람들에게 있어 일반적인 것이 될 것이다.

정답 ①
해설 본문 첫 번째 단락 그리고 "어쨌든 표절을 완전히 예방할 수는 없지만 만일 학생들이 표절로 인해 발생할 수 있는 심각한 영향에 관해 교육을 받는다면, 어쩌면 소수의 학생이라도 표절을 범하지 않기 위해 단호한 노력을 취할 것이고, 이들은 결과적으로는 동급생들에게도 영향을 줄 수 있을 것이다(After all, it can never be prevented entirely, but if students are educated regarding its possible grave repercussions, perhaps at less a few will make a valiant effort to avoid committing plagiarism, and, ultimately, they will be able to influence their peers)"를 보면, 어쨌든 표절을 저지르는 학생은 완전히 없어질 수는 없고 언제나 있기 마련이라는 점을 알 수 있다. 따라서 답은 ①이다.

14 Practice Test 정답 및 해설

01	④	02	①	03	④	04	③	05	②	06	④	07	②	08	②	09	④	10	④
11	②	12	③	13	③	14	④	15	③	16	③	17	①	18	③	19	④	20	①
21	④	22	②	23	④	24	④	25	①	26	④	27	③	28	②	29	③	30	③

01-02

1945년 출판된 포퍼(Popper)의 두 권짜리 저서는 전체주의적 사고의 기원이 플라톤(Plato)에 있음을 1권에서 논하고, 그 다음 2권에서는 19세기 독일의 사상가인 게오르크 빌헬름 프리드리히 헤겔(George Wilhelm Friedrich Hegel)과 카를 마르크스(Karl Marx)의 사고를 분석하고 아리스토텔레스(Aristotle)까지 거슬러 올라갔다. 포퍼는 자신이 "열린 사회(Open Society)"라 칭한 것 또는 자유민주주의에 찬성하는 글을 썼는데, 포퍼의 주장으로는 이 열린 사회 내지는 자유민주주의가 유혈사태를 일으키지 않고도 변화를 포용할 수 있는, 사회 조직으로서 최고의 형태이다. 열린 사회와는 반대의 의미로, 포퍼는 처음에는 일반 시민과 맞서는 지배자에게 지지를 보냈다는 이유로 플라톤(Plato)을 혹평했다. 플라톤은 사회에 있어 가장 열망해야 할 대상은 민주 정부보다는 철인왕이라고 언급했는데, 포퍼는 플라톤이 스스로 철인왕이 되기를 바랐다고 생각했다. 헤겔과 마르크스의 경우, 포퍼는 이들의 철학 체계인 목적론적 역사주의(teleological historicism)에 비판을 가했다. 목적론적 역사주의는 인류의 역사와 운명이 보편 법칙에 따라 전개된다는 주장이다. 나폴레옹(Napleon) 같은 한 명의 정치인에 역사의 세계정신(World Spirit)이 구현되었다고 본 헤겔의 철학(이는 히틀러(Hitler)의 부상에 분명한 영향을 끼쳤고, 포퍼는 현대 파시즘의 기원이 이에 있다고 보았다)이든 역사는 경제적 계급 간의 충돌을 통해 전개된다고 간주했던 마르크스의 철학(이를 마크르스를 제외하면 그 누구도 본 적 없다)이든 간에, 포퍼는 모든 것을 아우르는 이들의 설명은 개인의 결정과 무수의 힘든 행위자의 의지를 통해 이루어진 결과로 구성된 현대 사회의 복잡성을 의도적으로 배제한다는 것을 발견했다. 포퍼는 역사의 목표는 정확히 가늠할 수는 없는 것이고, 역사 연구가 예측 가능한 과학으로 발전할 수는 없다고 믿었다. 포퍼의 사상은 인간사에 있어 선택의 자유의 역할에 찬동하는 강력한 논거였으며, 제 2차대전에서 나치 독일과 일본 제국에 맞서는 투쟁의 핵심에 위치했다.

어휘
totalitarian ⓐ 전체주의의
term ⓥ 칭하다, 일컫다
castigate ⓥ 혹평하다
philosopher-king – 철인왕
teleological ⓐ 목적론의
unfold ⓥ 펼쳐지다, 전개되다
implication ⓝ 암시, 영향
intentionally ⓐⓓ 의도적으로, 고의로
indeterminate ⓐ 쉽게[정확히] 가늠할[규정할] 수 없는
argument ⓝ 논거, 주장
galvanize ⓥ 충격 요법을 가하다, 남에게 활력을 넣어 주다
stand up for – 지지하다, 옹호하다
authoritarian ⓐ 권위주의적인
trace back to – ~의 기원[유래]이 ~까지 거슬러 올라가다
encompass ⓥ 망라하다, 아우르다; 포용하다
sympathy ⓝ 동조, 지지
aspiration ⓝ 포부, 열망, 염원
historicism ⓝ 역사주의
embody ⓥ 상징하다, 구현하다
hold ⓥ 간주하다, 생각하다
myriad ⓝ 무수히 많음
predictive ⓐ 예측의, 예견의
instrumental ⓐ 중요한
significant ⓐ 의미 있는, 중요한
aggression ⓝ 공격성

01 **포퍼의 사상이 중요한 이유는 무엇인가?**

① 사람들에게 정치인이 무지한 사람들을 어떻게 이용하는지를 보여줬다.
② 노동자 계급이 스스로를 옹호할 수 있도록 활기를 불어넣는 데 중요한 역할을 했다.
③ 지도자의 인기가 어떻게 떨어지고 말았는지를 분명히 설명했다.
④ 전체주의와 맞서 싸우기 위한 선택의 자유를 이해하는 데 도움을 주었다.

정답 ④

해설 "포퍼의 사상은 인간사에 있어 선택의 자유의 역할에 찬동하는 강력한 논거였으며, 제 2차대전에서 나치 독일과 일본 제국에 맞서는 투쟁의 핵심에 위치했다"는 ④에서 말하는 바와 일치하며, 따라서 답은 ④이다.

02 **본문에 따르면 다음 중 맞는 것은 무엇인가?**

① 포퍼는 사회의 가장 좋은 형태는 폭력 없는 열린 사회라고 생각한다.
② 포퍼는 권위주의가 20세기에만 등장한 것으로 본다.
③ 포퍼는 역사가 보편적인 법칙 때문에 등장한다는 점에서 헤겔과 마르크스에 동의한다.
④ 포퍼는 가능한 결과가 오로지 하나뿐이므로 역사 예측이 가능하다고 생각한다.

정답 ①

해설 "포퍼는 자신이 "열린 사회(Open Society)"라 칭한 것 또는 자유민주주의에 찬성하는 글을 썼는데, 포퍼의 주장으로는 이 열린 사회 내지는 자유민주주의가 유혈사태를 일으키지 않고도 변화를 포용할 수 있는, 사회 조직으로서 최고의 형태이다. 즉 "열린 사회"이자 "유혈사태를 일으키지 않고도 변화를 포용할 수 있는" 즉 "폭력 없는 사회"가 포퍼가 말하는 최고의 사회이다. 이는 ①의 내용과 일치하며, 따라서 답은 ①이다.

03-05

신문 편집장들은 자신이 신뢰할 수 있는 것들을 신문에 싣고 싶어 하고, 중요한 것들을 신문에 싣고 싶어 한다. 이런 면에서 이야기식 기사는 메시지를 적극적으로 드러내는 수단이다. 때문에 나는 여러분에게 단락, 행, 짧은 이야기 단위로 이야기식 기사를 고려해 보라고 권유한다. 여기서 조금씩 발전해 나가면 된다. 그리고 신문 편집장들을 여러분의 편으로 만들고자 할 경우 이들에 관해 여러분이 알아둘 것은, 만일 여러분이 편집장에게 추상적인 개념을 제시하면서 "저는 이야기식 기사를 한 편 쓰고 싶습니다"라고 말하면, 편집장 귀에는 "맙소사, 시간과 노력을 들였지만 제대로 된 결과물도 확실히 내지 못했습니다"로 들린다. 그리고 해당 편집장은 이와 같이 크게 떡 벌어진 공백, 즉 무엇을 집어넣어야 할지 생각 중인 신문지상의 여백을 마주하게 된다. 여러분이 시 의회를 취재하는 동안 조금씩 이야기식 기사를 전달하는 법을 배울 수 있게 되고, 주말판 기사에 시 의회 의원 가운데 한 사람의 프로필이나 특정 법안이 어떻게 통과되었는지에 관한 자그마한 이야기식 기사를 싣게 되면, 그리고 이를 몇 번이고 반복하게 되면서 여러분의 편집장이 여러분은 이야기식 기사를 쓸 수 있는 사람이라고 판단하게 되면, 곧 여러분은 "이제 제가 이야기식 기사를 한 편 쓰려고 합니다. X에 관한 이야기를 쓰고 싶습니다"라고 말할 권리를 획득한 셈이다. 하지만 이야기는 구체적이어야 하고, 여러분이 속한 공동체에서 실제 벌어지는 것과 연계되어 있어야 한다.

어휘 **editor** ⓝ 편집장
a hard sell – 적극적인 판매책
piece ⓝ 기사글
gaping ⓐ 입을 크게 벌린
human interest – 독자의 관심을 끄는 내용
readership ⓝ 독자 수
take one's life in[into] one's (own) hands – 목숨을 걸 모험을 무릅쓰다
spatial awareness – 공간 인식
make a difference – 영향력이 있는, 중요한
inch ⓥ 조금씩 움직이다
yawning ⓐ 입을 크게 벌린
legislation ⓝ 법령, 법안
bit by bit – 하나씩, 서서히

구문 정리 If you can learn to deliver up small pieces of narrative along the way while you cover the city council and you bring in a weekend piece which is a profile of one of the council members, or a small narrative of how a certain piece of legislation got passed, and you deliver that time and time again and your editor sees you can do that, pretty soon you buy yourself the right to go and say, "Now I'm going to do a narrative.

여러분이 시 의회를 취재하는 동안 조금씩 이야기식 기사를 전달하는 법을 배울 수 있게 되고, 주말판 기사에 시 의회 의원 가운데 한 사람의 프로필이나 특정 법안이 어떻게 통과되었는지에 관한 자그마한 이야기식 기사를 싣게 되면, 그리고 이를 몇 번이고 반복하게 되면서 여러분의 편집장이 여러분은 이야기식 기사를 쓸 수 있는 사람이라고 판단하게 되면, 곧 여러분은 "이제 제가 이야기식 기사를 한 편 쓰려고 합니다. X에 관한 이야기를 쓰고 싶습니다" 라고 말할 권리를 획득한 셈이다.

구조 분석

[조건부사절 접속사]

(If you can learn to deliver up small pieces of narrative along the way [while you cover
S′ V′ O′ (deliver up의 목적어) (부사구) ① S V

[주격 관계대명사]

the city council and you bring in a weekend piece (which is a profile (of one of the
O ② S V O S′ V′ C′①

[of + how 의문사절 → narrative를 수식하는 형용사구]

council members,) or a small narrative (of how a certain piece of legislation got passed,)
접속사 C′② S″ V″

and you deliver that time and time again and your editor sees you can do that,] pretty
③ S V O 부사구 ④ S V O

soon you buy yourself the right to go and say, "Now I'm going to do a narrative.
부사구 S V I.O D.O

03 본문의 주제는 무엇인가?

① 정치는 독자의 관심을 끄는 내용만큼 재미있지는 않다.
② 신문은 이야기식 기사의 질에 따라 좌우된다.
③ 편집장들은 수하 기자들에 대해 너무 강한 통제력을 갖고 있다.
④ 이야기식 기사를 작성하고픈 욕구를 편집장에게 서서히 알려 준다.

정답 ④

해설 본문은 이야기식 기사를 쓰는 것은 좋지만, 바로 편집장에게 쓰겠다는 제안을 하기보다 천천히 단계를 밟아서 기사를 작성해 나갈 것을 권고하고 있다. 따라서 답은 ④이다.

04 편집장은 왜 이야기식 기사를 두려워하는가?

① 이야기식 기사는 길이는 짧은데 만드는 데 오래 걸리기 때문이다.
② 이야기식 기사는 독자의 수를 늘리는 기사글인 경우가 거의 없기 때문이다.
③ 이야기식 기사는 작성에 오랜 시간이 걸리고 결과물의 품질은 꼭 보장되지 못하기 때문이다.
④ 이야기식 기사는 기자에게 있어 매우 개인적인 글이 되는 결과를 낳기 때문이다.

정답 ③

해설 "만일 여러분이 편집장에게 추상적인 개념을 제시하면서 "저는 이야기식 기사를 한 편 쓰고 싶습니다"라고 말하면, 편집장 귀에는 "맙소사, 시간과 노력을 들였지만 제대로 된 결과물도 확실히 내지 못했습니다"로 들린다(if you come to an editor with an abstract concept and say "I want to write a narrative piece," what the editor hears is, "Oh my God, investment of time and pain and no sure delivery of product.")." 이 말은 달리 말하면 이야기식 기사는 시간과 노력을 들여도 잘 쓸 수 있다는 보장이 안 된다는 의미이다. 따라서 답은 ③이다.

05 본문에 따르면 다음 중 옳은 것은 무엇인가?

① 편집장들은 재미있는 이야기식 기사를 펴내고 싶어 하지만 좋은 글을 찾지 못한다.
② 기자와 편집장의 의도가 때로는 서로 잘못 이해된다.
③ 기자는 일상적인 이야기를 쓰면서 동시에 이야기식 기사를 쓰기 힘들어 한다.
④ 기자는 목숨을 건 모험을 무릅쓰고 이야기식 기사를 즉각 요구해야 한다.

정답 ②

해설 기자의 "저는 이야기식 기사를 한 편 쓰고 싶습니다"는 말이 편집장에게 "맙소사, 시간과 노력을 들였지만 제대로 된 결과물도 확실히 내지 못했습니다"로 들린다는 것은 즉 기자와 편집장이 같은 사안을 두고 서로 다르게 생각할 수 있다는 하나의 예로 볼 수 있다. 따라서 답은 ②이다.

06-09

경기 불황의 신호가 여성들로 하여금 이러한 제품을 사고자 하는 욕구를 증진시킨 것인가? 실제 데이터를 포함해 네 건의 개별 실험의 결과가 모두 그렇다고 한다. 우리의 조사 결과는 일관성 있게 '립스틱 효과'를 입증하는데, 바로 경제가 불안하다는 뉴스를 듣고 이에 대비하는 대학생 정도 연령의 여성들은 (자신의) 매력을 증진시키는 물품을 사려는 욕구는 증가하고 (자신의) 외모를 개선하지 못하는 물품을 사려는 욕구는 줄었다고 알려줬다. 우리의 실험에 따르면 미용제품, 옷, 장신구 등 미용 제품에 대한 욕구 상승은 자산이 풍부한 짝을 더 많이 선호하는 것에 전적인 영향을 받는다.
립스틱 효과에 관해 글을 써 온 많은 기자들은 립스틱 효과를 여성이 스트레스를 풀기 위해 돈을 많이 들이지 않고도 즐길 거리를 찾은 것이라는 이론을 제기했지만, 우리는 립스틱 효과는 분명히 아름다움을 높이는 제품에 적용되고, 이들 제품이 비싼 것임에도 적용된다는 것을 발견했다. 경기 불황의 신호는 여성이 고급 화장품과 명품 의류를 구매하려는 욕구를 증진시켰지만 여성 자신의 예산 범위 내에서 구매할 수 있지만 여성의 외모를 높이는 데 효과가 덜한 것으로 평가되는 미용 제품을 구매하려는 욕구를 증진시키지는 못했다.
게다가 우리는 립스틱 효과와 자산이 풍부한 짝을 유혹하려는 여성의 욕구는 여성이 독자적으로 누릴 수 있는 자산과 관계가 없음을 발견했다. 사회경제학적 지위가 낮은 여성이든 높은 여성이든 모두 경기 불황의 신호에 대비할 때 미용 제품도 명품으로 구매하려는 욕구가 증가한다고 밝혔다. 이는 즉 불확실한 경기 상황이 여성으로 하여금 자신이 원하는 자산과는 상관없이 짝을 유혹하려는 노력을 증대시키도록 한다는 것을 나타낸다.

어휘
experiment ⓝ 실험
prime ⓥ 준비시키다, 사전 지식을 제공하다
mediate ⓥ 영향을 주다, 가능하게 하다
indulgence ⓝ (꼭 필요한 것은 아니지만 자신의 즐거움을 위해서 하는) 즐길 거리
specifically (adv) 분명히, 명확하게
irrespective of – ~와 상관없이
budget ⓐ 저가의, 저렴한
discredit ⓥ 신빙성을 없애다
consistently (adv) 일관성 있게
resources ⓝ 자산, 재원
therapeutic ⓐ 긴장[스트레스]를 푸는 데 도움이 되는
cue ⓝ 신호, 계기
unfavorably (adv) 불리하게, 비판적으로
corroborate ⓥ 보강하다, 확증하다

구문정리
Our findings consistently supported the lipstick effect, as college-age women, when primed with news of economic instability, reported an increased desire to buy attractiveness-enhancing goods, along with a decreased desire to purchase goods that do not enhance one's physical appearance.
우리의 조사 결과는 일관성 있게 '립스틱 효과'를 입증하는데, 바로 경제가 불안하다는 뉴스를 듣고 이에 대비하는 대학생 정도 연령의 여성들은 (자신의) 매력을 증진시키는 물품을 사려는 욕구는 증가하고 (자신의) 외모를 개선하지 못하는 물품을 사려는 욕구는 줄었다고 알려줬다.

구조 분석 our findings consistently supported the lipstick effect, / as college-age women, (when (they were) 생략 primed with news of economic instability,) reported an increased desire (to buy attractiveness — enhancing goods,) (along with a decreased desire to purchase goods) (that do not enhance one's physical appearance.) /

(our findings: S, supported: V, the lipstick effect: O, as: 부사절, college-age women: S', primed with: V, reported: V', an increased desire: O', along with a decreased desire: 부사구, goods: 선행사, that: 주격 관계대명사, do not enhance: V'', one's physical appearance: O'')

be primed with ~ : ~을 제공받다, ~에 정통하다

14

06 본문에서 유추할 수 있는 것은 무엇인가?

① 경제적인 압박을 받는 시기에 여성은 스스로를 다른 여성보다 못하다고 비교한다.
② 돈이 없는 것은 여성이 자신의 짝이 갖기를 원하는 신체적 외모의 유형과 관련이 있다.
③ 여성은 자신이 불황에 영향을 받지 않는다는 사실을 사람들이 알 수 있도록 명품에 더 많은 돈을 쓴다.
④ 경기 불황 시기에 여성은 자신보다 돈을 더 많이 가진 짝을 유혹하기 위해 더 매력적으로 보이고 싶어 한다.

정답 ④

해설 본문은 경기 불황이 되면 여성은 재력 있는 남자를 유혹하기 위해 자신의 매력을 높이는 데 신경을 쓰게 되며, 이 와중에 미용제품, 옷, 장신구 등의 수요가 증가한다고 말한다. 따라서 답은 ④이다.

07 본문의 주제는 무엇인가?

① 경기 불황 시기에 자신의 매력을 어떻게 증진시키는가
② 경기 불황과 여성의 지출간의 관계
③ 왜 여성은 자신의 자산 수준이 낮을 때 돈을 더 많이 쓰는가
④ 더 부유한 짝을 찾는 과정에 있어 매력이 주는 영향

정답 ②

해설 본문은 불황이 되면 여성이 어떤 분야에 돈을 더 많이 지출하는지 설명하면서, 경기 불황과 여성의 지출 간에 어떤 상관관계가 있는지 설명하고 있다. 따라서 답은 ②이다.

08 **다음 중 잘못된 것을 고르시오.**

① 여성은 다른 무엇보다 미용 제품과 옷에 돈을 더 집중해 쓴다.
② 저가 미용 제품군과 고급 미용 제품군이 경기 불황 시기에 높은 판매를 기록했다.
③ 경제적 불확실성은 여성으로 하여금 안정적인 자산 상태를 보유한 짝을 찾도록 만든다.
④ 여성은 개인적 상황과는 관계없이 계속해서 고급품을 구매할 것이다.

정답 ②

해설 "경기 불황의 신호는 여성이 고급 화장품과 명품 의류를 구매하려는 욕구를 증진시켰지만 여성 자신의 예산 범위 내에서 구매할 수 있지만 여성의 외모를 높이는 데 효과가 덜한 것으로 평가되는 미용 제품을 구매하려는 욕구를 증진시키지는 못했다(Recession cues increased women's desire to buy high-end cosmetics and designer clothing, but not to buy budget-line beauty products, which were rated less effective at improving one's appearance)." 여기서 예산 범위 내에 구매할 수 있는 저가형 제품군의 판매가 증가하는 것은 아님을 알 수 있다. 따라서 답은 ②이다.

09 **본문을 작성했을 가능성이 가장 높은 사람은 누구인가?**

① 연구 결과를 확증하는 여성
② 연구 결과의 신빙성을 없애려고 하는 경쟁 연구기관
③ 연구 결과를 조사하는 기자
④ 실험에 참가한 사람

정답 ④

해설 본문은 실험에 관해 설명하는 글이면서 실험의 내용을 부인하거나 실험이 잘못되었다고 주장하는 글은 아니다. 또한 "립스틱 효과에 관해 글을 써 온 많은 기자들은 립스틱 효과를 여성이 스트레스를 풀기 위해 돈을 많이 들이지 않고도 즐길 거리를 찾은 것이라는 이론을 제기했지만, 우리는 립스틱 효과는 분명히 아름다움을 높이는 제품에 적용되고, 이들 제품이 비싼 것임에도 적용된다는 것을 발견했다(While many journalists who have written about the lipstick effect have theorized that it represents women's therapeutic spending on cheap indulgences, we found that the lipstick effect applies specifically to products that enhance beauty, even when those products are more expensive)" 이 부분을 보면 저자가 기자가 아니라 우리 즉 실험에 참여한 사람임을 유추할 수 있다. 따라서 답은 ④이다.

10-12

대부분의 미국인들은 미국을 여전히 기회의 땅이자 세계에서 가장 위대한 능력주의 국가라고 믿고 있지만, 미국은 실제로는 행운을 추구하는 사람들에겐 끔찍한 곳이다. '엘리트들의 황혼 – 능력주의 이후의 미국'이란 책의 저자인 크리스 헤이스의 말을 빌면, 가난한 상태로 출발해서 일을 통해 점차 부유해지는 것이 얼마나 쉬울 것이라고 생각하는지 여러 나라의 사람들에게 여론 조사를 해 보면 "긍정적으로 답하는 사람의 비율이 미국은 거의 정상 또는 정상이지만, 실제로 사회적 유동성을 따져 보면 미국은 거의 바닥권에 속한다."
달리 말하자면 책에서 헤이스가 주장한 바대로 미국은 실제로는 능력주의 사회가 아니다. 물론 민권운동, 페미니즘, 기회균등법 등은 성공을 가로막는 많은 장벽을 제거하는 데 도움이 되었다. 하지만 정상에 위치한 사람들은 끼리끼리 세대를 거치면서 계속 정상에 머무른다. "신분 상승의 사다리를 탄 사람들은 항상 올라간 다음에 사다리를 걷어버릴 방법을 찾아내거나 친구, 동료, 친지들이 앞다투어 올라올 수 있도록 선택적으로 사다리를 내려 준다"라고 헤이스는 기술했다.
권력을 지닌 자들은 (입학 과정 같이) 재능에 보답하도록 고안된 시스템을 조작하려 들기 쉽다. 또한 이들은 자신의 은행 계좌와 지위를 유지하기 위해 어떤 고생도 마다하지 않을 것이다. (예를 들어 서브프라임 모기지 사태를 야기하도록 일조한 모든 이들에 관해 한번 생각해 보라.) 그리고 우리 모두가 동일한 법적 권리를 지니고 태어났다고 추정되지만 엘리트들은 범죄로 처벌받는 경우가 거의 없고, 특히 엘리트층 보다 사회경제학적 지위가 낮은 사람들과 비교하면 특히 그러하다. 헤이즈는 다음과 같이 말했다. "우리 미국이 능력주의 사회라는 생각은 너무나 지나친 단순화의 결과이자, 이기적이고, 자기 정당화적 생각이다. 만약 가장 똑똑하고 가장 열심히 일하는 사람이 가장 권력이 세고 돈을 많이 버는 직업을 얻는 것을 자신의 이상으로 생각한다면, 여기서 그런 지위를 점유한 사람들은 반드시 칭송받을 만한 사람임에 틀림없다는 결론을 도출할 수 있겠지만, 내 생각에 이는 사람들을 속이는 음험한 환상에 불과하다."

어휘 meritocracy ⓝ 실력[능력]주의 국가
perception ⓝ 인식, 생각
clique ⓝ 파벌, 패거리
selectively adv 선택적으로, 선별적으로
liable ⓐ ~하기 쉬운, ~할 것 같은
game the system – 시스템을 조작하여 유리한 방향으로 이끌다
go to great length to do – ~을 하기 위해 최선을 다하다, 어떤 고생도 마다하지 않다
supposedly adv 아마, 추정상
oversimplification ⓝ 지나친 단순화
self-justifying ⓐ 자기를 정당화하는, 자기변명의
meritorious ⓐ 칭송받을 만한, 칭찬할 만한
staunch ⓐ 확고한, 충실한
poll ⓥ 여론 조사를 하다
social mobility – 사회적 유동성
pull up – 걷어버리다
scramble ⓥ (힘겹게) 기어가다, 오르다
misdeed ⓝ 범죄, 악행
self-serving ⓐ 이기적인, 자기 본위의
end up with – 결국 ~하게 되다
insidious ⓐ 음험한, 서서히 모르는 사이에 확산되는

14

10 본문에 등장하는 "사회적 유동성"이란 용어의 의미는 무엇인가?

① 기준이 한쪽 극단에서 다른 쪽 극단으로 움직일 수 있는 사회의 능력
② 사회의 인식이 한쪽에서 반대되는 쪽으로 이동하는 것
③ 하나의 사회 집단의 능력이 서로 자유롭게 이동할 수 있는 능력
④ 개인이 사회 내에서 자신의 사회적 지위를 상승시킬 수 있는 능력

정답 ④

해설 본문에 따르면 "능력주의 사회"는 "가난한 상태로 출발해서 일을 통해 점차 부유해지는 것(start off poor and work their way up to wealth)"이 가능한 사회이다. 일반적으로는 미국이 이런 사회일 것으로 생각되지만 실제로는 그렇지 않고 "사회적 유동성"이 바닥권이라는 것이 본문의 주장이다. 여기서 "사회적 유동성"이 "능력주의"와 통하는 의미를 갖는 것임을 알 수 있다. 따라서 답은 ④이다.

11 본문에 따르면 다음 중 맞지 않는 것은 무엇인가?

① 헤이즈는 미국이 능력주의 국가라는 의견에 동의하지 않는다.
② 미국은 사회적 유동성을 사람들이 실제로 경험하는 경우가 거의 최상급에 속하는 국가이다.
③ 엘리트들은 보통 자신이 저지른 범죄로 처벌을 받지 않는다.
④ 높은 사람들은 자신의 지위를 유지하는 경향이 있지만 나머지 사람들은 오직 높은 사람들이 허용해 주는 경우에만 이들에 포함된다.

정답 ②

해설 보기 중에서 ②는 본문의 주제와 정반대되는 내용을 담고 있으므로, 답은 ②이다.

12 본문에 따르면 미국이 실제로는 능력주의 국가가 아닌 이유는 무엇인가?

① 미국은 민주주의 국가가 아니다.
② 가난한 이들에겐 권리가 없다.
③ 사람들은 자신의 능력이나 노력만 가지고는 사회적으로 상승할 수 없다.
④ 사람들은 더 열심히 노력하기를 원하지 않는다면 권력을 가진 이들에게 동등한 대우를 받지 않는다.

정답 ③

해설 헤이즈가 말한 "신분 상승의 사다리를 탄 사람들은 항상 올라간 다음에 사다리를 걷어 버릴 방법을 찾아내거나 친구, 동료, 친지들이 앞다투어 올라올 수 있도록 선택적으로 사다리를 내려 준다(Those who climb up the ladder will always find a way to pull it up after them, or to selectively lower it down to allow their friends, allies, and kin to scramble up)"가 본문의 핵심 내용으로 볼 수 있다. 즉, 사회의 구조가 노력이나 능력만 가지고는 성공할 수 없도록 짜여 있다는 것이다. 따라서 답은 ③이다.

13-15

어쩌다 보니 난 미국의 한 대학교의 학부생이었고 그곳에서 변변찮은 일련의 시 낭송회를 경험할 수 있었다. Eliot(엘리엇)은 시는 좋았지만, 대부분의 낭송은 들어 주기 힘들었다. 뛰어난 시가 마치 전화번호부를 읽는 것처럼 낭송되었다. William Carlos Williams는 시를 고음으로 빠르게 낭송했지만, 스스로 그 순간을 즐기는 듯했다. Wallace Stevens는 자신의 아름다운 작품을 혐오하는 듯, 밋밋하고 반만 들릴 정도로 낭송했다. (어쩌면 소년들이 연구실에서 자신을 괴롭히던 것을 생각하고 있었을지 모른다.) Marianne Moore가 음정도 살리지 않고 단조롭게 낭송하던 모습은 아무나 흉내 낼 수 없는 그녀의 예술 작품처럼 기이했다. 그녀는 시와 시 중간에 말을 할 때면, 똑같이 단조로운 음조로 웅얼거리듯 말했다. 그녀는 자신의 작품을 수시로 수정하거나 덜어 냈기 때문에 청자는 그녀가 하는 말과 시 낭송을 구별하려면 집중해야 했다. 20분이 지나자 그녀는 괴로운 듯한 모습을 보이더니 "감사합니다"라고 말했다. Dylan Thomas가 낭송을 했을 때, 나는 그가 Yeats(예이츠)의 "라피스라줄리(Lapis Lazuli)"를 낭송하는 것을 듣는 순간 앉아 있던 강당 의자 위로 떠오른 듯한 기분이었다. 다음에 그는 자신의 시를 읽었는데, 그의 작품은 풍부하면서 흥미를 불러일으키는 그의 웨일즈식 발성기관에 맞춰 만들어져 있었다. 나는 내 몸이 다시 떠오르는 듯했다. 1950년에서 뉴욕에서 사망한 1954년 사이 네 번 미국을 방문하면서, Thomas는 뉴욕의 시 센터(Poetry Center)에서 수십 곳의 서부지역 대학에 이르기까지 많은 장소에서 여러 번 자신의 시를 낭독했다. 그 기간 동안 시를 낭독하는 사람들 사이에서 누렸던 Frost(프로스트)의 명성이 잠시 사라졌었다.

어휘
- **by chance** – 우연히, 어쩌다 보니
- **meagre** ⓐ 빈약한, 변변찮은
- **high-pitched** ⓐ 고음의
- **audible** ⓐ 잘 들리는
- **eccentric** ⓐ 별난, 기이한
- **mumble** ⓥ 중얼거리다, 웅얼거리다
- **hover** ⓥ 허공을 맴돌다
- **fabricate** ⓥ 제작하다
- **organ** ⓝ 발성 기관
- **superiority** ⓝ 우월함
- **beset** ⓥ 괴롭히다
- **rival** ⓥ ~에 필적하다
- **awe-inspiring** ⓐ 경외심을 불러일으키다
- **exhilarated** ⓐ 명랑한, 쾌활하게 하는
- **endow** ⓥ 주다, 부여하다
- **insufferable** ⓐ 참을 수 없는, 들어 주기 힘든
- **loathe** ⓥ 혐오하다
- **drone** ⓝ 낮게 웅웅거리는 소리, 저음
- **inimitable** ⓐ 아무나 흉내 낼 수 없는
- **distressed** ⓐ 괴로워하는
- **auditorium** ⓝ 객석, 강당
- **succulent** ⓐ 흥미진진한
- **eminence** ⓝ 명성
- **eccentricity** ⓝ 기벽
- **hang on one's words** – ~의 말을 열심히 듣다
- **invigorating** ⓐ 기운 나게 하는, 상쾌한
- **hypnosis** ⓝ 최면

13 본문의 주제는 무엇인가?

① 시인으로서 Frost의 우월함
② 시인의 기벽
③ 시 낭송의 특성
④ 최고의 시를 괴롭히는 우울함

정답 ③

해설 본문은 여러 작가들이 시를 낭송하는 모습에는 각기 독특한 차이가 있음을 설명하고 있다. 따라서 답은 ③이다.

14 다음에 따르면 다음 중 옳지 않은 것은 무엇인가?

① Wallace Stevens는 마치 자신이 글을 읽는 것을 좋아하지 않는 것처럼 낭송했다.
② Marianne Moore는 로봇 같고 감정 없이 낭송했다.
③ Dylan Thomas는 말했고, 사람들은 그의 말을 열심히 들었다.
④ William Carlos Williams는 자신의 낭송을 즐겼다.

정답 ④

해설 "자신의 아름다운 작품을 혐오하는 듯(appeared to loathe his beautiful work)"은 ①에 해당하며, "음정도 살리지 않고 단조롭게(tuneless drone)"는 ②에 해당하며, 저자가 Dylan Thomas의 낭송을 호평했으므로 ③의 내용은 본문의 내용과 부합한다 볼 수 있다. 따라서 마지막 남은 ④를 답으로 볼 수 있다.

15 다음 중 본문에서 유추할 수 있는 것은 무엇인가?

① 시는 이 특정 대학에서 충분한 존중을 받지 못한다.
② Thomas는 미국으로 가는 것을 좋아하지 않았고 따라서 네 번의 짧은 여행만 했다.
③ 낭송회는 저자가 현실을 다시 잊을 수 있을 정도로 그의 기분을 쾌활하게 해 줬다.
④ 아무도 그날 밤 Thomas가 낭독한 것만큼 "라피스라줄리"를 잘 읽은 사람은 없다.

정답 ③

해설 저자는 이 낭송회에 참석해서 너무 멋진 낭송을 듣고는 "나는 내 몸이 다시 떠오르는 듯했다(I found myself floating again)"고 하였으므로, 낭송회로 인해 저자는 현실을 다시 잊을 수 있을 정도로 기분이 좋아졌다는 것을 끌어낼 수 있다.

16-18

이 나라는 총기의 나라이다. 우리는 총기로 포화 상태이다. 현재 유포된 총기만 3억 정에 달하며 (그중 대다수는 합법적인 경로를 통해 소유된 것이나 그렇지 않은 것도 다수이다), 매년 4백만 정의 새로운 총기가 시장에 풀린다. 특히나 대법원에서 총기 소유에 관해 내놓은 의견을 감안한다면 총기를 근절하기 위해 논의한들 소용이 없다.
하지만 강화될 수 있는 총기규제 법안도 있다. 소위 '건 쇼 루프홀(gun-show loophole)'이라 불리는 빠져나갈 구멍은 반드시 막아야 한다(사실 단순히 빠져나갈 구멍 정도로 치부하기엔 너무 큰 것이 미국에서 합법적으로 판매되는 모든 총기의 40%는 연방정부에서 시행하는 구매자의 배경검사 없이 판매된다). 미국 내에서 최근에 총기 난사 사건을 일으킨 범인 중에서 다수는 과거 범죄 기록이 없었고 이전에 정신질환에 시달리고 있다는 확진도 받지 않았었기 때문에, 구매자의 배경검사가 만병통치약은 아니다. 하지만 일부의 사람들이 총기를 구매하는 일은 분명히 막을 수 있다.
우리는 정신질환에 시달리지만 확진 판정을 받지 않은 사람들이 무기를 소유하기가 더욱 까다롭게 만들 수 있는 방법을 찾아야 한다. 이는 매우 중요하면서 매우 어려운 일이기도 하며, 그 이유는 의학계 즉 정신과 의사, 심리요법 의사, 전문 상담교사 등의 협력이 필요할 뿐만 아니라 (다른 무엇보다도) 사생활 측면의 문제가 상당히 크기 때문이다. 하지만 (합산해 보면 전체 정신질환을 가진 사람들 가운데 소수만을 차지하는) 소시오패스, 사이코패스, 그 외 정신질환에 시달리는 폭력 성향이 강한 사람들 등이 무기를 구매하기가 더욱 까다로워져야 한다.

어휘 saturated with – ~로 포화가 된
eradicate ⓥ 박멸하다, 근절하다
loophole ⓝ (빠져나갈) 구멍
adjudicate ⓥ 판결을 내리다, 확진 판정을 내리다
therapist ⓝ 심리요법 의사
in circulation – 유포된, 현재 쓰이고 있는
futile ⓐ 소용없는, 헛된
panacea ⓝ 만병통치약」
psychiatrist ⓝ 정신과 의사
sanctioned ⓐ 인가된, 승인된

16 본문에 따르면 다음 중 사실은 무엇인가?

① 이 나라에 있는 대부분의 사람들은 총기가 근절되기를 원한다.
② 총기 소유권은 이 나라에 있는 그 누구도 포기하길 원하지 않는 권리이다.
③ 총기 규제는 이 나라의 주요 문제 중 하나이다.
④ 이 나라의 최대 문제 중 하나는 범죄인들에게 판매되는 불법 총기이다.

정답 ③
해설 본문을 통해 이 나라 즉 미국 내에 총기 문제가 심각함을 쉽게 유추할 수 있다. 따라서 답은 ③이다.

17 다음 중 이 나라에서 총기 규제를 강화하는 것이 불가능한 이유는 무엇인가?

① 총기를 소유해서는 안 되지만 기록이 따로 남아 있지 않은 정신질환자가 많이 존재한다.
② 수집해야 할 총기가 너무 많이 있다.
③ 대법원은 이 나라의 국민들에게서 총을 앗아가도록 허락하지 않을 것이다.
④ 총기 전시회를 여는 사람들은 무슨 일이 벌어지더라도 전시회에서 총기 판매를 멈추지 않을 것이다.

정답 ①
해설 본문에서 총기 관련 저자가 말하는 큰 문제는 총기가 "연방정부에서 시행하는 구매자의 배경검사(federal background check)" 없이 팔리는 것으로, 심지어 정신질환을 갖고 있는 사람들마저 총을 손에 넣는 것이 가능한 것이 문제이다. 역으로 말해 이런 정신이상자들에 대한 기록이 이루어지지 않아 총을 구매하는 것을 차단하지 못하기 때문에 총기 규제 달성이 힘든 것이다. 따라서 답은 ①이다.

18 저자에 따르면 이 나라의 궁극적 목표는 무엇인가?

① 이 나라에서 모든 총기를 제거하기
② 총기 폭력을 막는 방법에 관해 대법원에서 결정을 내리기
③ 총기를 가져서는 안 되는 사람들이 총기를 얻기 못하도록 하는 방법을 찾기
④ 이 나라에서 모든 총기 폭력을 막기

정답 ③
해설 저자는 "건 쇼 루프홀" 즉 총기를 가지지 말아야 할 사람이 총기를 얻는 사태를 막아야 한다고 주장한다. 보기 중에서 ③이 이와 의미상 가장 가까움을 알 수 있으며, 따라서 답은 ③이다.

19-22

특정한 사회 환경에서 오늘날 이성애자 여성은 자신이 두 범주 중 하나에 속하게 된다는 사실을 깨닫게 된다. 결혼해 정착하기엔 너무 젊거나 결혼 상대를 찾기엔 너무 나이가 들었거나. 결혼할 수 있는 절호의 기회는 열려 있지만 거의 존재하지 않는 것과 다름없을 정도로 열려 있는 기간이 상당히 짧다. 결혼을 위한 절호의 기회로 여겨지는 나이대는 지역별로 또는 여성이 속한 집단 특유의 편견에 따라 다르지만, 대략 27살 정도이다. "너무 젊다"는 것은 10대의 결혼을 의미하는 것이 아니라, 주변 사람들이 여전히 아이라고 생각하는 성인 여성의 결혼을 의미한다.

그렇다면 어떻게 이런 상황이 생기는지를 살펴보자. 젊은 여성이 친구와 가족으로부터 남자보다는 일이나 교육에 집중하라는 소리를 듣는다. 그녀는 몇 가지 위험성에 관해 경고를 듣게 되는데, 여기에는 남자의 불필요한 관심, (의도한 임신도 문제가 되는 것처럼 말하는) 의도치 않은 임신, 이성애자 남자 모두에게는 여자친구를 1950년대에나 볼 수 있는 가정주부로 만들겠다는 욕구가 뿌리 박혀 있다는 이야기 등이 있다. 남편감을 찾기가 어려울 것 같다는 생각을 품는 것 심지어는 "남편감을 찾는다"라는 표현 그 자체를 입 밖에 꺼내는 것조차 다른 시대로 회귀하려는 행위이다. 그리고 이러한 충고는 믿을 수 없을 정도로 매력적이며, 여성의 이성애란 남성을 향한 욕구가 아니라 흰 울타리로 둘러싸인 집을 향한 욕구라고 말하는 구식 개념에 대한 거부이다.

그리고 갑자기 메시지가 변한다. 그다지 젊지는 않은 여성들은 자신이 이 세상에서 가정을 꾸릴 만한 충분한 시간이 남기는커녕, 자신의 생체 시계가 곧 자정을 알릴 것임을 알게 된다. 스스로는 아이를 원하지 않더라도 남편감을 찾기엔 너무 나이가 들어버리기 직전인 상황이다. 남자는 부족하고, 나이가 들수록 더 심해진다는 사실을 들어본 적도 있지 않을까? (대부분의 40세 남성에게는 흥미로운 뉴스감이긴 하지만) 40세의 남성은 원한다면 23세의 여성과 데이트를 할 수 있다. 그리고 학위라든지 급성장 중인 경력은 어떠한가? 아마도 페미니스트들의 꿈이 이루어져야 할지도 모른다. 아니면 이는 지위가 가장 높은 남성들이 자신과 비슷한 교육적 배경을 지닌 여성을 요구하는 시대에 맞는 정교한 짝짓기 전략일 수도 있다.

어휘

- heterosexual ⓝ 이성애자
- settle down – 자리잡고 정착하다
- idiosyncratic ⓐ 특유의, 기이한
- unsolicited ⓐ 청하지 않은, 불필요한
- hardwired ⓐ 뿌리 박힌, 내재된
- regress to – ~으로 퇴행하다
- rejection ⓝ 거절, 거부
- on the cusp of – ~하려는 찰나의, 직전의
- elaborate ⓐ 정교한, 정성들인
- abruptly (adv) 갑자기
- look down on – 얕보다, 괄시하다
- milieus ⓝ 사회적 환경
- ephemeral ⓐ 덧없는, 수명이 짧은
- hover around – 주위를 맴돌다
- unintended ⓐ 의도하지 않은
- entertain ⓥ 고려하다, 생각하다
- appealing ⓐ 매력적인
- quaint ⓐ 진기한, 옛날의
- burgeoning ⓐ 급성장하는
- tailored ⓐ ~에 맞춰진
- attached to – ~에 애착을 지닌
- transient ⓐ 일시적인, 순간적인

19 본문의 주제는 무엇인가?

① 여성이 재미있게 지낼 때와 일을 그만둘 때가 언제인지 결정하는 것은 사회이다.
② 여성에게 결혼이 어떤 것인지에 관한 개념은 여성이 성장하고 경력을 쌓게 되면서 변화한다.
③ 여성은 스스로 준비가 되었다고 생각하기 전까지는 결혼하겠다는 생각을 품고 싶어 하지 않는다.
④ 여성은 결혼하여 정착하기엔 너무 어리다는 소리를 듣다가 갑자기 시간이 얼마 없다는 소리를 듣는다.

정답 ④
해설 본문은 “결혼해 정착하기엔 너무 젊거나 결혼 상대를 찾기엔 너무 나이가 들었거나(too young to settle down, and too old to find a man)”라고 표현되는 현대 여성의 딜레마를 서술하고 있다. 따라서 답은 ④이다.

20 다음 중 언제 결혼을 할 것인지에 관한 여성의 생각에 영향을 미치지 않는 것은 무엇인가?

① 여성의 남성 친구와 가족 구성원들
② 여성 주위 사람들의 의견
③ 여성 친척들의 생각
④ 여성의 출신지

정답 ①
해설 여성이 생각하는 적합한 결혼 시기는 “친구와 가족”에 의해 또는 “지역별로 또는 여성이 속한 집단 특유의 편견에 따라 다르지만(according to region, or the idiosyncratic biases of one's circle)” 즉 지역이나 주변 사람들에 따라 달라진다. 따라서 답은 ①이다.

21 본문에서 유추할 수 있는 것은 무엇인가?

① 결혼하라는 메시지는 다른 여성을 통해 전달되기 때문에 여성 최악의 적은 여성이다.
② 모든 40세 남성은 자신이 어린 여자친구를 사귀고 싶어 한다면 사귈 수 있다는 것을 알고 있다.
③ 페미니스트들은 결혼하거나 사회로부터 남성에 애착을 갖고 있다는 꼬리표가 붙기를 원하지 않는다.
④ 주변에서 젊다고 할 때 결혼하기를 소망하는 여성은 괄시당한다.

정답 ④
해설 여성의 나이가 젊을 때 “남편감을 찾기가 어려울 것 같다는 생각을 품는 것 심지어는 ‘남편감을 찾는다’라는 표현 그 자체를 입 밖에 꺼내는 것조차 다른 시대로 회귀하려는 행위이다(To entertain the possibility of it being difficult to find a husband, to even utter the expression “find a husband,” is to regress to another era).” 즉 시대에 뒤떨어진 여성 취급을 받게 된다. 따라서 답은 ④이다.

22 다음 중 밑줄 친 것과 유사한 것은 무엇인가?

① 사라질 때까지 눈치채지 못한다
② 너무 짧아서 순식간에 놓친다
③ 애초에 잠시라도 존재한 적이 없다
④ 존재한 적 없는 사람처럼 원래 일시적이다

정답 ②

해설 밑줄 친 부분은 "거의 존재하지 않는 것과 다름없을 정도로 열려 있는 기간이 상당히 짧다"로 해석이 가능하며, "기간이 너무 짧다"는 의미를 갖는다. 보기 중에 이와 의미상 가장 가까운 것은 ②이다.

23-26

대학에 대한 회의론자들이 있고, 이들 회의론자는 타당한 지적을 하고 있다. 4년제 대학이 모든 학생들에게 합당한 것인가? 아마 그렇지는 않을 것이다. 지금의 학교 건물에서 이루어지는 대학교육이 고등학교 이후 교육을 시키기에 반드시 이상적인 수단이라고 볼 수는 있는가? 아마 그렇지는 않을 것이다. 직업 교육과 지역 전문대학이 이러한 논의에서 한 자리를 차지할 만하다. 그리고 우리는 우연히도 고등교육의 조용한 혁명의 시기를 살고 있다. 여기 즉석에서 제시할 수 있는 세 가지 예가 있다. 첫 번째, 올해 초에 MITx의 학생들은 MIT가 제공하는 무료 온라인 강좌를 수강할 수 있었고 과목을 숙지했음을 제시한다면 학비보다 훨씬 싼 금액으로 수료증을 받을 수 있었다. 두 번째, 서던 캘리포니아 대학에서는 한 명의 교수 앞에서 전국에 위치한 학생들을 연결하는 온라인 교실을 실험 중에 있다. 세 번째, 학생들이 얼마나 오랜 시간을 축적했는지 또는 얼마나 많이 학점을 축적했는지보다 자신이 알고 있는 바를 증명할 수 있는 학생들을 포상하는 운동인 "역량 기반 학위" 운동을 진두지휘하고 있는 비영리 사립 사이버 대학인 서부 주지사 대학이 존재한다.
이들 실험 중에서 일부는 실패할 것이고 일부는 규모가 조정될 것이다. 중요한 점은 이들이 고등교육을 제공하면서 값싸고, 창조적이고, 편리한 교육을 유지하고 있다는 점이다. 만일 우리가 니트족으로 인해 엉망이 된 지역에서 마케팅 전쟁에 승리할 수 있다면,그리고 교육과 일로부터 유리된 7백만의 젊은이 중 일부에게 고등학교 이후의 교육을 제공할 수 있다면, 우리는 돈을 절약하기 위해 돈을 사용한 셈이 된다.

어휘
skeptic ⓝ 회의론자
vocational ⓐ 직업과 관련한
tuition ⓝ 학비
scale ⓥ 규모를 조정하다
blight ⓥ 망치다, 엉망으로 만들다
crop ⓝ 무리, 집단
disillusioned ⓐ 환멸을 느낀
on-site ⓐ 현장의, 현지의
credential ⓝ 자격증, 수료증
mastery ⓝ 숙달, 숙련
retain ⓥ 유지하다
disengaged ⓐ 떨어져 나간, 유리된
valid ⓐ 유효한, 타당한

23 본문의 주제는 무엇인가?

① 시스템에 의해 소외되는 학생들을 돕기 위한 조치가 더 필요하다.
② 온라인 대학은 특정 분야 학생들 사이에서 인기를 얻고 있다.
③ 고등교육 기관은 새로 등장하는 일군의 온라인 대학을 탐탁지 않게 생각한다.
④ 전통적인 학교 건물에서 이루어지는 대학교육은 모든 사람을 위한 최선의 선택이 아니다.

정답 ④

해설 "대학에 대한 회의론자들이 있고, 이들 회의론자는 타당한 지적을 하고 있다. 4년제 대학이 모든 학생들에게 합당한 것인가? 아마 그렇지는 않을 것이다(College has its skeptics, and the skeptics make good points. Does a four-year university make sense for every student? Probably not)"가 본문 전체의 주제이며, 기존의 교육 방식이 아닌 수용자의 필요에 맞춘 "값싸고, 창조적이고, 편리한(cheap, creative, and convenient)" 교육의 기회가 늘어나고 있음을 본문은 말하고 있다. 따라서 답은 ④이다.

24 다음 중 밑줄 친 부분을 가장 잘 패러프레이즈한 것은 무엇인가?

① 회의론자들은 교육 관련 모든 요소를 이해하기 위한 노력을 했다.
② 대학교육의 회의론자들은 다른 사람들보다 더 많은 점수를 딸 수 있다.
③ 대학에 관해 회의를 갖는 것이 추가 점수를 얻게 해 준다.
④ 대학교육에 회의를 갖는 사람들은 몇 가지 타당한 점을 주장하고 있다.

정답 ④
해설 밑줄 친 부분은 "대학에 대한 회의론자들이 있고, 이들 회의론자는 타당한 지적을 하고 있다"로 해석되며, 보기 중에서 이와 의미상 가장 가까운 것은 ④이다.

25 본문의 결론은 무엇인가?

① 교육에 더 많은 돈을 쓰는 것은 장기적으로는 금전적 차원에서 이득이 된다.
② 더 많은 젊은이들이 고등교육에 환멸을 느끼고 있다.
③ 고등교육을 개선시키기 위한 정부의 노력은 결국에는 성공할 것이다.
④ 7백만 명의 젊은이들은 대학 마케팅 전략에 귀를 기울이고서 더 나은 선택을 해야 한다.

정답 ①
해설 "그리고 교육과 일로부터 유리된 7백만의 젊은이 중 일부에게 고등학교 이후의 교육을 제공할 수 있다면, 우리는 돈을 절약하기 위해 돈을 사용한 셈이 된다(deliver a post-high school education to some of those 7 million young people who have disengaged with education and work, we will be spending money to save money)." 이 말은 두 번째 단락에서 제시된 것과 같이 새로운 방식을 빌어 기존 방식에서 멀어진 사람들에게 고등교육을 제공한다면, 교육에 돈은 들더라도 장기적으로는 이들이 사회에 더 기여를 하게 되어 돈을 오히려 버는 셈이 될 것이라는 의미이다. 따라서 답은 ①이다.

26 다음 중 본문에서 유추할 수 있는 것은 무엇인가?

① MITx는 MIT보다 더 유명해지고 있다.
② 고등교육의 비용은 곧 많이 저렴해질 것이다.
③ 서부 주지사 대학의 입학 지원자의 수가 급격히 늘게 될 것이다.
④ 고등교육의 미래는 매우 다른 모습을 보일 것이다.

정답 ④
해설 본문은 고등교육의 형태가 앞으로는 크게 변할 것임을 사례를 들어 설명하고 있다. 따라서 답은 ④이다.

27-30

컴퓨터 차원의 효율성과 의사소통 차원의 효율성 사이에 분명한 충돌이 발생하는 경우가 있다. 하나의 간단한 예로 구조적 중의성을 들 수 있다. 내가 만약 "Visiting relatives can be a nuisance"라고 말한다면, 이는 중의적인 말이다. 왜냐 하면 "Visiting relatives"가 의미하는 것이 "방문해 온 친척"이라면 "방문해 온 친척은 성가신 사람들이다"가 되며, "친척을 방문하는 일"이라면 "친척을 방문하는 일은 성가신 일이다"가 되기 때문이다. 알려진 이러한 모든 사례에서 드러난 것은, 중의성은 규칙들을 제한 없이 기능하도록 한 것에서 유래된 것이며, 때로는 여기서 중의성이 생겨난다는 것이다. 때문에 이는 해결이 불가능할 정도의 중의성을 야기하기 때문에 컴퓨터 차원에서는 효율적이지만, 의사소통 차원에서는 비효율적이다.
아니면 "The horse raced past the barn fell" 같이 길 혼돈 문장(garden-path sentence)이라 불리는 것을 보자. 이 문장은 제시받은 사람들에게 이해가 가지 않는데, 그 이유는 문장이 배열된 방식이 다른 사람에게 혼돈을 주기 때문이다. "The horse raced past the barn(말이 마구간을 지나 달렸다)"는 문장으로 보이지만, 그 다음에 마지막에 "fell"이 무슨 역할을 하는지 물을 것이다. 반면에, 이 문장에 관해 생각해 본다면 이 문장은 완벽하게 제대로 형성된 문장이다. 이 문장의 의미는 마구간을 지나 달리던 말이, 누군가에 의해 넘어졌다는 것이다. 하지만 마침 기능하는 언어의 규칙이 여러분에게 이해할 수 없는 문장을 준 셈이고, 그 이유는 바로 길 혼돈 문장 현상 때문이다. 그리고 이와 같은 사례는 많이 존재 한다. 어떤 이유로 인해 말로 표현할 수 없는 것들이 존재한다. 만일 내가 "The mechanics fixed the cars(정비공들이 차들을 수리했다)"라고 말했다라고 치자. 그리고 여러분은 위 문장 앞에 말을 덧붙여서 "They wondered if the mechanics fixed the cars(그들은 정비공들이 차들을 수리했는지 궁금해 했다)"라고 말할 수 있다. 여러분은 여기에 말을 덧붙여서 차에 관한 질문을 할 수 있다. "How many cars did they wonder if the mechanics fixed(그들은 정비공들이 수리한 차가 얼마나 되는지 궁금해 한다)?" 이 정도까지는 문제가 없다. 만약 여러분이 정비공에 관해 질문을 하고 싶다고 생각해 보자. "How many mechanics did they wonder if fixed the cars?" 이 문장은 왜인지 말이 안 되며, 이렇게 말할 수도 없다. 생각은 나쁘지 않지만, 말로 표현하기엔 불가능한 것이다. 때문에 만약 더 자세히 살펴보면, (단어만 바꾸면 되는) 컴퓨터 차원에서 가장 효율적인 규칙이 오히려 문장이 말로 표현되는 것을 막는 셈이다. 하지만 의사소통을 위해 생각을 표현하는 경우, 생각을 말로 표현할 수 있다면 말로 표현하는 편이 더 좋다. 여기서 충돌이 발생한다.

어휘
computational ⓐ 계산의, 컴퓨터의
communicative ⓐ 의사소통의
structural ⓐ 구조적인
ambiguity ⓝ 모호함, 중의성
relative ⓝ 친척
nuisance ⓝ 골칫거리, 성가신 것
ambiguous ⓐ 모호한, 중의적인
be derived from – ~에서 유래하다
constraint ⓝ 제한, 제약
garden-path sentence – 길 혼돈 문장
lead someone down the garden path – ~를 오도하다, ~에게 혼돈을 주다
tricky ⓐ 까다로운, 곤란한
in precedence over – ~보다 우선하다
linguistics ⓝ 언어학
relevance ⓝ 관련
dupe into – 속여서 ~시키다

27 본문의 주제는 무엇인가?

① 컴퓨터 차원의 효율성과 의사소통 차원의 효율성 간의 차이를 이해하는 것은 언어 학습자들 입장에서는 곤란한 일이다.
② 언어는 컴퓨터 차원의 효율성보다 의사소통 차원의 효율성을 높게 봐야 한다.
③ 문법 차원에서 말이 되는 것과 의사소통 과정에서 이해되는 것 간에는 차이가 존재한다.
④ 사용자가 언어학적 규칙 하에서 언어 규칙을 조작하는 법을 알고 있을 경우 언어 규칙이 뒤집힐 수 있다.

정답 ③
해설 컴퓨터 차원의 효율성과 의사소통 차원의 효율성 사이에 분명한 충돌이 발생하는 경우에 대하여 여러 사례를 들어서 설명한 글이다. 컴퓨터는 문법적으로 분석하겠지만, 중의적인 의미를 띄는 경우에는 의사소통이 쉽지 않다고 서술하고 있다.

28 길 혼돈 문장이란 무엇인가?

① 부차적인 의미를 모호하게 하면서 주요한 의미가 있는 것으로 착각하게 만드는 문장
② 자동적으로 말이 안 되는 문장이라고 여기게 하지만 다른 식으로 읽을 경우 제 2의 정확한 의미를 지닌 문장
③ 대부분의 사람들에게는 눈에 띄지 않지만 언어를 어떻게 사용하는지를 알고 있는 사람들에게는 분명하게 드러나는 숨겨진 의미가 있는 문장
④ 완벽하게 구성된 것처럼 보이지만 자세히 살펴보면 전혀 말이 안 되는 문장

정답 ②
해설 본문에 따르면 길 혼돈 문장은 "The horse raced past the barn fell"처럼 처음에는 잘못된 문장으로 생각되지만, 다른 식으로 분석해 보면 "완벽하게 제대로 형성된 문장(perfectly well formed sentence)"을 말한다. 보기 중에서 이에 해당되는 것은 "말이 안 되는 문장으로 생각되었다가 다른 식으로 읽으면 정확한 의미가 드러나는 문장"이라는 의미의 ②이다.

29 다음 중 본문에서 유추할 수 있는 것은 무엇인가?

① 컴퓨터 차원의 충돌은 다른 언어를 말하는 화자 간의 더 나은 의사소통을 가로막는다.
② 문장의 구조는 문장의 중의성을 고려했을 때 관련성이 거의 없다.
③ 문장이 중의적일 경우 완전한 의사소통이 이루어지기엔 충분치 않다.
④ 사람들은 의사소통 차원이 아니라 컴퓨터 차원에서 효율적인 문장을 만들도록 종종 속게 된다.

정답 ③
해설 본문 첫 단락에서 "이는 해결이 불가능할 정도의 중의성을 야기하기 때문에 컴퓨터 차원에서는 효율적이지만, 의사소통 차원에서는 비효율적이다(it's computationally efficient, but it's inefficient for communication, because it leads to unresolvable ambiguity)"라고 말하고 있으며, 이는 즉 중의적인 문장은 완전한 의사소통에 방해가 된다는 의미이다. 따라서 답은 ③이다.

30 빈칸에 가장 알맞은 것은 무엇인가?

① 모든 경우를 밝히는 것이 가장 중요하다고 알려져 있다
② 이렇게 알려진 모든 경우가 드러났다
③ 알려진 이러한 모든 사례에서 드러난 것은
④ 모든 경우에 따라 드러내는 것은 미지의 것으로 이어진다

정답 ③

해설 문맥상 빈칸 다음 문장은 빈칸 앞 내용을 정리하는 역할을 하기 때문에 빈칸에 들어갈 표현은 "빈칸 앞의 사항을 종합해 봤을 때 빈칸 뒤 내용으로 정리된다"는 의미의 표현이 가장 적합하다. 보기 중에서 이에 해당되는 것은 ③이다. 단서가 약할 때는 소거에 의해서 하나씩 보기를 소거해 나가는 것도 하나의 방법이다.

15 Practice Test 정답 및 해설

01	④	02	③	03	③	04	①	05	④	06	①	07	①	08	④	09	③	10	①
11	②	12	④	13	①	14	③	15	①	16	③	17	①	18	④	19	①	20	④
21	②	22	③	23	①	24	③	25	①	26	③	27	①	28	②	29	②	30	②

01-02

다의성의 개념 그 자체는 사소한 것이다. 하나의 어휘 항목은 만일 둘 이상의 의미를 지닐 경우 다의성을 지닌다. 하지만 다의성을 이해하기란 사소한 것과는 거리가 멀다. 실제로는 다의성은 그 지식 분야에 있어 주된 난제 중 하나인 것으로 여겨진다. 어휘의 의미가 어휘 항목의 구성 요소이면서 (다른 항목과) 구분이 되는 요소임을 감안하면, 어휘 항목은 엄밀히 말해 하나 이상의 의미를 가져서는 안 된다. 분명히 말해, 여러 의미를 가진 하나의 항목임을 나타냄을 인정하지 않고 그보다는 다른 어휘 항목이라 했지만 알고 보니 형태가 동일한 경우가 있는데, 이러한 경우는 일반적으로는 다의성과는 별개의 것이며, 동음이의의 사례로 간주된다. 만일 우리가 어휘적 모호성에 대한 주어진 사례가 다의성의 사례라 가정한다면, 즉 동일한 어휘 항목에 여러 의미가 속해 있을 경우, 해당 결정은, 이러한 의미가 다시 말해 환유와 은유처럼 인식 가능한 관계를 통해 연결된 변형이라는 사실에 근거해야 한다. 인지의미론은, 특히 레이코프(Lakoff) 등의 연구는, 다의성을 이해하는데 상당한 기여를 했다. 인지주의의 시각에 따르면, 다의어적 단어의 의미 변형은 환유나 은유 또는 축소 같은 기본적인 인지 과정과 관련이 있다. 반드시 그런 것은 아니지만, 종종 다른 의미가 하나 내지는 그 이상의 단계를 거쳐 파생되는 기본 의미 변형이 존재한다. 따라서 다의적 표현의 의미 변형은 기본적인 인지 관계를 통해 상호 연결된 개념망을 형성한다. 레이코프가 제안한 하나의 영향력 큰 모델로 "방사형 범주"의 개념이 존재한다. 방사형 범주는 여러 의미 변형으로 구성된 하나의 망으로 그 중심에 하나의 의미 변형 구성원이 존재하고, 그 외 모든 의미 변형 구성원들은 여러 종류의 의미 변경을 거쳐 파생되며, 이는 여러 단계를 거칠 수도 있다. 다의적 표현의 의미 변형이 원칙에 입각한 방식으로 연계되어야 한다는 일반적인 생각은, 다른 누구보다도, 타일러(Tyler)와 에반스(Evans)에 의해 고안된 것으로, 이들이 '원칙에 입각한 다의성(Principled Polysemy)'이라 명명한 접근법을 거쳐 만들어졌다.

어휘
polysemy ⓝ 다의성
lexical ⓐ 어휘의
polysemy ⓝ 다의성
discipline ⓝ 지식 분야; (특히 대학의) 학과목
distinctive ⓐ 두드러지는, 구분이 되는
homonymy ⓝ 동음이의
be grounded on - ~에 근거하다, ~에 입각하다
metaphor ⓝ 은유
cognitive ⓐ 인식의, 인지의
substantially ⓐⓓ 상당하게, 크게
radial ⓐ 방사상의, 방사형의
principled ⓐ 원칙에 입각한
derivation ⓝ 어원
trivial ⓐ 사소한
polysemous ⓐ 다의의
constitute ⓥ ~을 이루다, ~이 되는 것으로 여겨지다
constitutive ⓐ 구성요소인, 구성요소가 되는
strictly ⓐⓓ 엄밀히, 정확히
ambiguity ⓝ 애매성, 모호함
metonymy ⓝ 환유
variant ⓝ 변종, 변형
semantics ⓝ 의미론
cognitivist ⓐ 인지주의의 / ⓝ 인지주의자
modification ⓝ 수정, 변경
entitle ⓥ 명명하다, 제목을 붙이다
semantic ⓐ 의미의, 의미론의

01 본문의 주제는 무엇인가?

① 다의성의 실제 사례
② 다의성의 여러 어원
③ 다의성에 대한 의미론적 관점
④ 다의성을 이해하기 위한 방법
⑤ 다의적 의미의 범주

정답 ④

해설 본문은 우선 "다의성을 이해하기란 사소한 것과는 거리가 멀다" 즉 다의성의 이해가 까다로운 것임을 언급하면서, 이를 위한 여러 연구가 진행되었고 특히 레이코프의 연구가 "다의성을 이해하는 데 상당한 기여"를 했음을 말하고 있다. 즉 본문은 다의성을 이해하기 위한 방법을 찾고자 어떤 연구가 진행되었는지를 말하고 있다. 따라서 답은 ④이다.

02 빈칸에 들어갈 가장 알맞은 것은 무엇인가?

① 다의적 의미가 보다 잘 이해된다
② 다른 의미는 덜 중요한 것으로 나타난다
③ 그 외 모든 의미 변형 구성원들은 여러 종류의 의미 변경을 거쳐 파생된다
④ 다른 의미는 의미상 구분되는 것이어야 한다

정답 ③

해설 레이코프의 연구는 의미의 파생에 관해 말하고 있으며 이를 통한 의미 변형의 결과 "상호 연결된 개념망"이 형성됨을 말하고 있다. 이와 관계된 개념이 "방사형 범주"인데, 방사형이라는 단어의 의미를 생각해 보면, 방사형의 "중심에 하나의 의미 변형 구성원이 존재"할 경우 나머지 구성원들은 방사형으로 뻗어나가고 이는 즉 의미가 여러 단계를 거쳐 파생되고 뻗어나간다는 의미가 된다. 여기서 답은 ③임을 유추할 수 있다.

03-05

시장 자본주의가 제 기능을 발휘하기 위해 꼭 필요한 또 다른 요건은 경제성장과 삶의 질 분야에 기여하는 여러 요소 가운데 포함되는 경우는 있어도 자주 포함되지는 않는 요소인 '다른 사람들의 말에 대한 신뢰'이다. 법치주의가 지배하는 상황에서는, 인지할 수 있는 불만에 따른 법적 보상을 받을 수 있는 권리가 모든 이에게 존재하지만, 법적 판결이 내려져야 해결이 가능한 계약상의 문제가 소수에 그치지 않고 다수 발생할 경우, 사법체계가 온갖 소송으로 인해 압살당할 것이며, 사회가 법치에 의해 지배될 수 있는 역량 또한 압살당할 것이다.
이는 즉 시민의 권리와 책임으로 인해 통치되는 자유사회에서, 절대 다수의 거래는 자발적으로 이루어져야 한다는 것을 시사하며, 필연적으로 이들 거래에 있어 우리는 거래를 하는 사람들의 말 즉 거의 모든 경우 낯선 사람들의 말에는 신뢰가 존재한다고 추정하게 된다. 많은 수의 계약, 특히 금융 시장에서 이루어진 계약은 최초에는 구두로 이루어지다가 나중에야 서면으로 확정되며 심지어 엄청난 가격의 변동이 이루어졌음에도 그러하다는 점은 놀라운 일이다. 또한 의사가 발행하는 처방전에 따라 약을 내주는 약사를 우리가 얼마나 신뢰하는지 생각해 보면 이 또한 놀라운 일이다. 아니면 우리가 자동차 회사들에게 차량이 보증된 바대로 움직일 것이라고 얼마나 신뢰하는지 생각해 보면 이 또한 놀라운 일이다. 우리는 바보가 아니다. 우리는 상대방의 사리사욕에 의지하여 거래를 하는 것이다. 우리가 사는 세상에 있어 이러한 모습이 우리의 지배적인 문화가 아니었다면 이루어지는 거래의 규모가 얼마나 작았을지 생각해 보라. 우리의 삶의 기준에 있어 필수라 할 분업이 존재하지 못했을 것이다.

어휘

market capitalism – 시장 자본주의
prevail ⓥ 우세하다, 퍼지다
perceived ⓐ 인지된, 감지된
fraction ⓝ 부분, 일부
contract ⓝ 계약(서)
court system 사법 체계
voluntary ⓐ 자발적인
presuppose ⓥ 예상하다, 추정하다
prescription ⓝ 처방전
bank on – ~에 의지하다, ~에 기대하다
contemplate ⓥ 고려하다, 생각하다
self-absorption ⓝ 자아도취
keep one's word – 약속을 지키다
if ever – 설사 ~하는 일이 있다 해도
redress ⓝ 보상
grievance ⓝ 고충, 불만
outstanding ⓐ 미지급된, 미해결된
adjudication ⓝ 판결, 파산 선고
transaction ⓝ 거래, 매매
of necessity – 필연적으로, 당연히
initially (adv) 처음에, 최초에
certified ⓐ 보증된, 증명된
self-interest ⓝ 사리사욕, 사리추구
division of labor – 분업
lucrative ⓐ 벌이가 되는, 이익이 되는

15

구문 정리 This implies that in a free society governed by the rights and responsibilities of its citizens, that vast majority of transactions must be voluntary, which, of necessity, presupposes trust in the word of those with whom we do business – in almost all cases, strangers.

이는 즉 시민의 권리와 책임으로 인해 통치되는 자유사회에서, 절대 다수의 거래는 자발적으로 이루어져야 한다는 것을 시사하며, 필연적으로 이들 거래에 있어 우리는 거래를 하는 사람들의 말 즉 거의 모든 경우 낯선 사람들의 말에는 신뢰가 존재한다고 추정하게 된다.

구조 분석

(that is) 생략

This implies that (in a free society) governed by the rights and responsibilities (of its
S V O 부사구 과거분사구 부사구 형용사구

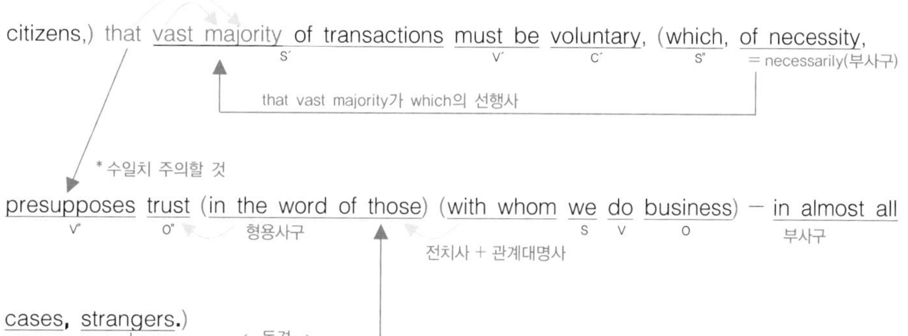

03 본문의 목적은 무엇인가?

① 경제 성장과 더 나은 사회에 기여할 사유를 논의하기
② 금융시장에 대한 이해가 사회에 대한 이해에 어떻게 도움이 되는지를 설명하기
③ 사회가 지속적으로 원활하게 돌아가기 위해 필요한 것은 다른 사람에 대한 신뢰임을 확신시키기
④ 낯선 사람과 거래를 하기 전에 사람들에게 신중히 생각하라고 설득하기

정답 ③
해설 "시장 자본주의가 제 기능을 발휘하기 위해 꼭 필요한 또 다른 요건은(Another important requirement for the proper functioning of market capitalism is)" "다른 사람들의 말에 대한 신뢰(trust in the word of others)"이다. 따라서 답은 ③이다.

04 본문에 따르면 다음 중 옳은 것은 무엇인가?

① 다른 사람들의 말을 신뢰하는 것은 보통은 경제 성장의 한 요소로 여겨지지 않는다.
② 법원은 현재보다 더 많은 소송을 담당할 수 있다.
③ 사람들은 낯선 사람들과 거의 거래를 하지 않는다.
④ 거의 모든 경우 계약서가 우선 작성된 다음에 나중에 구두로 확정된다.

정답 ①
해설 "다른 사람들의 말에 대한 신뢰"는 "경제 성장과 삶의 질 분야에 기여하는 여러 요소 가운데 포함되는 경우는 있어도 자주 포함되지는 않는 요소(also not often, if ever, covered in lists of factors contributing to economic growth and standards of living)"이다. 따라서 답은 ①이다.

05 본문에 따르면 신뢰가 중요한 이유는 무엇인가?

① 우리는 다른 사람들을 신뢰할 때 더 많은 돈을 번다.
② 우리는 우리 주변의 사람들을 신뢰할 때 인생을 더 즐길 수 있다.
③ 우리는 다른 사람들이 삶에 신경을 쓴다고 믿고 싶다.
④ 우리는 일을 진행시키기 위해 다른 사람들을 신뢰해야 한다.

정답 ④
해설 본문은 다른 사람들 간의 거래에 있어 신뢰가 존재하지 않았을 경우 거래 규모도 상당히 축소되었을 것이며 여러 일들도 제대로 진행되지 못했을 것임을 말하고 있다. 따라서 답은 ④이다.

06–09

부모가 자녀랑 나누는 대화의 내용은 중요하다. 셈과 숫자에 관한 대화를 집에서 들은 아이들은 학교를 다니기 시작할 때 훨씬 더 폭넓은 수학적 지식을 갖는다는 것이 시카고 대학 연구진의 보고이다. 여기서 말하는 지식은 해당 과목에 관한 앞으로의 점수를 예측할 수 있는 지식이다. 숫자와 관련된 연구를 주도한 심리학자 Susan Levine 또한 둥글거나 날카로운 물체가 얼마나 큰지 또는 작은지 등에 관한 것과 같은 실제 세계의 공간적 특징에 관해 어린 아이들이 듣는 대화의 양을 통해 아이가 유치원에 들어갈 준비를 할 시기에 아이들의 문제 해결 능력을 예측할 수 있음을 발견했다.
부모가 자녀들과 나누는 대화는 자녀가 성장할수록 변하지만, 이러한 담화가 학업 성적에 미치는 효과는 계속 강하게 남아 있다. 그리고 다시 말하자면, 부모가 중학생 자녀에게 말하는 방식에 따라 여러 결과가 나온다. 하버드 대학 교육대학원의 교수인 Nancy Hill의 연구에 따르면 부모는 Hill의 표현을 빌면 "학업의 사회화"에 중요한 역할을 한다. "학업의 사회화"란 기대치를 설정하는 것과 현재의 행동과 (대학 진학, 좋은 일자리 얻기 등) 미래의 목표 간의 연결 관계를 수립하는 것을 말한다. Hill이 밝힌 바에 따르면, 이러한 유형의 대화를 나누는 일은 자녀의 학교에서 자원봉사 활동을 하거나, 학부모회에 참석하거나, 심지어는 자녀를 도서관과 박물관에 데리고 가는 것보다 교육적 성취에 더 큰 영향을 준다고 한다. 이로 미루어 봤을 때, 자녀의 성공을 촉진하는 문제에 있어, 부모의 행동보다는 말이 중요하다.

어휘
- **extensive** ⓐ 폭넓은, 광범위한
- **properties** ⓝ 특성
- **accomplishment** ⓝ 성취
- **foster** ⓥ 촉진하다, 발달시키다
- **day-to-day** ⓐ 매일매일의, 그날그날의
- **be doomed to** – ~하게 마련이다
- **spatial** ⓐ 공간의
- **academic achievement** – 학업성적, 학습 성취도
- **when it comes to** – ~에 관한 한
- **not so much A as B** – A라기보다는 B인
- **schooling** ⓝ 학교 교육
- **demeanor** ⓝ 태도, 처신

06 본문의 주제는 무엇인가?

① 부모는 자녀가 어렸을 때부터 10대가 될 때까지 자녀와 나누는 대화의 내용에 집중해야 한다.
② 부모는 그날그날 자녀가 받는 학교 교육에 가능한 만큼 최대한 참가해야 한다.
③ 자녀가 받는 학교 교육에 있어 유일하게 중요한 부분은 자녀가 유치원에 가기도 전에 이루어진다.
④ 자녀와 자녀의 미래에 관해 가능한 한 빨리 논하는 것은 자녀가 나중에 성공적인 삶을 살도록 보장한다.

정답 ①

해설 "부모가 자녀랑 나누는 대화의 내용은 중요하다(The content of parents' conversations with kids matters)." "셈과 숫자에 관한 대화를 집에서 들은 아이들은 학교를 시작할 때 훨씬 더 폭넓은 수학적 지식을 갖는다(Children who hear talk about counting and numbers at home start school with much more extensive mathematical knowledge)." "부모가 자녀들과 나누는 대화는 자녀가 성장할수록 변하지만, 이러한 담화가 학업 성적에 미치는 효과는 계속 강하게 남아 있다(While the conversations parents have with their children change as kids grow older, the effect of these exchanges on academic achievement remains strong)." 이러한 단서를 통해 부모가 자녀와 나누는 대화의 내용은 자녀의 학업 성취도 향상에 크게 기여한다는 점을 알 수 있다. 따라서 답은 ①이다.

07 다음 중 맞지 않은 것을 고르시오.

① 자녀가 성장할수록 부모는 자녀에게 전할 말을 바꾸기가 힘들다는 사실을 깨닫게 된다.
② 집에서 숫자를 가지고 상의하게 되면 자녀는 학교에 갈 때가 되면 수학에 관해 더 잘 깨닫게 된다.
③ 자녀 앞에서 상의하게 될 특정한 주제를 선정하는 방법을 통해 자녀의 능력을 지도할 수 있다.
④ 부모는 학문적으로 및 사회적으로 자녀의 성과에 강력한 영향을 미칠 수 있다.

정답 ①
해설 본문 두 번째 단락에서는 "부모가 자녀들과 나누는 대화는 자녀가 성장할수록 변한다"는 내용은 명시되어 있지만, 부모가 자녀에게 전할 말을 바꾸기가 힘들어진다는 ①의 내용은 등장하지 않는다. 따라서 답은 ①이다.

08 다음 중 본문에서 유추할 수 있는 것은 무엇인가?

① 어린 자녀와 다양한 주제에 관해 논하게 되면 사회적 주제에 관해 성공을 보장하게 된다.
② 자녀와의 의사소통에 참여하지 않는 부모의 자녀는 학문적으로 실패하기 마련이다.
③ 어떤 연령이 되면 어떤 주제를 논의해야 할지에 관해 규정된 일정은 부모가 준수해야 한다.
④ 만일 여러분이 자녀가 예술 분야에서 성공하길 원한다면, 자녀가 어릴 때 이 문제를 자녀와 논의해야 한다.

정답 ④
해설 부모가 자녀와 나누는 대화의 내용이 중요하다는 것이 본문 전체의 주제이며, 여기에 더해 "부모는 '학업의 사회화'에 중요한 역할을 한다(parents play an important role in "academic socialization")"와 "'학업의 사회화'란 기대치를 설정하는 것과 현재의 행동과 (대학 진학, 좋은 일자리 얻기 등) 미래의 목표 간의 연결 관계를 수립하는 것을 말한다(setting expectations and making connections between current behavior and future goals (going to college, getting a good job)" 같은 사항을 조합해 보면 부모가 자녀와 나누는 대화의 주제와 자녀의 미래 목표 간에는 서로 상관관계가 존재한다는 것을 유추할 수 있다. 따라서 자녀가 예술 분야에서 성공하기를 바라는 부모라면 자녀에게 예술과 관련된 대화를 나누어 자녀가 예술 분야에 목표를 세우고 정진하게 할 것이다. 이러한 점으로 미루어 봤을 때 답은 ④이다.

09 다음 중 빈칸에 들어갈 가장 알맞은 것은 무엇인가?

① 대화에 쓸 어조를 선택하기
② 부모보다 친구가 되기를 선택하기
③ 이러한 유형의 대화를 나누기
④ 강하고 거친 태도를 갖기

정답 ③
해설 본문 가장 마지막 문장인 "이로 미루어 봤을 때, 자녀의 성공을 촉진하는 문제에 있어, 부모의 행동보다는 말이 중요하다(When it comes to fostering students' success, it seems, it's not so much what parents do as what they say)"는 본문 전체의 주제로 볼 수 있다. 여기서 "행동"에 해당되는 사항을 바로 앞 문장의 "자녀의 학교에서 자원봉사 활동을 하거나, 학부모회에 참석하거나, 심지어는 자녀를 도서관과 박물관에 데리고 가는 것(volunteering at a child's school or going to PTA meetings, or even taking children to libraries and museums)"에 대입해 본다면, 이러한 행동보다 "교육적 성취에 더 큰 영향을 주는(has a greater impact on educational accomplishment)" "말"은 빈칸에 해당되는 것임을 유추할 수 있다. 따라서 답은 ③이다.

10-13

선진국과 개도국 모두 젊은이들의 일자리 위기가 오랫동안 지속될수록 세계 경제에 미치는 영향은 더욱 심각해진다. 세계는 미래의 노동력을 육성하는 대신에 불만을 품은 수많은 근로자들로 구성된 최하층 계급만을 창조할 뿐이며, 이들은 앞으로 다가올 수십 년 간의 성장을 뒷받침하기에 필요한 기술을 갖추지 못한 사람들이다. 높은 비용으로 인해 최고의 재능을 지닌 사람들을 육성하는 행위가 더더욱 필요해진 선진국 경제의 경우, 경쟁력에 미치는 피해로 인해 중국과 인도처럼 점차 부각 중인 라이벌 국가들과 맞설 수 있는 능력이 방해를 받을 수 있다. 고령화 사회에서 특히 유럽과 일본의 경우 청년 실업은 퇴직자들의 보건 및 연금 비용 조달에 따른 부담을 더욱 무겁게 만들고 있으며, 그 이유는 세금을 지불하는 근로자의 수는 축소되었고 정부가 제공해야 할 복지 비용은 증가하기 때문이다. 이로 인해 이미 빚에 시달리는 정부에 더 큰 부담이 가해진다. 청년 실업에서 가장 치명적 결과를 가져다 줄 것으로 예측되는 것은, 일자리를 갖지 못한 청년들은 테러 활동과 범죄를 행할 가능성이 더 높다는 점으로 이는 연구에서 나타난 바 있다. 파리에 위치한 범정부 기관인 경제 협력 개발 기구(OECD)의 수석 경제학자인 Anne Sonnet에 따르면 "여러분이 만일 점차 많은 수의 사람들을 낙오시킨다면, 이는 사회에 손실을 입힙니다. 여러분은 사회와 유리된 일자리 없는 세대의 위험에 직면하게 됩니다"라고 말했다.

어휘
underclass ⓝ 최하층 계급
top-notch ⓐ 일류의, 최고의
contend with – ~와 다투다, 씨름하다
curtail ⓥ 축소시키다, 삭감시키다
potentially (adv) 어쩌면, 가능성 있게
left behind – 뒤처진, 낙오한
chasm ⓝ 큰 차이
hitherto (adv) 지금까지, 그때까지
harness ⓥ 이용하다, 활용하다
detached ⓐ 떨어져 있는, 거리를 두는
in one's wake – ~에 뒤이어, 뒤쳐진
hamper ⓥ 방해하다
coffer ⓝ 금고, 재원
disaffected ⓐ 불만을 품은
hamper ⓥ 방해하다
aging ⓐ 노화하는, 고령화된
strain ⓝ 부담, 중압
lethal ⓐ 치명적인
disconnected ⓐ 단절된
overtake ⓥ 추월하다, 앞지르다
dominant ⓐ 우월한, 지배적인
roam around 배회하다, 돌아다니다
drag along – 지척거리다, 천천히 나아가다
persist in – ~을 고집하다
dog ⓥ 오랫동안 괴롭히다

10 다음 중 본문에서 발견할 수 있는 것은 무엇인가?

① 사회에서 일자리가 있는 사람과 없는 사람 간의 깊은 골
② 중국과 인도는 어떻게 서로 동등한 위치에 섰고 지금까지 우세했던 경제대국들을 추월할 수 있게 되었는가
③ 전 세계적인 경기 침체의 원인으로 비난을 받는 고령 인구의 사고방식
④ 수치화할 수 없을 정도로 빚이 엄청난 정부는 고령 인구를 이용하려 하고 있다.

정답 ①
해설 본문은 지속되는 일자리 위기가 사회에 엄청난 악영향을 줄 것임을 말하고 있으며, 특히 일자리가 없는 청년들이 가져올 위험에 대해 경고하고 있다. 즉 일자리가 없는 청년과 있는 청년 간의 골이 깊어질 것임을 알 수 있다. 따라서 답은 ①이다.

11 Anne Sonnet의 의견을 가장 잘 반영한 것은 무엇인가?

① 사회 주변을 배회하는 일자리가 없는 일군의 청년들이 존재하는 것은 위험한 일이다.
② 일자리 없는 청년들이 사회의 다른 나머지 구성원들과 더욱 떨어져 존재하게 되면 패배하는 쪽은 사회이다.
③ 일자리 없는 청년들의 수가 계속해서 증가할수록 상황을 개선하는 쪽은 고령화 인구에 달려 있다.
④ 정치적 논쟁의 대상이 되지 못하는 젊은이들의 사회가 흘리는 피를 막기 위해서 지금 조치를 취해야 한다.

정답 ②
해설 Anne Sonnet은 "If you have a growing number of people left behind, there is a cost for society. You run the risk of a jobless generation disconnected from society(여러분이 만일 점차 많은 수의 사람들을 낙오시킨다면, 이는 사회에 손실을 입힙니다. 여러분은 사회와 유리된 일자리 없는 세대의 위험에 직면하게 됩니다)"라고 말했다. 즉 일자리 없는 청년들이 사회와 유리될수록 이들이 사회에 가하는 위협은 점점 커지고 그 결과 위험에 처하게 되는 것은 사회라는 의미이다. 따라서 답은 ②이다.

12 다음 중 밑줄 친 부분과 가장 유사한 것은 무엇인가?

① 세계 경제의 문제가 계속해서 심각해지는 와중에 청년 실업 문제는 점차 뒤쳐지며 끌려가고 있다.
② 세계 경제 위기가 심각하긴 하지만, 청년 실업 문제가 더욱 심각하다는 점을 고려할 필요가 있다.
③ 청년 실업 문제 개선 노력을 지속적으로 방해한다면, 세계 경제는 폭발 일보 직전의 상황에 도달할 것이다.
④ 청년 실업이 정부를 오랫동안 괴롭힐 경우 세계 경제가 지불할 대가가 커질 것이다.

정답 ④
해설 밑줄 친 부분은 "선진국과 개도국 모두 젊은이들의 일자리 위기가 오랫동안 지속될수록 세계 경제에 미치는 영향은 더욱 심각해진다"로 해석되며, "일자리 위기가 지속될수록 세계 경제는 더 큰 악영향을 받게 된다"는 의미를 갖는다. 보기 중에서 이와 가장 가까운 것은 ④이다.

13 다음 중 본문에 따르면 청년 실업에 따른 결과가 아닌 것은 무엇인가?

① 많은 청년들이 일자리를 구할 수 있는 곳으로 이민하면서 자국에 교육받은 사람의 수가 줄게 된다.
② 청년 실업률이 높은 선진국은 신흥 개발도상국과 경쟁할 수 있는 능력을 잃게 된다.
③ 불만을 품은 청년들이 벌이는 테러 활동의 위험이 증가한다.
④ 노년층의 복지를 위해 쓰일 정부 금고에 들어가는 세금이 줄어든다.

정답 ①
해설 "높은 비용으로 인해 최고의 재능을 지닌 사람들을 육성하는 행위가 더더욱 필요해진 선진국 경제의 경우, 경쟁력에 미치는 피해로 인해 중국과 인도처럼 점차 부각 중인 라이벌 국가들과 맞설 수 있는 능력이 방해를 받을 수 있다(For advanced economies, where high costs make the development of top-notch talent even more critical, the damage to competitiveness could hamper these countries' ability to contend with emerging rivals like China and India)"는 ②에 해당되며, "일자리를 갖지 못한 청년들은 테러 활동과 범죄를 행할 가능성이 더 높다(unemployed youths are more likely to engage in terrorist activities and crime)"는 ③에 해당되며, "고령화 사회에서 특히 유럽과 일본의 경우 청년 실업은 퇴직자들의 보건 및 연금 비용 조달에 따른 부담을 더욱 무겁게 만들고 있으며, 그 이유는 세금을 지불하는 근로자의 수는 축소되었고 정부가 제공해야 할 복지 비용은 증가하기 때문이다(In aging societies, especially in Europe and Japan, youth unemployment makes the burden of funding health care and pensions for retirees even heavier, since the number of taxpaying workers is curtailed and the cost of benefits that governments must provide increases)"는 ④에 해당된다. 따라서 답은 ①이다.

14-17

시에 관해 배우는 일(즉, 읽는 법, 쓰는 법, 감상하는 법을 배우는 일)은 학생들에게 모든 형태의 글쓰기에 관해 가르쳐 줄 때 꼭 필요한 부분이다. 시는 학생의 문법 지식을 드러내는 자리가 아니다 (그보다는 문법을 뒤집는 자리로 봐야 할 경우가 더 빈번하다). 다른 어떤 형태의 글쓰기보다 시는 학생들에게 언어의 문체를 고려하도록 훈련시킨다. 이처럼 가까이에서 바라보면서 들어 주는 행위는 어떤 방식이든 글을 잘 쓰는 데 있어 필수적인 요소이다. 뛰어난 에세이에는 세심하게 선정된 말이나 순수한 미적 능력만을 통해 독자를 설득할 수 있는 능력이 포함되지 않는다고 말하기는 어려울 것이다. (하지만) 시는 학생들에게 이것을 하는 방법을 가르쳐 준다.
"아동 학습에 있어 시의 중요성"에서 Michael Benton이 주장한 바에 따르면 시는 아동의 언어 학습에 필수적이며 그 이유는 시는 다른 형태의 글에 비해 다르게 읽히기 때문이다. 비록 현대시가 전통적인 시의 형태를 고수하는 경우는 드물지만, (현대시이든 아니든 간에) 모든 시는 말의 소리와 형태에 세심한 주의를 기울인다. 학생들이 시 수업에서 언어의 기교에 관해 깊은 친근함을 느끼게 되면 자신만의 문체로 가득한 문장과 구절로 자신만의 새로운 생각을 표현하는 법을 배우게 된다.

어휘
appreciate ⓥ 올바르게 평가하다, 감상하다
subvert ⓥ 뒤집다, 전복시키다
crucial ⓐ 중대한, 결정적인
meticulous ⓐ 꼼꼼한, 세심한
aesthetic ⓐ 미적인, 심미적인
contemporary ⓐ 동시대의, 현대의
craft ⓝ 기술, 기교
syntax ⓝ 문장 구조법, 구문론
exceptionally (adv) 유난히, 특별히
incorporate ⓥ (~의 일부로) 포함하다
integral ⓐ 필수적인
take into account – ~을 고려하다
outstanding ⓐ 뛰어난
sheer ⓐ 순수한, 순전한
prowess ⓝ 능력, 기량
familiarity ⓝ 친근함
stymie ⓥ 방해하다, 좌절시키다
stun ⓥ 망연자실하게 만들다, 큰 감동을 주다
bear resemblance to – ~을 닮다

14 본문에 따르면 다음 중 사실이 아닌 것은 무엇인가?

① 여러분은 시에서 정확한 문법 구조를 항상 발견할 수 있는 것은 아니다.
② 시는 아이의 언어 발달에 있어 중요한 도구가 될 수 있다.
③ 시의 구성방식은 다른 형태의 글을 쓸 수 있는 능력의 발달을 좌절시킨다.
④ 시는 말이 구성되고 말해지는 방식에 면밀하게 집중한다.

정답 ③

해설 "그보다는 문법을 뒤집는 자리로 봐야 할 경우가 더 빈번하다(in fact, it is often the space to subvert it)"는 ①에 해당되며, "시는 아동의 언어 학습에 필수적이다(poetry is key to children's learning about language)"는 ②에 해당하며, "모든 시는 말의 소리와 형태에 세심한 주의를 기울인다(all poetry … pays close attention to the sound and form of words)"는 ④에 해당한다. 따라서 답은 ③이다.

15 **다음 중 밑줄 친 부분을 정확하게 패러프레이즈한 것은 무엇인가?**

① 위대한 에세이는 신중한 단어 선택과 독자에게 영향을 미치는 예술적인 힘을 통해 쓰인다는 것이 사실이라 이해된다.

② 모든 이들이 동의하듯이 위대한 에세이는 저자가 단어를 신중하게 선택했으며 독자에게 반대되는 시각을 납득시킬 수 있다는 사실을 보여 줘야 한다.

③ 만일 에세이가 위대한 구문과 어휘를 통해 독자들에게 큰 감동을 둔다면 다른 형태의 글에 비해 에세이가 우월하다는 사실을 부인하기 어렵다고 말하기 쉽다.

④ 에세이를 작성할 때 말을 신중하게 선택하는 것은 독자를 대상으로 에세이가 더 큰 영향을 미치도록 하는 효과를 낳을 것임은 특별히 분명하게 알 수 있다.

정답 ①

해설 밑줄 친 부분은 "뛰어난 에세이에는 세심하게 선정된 말이나 순수한 미적 능력만을 통해 독자를 설득할 수 있는 능력이 포함되지 않는다고 말하기는 어려울 것이다"로 해석된다. 이 말은 "뛰어난 에세이는 세심하게 선택된 단어와 에세이의 미적 가치가 독자를 사로잡는다"로 요약 가능하다. 보기 중에서 이와 의미상 가장 가까운 것은 ①이다.

16 **다음 중 Michael Benton의 의견을 기술한 것은 무엇인가?**

① 아이에게 시를 읽히는 것은 위험하며 그 이유는 시가 아이들이 어릴 때 잘못된 문법을 접하게 하기 때문이다.

② 현대의 시는 전통적인 시와 닮은 구석이 없고 피해야만 한다.

③ 아이들은 자신만의 언어를 형성하기 위해서는 시를 읽는 법과 감상하는 법을 배워야 한다.

④ 시는 모든 아이들에게 가르쳐져야 하지만 아이들이 자신만의 언어를 형성하는 법을 배운 다음에야 가르쳐져야 한다.

정답 ③

해설 "다른 어떤 형태의 글쓰기에 비해 시는 학생들에게 언어의 문체를 고려하도록 훈련시킨다(Poetry, more than any other form of writing, trains students to take into account the style of language)." "시는 아동의 언어 학습에 필수적이다." "학생들이 시 수업에서 언어의 기교에 관해 깊은 친근함을 느끼게 되면 자신만의 문체로 가득한 문장과 구절로 자신만의 새로운 생각을 표현하는 법을 배우게 된다(When students develop a deep familiarity with the craft of language in a poetry class, they learn how to express their new ideas in sentences and phrases full of their own style)." 이들을 종합하면 "시에 관해 배우는 일(즉, 읽는 법, 쓰는 법, 감상하는 법을 배우는 일)(Learning about poetry (how to read it, write it, and appreciate it))"은 아이들이 자신만의 언어를 배우기 위해 꼭 필요한 요소임을 알 수 있다. 따라서 답은 ③이다.

17 다음 중 본문 다음 부분에 논의될 사항은 무엇인가?

① 시를 배우는 것을 아이들의 교육 과정에 포함시키는 방법
② 왜 아이들은 다른 것보다 시를 읽는 것을 선호하는가
③ 현대의 시와 전통적인 시 가운데 아이들의 학습에 가장 좋은 것은 무엇인가
④ 시는 어떻게 하여 다른 형태의 글에 비해 더 우월한가

정답 ①

해설 본문은 아이들의 교육 과정에 시를 포함시켜야 한다고 주장하고 있으므로, 본문 다음은 어떻게 포함시켜야 할지 구체적인 방안이 나올 것으로 유추 가능하다. 따라서 답은 ①이다.

18-20

구성원들에게 원격 근무를 허용할지 말지 그리고 허용한다면 언제 허용할지를 결정하려 하는 조직은 지난 20세기에서 벗어나지 못하는 조직이다. 1950년대에는 직원들에게 같은 장소에서 일하도록 요구하는 일은 매우 합당한 조치였다. 하지만 우리는 문명이 그러해 온 것처럼 발전해 왔다. 오늘날 우리는 이 세상의 어디에서나 일할 수 있는 수많은 도구를 지니고 있다. 우리는 앞으로 진보하고 있고 사회는 개인의 책임과 자유에 보답하는 24/7 경제를 선호하는 방향으로 맞춰져 있다. 이는 사무실에서 일하는 사람 대 사무실 밖에서 일할 수 있는 특별 출입증을 보유한 사람 간의 대결 구조가 아니다.

책임과 자유. 일에 대한 책임과 합리적인 방식으로 일을 할 자유. 경영자들은 주목할 만한 결과를 내는 문제에 관해 각 직원들에게 아주 분명한 태도를 보이는 대신에 감시 카메라 역할을 하고 있다. 관리를 통한 융통성은 아주 시대에 뒤떨어진 것이다. 사람들이 1952년의 시간과 공간의 제약에서 벗어나 일할 수 있도록 허가를 내리는 가부장적 행위에 불과하다. 조직은 직원들이 근무 시간이나 원격 근무에 관한 전통적인 인사 정책 없이도 업무를 하고 시간을 관리할 수 있을 것으로 신뢰할 수 있다. 누군가의 시간을 관리하는 것은 "나는 일을 효과적으로 관리하는 방법을 몰라서 당신을 관리하도록 하겠다"라고 말하기 위한 방식에 불과하다.

사람을 있는 그대로 성인으로 대우하면 그 사람은 성인처럼 행동할 것이다. 사람을 어린아이로 대하면 시간이 흘러 종이 울리길 기다리고 종이 울리면 한꺼번에 빠져나가길 바라는 사람으로 가득한 직장에 자신이 속해 있음을 알게 될 것이다. 우리의 조언은 다음과 같다. 사람이 아니라 일을 관리하는 것에 집중하라. 사람은 스스로를 관리할 수 있다. 어떤 요구가 충족되어야 할지를 분명히 하고 요구를 어떻게 측정할지에 관해 분명히 하라. 그리고 사람들이 일을 어떻게 어디서 하는지를 관리하려 하지 말라. 사람들이 결과를 내지 못한다면 쫓겨날 뿐이다. 결과를 못내면 일자리도 없다.

어휘
remotely ⓐdv 멀리서, 원격으로
aligned ⓐ 조정된, 조절된
measurable ⓐ 특정 가능한, 주목할 만한
constraint ⓝ 제약, 제한
exodus ⓝ 탈출, 이동
divert ⓥ 다른 곳으로 돌리다, 전환하다
stuck ⓐ ~에서 벗어나지 못하는
hall monitor – 감시 카메라
paternalistic ⓐ 가부장적인
vintage ⓐ 고전적인, 전통적인
sensibly ⓐdv 눈에 띌 정도로, 현저히
get down to – ~을 시작하다

18 다음 중 본문에서 유추할 수 있는 것은 무엇인가?

① 새로운 사업 전망은 직원에 관해 걱정할 필요가 없는 기업을 선호한다.
② 직원들에게 완전한 자유를 보장하는 기업은 더 좋은 사업적 결과와 더 높은 수익을 누릴 수 있다.
③ 현대식 경영기법에는 혁신과 기존의 관행이 필요하다.
④ 여러분이 직원들에게 신뢰하고 있다는 점을 보여 주면 직원들은 눈에 띌 정도로 행동할 것이고 신뢰를 배반하지 않을 것이다.

정답 ④

해설 본문의 핵심은 "사람을 있는 그대로 성인으로 대우하면 그 사람은 성인처럼 행동할 것이다(Treat people like the adults that they are, and they will act like adults)"이다. 즉 경영자가 직원들을 신뢰하면 당연히 직원들도 경영자를 신뢰할 것이다. 따라서 답은 ④이다.

19 본문이 말하는 바는 무엇인가?

① 경영자는 최상의 결과를 얻기 위해서는 직원들에게 자신들이 원하는 자유를 부여해야 한다.
② 경영자는 직원이 없다면 일도 얻지 못할 것이며 따라서 직원을 더 잘 대해야 한다.
③ 경영자가 초점을 맞춰야 하는 것이 항상 집중해야 할 대상에서 직원으로 옮겨졌다.
④ 경영자는 직원들만큼 감시받아야 한다.

정답 ①

해설 앞 문제의 해설에서도 명시된 바 있지만, 본문의 핵심은 전통적 개념인 사람을 관리하는 것이 아니라 일을 관리하고, 대신 사람들에게는 신뢰를 주는 것이 중요하다는 것이다. 그리고 "책임과 자유, 일에 대한 책임과 합리적인 방식으로 일을 할 자유(Responsibility and freedom. Responsibility for the work, and the freedom to do it in a way that makes common sense)"를 강조하고 있다. 따라서 답은 ①이다.

20 밑줄 친 부분을 가장 잘 패러프레이즈한 것은 무엇인가?

① 경영자가 직원들에게 말하는 방식에 따라 다양한 결과가 나타난다.
② 경영자가 직원들과 노는 시간을 줄이고 힘든 일을 시작하게 되면 더 나은 최종 결과를 볼 수 있을 것이다.
③ 경영자가 직원들이 일을 완수하는 것에 관심을 보이는 것보다 직원들 개인의 자세한 생활에 더 관심을 보이는 것은 분명한 일이다.
④ 경영자는 직원을 아이처럼 대하고 직원들이 쓰는 시간을 감시하기보다는 직원에게서 보고 싶은 결과를 강조해야 한다.

정답 ④

해설 밑줄 친 부분은 "경영자들은 주목할 만한 결과를 내는 문제에 관해 각 직원들에게 아주 분명한 태도를 보이는 대신에 감시 카메라 역할을 하고 있다"로 해석되며, 이는 즉 경영자가 직원들에게 어떤 결과를 얻고 싶은지 강조하기보다 그저 직원들의 모습을 감시하고 있을 뿐이라는 의미이다. 즉 성공을 위해서는 이와는 반대되는 행동을 해야 할 것이다. 따라서 답은 ④이다.

21–24

2007년 여론 조사 전문기관인 퓨 리서치 센터에서는 당시에 이용이 가능하던 다수의 뉴스 출처가 과연 사람들에게 더 많은 지식을 주는지 여부를 점검하기 시작했다. 답은 '그다지'였다. 부통령의 이름이나 자신이 사는 주의 주지사의 이름을 댈 수 있는 사람의 수는 1989년이랑 별 차이가 없었다. 사람들은 일부 질문에서는 대답을 더 잘 했지만, 다른 질문에서는 대답을 더 못했다. 그러니까 핵심을 말하자면 사람들이 핵심 지도자들의 이름을 대거나 주요 뉴스 사건을 인지하고 있는 정도는 근 20년 전에 그랬던 것과 비슷한 수준이라는 점이다.
트위터나 페이스북에 끊임없이 뉴스가 뜨고 아이폰에 스트리밍으로 영상이 흐르는 오늘날의 정보 기술은 2007년을 마치 암흑기인 것처럼 보이게 한다. 하지만 퓨 리서치 센터의 "뉴스 지능지수" 퀴즈가 발견한 것은 대중은 여전히 정치와 시사에 관한 수많은 기본적 사실에 대해서는 여전히 어려움을 겪고 있다는 점이다. 7월에 있은 가장 최근 퀴즈에서는 Harry Reid와 이미 세상을 떠난 William Rehnquist가 포함된 목록 가운데 대법원장이 John Roberts임을 알아본 사람은 미국인 중 34%뿐이었다.
디지털 시대 이전의 사례와 마찬가지로 대학 졸업생들은 이보다 낮은 학력을 지닌 사람들에 비해 학식이 더 풍부했다. 하지만 대학생군에 포함되는 사람들이 증가한 것이 대중의 학식을 높이는 것으로 이어지지는 않았다. 더군다나 교육은 저명한 인물 및 뉴스 사건에 관해 지식이 더 많아진 것과 상관관계가 있지만, 1980년대에 그랬던 것과 마찬가지로, 그리 큰 혜택을 부여한다고는 볼 수 없는 듯하다.
정치와 시사에 관한 정보를 적극적으로 찾고자 하는 사람들에게 있어 현재의 언론지형은 뉴스 및 정보 수집에 있어 이전에는 생각지 못한 기회를 제공하고 있다. 휴대전화로 대선토론을 보고 싶은가? 쉽다. 토론이 진행 중인 중에도 트윗을 날리고 싶은가? 문제없다. 하지만 디지털로 된 뉴스 출처의 증가는 뉴스에 그다지 관심이 없거나, 뉴스를 이해할 배경 지식이 없거나, 아니면 아예 해당 기술을 활용할 돈이 없는 수백만의 미국인들에겐 별 영향이 없다.

15

어휘
roughly (adv) 대략, 거의
swelling ⓐ 증가한
media landscape – 언론지형
outlet ⓝ 방송국
the bottom line is that – 결국은 ~이다
confer ⓥ 수여하다, 부여하다
demographics ⓝ 인구 통계 (자료)
enamored ⓐ 매혹된, ~을 좋아하는

21 본문의 주제는 무엇인가?

① 다양한 인구 통계 자료를 통해 드러나는 지식의 수준
② 현재의 발전한 뉴스가 대중의 지식에 미치는 영향
③ 더 많은 대중에게 지식을 전달하기 위해 방송국을 더 많이 개설하는 경우
④ 더 많은 정보를 아는 사람들이 매체에 끼치는 영향

정답 ②
해설 본문은 과거에 비해 대중에게 뉴스가 전달되는 통로는 늘었음에도 대중의 지식이 주목할 만큼 늘지는 않았음을 말하고 있다. 따라서 답은 ②이다.

22 본문에 따르면 다음 중 옳지 않은 것은 무엇인가?

① 교육을 거의 받지 못한 사람도 교육을 많이 받은 사람만큼이나 모른다.
② 뉴스에 관심을 보이지 않던 사람들은 현재는 더 많은 것을 알아내라는 권유를 받지 않는다.
③ 대학 졸업생들은 디지털 시대 이전보다 현재 더 많은 정보를 알고 있다.
④ 지금은 주지사의 이름을 댈 수 있는 사람이 이전보다 더 많은 것은 아니다.

정답 ③

해설 "디지털 시대 이전의 사례와 마찬가지로 대학 졸업생들은 이보다 낮은 학력을 지닌 사람들에 비해 학식이 더 풍부했다(As was the case in the predigital era, college graduates are better informed than those with less education)". 여기서 알 수 있는 것은 대학 졸업생들은 디지털 시대 이전이든 이후든 학력이 낮은 사람들보다는 지식 수준이 높다고 볼 수 있지만, 딱히 디지털 시대 이후에 대학 졸업생들의 지식이 증가했다는 내용은 본문에 등장하지 않는다는 점이다. 따라서 답은 ③이다.

23 디지털로 된 뉴스의 출처가 증가했음에도 일부 사람들이 이에 영향을 받지 않는지 그 이유에 관해 언급하지 않은 것은 무엇인가?

① 일부 사람들은 디지털 이외의 수단을 통해 뉴스를 얻는 것을 선호한다.
② 일부 사람들은 뉴스를 디지털로 받을 수 있는 제품을 살 돈이 없다.
③ 일부 사람들은 뉴스를 이해할 수 있을 만큼 똑똑하지 못하다.
④ 일부 사람들은 뉴스에서 어떤 일이 있었는지 신경 쓰지 않는다.

정답 ①

해설 "하지만 디지털로 된 뉴스 출처의 증가는 뉴스에 그다지 관심이 없거나, 뉴스를 이해할 배경 지식이 없거나, 아니면 아예 해당 기술을 활용할 돈이 없는 수백만의 미국인들에겐 별 영향이 없다(But the rise of digital news sources is having less of an impact on the millions of Americans who are not that interested in the news, who lack the background to make sense of it, or who simply can't afford the technology)". 이는 각각 ④, ③, ②에 해당되며, 따라서 답은 ①이다.

24 다음 중 밑줄 친 부분을 가장 잘 패러프레이즈한 것은 무엇인가?

① 더 많은 사람들이 대학에 가고 싶어 할수록 대중은 졸업생들을 덜 선호하게 된다.
② 평소보다 매우 많은 수의 대학 졸업생이 배출되었다는 것은 대중이 더 똑똑해졌다는 의미이다.
③ 비록 오늘날에는 대학 졸업생이 과거보다 더 많지만 이것이 대중이 더 많은 것을 알고 있다는 의미는 아니다.
④ 만일 대중이 스스로에게 더 많은 것을 가르쳐 주고 싶다면 더 많은 수가 대학에 가야 한다.

정답 ③

해설 밑줄 친 부분은 "하지만 대학생군에 포함되는 사람들이 증가한 것이 대중의 학식을 높이는 것으로 이어지지는 않았다"로 해석이 가능하며, 보기 중에서 이와 의미상 가장 가까운 것은 ③이다.

25-28

출발 탑승구 주변 지역은 혼잡했고 따라서 비행기가 승객으로 꽉 찰 것임이 분명했다. 실제로는 꽉 찬 정도가 아니었다. 탑승수속 직원은 비행기가 초과 예약되었다고 선언했고, 자리를 포기하는 대가로 다음 항공기에 예약을 해 줄 뿐 아니라 덧붙여 나중에 항공편을 구매할 때 200달러 할인을 해 주는 것같이 추가 인센티브를 제공할 것이라고 하면서 지원자들이 나오기를 요청했다. 충분한 수의 지원자가 금방 나오지 않았으니 인센티브가 증가하게 되었다. 이러한 모습은 항공사의 단골 고객 입장에서는 친숙한 일이다. 하지만 항상 일이 이런 식으로 풀리지는 않는다. 실제로 항공사에게 초과 예약에 어떻게 효과적으로 대처할 것인지 두 명의 경제학자가 가르침을 주었다. 혼잡한 항공편의 경우 항공사에서는 항상 실제 존재하는 것보다 더 많은 좌석을 판매한다. 이에는 합당한 이유가 존재한다. 예약한 사람 중 일부는 나타나지 않고 빈 좌석은 허비된 좌석이다. 하지만 때로는 예상보다 적은 수의 사람만 예약해 놓고 나타나지 않고 그 결과 항공편의 예약이 한도 이상으로 이루어진다. 이 경우 어떤 일이 일어나는가? 1978년까지는 항공사에서는 승객 중 일부를 그냥 "쫓아냈다". 즉 일부 승객들에게 예약이 취소되었다고 말했다. 누구를 쫓아내야 할지에 관해 따로 일률적인 규칙이 존재하지는 않았다. 예를 들어 일부 항공사에서는 불평을 덜하는 성향이 있는 나이 든 승객들을 쫓아냈다. 말할 필요 없이 쫓겨난 승객들은 기쁜 마음일 리 없었다. 하지만 1968년에 경제학자 Julian Simon은 하나의 시장에 기반한 접근법을 제시했는데, 이에 따르면 항공사는 좌석은 승객에게 주어진 재산권과 같은 것으로 항공편을 취급해야 하며 따라서 항공사는 항공기가 초과 예약이 될 경우 재산권을 다시 사들여야 한다. 항공사는 이러한 의견이 실용적이라는 생각을 하지 않았다. 하지만 1978년에 다른 경제학자인 Alfred Kahn이 당시 항공사를 관리하던 기관인 미국 민간 항공위원회의 수장으로 임명되었다. 그는 항공사들에게 초과 예약 문제를 해결하기 위해 경매 방식을 사용할 것을 요구했으며, 그 결과 이제는 초과 예약 문제처리 과정에서 지원자를 요청하는 모습을 흔히 볼 수 있게 되었다.
이처럼 지원 방식의 시장에 기반한 해결책의 장점은 무엇일까? 예전의 문제처리 방식 하에서는 급하게 예정된 비행기를 타야 하는 사람마저 나중에 쉽게 연결편을 탈 수 있는 사람으로 여겨지는 바람에 쫓겨날 가능성이 있었다. 1978년부터는 정말로 비행기를 타야 하는 사람들은 지원하지 않는다. 비행기에 탑승해야 한다고 간절히 바라지 않는 사람들은 자신들에게 더 가치 있는 것을 얻게 된다. 항공사는 승객이 예약석을 포기하도록 하기 위해 돈을 지불하지만 더 큰 고객 만족을 통해 돈으로 만회하는 것 이상의 효과를 거둔다. 간단히 말하자면 모두가 이익을 보는 것이다. Simon과 Kahn은 재산권을 활용해 시장을 창출하여 경제의 한 부분의 효율성을 증대시킨 것이다.

어휘
- **gate agent** – 탑승 수속직원
- **in return for** – ~와 맞바꾸어, ~의 답례로
- **no-show** ⓝ 예약해 놓고 나타나지 않음
- **bump** ⓥ 다른 자리로 이동시키다, 쫓아내다
- **property right** – 재산권
- **urgently** (adv) 급히, 시급히
- **make up for** – 만회하다, 벌충하다
- **get the short end of the stick** – 재수 없게 걸려서 싫은 것을 떠맡게 되다
- **convince** ⓥ 납득시키다, 확신시키다
- **overbook** ⓥ 예약을 한도 이상을 받다
- **frequent flier** ⓝ 항공사의 상용 고객[단골 고객]
- **end up** – 결국 ~하게 되다
- **uniform** ⓐ 균일한, 일률적인
- **head** ⓥ 이끌다, 책임지다
- **anxious** ⓐ 열망하는, 간절히 바라는
- **compensation** ⓝ 보상금
- **thereby** (adv) 그렇게 함으로써

구문정리
Under the old system, someone who urgently needed to get on the scheduled flight was as likely to get bumped as someone who could easily take a later connection.
예전의 문제처리 방식 하에서는 급하게 예정된 비행기를 타야 하는 사람마저 나중에 쉽게 연결편을 탈 수 있는 사람으로 여겨지는 바람에 쫓겨날 가능성이 있었다.

15

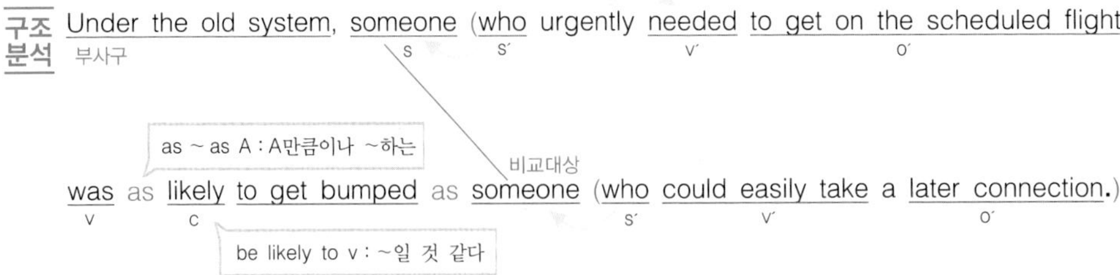

25 **본문의 주제는 무엇인가?**

① 관련 당사자에게 더 큰 이득을 주는 해결책
② 고객이 돈을 덜 지불하고도 더 나은 서비스를 받는 방법을 찾기
③ 항공사에서 하는 행위를 통제하는 규제를 고안하기
④ 소중한 고객을 보호하면서 무작위로 선정된 고객은 무시하는 방법

정답 ①
해설 본문은 항공사의 초과 예약 처리 방식이 바뀌면서 관련된 이들 모두에게 이익을 주는 경우를 제시하고 있다. 즉 모두에게 이익을 주는 해결책도 존재한다는 것이다. 따라서 답은 ①이다.

26 **본문에 따르면 다음 중 옳은 것은 무엇인가?**

① 승객이 나중 항공편으로 바꿔 타고 싶지 않을 경우 좌석을 포기하라는 강요를 받는다.
② 보상금과는 관계없이 나중 항공편을 타겠다고 자발적으로 동의하는 승객은 보통은 존재하지 않는다.
③ 과거에 나이 든 승객들은 쫓겨나야 할 상황이 되면 나이 때문에 운 없이 걸려서 예약이 취소당하는 처지가 되곤 했다.
④ 가능한 수보다 더 많은 항공권을 판매하는 것은 항공사에서 이윤을 높이기 위해 꽤 최근에 시작하게 된 현상이다.

정답 ③
해설 과거 경매 방식의 초과 예약 처리 방식이 도입되기 전에는 "누구를 쫓아내야 할지에 관해 따로 일률적인 규칙이 존재하지는 않았다. 예를 들어 일부 항공사에서는 불평을 덜하는 성향이 있는 나이 든 승객들을 쫓아냈다(There were no uniform rules about who got bumped; some airlines, for example, bumped older passengers because they were less likely to complain)." 즉 단지 나이 때문에 쫓겨나는 경우도 존재했었다. 따라서 보기는 ③이다.

27 **Alfred Kahn은 항공기 승객들에게 어떻게 혜택을 제공했는가?**

① 그는 항공사들에게 이전에 무작위적 선정 방식보다 승객들이 자원하도록 요청하는 것이 낫다고 납득시켰다.
② 그는 항공사들에게 승객은 한 항공사에 전적으로 충성하지는 않는다는 것을 보여 주었다.
③ 그는 항공사들에게 일부 승객은 다른 승객보다 더 좋게 대우하고, 이를 통해 경쟁을 창출하도록 권유했다.
④ 그는 항공사에 소속되었고 곧 더 많은 책임을 지게 되었다.

정답 ①

해설 Alfred Kahn은 "항공사들에게 초과 예약 문제를 해결하기 위해 경매 방식을 사용할 것을 요구했다(required airlines to use an auction system to deal with overbooking)." 그리고 본문에서는 이 자원자들의 경매를 통해 승객과 항공사 모두에게 혜택이 돌아갔음을 말하고 있다. 따라서 답은 ①이다.

28 다음 중 유추할 수 없는 것은 무엇인가?

① 오늘날 비행기를 많이 타는 사람들은 초과 예약과 "자리 이동" 경매가 종종 일어나는 광경을 목격한다.
② Julian Simon은 과거 본의 아니게 쫓겨난 경험이 있던 승객이었고 이 문제에 관해 뭔가 대책을 원했다.
③ 일부 승객들은 일정이 빡빡하지 않고 매우 기꺼이 나중 항공편으로 자리를 옮기려 한다.
④ 항공권을 구매했지만 비행기를 타지 않는 사람들은 다른 사람들이 비행기를 타지 못하게 막는 셈이다.

정답 ②

해설 Julian Simon은 Alfred Kahn과 함께 초과 예약 문제의 해결법을 제시한 두 명의 경제학자 중 하나이지 ②에서 말하는 것처럼 과거 쫓겨난 경험이 있던 승객은 아니다. 따라서 답은 ②이다.

15

29-30

작가란, 여타 모든 사람과 마찬가지로, 평화와 풍요의 질서 있는 사회를 환영한다. 그리고 문학은 이러한 목적을 성취하는 국가와 협력할 수 있다. 이번에는 국가가 이러한 협력의 역설적인 성격, 즉 작가는, 그가 국가에 어떻게 이바지하든, 여전히 개인의 보호자이며 여러 제도의 비판자이며 또 변혁의 주동자라는 것을 인정하지 않으면 안 된다. 이런 것이 언제나 작가가 해야 할 일임에 틀림없는 것이다. 그리고 오늘날에는 작가가 해야 할 훨씬 더 중요하고 더 어려운 역할이 있다. 그의 가치는 인간이 생활목적으로 하고 싶은 목적을 재정의하고, 과거로부터는 항구적인 것을 구제하여 그것을 명예로운 위치에 놓고, 또 비판적인 것, 이상한 것, 반성적이며 일견 소용없는 것을 인습적이며, 실제적이고, 명백하며, 능률적인 것에 대치시키려고 시도하는 데 있을 것이다.

어휘
collaborate with ~ – ~와 협력하다
paradoxical ⓐ 역설적인
critic of institutions – 제도의 비판자
has part to play – 해야 할 역할이 있다
reflective ⓐ 반성적0인
stereo-typed ⓐ 틀에 박힌, 인습적인
complementary ⓐ 상호보완적인
in its turn – 그 차례가 되어/되면
tribune of the person – 개인의 보호자
agent of change – 변혁의 주동자
salvage ⓥ 구출하다
set ~ in opposition to … – ~을 …에 대치시키다
efficient ⓐ 능률적인

구문정리 His value will be in attempting to redefine the ends for which men desire to live, to salvage from the past what is permanent and set it in its place of honour, to set what is critical, strange, reflective and apparently useless in opposition to what is stereo-typed, practical, obvious and efficient.
그의 가치는 인간이 생활목적으로 하고 싶은 목적을 재정의하고, 과거로부터는 항구적인 것을 구제하여 그것을 명예로운 위치에 놓고, 또 비판적인 것, 이상한 것, 반성적이며 일견 소용없는 것을 인습적이며, 실제적이고, 명백하며, 능률적인 것에 대치시키려고 시도하는 데 있을 것이다.

그의 가치는 ~하는 데 있을 것이다

attempt to V~, to V and (to) V의 구조를 파악할 것 ① ② ③

구조분석 His value(S) will be(V) in attempting(V~ing + O) to redefine the ends(①) for which men desire to live, to salvage(②) (from the past)(부사구) what is permanent and set(③) it (in its place of honour,) / to set(~하기 위해서) what is critical, strange, reflective and apparently useless (in opposition to what is(전치사구 + 명사절) stereo-typed, practical, obvious and efficient.)

in ~ing(동명사) : ~하는 데 있어

set A in opposition to B : A를 B에 대치시키다

what is (a) : '~한 것'의 기본구조

---

29 **이 글에서 추론할 수 없는 것은?**

① 작가들은 사회의 독특한 구성원이다.
② 작가는 국가와 그 국민에게 종속되어 있다.
③ 작가는 있어야 하는 것들의 기록자이다.
④ 작가는 대립을 일삼는 사람이 아니다.

정답 ②

해설 작가는 '그가 국가에 어떻게 이바지하든 여전히 개인의 보호자이며 여러 제도의 비판자이며 또 변혁의 주동자'이므로 국가에 종속되어 있다는 것은 틀린 진술이다. 참고로 ④의 경우 작가는 대립을 일삼는 사람은 아니라는 진술은 작가는 국가에 협력을 하면서도 국가의 문제점을 대놓고 지적하는 사람이어야 하므로 단순히 대립만을 일삼는 것이라 할 수 없으므로 올바른 추론이 된다.

---

30 **빈칸에 알맞은 것을 고르시오.**

① 상호보완적인 증거
② 역설적인 성격
③ 설득력 있는 증거
④ 모순적인 성격

정답 ②

해설 모순이란 이치나 사리에 맞지 않을 뿐 아니라 앞뒤 관계가 틀린 것을 뜻하는 데 비해서 역설이란 표면적으로는 모순적이고 부조리하지만, 이를 넘어서서 진실을 드러내는 것이다. 즉 당연히 역설에는 합당한 논리가 있고 이러한 주장에 진리가 함축되어 있다. 그러므로 본문의 빈칸에는 작가가 국가에게 협력하기도 하지만, 상황에 따라서는 비판을 하기도 하며 변화의 주동자라는 것을 인식해야 한다. 이러한 양자의 측면은 겉보기에는 모순적으로 보이지만, 응당 나아가야 할 올바른 바람직한 방향이므로, 국가를 이를 받아들여야 한다는 것이다. 이러한 논리에 따르면 정답은 ②가 된다.

16 Practice Test 정답 및 해설

01	①	02	②	03	③	04	④	05	③	06	②	07	③	08	④	09	④	10	④
11	②	12	①	13	③	14	③	15	①	16	①	17	④	18	②	19	③	20	①
21	④	22	②	23	①	24	②	25	②	26	③	27	④	28	①	29	①	30	④

01

모래성 쌓기는 연령대에 상관없이 해변에 놀러가는 사람들이 가장 좋아하는 일이다. (최소 양동이 6개를 채울 만큼의) 많은 모래를 파는 것에서 시작한 다음 모래를 차곡차곡 배열한다. 다음 모래를 양동이에 퍼 담고, 꾹꾹 누르면서 양동이 가장자리에 맞춰 평평하게 쌓아올린다. 이제 해변에 여러분이 모래성을 쌓기 위해 찜해놓은 곳에 양동이를 하나하나 뒤집어서 쌓아올리면 모래성의 탑을 만들 수 있다. 총 네 개의 탑을 쌓는데 각 모래탑 하나당 정사각형 모양으로 12인치씩 떨어지도록 쌓는다. 이게 끝나면 탑을 연결하는 성벽을 쌓을 준비가 된 것이다. 모래성 요새의 둘레를 따라 모래를 쌓아올린 다음 정사각형을 이루고 있는 각 탑 사이마다 높이는 6인치에 길이는 12인치가 되게 모래벽을 정돈한다. 이런 식으로 모래를 쌓아올리면 모래성의 벽을 만들 수 있을 뿐 아니라 성 주위의 해자도 파낼 수 있을 것이다. 이제 손을 떨지 않으면서 각 탑의 둘레를 따라 2인치마다 1인치 크기의 정사각형 블록 모양을 내라. 모래를 풀 때 쓴 주걱이 이때 유용할 것이다. 물론 이렇게 하기 전에 주걱으로 벽과 탑의 위쪽과 측면을 매끈하게 펴줘야 한다.

어휘 sand castle ⓝ 모래성
arrange ⓥ 배열하다
stake out – 표시하다, 찜해놓다
perimeter ⓝ 둘레
spatula ⓝ 주걱
pail ⓝ 양동이
face down – 뒤집다
mound ⓝ 흙더미
moat ⓝ 해자
come in handy – 유용한

01 이 글의 목적은 무엇인가?

① 누군가에게 모래성을 쌓는 방법을 가르치기 위하여
② 모래로 성을 쌓는 것이 쉽다는 것을 입증하기 위하여
③ 해변에서 어떻게 시간을 보내는지를 설명하기 위하여
④ 해변에서 양동이와 주걱이 얼마나 유용한지를 보여주기 위하여

정답 ①
해설 이 글은 모래성을 쌓는 방법을 하나하나의 과정을 통해서 차곡차곡 설명하고 있다. 즉 모래성을 쌓는 방법에 대해 설명해주는 글이다.

02-04

블루오션 전략이 무엇인지 이해하기 위하여, 블루오션과 레드오션으로 된 두 개의 해양으로 된 시장을 생각해 보자. 레드오션은 오늘날 존재하는 모든 산업을 포함하며, 이것이 바로 알려진 시장이다. 블루오션은 오늘날 존재하지 않는 모든 산업을 뜻하며, 이것은 알려져 있지 않은 시장이다. 레드오션에서는 산업 간의 경계선이 정해지고 인정되며, 우리에게 게임의 경쟁적인 규칙이 알려져 있다. 레드오션에서는 회사들은 기존의 시장에서 점유율을 더 차지하기 위해 경쟁자를 능가하려 최선을 다한다. 시장에 신규진입자들이 늘어나면서 이윤이나 성장에 대한 전망이 줄어든다. 열심히 개발했던 제품이 곧 일상품이 돼 버리고 치열한 경쟁은 레드오션을 피로 물들인다. 이와 대조적으로 블루오션은 미개척 시장 공간으로, 수요 창출 공간으로, 고수익 성장의 기회로 정의된다. 일부 블루오션은 기존의 산업 영역을 넘어서 창출되지만, 대부분은 기존의 영역을 확대함에 의하여 레드오션 내에서 창출된다. 블루오션에서는 게임의 규칙들이 정해지지 않았기 때문에 경쟁과는 무관하다. 레드오션에서는 경쟁자를 압도하기 위해 레드오션에서는 항상 성공적으로 헤쳐 나가는 것이 중요하다. 레드오션은 항상 중요할 것이고 항상 비즈니스 라이프의 현실이 될 것이다.

어휘 strategy ⓝ 전략
commodity ⓝ 일상품
untapped ⓐ 미개척의
outperform ⓥ 능가하다, 더 나은 결과를 내다
nurture ⓥ 육성하다, 양육하다, 키우다
boundary ⓝ 경계선
cutthroat ⓐ 치열한
demand creation – 수요 창출
irrelevant ⓐ 무관한
ruthless ⓐ 무자비한

02 이 글은 무엇에 관한 것인가?

① 현대의 사업전략이 해양에 미치는 영향
② 비즈니스 세계에서 블루오션과 레드오션의 상징
③ 경쟁회사가 우위를 점하기 위해 경쟁하는 방식
④ 비즈니스에서 승리하고 애쓰는 사람들의 안타까운 현실

정답 ②
해설 이 글에서는 블루오션은 어떤 것이고 레드오션은 어떤 것인지 개념을 설명하면서, 비즈니스 세계에서 그 개념이 어떻게 적용되는지를 알려 주고 있다. 그러므로 정답은 ②이다.

03 밑줄 친 문장의 의미는 무엇인가?

① 사업계에서 성공하고 싶은 사람은 그들의 경쟁자에게 무슨 일이 일어나건 신경 쓰지 않는다.
② 경쟁은 사업의 핵심이지만, 희망적으로 바뀌고 있다.
③ 사업은 항상 경쟁과 경쟁자보다 더 나은 결과를 내서 획득한 성공을 포함한다.
④ 사업하는 삶은 당신을 지속적으로 성공을 원하는 사람으로 변화시킬 것이다.

정답 ③
해설 레드오션은 항상 중요할 것이고 항상 비즈니스 라이프의 현실이 될 것이란 의미는, 레드오션은 항상 치열한 사업의 현장이기 때문에 사업은 항상 경쟁을 통하여 경쟁자보다 더 나은 결과를 내서 우위를 점하고자 하는 것이 사업상의 현실이란 뜻이다.

04 **이 글에 따르면 블루오션과 레드오션의 차이는 무엇인가?**

① 레드오션은 오직 한 종류의 사업에만 관심이 있지만, 블루오션은 나머지 모두에 관심이 있다.
② 블루오션은 상상력과 발명을 키우지만, 레드오션은 이러한 생각들을 억압한다.
③ 블루오션은 이런 일에 거부당한 삶들에게 기회를 주지만, 레드오션은 그들을 부정한다.
④ 레드오션은 기존의 사업 영역에만 관심이 있지만, 블루오션은 존재하지 않는 시장에 관심이 있다.

정답 ④

해설 "Blue oceans denote all the industries not in existence today."라는 표현에서 보듯이 블루오션은 기존의 영역이 아닌 존재하지 않는 영역에서의 가치 창조를 중시한다. 그러므로 블루오션은 존재하지 않는 시장에 관심이 있다는 ④가 정답이다.

05-08

'아빠 딸(Daddy's girl)'이란 표현은 두 가지 방식으로 해석이 가능하다. 첫째로, 아빠 딸은 한 남자가 자신의 딸을 맹목적으로 사랑하여 딸을 애지중지하고 보호하고 딸이 원하는 것은 무엇이든지 해 준 결과로 생긴다. 아빠 딸은 자신이 아빠의 생명과 같고 아빠는 딸이 우는 것을 참지 못한다는 사실을 이용한다. 아빠 딸은 잘못된 일은 전혀 하지 못하고 매우 순수하다. 아빠 딸은 아빠 인생의 등불이기 때문에 마치 귀중품을 보관하는 듯한 대접을 받을 수 있다. 사실 아빠 딸은 자신이 아빠의 소유라는 것을 자랑스럽게 선언할 수도 있고, 그렇지 않을 수도 있다. 아빠는 삶의 온갖 좋지 못한 요소로부터 딸을 보호하기 위해 노력할 것이고, 그 결과 딸이 자립성을 키우는 데 방해를 받을 수 있다.
아빠는 딸이 연약하고 무력하다는 시각을 갖고 있기 때문에 아빠 딸은 작은 공주님이 될 공산이 크다. 하지만 그 반대의 경우가 사실일 수도 있다. 아빠 딸은 아빠에게서 스포츠를 하는 법, 나무를 타는 법, 물건을 고치는 법 등을 배울 수 있다. 이렇게 되면 아빠 딸은 말괄량이가 될 수 있다. 아빠 딸 중 많은 수가 사춘기에 접어들어 이성에 관심을 갖기 시작하면서 좌절감을 느끼게 되는데 그 이유는 아빠는 자기 딸의 데이트 상대로서 합당한 녀석이 있다고 생각할 가능성이 거의 없기 때문이다.
아빠 딸의 두 번째 의미는 아빠를 향해 특별한 관심을 보이는 딸이며 아빠를 기쁘게 하기 위해 무엇이든지 하는 딸을 의미한다. 아빠 딸은 아빠를 세상의 제일로 여기고 다른 어떤 남자도 거기에 비하지 못한다고 본다. 이런 유형의 아빠 딸은 아빠의 인정을 받고자 아빠를 감동시키기 위해 애쓰고, 아빠가 자신을 어떻게 생각하는지 매우 신경을 쓴다. 이런 상황이 엘렉트라 콤플렉스의 좋은 예이다. 엘렉트라 콤플렉스는 여성이 무의식적으로 아빠와 깊은 애착을 보이고 결과적으로 엄마에 적대감을 보이는 경우를 일컫는 정신분석학적 개념이다. 엘렉트라 콤플렉스에서의 아빠 딸은 오이디푸스 콤플렉스라는 정신분석학적 개념에서 묘사되는 마마보이와 비교할 만하다.

어휘
dote ⓥ 애지중지하다
take advantage of – 이용하다
as innocent as the day is long – 언제나 매우 순수한
under lock and key – 안전하게 보호해 둔
unsavory ⓐ 좋지 못한
delicate ⓐ 연약한
helpless ⓐ 무력한
tomboy ⓝ 말괄량이
adolescence ⓝ 청소년기, 사춘기
measure up – 부합하다
impress ⓥ 감동시키다
hostility ⓝ 적대감
mamma's boy – 마마보이

05 **가장 좋은 제목은 무엇인가?**

① 당신은 '아빠 딸(Daddy's girl)'인가?
② 엘렉트라와 오이디푸스
③ '아빠 딸(Daddy's girl)'이란 말의 양면
④ '아빠 딸(Daddy's girl)'이 되는 것의 스트레스

정답 ③
해설 '아빠 딸(Daddy's girl)'이란 표현의 두 가지 해석에 대하여 설명하고 있다. 아빠의 입장에서 딸에 대한 맹목적인 애정을 나타내는 것과 딸의 입장에서 아빠에서 인정받고자 끊임없이 노력하는 것 이 두 가지를 포섭하고 있는 글이므로, 정답은 ③이 된다.

06 **본문에 따르면 다음 중 틀린 진술은?**

① 아빠 딸은 아빠에 의해서 아들처럼 행동하는 것을 배울 수 있다.
② 아빠 딸은 자신의 아빠에 대하여 부정적인 감정을 가진다.
③ 일부 아빠 딸들은 자신들의 삶을 아빠들에게 감동을 주고자 애쓰며 살아간다.
④ 아빠 딸의 아버지들은 때로는 자녀들이 데이트를 시작할 때 삶을 힘들게 한다.

정답 ②
해설 '아빠 딸(Daddy's girl)'은 아빠를 향해 특별한 관심을 보이는 딸이며 아빠를 기쁘게 하기 위해 무엇이든지 하는 딸을 뜻하므로, 아빠 딸은 자신의 아빠에 대하여 부정적인 감정을 가진다는 것은 틀린 진술이다. 반면에 "아빠 딸은 아빠에게서 스포츠를 하는 법, 나무를 타는 법, 물건을 고치는 법 등을 배울 수 있다. 이렇게 되면 아빠 딸은 말괄량이가 될 수 있다.(A daddy's girl can learn from her father how to play sports, climb trees, fix things, and so on. In this way, a daddy's girl can also become a tomboy.)"라는 내용을 토대로 ①은 올바른 진술이며, "아빠 딸 중 많은 수가 사춘기에 접어들어 이성에 관심을 갖기 시작하면서 좌절감을 느끼게 되는데 그 이유는 아빠는 자기 딸의 데이트 상대로서 합당한 녀석이 있다고 생각할 가능성이 거의 없기 때문(Many daddy's girls feel frustrated when they reach adolescence and develop an interest in dating, because their fathers rarely think that any boy will ever be good enough to date their daughter)"이라는 부분에서 아빠들은 자녀들의 데이트에 대해서 좋은 감정을 가지고 있지 않음을 알 수 있다.

07 'as innocent as the day is long'**의 의미는?**

① 따로따로 하루 동안 순수한
② 그녀가 원할 때만 순수한
③ 항상 순수한
④ 잠깐잠깐 순식간만 순수한

정답 ③
해설 as innocent as the day is long은 '언제나 매우 순수하다'는 의미이다. 근접한 뜻으로는 순수함이 그 특성이므로 항상 순수하다는 뜻인 ③이 가장 타당하다.

08 이 글에서 추론할 수 없는 것은?

① 아빠 딸들은 어머니에 대하여 부정적인 감정이 발달할 수 있다.
② 아빠 딸의 아빠들은 자녀의 남자친구를 신뢰하는 데 어려움을 겪을 수 있다.
③ 아빠는 아빠 딸(Daddy's girl)들을 거의 혼내지 않는다.
④ 아빠 딸들은 아빠와 닮은 남편을 찾길 원한다.

정답 ④

해설 엘렉트라 콤플렉스는 여성이 무의식적으로 아빠와 깊은 애착을 보이고 결과적으로 엄마에 적대감을 보이는 경우를 뜻하므로 아빠 딸들은 어머니에 대하여 부정적인 감정이 생길 수 있으며, 아빠는 자기 딸의 데이트 상대로서 합당한 녀석이 있다고 생각할 가능성이 거의 없기 때문에 딸이 남자친구를 사귀면 힘들어 하며, 아빠 딸의 아빠들은 자신의 딸을 맹목적으로 사랑하여 딸을 애지중지하고 보호하고 딸이 원하는 것은 무엇이든지 해 주기 때문에 거의 혼내지 않는다. 다만 "아빠 딸은 아빠를 세상의 제일로 여기고 다른 어떤 남자도 거기에 비하지 못한다고 보기에(A daddy's girl puts her father on top of the world where no other man could ever measure up)" 아빠와 닮은 남편을 찾는다는 것은 틀린 진술이다.

16

09-11

인간의 본성은 너무나도 다양해서 하나의 틀에 맞출 수 없기 때문에 한 사람에게는 유토피아가 다른 사람에게는 반유토피아가 될 수 있다는 속담을 분명히 보여 주는 일이 진행되었다. 시인인 프리드리히는 "이 세상을 항상 지옥으로 만드는 것은 바로 이 세상을 천국으로 만들고자 하는 인간들 때문"이라고 얘기했다.
우리가 과학적으로 "유토피아 이론"을 만들 수 있다는 개념은 어리석은 것이다. 분명히 사회물리학은 그런 사실을 제시하지 못한다. 과학에 기반을 둔 교통계획에서, 시장분석에서, 범죄학에서, 네트워크 설계에서, 게임이론에서, 그리고 다른 여러 사상들을 통합한다 해도 이상적인 세상을 만들어가진 못한다. 물리학으로부터 끌어낸 개념과 모형은 거의 항상 사회과학의 다른 영역들 속으로 들어갈 수 있겠지만, 전통적인 사회학, 경제학, 정치학을 무의미하게 만들지는 못한다. (⇨ 즉 그렇게 한다 해도 사회학, 경제학, 정치학 등은 가치가 있다.) 이러한 기술은 기계적이고 정량적인 모형으로 인간 행동을 적절하게 설명할 수 있는 분야를 결정하는 데에 놓여 있다. 이런 기술은 아직 완성된 것이 아니며, 완성으로 가는 과정에서 당혹스러울 수 있다.
그러나 적절하고 현명하게 적용한다면 자연과학은 사회, 경제, 도시계획, 국제협상과 입법 분야와 같은 영역에서 소중한 도구가 될 수 있을 것이다. (우리에게) 잘못된 결정을 피하도록 돕고, 만약 우리가 운이 좋다면 (이로부터) 약간의 통찰력도 얻을 수 있다. 만약 교통, 보행자의 이동, 네트워크의 위상구조, 도시 성장 등에 관한 새로운 법률을 계획한다면, 우리는 효과인 계획 수립을 위해 그 내용을 이해해야 한다. 일단 우리가 자연계에서 발생하는 보편성을 인식하게 되면, 인간의 사회적 활동들이 필연적으로 모든 가능성에 대해 열려 있는 빈 서판이어야 할 필요는 없다는 사실에 대해 전혀 놀랄 게 없다.

어휘 **it goes on** – 일은 그렇게 진행되었다
mold ⓝ 틀
find one's way into – ~속으로 들어가다; ~의 상태로 빠지다
redundant ⓐ 무의미한, 중복된
along the way – 도중에, (일을 진행하는) 과정에
physical science – 자연과학
emergent ⓐ 새로운, 신흥의
topology ⓝ 위상 구조
tabula rasa – 빈 서판
dystopia ⓝ 반이상향
gamut ⓝ 전체
quantitative ⓐ 정량적인
udiciously (adv) 현명하게
foresight ⓝ 통찰력
pedestrian ⓐ 보행자의
urban growth – 도시 성장

구문정리 "What has always made the state a hell on earth," says the poet Friedrich Holderlin, "has been precisely that man has tried to make it his heaven."
시인인 프리드리히는 "이 세상을 항상 지옥으로 만드는 것은 바로 이 세상을 천국으로 만들고자 하는 인간들 때문"이라고 얘기했다.

구조분석 "What has always made the state a hell on earth," says the poet Friedrich Holderlin,
[관계대명사 what절: What(S) has always made(V'(5형식)) the state(O') a hell on earth(O.C')] / says(r V) / the poet Friedrich Holderlin(S (전체 문장의 주어))
인용어구가 says의 전체 목적어에 해당

"has been precisely that man has tried to make it his heaven."
has been(V(2형식)) / that man has tried to make it his heaven(C) — 명사절 접속사 that: man(S') has tried(V') to make it his heaven(O')

---

09 이 글의 앞부분에 나올 내용으로 가장 좋은 화제는?

① 인간들의 유사성
② 사회의 물리학
③ 프리드리히의 시
④ 다양한 인간사

정답 ④

해설 다양한 인간사에 대한 이야기가 언급되어야, 이를 근거로 "인간의 본성은 너무나도 다양해서 하나의 틀에 맞출 수 없기 때문에 한 사람에게는 유토피아가 다른 사람에게는 반유토피아가 될 수 있다(one man's utopia is another's dystopia – for there is too much variety in human nature for it all to fit one mold)"는 이야기로 자연스럽게 이어질 수 있다. 참고로 사회물리학에 대한 언급은 뒤에 나오지만, 이것만으로 앞부분에 사회물리학에 대해 언급했다는 것을 끌어내기에는 무리가 있다.

10 왜 한 사람의 유토피아가 다른 사람에게는 반유토피아가 되는가?

① 다른 사람과 싸우는 것이 인간의 본성이다.
② 인간은 쉽게 범주화될 수 있고 보통 하나의 틀에 맞춘다.
③ 인간은 서로 같기를 원하고 그들이 보는 행동을 모방한다.
④ 인간들은 제각기 너무 많이 달라서 모든 사람이 똑같은 것을 좋아하기는 불가능하다.

정답 ④

해설 한 사람의 유토피아가 다른 사람에게는 반유토피아가 되는 까닭은 "인간의 본성은 너무나도 다양해서 하나의 틀에 맞출 수 없기(there is too much variety in human nature for it all to fit one mold)" 때문이라고 본문의 앞부분에 정확히 나와 있다.

11 글에 따르면 다음 중 어떤 것이 틀린 진술인가?

① 자연과학은 우리로 하여금 미래에 잘못된 결정을 피하도록 돕는다.
② 인간의 행동은 너무 단순한 모형을 따르므로, 거의 다르지 않다.
③ 물리학은 사회학, 경제학, 정치학과 같은 주제들을 대체할 수 없다.
④ 자연과학은 유용한 결과를 끌어내기 위해서는 적절하게 적용될 필요가 있다.

정답 ②

해설 인간의 행동은 너무나 다양해서 하나의 틀에 맞출 수 없다. 그러므로 인간의 행동이 다르지 않다는 것은 틀린 진술이다.

12-14

재치가 날카롭고 호기심에 찬 후각을 가진 호리호리한 생명체라면, 유머는 친절한 눈길과 푸근한 몸매를 지닌 생명체이다. 재치는 재빨리 될 수 있는 고양이처럼 점수를 얻기 위해서 필요하다면 악의를 이용할 수 있다면, 유머는 안락의자에서 평화를 유지한다. 재치는 혼자일 때 더 나은 목소리를 내지만, 유머는 합창일 때 최상의 결과를 낳는다. 재치는 번갯불의 습격처럼 날카롭지만 반면에 유머는 태양빛처럼 환히 번진다. 재치는 당시 한 시기의 유행을 간직하며 당시 시대를 말하고 판단할 때 정확함을 보이지만, 유머는 소박하면서 영원한 것을 다룬다. 재치는 비단을 입고, 유머는 손으로 짠 천을 입으며 바람을 견딘다. 재치는 덫을 놓지만, 반면에 유머는 희생자를 만드는 것은 염두에 두지 않고 휘파람을 분다. 재치는 탁자에 같이 앉은 멋진 동행인이지만, 유머는 불운할 때나 빗속에서 함께할 때 더 낫다. 재치는 무너질 때 씁쓸한 맛이 들지만 유머는 만찬이 없어도 불평하지 않는다. 유머는 다른 사람의 익살을 보며 포복절도 하지만, 재치는 생기 넘치는 답을 찾는 연구에 몰두한다. 하지만 우리가 살고 있는 세상은 무미건조한 세상이며, 이러한 세상 속에서 우리는 진흙투성이의 신발을 신고 피곤한 몸을 이끌고 황혼 속으로 걸어간다. 수년 간의 전쟁 속에서 세상은 비통해 하고 수많은 상처로 고통스러워한다. 따라서 내 지인들을 떠올려 보면 가장 유익한 관계는 재치 있는 사람들보다는 최고로 그리고 가장 진실한 의미에서 유머감각이 넘치는 사람들이다.

어휘
- **lean** ⓐ 호리호리한, 야윈
- **inquiring** ⓐ 호기심에 찬
- **girth** ⓝ 허리둘레
- **malice** ⓝ 악의, 적의
- **easy chair** – 안락의자
- **homely** ⓐ 소박한

homespun ⓐ 세련되지 않은, 손으로 짠
sharp ⓐ 약삭빠른, 수완 좋은
tumble ⓥ 무너지다, 굴러 떨어지다
hold one's sides with laughter – 포복절도하다, 배를 잡고 웃다
workaday ⓐ 평범한, 무미건조한
make for 도움이 되다
adept ⓐ 능숙한
subtle ⓐ 미묘한
vicious ⓐ 잔인한
mundane ⓐ 재미없는
snare ⓝ 덫
mischance ⓝ 불운
sting ⓥ 기분을 상하게 하다
base ⓐ 천한
jest ⓝ 농담, 익살
shrewd ⓐ 기민한, 재빠른
commonplace ⓐ 아주 흔한

12 **다음 중 맞지 않는 것은 무엇인가?**

① 유머는 어떤 상황에서든 재치보다 수용하기 더 어렵다.
② 재치는 어떤 상황에서도 유머보다 훨씬 더 잔인하다.
③ 유머는 재치와 비교하면 다소 편안함을 준다.
④ 재치는 어쩌면 재치의 대상이 된 사람들 대부분의 기분을 상하게 한다.

정답 ①
해설 본문은 재치와 유머를 비교하면서 유머가 재치에 비해 친절하고, 푸근하고, 평화롭고, 환하고, 소박한 등 여러 강점을 지니고 있음을 말하고 있다. 따라서 유머가 재치에 비해 수용하기 어렵다는 ①는 본문과 맞지 않은 내용이다.

13 **본문의 제목으로 가장 알맞은 것은 무엇인가?**

① 유머만큼 미묘하지는 않더라고 유머만큼 재미있는 것
② 재치에 비해 유머를 더 크게 바라는 모습
③ 재치와 유머 간의 차이점에 관해
④ 유머로 가득한 세상 속에서 재치의 지루함

정답 ③
해설 본문은 저자가 생각하는 재치와 유머의 차이점에 관해 말하고 있으므로 답은 ③이다.

14 **본문에 따르면 재치와 유머의 차이는 무엇인가?**

① 유머는 재치에 비해 훨씬 더 천하고 사람들이 원하지 않는 대화 형태이다.
② 만찬 자리에서 재치가 유머보다 상처를 덜 준다.
③ 재치는 친근한 익살의 형태인 유머보다 두뇌가 더 빠르면서 능숙하게 작동할 것을 요구한다.
④ 위트와 유머는 동일한 것으로 단지 동전의 각기 다른 면에 불과할 뿐이다.

정답 ③
해설 본문에 따르면 재치는 유머에 비해 날카롭고, 재빠르고, 악의를 품고 있으며, 다른 이를 이용하고, 더 빠른 두뇌 회전을 요한다. 따라서 답은 ③이다.

15–18

하지만 바로 이 시점에서 미국의 도덕적 상황을 둘러싼 제대로 된 논의가 부각되는 것이다. 뉴욕타임스에서 언급한 바 있지만 혼외출산은 대다수의 선진국에서 증가 중에 있는데, 예를 들면 아이슬란드와 스웨덴의 경우 태어나는 아이의 반 이상이 미혼모로부터 태어난다. 하지만 볼링 그린 주립대학의 사회학 교수인 웬디 매닝에 따르면 "스웨덴에서는 부모의 혼인 여부를 기준으로 보면 아이의 성취도에 거의 차이가 없다. 모든 아이가 상당히 잘 해낸다. 그러나 미국의 경우는 (부모의 혼인 여부에 따라) 아이의 성취도에 큰 차이가 존재한다."
따라서 혼외출산을 아이의 낮은 성취도와 연결 지을 필요는 없다. 그리고 만일 미국에서도 (혼외출산을 아이의 낮은 성취도와) 연결 지을 필요가 없다면 계속해서 혼외출산을 도덕적 문제로 여겨야 할 필요가 있을까? 종교에 관해 이와 비슷한 질문을 던질 수 있다. 종교참여 비율이 미국에서 감소 중인 반면, 오늘날 젊은이는 부모님이나 조부모님 세대와 비슷한 도덕적 믿음을 갖고 있다. 따라서 사람들이 종교적 믿음을 덜 준수하게 된 것을 도덕적 문제로 볼 수 있는가? 혼외출산에 관해 말하자면, 스웨덴 같은 국가에서 접할 수 있는 복지국가 형태의 개입보다 혼외출산을 억누르는 것이 아이를 보호하는 더 효과적인 방법일 수 있으므로 혼외출산 문제는 복잡한 문제이다. 하지만 전반적으로 미국의 도덕적 상황을 둘러싼 논란은 다음으로 귀결된다고 본다.
즉 공화당 측은 사회가 마땅히 갖춰야 할 모습에 관해 이미 형성된 관점을 가지고 있고, 이 형성된 관점에 딱 들어맞는 해결책을 기반으로 최선의 결과가 있기를 바란다. 따라서 비록 미국이 도덕적으로 타락했다고 드러낼 수 있는 구체적인 피해가 실제 거의 존재하지 않더라도 자신들이 생각하는 사회의 모습과 조금이라도 벗어난 것은 도덕이 타락한 증거로 여긴다. 반면에 민주당 측은 결과에 더욱 신경 쓰며, 이러한 행위가 과거의 상황을 뒤집는 것이라도 (아니면 이미 상황이 뒤집혀져 있고 다시는 되돌릴 수 없음을 받아들이는 것이라도) 결과에 더욱 신경 쓴다.
따라서 혼외출산의 경우 공화당 측은 혼외출산의 증가를 결과와는 상관없이 도덕적 문제로 인식할 것이다. 반면 민주당 측은 혼외출산의 증가에 발맞춰 결혼의 틀에서 벗어난 안정적인 가족적 관계가 늘어나도록 말하자면 '권장하는' 것이 훨씬 더 수월하다고 생각할 것이다. 이와 같은 역동적 상황은 최근 우리들이 동성결혼이나 피임 같은 다른 문제에 있어서도 마찬가지로 목격 중에 있다. 그리고 이런 상황 덕분에 과연 "도덕적"인 것이 진실로 어떤 의미를 갖는지 논쟁이 벌어진다. 만약 "비도덕적"이란 것이 "다른 사람들에게 피할 수 있는 피해를 주는 것"으로 정의된다면, 동성결혼 · 포르노 · 섹스 · 리얼리티 TV · 중독성 없는 마약의 사용 · 안락사 등은 일부 사람들이 싫어할 수는 있지만 비도덕적이라고 부르기는 힘들다.

어휘
out-of-wedlock ⓐ 혼외출산의
disparity ⓝ 차이
secure ⓥ 보호하다
come down to – 결국 ~에 이르다
tangible ⓐ 구체적인, 만질 수 있는, 실재하는
unended ⓐ 끝나지 않은, 미완의
dynamic ⓐ 역동적인
distasteful ⓐ 싫어하는
marital status – 혼인 여부
observance ⓝ 준수
nanny-state ⓝ 복지국가
preconceived ⓐ 형성된
decay ⓝ 타락
restore ⓥ 복원하다, 되찾게 하다
soft-drug ⓝ 중독성이 없는 마약

구문정리
Republicans want the best outcomes based on solutions that fit into preconceived notions of what society should look like. So even if there are few tangible harms that point to our moral decay, any move away from their vision of society is evidence of declining virtue.
공화당 측은 사회가 마땅히 갖춰야 할 모습에 관해 이미 형성된 관점을 가지고 있고, 이 형성된 관점에 딱 들어맞는 해결책을 기반으로 최선의 결과가 있기를 바란다. 따라서 비록 미국이 도덕적으로 타락했다고 드러낼 수 있는 구체적인 피해가 실제 거의 존재하지 않더라도 자신들이 생각하는 사회의 모습과 조금이라도 벗어난 것은 도덕이 타락한 증거로 여긴다.

16

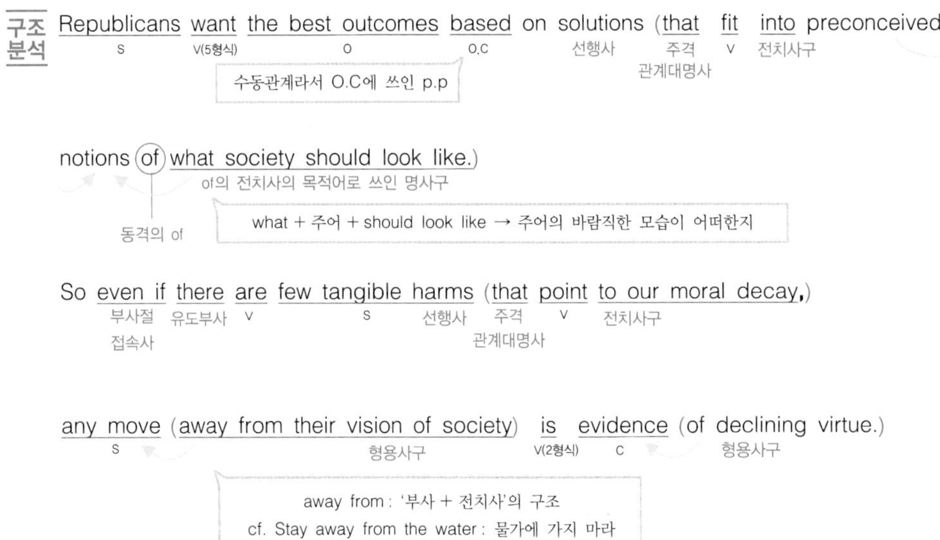

15 이 글에서 추론할 수 있는 것은?

① 미국은 다른 나라들만큼 지원을 해 주지 않는다.
② 혼외출산을 대처하는 가장 좋은 방법은 시도해서 예방하는 것이다.
③ 혼외출산 자녀들에게 적절한 지원을 해 주는 것은 정부가 할 일은 아니다.
④ 아직 행해지지 않은 미국에서는 해야 할 일이 거의 없다.

정답 ①

해설 미국은 혼외출산의 경우에 공화당 측은 도덕적 문제로 인식하며, 반면 민주당 측은 안정적인 가족 관계의 측면에서 접근하고 있다. 하지만 스웨덴 등의 복지국가와 비교해 보면 지원 대책이 제대로 마련된 것은 아니라는 것을 알 수 있다. 그러므로 미국은 혼외출산의 문제에 대해 다른 나라만큼 지원하고 있지 않다는 ①이 올바른 추론이다. 참로고 ②의 경우는 스웨덴과 같은 복지국가에서는 몰라도 미국의 경우에는 타당하지 않고, ③과 같은 진술의 근거는 본문의 어디에서도 찾을 수 없다. ④는 미국에서도 혼외출산은 이미 문제가 된 상태이므로 틀린 진술이다.

16 다음 중 공화당과 민주당의 관점을 가장 잘 요약한 것은 무엇인가?

① 한쪽은 가족 관계의 역동적인 변화를 인정하지만, 다른 한쪽은 이에 반대하고 있다.
② 공화당과 민주당 양당은 어떻게 도울지에 대해서는 의견이 갈리지만, 양측 모두 새로운 경향을 지지하고 있다.
③ 두 당 사이에 구분이 거의 없다.
④ 양당 모두가 전통적인 가족 관계를 좋아하지만, 공화당이 좀 더 적극적으로 받아들이고 있다.

정답 ①

해설 "혼외출산의 경우 공화당 측은 혼외출산의 증가를 결과와는 상관없이 도덕적 문제로 인식할 것이다. 반면 민주당 측은 혼외출산의 증가에 발맞춰 결혼의 틀에서 벗어난 안정적인 가족적 관계가 늘어나도록 말하자면 '권장하는' 것이 훨씬 더 수월하다고 생각할 것이다.(in the case of out-of-wedlock births, Republicans would probably see the increase as a moral problem regardless of the outcome. Whereas Democrats might feel more comfortable with, say, promoting a corresponding increase in stable familial relationships outside of marriage.)"를 근거로 공화당과 민주당의 입장을 알 수 있다.

17 밑줄 친 어구의 뜻은?

① 결혼의 상대방이 없이
② 결혼한 이후에
③ 결혼 전에
④ 결혼 상태가 아닌

정답 ④
해설 'out of wedlock'의 의미는 혼인 중이 아닌 '혼인 외'라는 뜻이다. 즉 합법적인 부부가 아닌 상태에서 아이가 태어났다는 의미이다.

18 본문의 내용에 따르면 다음 중 틀린 것은?

① 많은 나라에서 혼외출산이 행해진다.
② 미국은 다른 어떤 나라보다도 혼외출산의 비율이 높다.
③ 미국의 양대 정당은 혼외출산에 대하여 의견이 갈린다.
④ 교회에 가는 사람들의 숫자가 줄어들었다.

정답 ②
해설 아이슬란드와 스웨덴의 경우 태어나는 아이의 반 이상이 미혼모에게서 태어나는 등 혼외출산이 세계 각지에서 발생하고 있으며, 이 글의 어디에도 미국에서 그 비율이 높다는 내용은 언급이 없다. 반면 ③은 양당 간에 의견이 갈리며, 본문에서 "종교참여 비율이 미국에서 감소(rates of religious participation may be declining in America)"했다고 하므로 ④는 올바른 진술이다.

19-21

지역 전문대학의 특징은 선발제가 아닌 누구나 접근할 수 있는 교육기관이라는 점이다. 하지만 지역 전문대학에서 모두가 대학교 수준의 교육 과정을 밟는 것이 보장되는 것은 아니다. 2년제 교육기관 대다수는 입학생을 대상으로 성패도가 큰 시험을 치르는데 시험 결과로 학생이 대학 수준의 과정으로 배치될지 보충 학습 수준의 과정으로 배치될지가 결정된다. 시험의 성패도가 큼에도 불구하고 시험이 과연 의도한 목적에 부합하는지 아니면 시험이 아니라 시험과 마찬가지로 또는 시험보다 더 효과적인 준비 수단이 존재하는지 등에 관한 연구는 상대적으로 거의 되어 있지 않다. 이번 연구는 가장 흔하게 사용되는 평가 수단의 예측 타당도를 분석하는 방식으로 보고서에 기여했으며, 구체적으로는 도시의 대형 지역 전문대학에 처음 입학한 42,000명이 넘는 학생들에 대한 데이터를 분석했다. 배치의 정확도 및 오류율을 측정하기 위해 유용하게 쓰이는 결정이론적 수단과 전통적인 상관계수를 활용한 결과 나는 영어 배치고사가 수학 배치고사보다 수업에서 성공할지 여부를 더 잘 예측할 수 있고, 대학 수준의 수업활동에서 누가 실패할지 여부보다 누가 더 잘할지 여부를 더 잘 예측할 수 있음을 알게 되었다. 다양한 수단을 사용해 배치 결정을 하면 교정 비율을 바꾸지 않고도 심각하게 잘못 배치하는 경우를 대략 15% 정도 줄일 수 있거나, 또는 대학 수준의 수업활동에서 성공률을 유지하거나 증가시키는 와중에 교정비율을 8에서 12% 줄일 수 있다. 예상되는 결과 및 한계는 논의되었다.

어휘 **community college** – 지역 전문대학
high-stakes exam – 성패도가 큰 시험
literature ⓝ 문헌, 연구 보고
validity ⓝ 타당성
placement ⓝ 배치
remediation ⓝ 교정, 개선; 치료, 교육
overhaul ⓝ (철저한) 조사
guarantee ⓥ 보장하다
remedial ⓐ 보충의
predictive ⓐ 예측적인
coefficient ⓝ 상관계수
error rates – 오류율
implication ⓝ (예상되는) 결과; 영향; 함축, 암시

구문정리 Using both traditional correlation coefficients as well as more useful decision-theoretic measures of placement accuracy and error rates, I find that placement exams are more predictive of success in math than in English, and more predictive of who is likely to do well in college-level coursework than of who is likely to fail.
배치의 정확도 및 오류율을 측정하기 위해 유용하게 쓰이는 결정이론적 수단과 전통적인 상관계수를 활용한 결과 나는 영어 배치고사가 수학 배치고사보다 수업에서 성공할지 여부를 더 잘 예측할 수 있고, 대학 수준의 수업활동에서 누가 실패할지 여부보다 누가 더 잘 할지 여부를 더 잘 예측할 수 있음을 알게 되었다.

구조분석 Using both traditional correlation coefficients as well as more useful decision-theoretic (현재분사구문)
measures of placement accuracy and error rates, / I (S) find (V, 3형식) that (O) placement exams (S′) are (V′) more

be predictive of : ~을 예언하는, 전조가 되는

predictive of (보어 ①) success in math than in English (비교대상), and (접속사(병치)) more predictive of (보어 ②) who is likely to (비교대상)
do well in college-level coursework than of who is likely to fail. (비교대상)

---

19 **이 글에서 추론할 수 있는 것은?**

① 대학들은 계속해서 똑같은 입학허가 정책을 따를 것이다.
② 어떻게 대학교육이 구성되는지에 대한 변화가 있을 것이다.
③ 다양한 기준에 따라 학생들을 받아들이도록 일부 대학에 대한 요구조건들이 바뀔 수 있다.
④ 모든 학생들이 대학에 진학할 수 있도록 입학허가 정책에 대한 철저한 조사가 있을 것이다.

정답 ③
해설 "다양한 수단을 사용해 배치 결정을 하면 교정 비율을 바꾸지 않고도 심각하게 잘못 배치하는 경우를 대략 15% 정도 줄일 수 있거나, 또는 대학 수준의 수업 활동에서 성공률을 유지하거나 증가시키는 와중에 교정 비율을 8에서 12% 줄일 수 있다.(Utilizing multiple measures to make placement decisions could reduce severe misplacements by about 15 percent without changing the remediation rate, or could reduce the remediation rate by 8 to 12 percentage points while maintaining or increasing success rates in college-level courses.)"라는 문장을 근거로 향후 다양한 조치를 이용하여 문제점을 줄여 나가 학생들의 진학이 용이해질 것이라는 것을 추론해 낼 수 있다.

20 다음 중 사실이 아닌 것은?

① 현재 학생들이 대학에 진학할 수 있도록 다양한 조치가 취해지고 있다.
② 현행 제도는 일부 학생들이 대학에 진학하는 것을 막고 있다.
③ 학생들이 대학에 입학 허가되는 가능성을 높이기 위해 몇 가지 (조치)가 행해질 수 있다.
④ 일부 대학들은 대학에 진학할 수 없었을 학생들을 위한 프로그램을 제공한다.

정답 ①

해설 현재 다양한 조치가 취해지고 있는 것은 아니며, 향후 바람직한 방향으로 흘러갈 것을 예측할 수 있다. 그러므로 ①은 틀린 진술이다. 반면 ④의 경우는 기존의 경우에도 영어 배치고사와 수학 배치고사 어느 쪽을 사용하는가에 따라 허가가 안 될 경우도 되고 될 경우도 안 되었을 가능성을 끌어낼 수 있다.

21 밑줄 친 어구의 의미는 무엇인가?

① 엄청난 보상이 있는 시험
② 모든 학생들이 다 통과할 수는 없는 시험
③ 학생들이 무엇을 공부할 수 있을지를 결정하는 시험
④ 학생들에게 엄청난 위험과 보상이 따르는 시험

정답 ④

해설 시험의 성패도가 크다는 의미는 곧 그 시험으로 인해 학생들에게 엄청난 위험과 보상이 따를 수 있다는 뜻이다. 참고로 ③은 성패도가 큰 시험을 통해, 그 결과에 따라 어떤 과정을 공부할지 정해지는 것으로 동어반복의 표현이 된다. 즉 어떤 과정을 공부할지 결정하는 시험은 대학과정과 보충과정을 결정하는 시험이라는 뜻이 된다.

16

22-24

아마존 닷컴의 문화는 창업주 제프 베조스 자신의 체험에 큰 영향을 받았다. 프린스턴 대학에서 컴퓨터과학으로 학위를 받은 제프 베조스는 작년 학생들에게 연설을 하기 위해 모교로 돌아왔다. 그의 연설은 기업가로서의 그의 심리를 이해할 수 있는 흥미로운 기회를 제공했다. 그는 자신이 어렸을 때부터 "쓰레기 발명가"였다고 말했다. 그의 발명품에는 우산과 은박지로 만든 태양열 조리기구도 포함되어 있는데, 이 기구는 제대로 작동하지는 않았었고, 또한 시멘트로 속을 채운 타이어로 만든 자동대문계폐장치도 있었다.
이러한 발명에 대한 열정은 제프 베조스를 떠나지 않았고, 그래서인지 그는 작년 스마트폰에 결합해 떨어졌을 때 손상을 방지할 수 있는 자그마한 에어백 시스템에 대한 특허를 출원했다. 그럼에도 1990년대에 제프 베조스는 금융업의 좋은 일자리를 버리고 아마존 닷컴을 설립하는 문제를 놓고 자신이 존경하는 동료가 반대의견을 표하자 주저했었다. 하지만 제프 베조스는 스스로 독립하지 않았을 경우 자신이 여든 살이 되었을 때 후회하지 않을 것인지를 상상해 보는 "후회 최소화 프레임워크"라고 자신이 이름 붙인 판단 기준을 적용해 봤다. 그리고 후회할 것이라는 결론을 내렸고, 아내의 격려를 바탕으로 기업가로서의 삶을 과감히 시도해 보기로 했다. 제프 베조스와 아내는 뉴욕에서 시애틀로 이사를 갔고 그는 미국의 기술 신생기업의 유서 깊은 창업 방식을 따라 창고에서 아마존 닷컴을 창업했다. 이 사례를 통해 왜 제프 베조스가 아마존 닷컴이 위험을 무릅쓰려는 욕구를 지속적으로 간직하도록 하는데 주의를 기울이는지 설명이 될 것이다. 기업의 성장 과정에서 새로운 아이디어는 현상 유지와 안정을 추구하는 경영진의 욕구에 질식할 위험이 있다. 제프 베조스는 이를 두고 "진실을 희생하여 사회적 응집을 얻는다"라고 말했다. 그는 경영진이 직원들에게 새롭고 큰 아이디어에 달려들도록 권장하는 것이 이러한 상황을 막는 최선의 방법이라고 생각한다. 그는 "이는 마치 근육 운동과 같아서, 사용하지 않으면 잃을 뿐이다"라고 덧붙였다.

어휘 fascinating ⓐ 대단히 흥미로운, 매력적인
tin foil – 은박지
incorporate ⓥ 결합하다, 포함하다; 법인을 설립하다
strike out – 시작하다, 개척하다
time-honored ⓐ 유서 깊은
preserve ⓥ 간직하다
cohesion ⓝ 응집
insight ⓝ 통찰력
desert ⓥ 떠나다, 버리다
apply ⓥ 적용하다
take the plunge – 뛰어들다, 돌진하다
start-up ⓝ 신생기업
snuff out ⓥ 완전히 끝내다, 파괴하다
stay in shape – 건강을 유지하다

---

22 이 글의 화제는 무엇인가?

① 베조스가 사업하기 좋아하는 방식
② 베조스의 삶이 그의 사업에 미친 영향
③ 향후 아마존의 미래
④ 아마존 설립자의 향후 계획

정답 ②

해설 "왜 제프 베조스가 아마존 닷컴이 위험을 무릅쓰려는 욕구를 지속적으로 간직하도록 하는 데 주의를 기울이는지(why Mr Bezos is so keen to ensure that Amazon preserves its own appetite for risk-taking)"를 사례를 통하여 베조스의 삶의 방향이 그의 사업에 어떤 영향을 미치고 있는가를 설명하는 글이다.

---

23 밑줄 친 어구의 의미는 무엇인가?

① 당신이 무언가를 하지 않는다면 당신은 어떻게 하는지조차 잊어버리게 된다.
② 건강을 유지하는 유일한 방법은 계속 일하는 것이다.
③ 사업을 하는 유일한 방법은 항상 일하는 것이다.
④ 당신의 실행과 상관없이 기억될 수 있는 것은 없다.

정답 ①

해설 베조스가 자신의 사업에 대하여 근육 운동과 비교를 통해, "사용하지 않으면 잃을 뿐이다(Either you use them or you lose them.)"라고 한 것은 결국 당신이 무언가를 하지 않는다면 당신은 어떻게 하는지조차 잊어버리게 된다는 뜻이다.

---

24 다음 중 사실이 아닌 것은?

① 베조스는 자신의 창고에서 사업을 시작했다.
② 그는 자신의 목표를 달성할 수 있었던 많은 방법들이 있다.
③ 그가 새로운 사업을 시작할 때는 위험들이 있었다.
④ 일부는 그의 생각을 지지했지만, 일부는 반대했다.

정답 ②

해설 자신이 성공할 수 있었던 여러 가지 방식이 있었던 것이 아니고, 본인 스스로 독립하지 않았을 경우 자신이 여든 살이 되었을 때 후회하지 않을 것인지를 상상해 보는 "후회 최소화 프레임워크"라고 자신이 이름 붙인 판단 기준을 적용해 보고, 이에 따른 본인 스스로의 의지로 창업을 한 것이다. 목표를 달성할 수 있는 많은 방법이 있었다는 것은 틀린 진술이다.

25-28

아데나워에게 있어 최대의 은총은 임시 의회의 의장으로서 그 자신이 헌법을 제정할 수 있었다는 사실이다. 그는 많은 시간과 노력을 들였고 결국 근대국가의 헌법 가운데 훌륭한 헌법 중의 하나를 제정했다. 연방정부의 확고한 권리에 대항하여 총리에게 충분한 권한을 허용하여 균형을 이룬 아데나워의 헌법은, 바이마르 공화국의 헌법과 비교해 보면 대단한 걸작이었다. 1949년에 치러진 첫 번째 선거에서 아데나워는 영미점령지구 위원회 의장인 에르하르트 교수와 동맹을 맺었는데, 낮은 관세, 자유 무역, 싸게 수입하고 비싸게 수출하는 전략을 기반으로 한 에르하르트의 자유주의 시장경제 철학은 아데나워의 정치 철학과도 잘 맞았으며, 1949년 여름에는 이미 이로 인한 성과가 나오고 있었다. 영국은 (독일의) 사회민주당이 쉽게 승리할 것이라 마지막까지 잘못 예측했다. 결과는 사회당의 700만 표에 비해 기독민주당은 736만 표였다. 아데나워는 초당파적 연립정부의 구성에 반대하면서 총 1300만의 독일인들이 에르하르트의 이상인 자유기업활동에 찬성하고 오직 800만이 국유화에 찬성한다고 주장했다. 선거 후에 아데나워가 정당과 에르하르트를 장악하고 있다는 사실이 드러났다. 자신이 총리가 되고 정부를 구성하면서, 아데나워는 독단적이라고는 할 수 없지만 권위적으로 행동했다. 그러면서 의사의 말에 따르면 자신은 공직에 2년 밖에 머무를 수 없을 것이라 하였지만, 14년간 공직을 유지했다. (독일의) 8월 선거는 전후 세계의 중요한 사건 가운데 하나였다. 사회민주당은 (승리했더라도) 그 당시 그들의 경제 철학과 프로그램으로는 아마도 독일의 경제기적을 이뤄내지 못했을 것이다. 결국 아데나워와 에르하르트의 연대는 이러한 기적을 이룬 것이었다.

어휘

crowning ⓐ 최고의, 더 없는	**draw up** – 작성하다
sufficient ⓐ 충분한	**authority** ⓝ 권한
chancellor ⓝ (독일의) 총리	**entrenched** ⓐ 확고한
alliance ⓝ 연합	**non-party** ⓐ 초당파의, 당파를 떠난
coalition ⓝ 연립	**authoritative** ⓐ 권위적인
high-handed ⓐ 고압적인, 독단적인	**conceivably** (adv) 아마도
renounce ⓥ 포기하다	**collective** ⓐ 집단의
embrace ⓥ 받아들이다	**intricacy** ⓝ 복잡함, 얽힌 일
say ⓝ 발언권	**proposition** ⓝ 문제, 제의
thrust ⓝ (정책의) 요지, 취지	**channel into** – ~로 돌리다

구문 정리

He took a lot of time and trouble over it and eventually produced one of the best constitutions ever drawn up for a modern state, which skillfully balances sufficient authority for the Chancellor against the entrenched powers of its federal constituents.

그는 많은 시간과 노력을 들였고 결국 근대국가의 헌법 가운데 훌륭한 헌법 중의 하나를 제정했는데, 이 헌법은 연방정부의 확고한 권리에 대항하여 총리에게 충분한 권한을 허용하여 균형을 이루었다.

구조 분석

He (S) took (V(3형식)) a lot of time and trouble over it (목적어) and eventually produced (V(3형식)) one (목적어) (of the best constitutions) (ever drawn up for a modern state,) (과거분사구) [which (주격 관계대명사, 선행사: one) skillfully balances (V′) sufficient authority (O′) for the Chancellor (against the entrenched powers of its federal constituents.) (전치사구)]

draw + O + up : ~을 쓰다, 작성하다

authority for A against B : B에 대항하는 A의 권한, 직권

25 **이 글은 주로 무엇에 관한 글인가?**

① 전후 독일 정부가 국가를 재건하고자 할 때 직면했어야 했던 문제
② 전후 독일에서 사회민주당을 극복한 아데나워의 이상과 승리
③ 전후 독일 정부를 가져온 기독민주당의 사회민주당에 대한 제의
④ 아데나워와 에르하르트 간의 정치적 동맹에 있어서의 복잡함

정답 ②

해설 아데나워가 "에르하르트의 자유주의 시장경제철학은 아데나워의 정치철학"을 바탕으로 선거를 승리로 이끌고 총리가 되어 국가를 이끌어 "독일의 경제기적"을 이뤄낸 것이 글의 핵심이다. 그러므로 정답은 ②가 된다.

26 **아데나워와 에르하르트의 자유주의 시장경제철학에 해당하지 않는 것은?**

① 교역제품에 대한 낮은 세금 부과
② 저가로 수입하고 고가로 수출하는 전략
③ 다양한 수입품에 대하여 소비자의 발언권 허용
④ 교역에 있어 정부의 간섭을 배제

정답 ③

해설 "낮은 관세, 자유 무역, 싸게 수입하고 비싸게 수출하는 전략을 기반으로 한 에르하르트의 자유주의 시장경제철학(free market economic philosophy, based on low tariffs, free trade, cheap imports and high exports)"을 토대로 판단할 수 있다. 교역에 있어 정부의 간섭을 배제하는 것은 자유 무역을 뜻한다. 그러므로 정답은 본문에 근거가 없는 ③이다.

27 **이 글에서 추론할 수 있는 것은?**

① 에르하르트는 아데나워가 계획하는 것을 알고 있었고, 그의 원대한 계획을 중단시키려고 애썼다.
② 아데나워와 에르하르트는 서로를 개인적으로는 좋아하지 않았지만, 함께 열심히 일했다.
③ 영국은 독일의 정치적인 미래에 영향력을 행사하고자 엄청나게 노력했다.
④ 바이마르 헌법은 헌법에 대한 사상으로 보면 잘된 헌법은 아니다.

정답 ④

해설 연방정부의 확고한 권리에 대항하여 총리에게 충분한 권한을 허용하여 균형을 이룬 아데나워가 제정에 관여했던 헌법은, "바이마르 공화국의 헌법과 비교해 보면 대단한 걸작이었다.(By comparison with the Weimar constitution it was a masterpiece.)" 이를 근거로 바이마르 헌법은 잘된 헌법은 아니었음을 알 수 있다.

28 **다음 중 밑줄 친 문장과 뜻이 유사한 것은?**

① 그의 피와 땀과 노력으로 근대국가의 헌법 가운데 가장 뛰어난 헌법을 만들었다.
② 근대국가는 끊임없이 국가를 밀어붙이는 그러한 헌법의 사용에 익숙하지 않다.
③ 근대에 헌법을 제정하는 것은 헌법으로 돌려지는 많은 에너지와 노력을 필요로 한다.
④ 제정된 헌법이 부적절하기 때문에 새로 헌법을 제정하며 생기는 문제들은 낭비가 된다.

정답 ①

해설 "그는 많은 시간과 노력을 들였고 결국 근대국가의 헌법 가운데 훌륭한 헌법 중의 하나를 제정했다(He took a lot of time and trouble over it and eventually produced one of the best constitutions ever drawn up for a modern state)"는 것은 그의 피와 땀과 노력으로 근대국가의 헌법 가운데 가장 뛰어난 헌법을 만들었다는 의미이다.

29-30

간단히 보면 $E = mc^2$이란 방정식이 얘기하는 것은 질량과 에너지는 등가라는 것이다. 사실 질량과 에너지는 같은 것의 두 가지 형식으로, 에너지는 물질을 방출하고 물질은 에너지의 발생을 기다리는 준비상태인 셈이다. 빛의 속도를 제곱한 c^2은 사실 엄청난 수치이므로 방정식이 전하고자 하는 바는 모든 물질에 엄청난 양의 에너지가 갇혀 있다는 것이다.

만약 당신이 특별히 건장하지 않아도 단지 평균적인 성인이라면 당신의 몸 안에는 적어도 7×10^{18}줄의 에너지를 지니고 있다는 의미이다. 만약 당신이 어떻게 방출시키는지를 알고 정말로 방출시키기를 원한다면 이는 30개의 수소폭탄을 터뜨리는 에너지에 해당한다. 모든 것은 그 안에 갇혀진 에너지가 있으며, 우리는 그런 에너지를 활용할 줄 모를 뿐이다. 심지어 지금까지 만든 것 중 가장 큰 에너지를 지닌 원자폭탄도 사실은 우리가 생산해 낼 수 있는 에너지의 1% 미만만을 방출하고 있을 뿐이다.

수많은 기여 가운데, 아인슈타인의 이론은 방사선이 어떻게 작동하는지를, 어떻게 우라늄 덩어리가 얼음조각처럼 녹지 않고 일정한 속도로 높은 에너지를 방출하는지 설명해 준다. (물론 이는 질량을 에너지로 효율적으로 전환함에 의하여 가능한 것이다.) 이 이론은 어떻게 별들이 수십억 년 동안 불타면서도 연료가 고갈됨이 없는지 그 이유를 설명해 준다. (물론 같은 이유 때문이다.)

어휘
mass ⓝ 질량
liberate ⓥ 방출하다
no less than – 적어도
get out – 생산하다
ditto ⓝ 상동, 위와 같음
equivalence ⓝ 등가
bound up – 갇혀 있다
explode ⓥ 폭발하다
radiation ⓝ 방사(선)

29 빈칸에 들어갈 알맞은 것은?

① 어떻게 방출시키는지를 알고
② 어떻게 창조하는지를 배우고
③ 어떻게 전달하는지를 이해하고
④ 어떻게 그것을 하는지를 이해하고

정답 ①

해설 평균적인 성인의 몸 안에는 적어도 7×10^{18}줄의 에너지를 지니고 있지만, 우리가 이를 어떻게 방출시키는지를 모르기 때문에, 그 에너지는 갇혀 있는 것이다. 만약 이를 어떻게 방출시키는지 안다면, 물론 불가능한 얘기지만 수소폭탄 30개의 폭발과 맞먹는 에너지가 나올 것이다. 글의 흐름으로 볼 때 방출하는 방법을 안다고 해야 무리 없이 이어진다. 창조나 전달의 문제가 아니고, 몸 안의 에너지를 방출하는 것이다.

30 이 글에서 추론할 수 없는 것은?

① 우리는 물질로부터 에너지를 이용하는 법에 대해 많은 것을 배워야만 한다.
② 아인슈타인은 자신의 이론으로 과학 분야를 발전시켰다.
③ 우리가 과학에 대하여 가지고 있는 사상들은 아마도 미래에 틀린 것으로 입증될 수 있다.
④ 우리는 미래에 물질 안에 저장되어 있는 모든 에너지를 효율적으로 방출할 수 있을 것이다.

정답 ④

해설 우리가 몸 안에 있는 에너지를 방출한다면 수소폭탄 30개가 터지는 것과 마찬가지의 에너지가 방출되겠지만, 이는 불가능한 것이다. 그러므로 ④가 정답이다. 참고로 ③의 경우 일반적인 진술에 해당하며 과학의 속성에 따른 진술이다. 물론 본문의 근거가 미약하지만, ④는 완전히 틀렸으므로 정답은 ④가 타당하다.

17 Practice Test 정답 및 해설

01	③	02	②	03	①	04	②	05	②	06	①	07	①	08	②	09	②	10	①
11	④	12	④	13	④	14	②	15	③	16	②	17	③	18	①	19	③	20	②
21	③	22	①	23	④	24	③	25	④	26	①	27	②	28	④	29	③	30	①

01-03

나는 세미콜론은 마침표보다는 콜론과 연계해서 정의하면 더 쉽게 이해될 것이라 생각한다. 책에 따르면 "세미콜론"의 "주요 역할은 하나의 문장이 두 부분으로 구분되어 있음을 보여 주는데, 쉼표보다는 강력하게 나뉘어 있지만 두 문장을 마침표로 완전히 나누는 것보다는 약하다. … 예를 들면, '그녀는 나를 바라봤다; 나는 한동안 말을 잇지 못했다.'가 있다." 따라서 세미콜론은 보는 대로의 역할인 콜론과 마침표가 미묘하게 섞인 기능을 한다. 실제로 고대 그리스에서 세미콜론과 같은 모양의 기호는 의문을 표하기 위해 사용되었다.
그리고 세미콜론에는 뭔가를 묻는다는 성질이 여전히 남아 있는데, 독자에게 저자가 아직 끝나지 않았다는 신호를 준다. '그녀는 숨을 죽이고 있었다.' 예를 들어 위의 "그녀는 나를 바라봤다; 나는 한동안 말을 잇지 못했다."라는 문장이 내가 교열 중인 글에 대화로 실려 있다면, 나는 세미콜론의 마침표에 구멍을 뚫어버리고, 문장을 두 개로 만들었을 것이다. 전반적으로 사람들은, 그리고 사랑하는 사람들조차도, 세미콜론을 무리 지어 쓰지는 않는다. 하지만 이런 경우에 나는 세미콜론이 없다면 뭔가 의미가 사라진 것 같다는 점은 인정한다. 마침표가 붙으면, 네 단어가 수면 밑으로 가라앉는다. 즉, "그녀는 나를 바라봤다"가 된다. 세미콜론은 말을 수면으로 떠올린다. 바로 이 세미콜론 덕분에 그녀의 겉모습에 대한 무언가가 중요한 의미를 갖게 된다.

어휘
- **full stop** – 마침표
- **vestigial** ⓐ (자취 · 흔적으로) 남아 있는
- **copy-editing** ⓝ 교열
- **in flights** – 떼를 지어
- **hybrid** ⓝ 결합, 섞임
- **interrogative** ⓐ 질문하는, 물어 보는; 질문 형태의
- **poke** ⓥ 구멍을 뚫다
- **sink** ⓥ 가라앉다

01 이 글은 무엇에 관한 글인가?

① 세미콜론 용법의 역사에 관한 설명하는 것
② 세미콜론의 다양한 용도를 보여 주는 것
③ 세미콜론이 용도와 효과에 대하여 논의하는 것
④ 세미콜론의 더 많은 용법을 권장하는 것

정답 ③

해설 이 글은 세미콜론의 용법과 기능에 대하여 적절한 예를 들어 서술하고 있다. "세미콜론은 콜론과 마침표가 미묘하게 섞인 기능"을 하고 "세미콜론에는 뭔가를 묻는다는 성질이 여전히 남아 있는데, 독자에게 저자가 아직 끝나지 않았다는 신호"를 준다는 내용들을 근거로 하여 판단할 수 있다. 단순히 세미콜론 용법의 역사를 설명하는 데 그치는 것이 아니라, 그 용도와 효과에 대하여 서술하였다. 따라서 정답은 ③이다.

02 저자의 의견은 어떠한가?

① 세미콜론은 구어체의 자연스런 리듬을 반영한다.
② 세미콜론은 마침표가 빼앗아 간 의미를 더한다.
③ 세미콜론 현대 언어에서 보통은 불필요하다.
④ 왜 그렇게 많은 사람들이 주기적으로 세미콜론을 오용하는지 살펴보기는 쉬운 일이다.

정답 ②
해설 세미콜론이 없다면 뭔가 의미가 사라진 것 같고, 마침표가 붙으면 완전히 구분되고 끝나는 느낌이다. 그러므로 세미콜론은 "쉼표보다는 강력하게 나뉘어 있지만 두 문장을 마침표로 완전히 나누는 것보다는 약하다"고 하였으므로 세미콜론을 더하면 완전한 구분보다는 미묘한 무언가가 덧붙여지는 느낌을 준다.

03 아래 보기 가운데 ____________________를 제외하고 전부 틀렸다.

① 작가는 교열할 때 세미콜론을 마침표로 대체할 것이다.
② 고대 그리스에서 세미콜론은 종종 물음표와 혼동되었다.
③ 세미콜론은 언급된 첫 번째 절에 중요한 무언가가 있음을 암시한다.
④ 세미콜론은 마침표와 콤마가 합쳐진 것이다.

정답 ①
해설 "내가 교열 중인 글에 대화로 실려 있다면, 나는 세미콜론의 마침표에 구멍을 뚫어버리고, 문장을 두 개로 만들었을 것"이란 부분을 살펴보면 ①이 올바른 진술임을 알 수 있다. ②의 경우 "고대 그리스에서 세미콜론과 같은 모양의 기호는 의문을 표하기 위해 사용되었다(in ancient Greek, the same symbol was used to indicate a question)"라는 것은 세미콜론이 의문을 표하기 위해 사용한 것이지, 용법상 혼용되었다고 할 수는 없다.

04-05

올림픽 개최 도시가 되면 무형의 혜택을 볼 수 있다. 1987년 민주주의를 요구하는 대중의 저항에 직면한 한국의 군사정권 지도자들은 발포 명령을 내릴 수도 있었겠지만 그랬다간 1988년의 올림픽을 망쳤을 것이다. 대신에 그들은 시위대의 요구를 받아들였다. 따라서 올림픽을 통해 받는 스포트라이트는 한국이 민주국가가 되도록 도움을 주었고, 이는 결코 작은 혜택은 아니다. 하지만 이는 2008년 올림픽 경기가 정치 탄압과 함께했던 중국에는 통하지 않았다. 이미 다원적 정치 체제가 확립된 주최국의 경우 올림픽의 혜택은 그다지 크지 않다. 스테펀 시맨스키와 게오르기오스 카베스토스의 연구에 따르면 대형 스포츠 경기를 주최하는 것은 경기가 월드컵 정도가 되면 사람들을 매우 행복하게 만든다고 한다. 올림픽의 경우 "쾌락적 효과"는 대수롭지 않다.

어휘 **intangible** ⓐ 무형의
give in – 받아들이다, 굴복하다
pluralistic ⓐ 다원적인
boon ⓝ 혜택
benefit ⓝ 혜택
crackdown ⓝ 탄압, 단속
hedonic effect – 쾌락 효과

04 다음 중 빈칸에 들어갈 알맞은 것은?

① 아무도 모른다
② 결코 작은 혜택이 아니다
③ 그것은 구식 사고방식이다
④ 별 거 아니다

정답 ②

해설 한국의 정치 지도자들이 올림픽으로 인해 전 세계의 이목이 한국에 집중되었기에 국민들을 탄압할 수 없었고, 결국에는 한국의 민주화가 이루어지는 계기가 된 것이다. 이러한 측면으로 보면 앞의 전반적인 내용을 근거로 콜론 뒤에는 이에 대한 올바른 평가가 나와야 한다. 그러므로 결코 작은 혜택이 아니라는 ②가 정답이다. 참고로 ④처럼 대수롭지 않은 일이란 것은 민주화 자체를 별 수 없다고 본 것으로 타당하지 않다.

05 본문에 따르면 다음 중 틀린 진술은?

① 중국은 국민에 대하여 엄중한 통제를 유지했다.
② 올림픽뿐 아니라 월드컵도 사람들을 행복하게 만든다.
③ 대형 스포츠 행사들은 정부에게도 정치적으로 주목받도록 할 수 있다.
④ 한국의 국민들은 올림픽이 자국에서 개최되어 너무 행복했었을 것이다.

정답 ②

해설 대형 스포츠 경기를 주최하는 것은 경기가 월드컵 정도가 되면 사람들을 매우 행복하게 만든다고 한다. 올림픽의 경우 "쾌락적 효과"는 대수롭지 않다. 그러므로 올림픽에도 쾌락적 효과가 대단하다고 진술한 ②가 틀린 진술이다.

17

06-08

많은 중국인들은 자신의 결혼을 생활 방식과 가족 전체와의 결혼으로 본다. 보수적 결혼 전통을 지닌 국가에서 수많은 남자와 여자는 이혼을 수치스러운 것으로 생각하며 재혼은 드러내서는 안 된다고 생각한다. 중국은 결혼과 관련해서는 몇 가지 오랜 전통을 지니고 있는데, 여기에는 특히나 긴밀한 가족 간의 관계, 결혼 이후 남편의 가족과 살기, 부인이 남편의 부모를 섬기고 가능하면 남편의 가족 전체를 섬기기 등이 있다. 현대에는 더욱 서구화된 도시 지역에서 거주하고 일하는 부부의 경우 이러한 전통을 지키는 확률이 덜하지만 전통이 완전히 사라진 것은 아니며 시한폭탄처럼 여성의 마음 이면에 존재하고 있을지 모른다. 따라서 중국의 많은 미혼 여성들은 누구와 결혼해야 할지 결정하기 어려워한다. 한편으로 보면, 상대적으로 부유하지만 이혼한 남자와 결혼하는 것은 마치 "중고"인 남자를 취하는 것 같고 그렇게 되면 체면을 잃는 것 같은 기분이 든다. 다른 한편으로는 부유한 "봉황남"과 결혼하면 남편의 대가족을 상대로 끝없는 곤경에 휘말리게 될지 모른다.

어휘 conservative ⓐ 보수적인
potentially ⓐⓓ 가능하다면, 잠재적으로는
affluent ⓐ 부유한
extended family – 대가족
have the luxury of – ~할 여유가 있다
push~ to the back of your mind – ~을 잊기 위해 마음속 깊은 곳으로 밀어 넣다
subservient to – ~에 복종하는
low-profile ⓐ 삼가는, 주목 받지 못하는
abide by – 지키다, 준수하다
embroil ⓥ 휘말리게 만들다
look down on – 경시하다, 좋지 않게 보다
marital ⓐ 결혼의, 부부의

06 본문에 따르면 다음 중 사실은 무엇인가?

① 비록 이혼은 허용되지만, 많은 중국인들은 이혼을 좋지 않게 본다.
② 만일 여성이 결혼을 원하지 않을 경우, 이 여성은 자주성을 칭찬 받는다.
③ 결혼 즉시 남편은 부인이 일을 그만두고 집안일을 할 것으로 기대한다.
④ 서구화된 중국인 부부는 자신들만의 생활 방식을 선택할 여유가 없다.

정답 ①
해설 "보수적 결혼 전통을 지닌 국가에서 수많은 남자와 여자는 이혼을 수치스러운 것으로 생각하며 재혼은 드러내서는 안 된다고 생각한다(In a country with conservative marriage traditions, many men and women still think divorce is shameful and that second marriages should be low-profile)." 따라서 답은 ①이다.

07 "봉황남"과 "중고남"의 차이는 무엇인가?

① 중고남은 이혼남이고 봉황남은 미혼남이다.
② 중고남은 매우 부유하지만 반면에 봉황남은 돈이 그리 많지 않다.
③ 중고남은 과거 사귄 여성이 많지만 봉황남은 한 사람뿐이다.
④ 중고남은 이혼을 신경 쓰지 않지만 봉황남은 이혼에 동의하지 않는다.

정답 ①
해설 본문에 따르면 "중고남"은 "부유하지만 이혼한 남자"이고 "봉황남"은 "부유한 남자"이다. 따라서 답은 ①이다.

08 밑줄 쳐진 부분의 의미는 무엇인가?

① 직업여성은 만일 결혼 시에 자신들이 전통적 방식으로 행동하지 않는다면 자신들이 결혼상의 문제를 겪게 될 것임을 알고 있다.
② 도시에 사는 여성은 전통적 개념의 부인을 상대로 행동해야 할 때를 두려워하고 있다.
③ 도시의 여성은 싱글의 삶을 버리고 남편을 찾아야 할 때가 다가올 것임을 알고 있다.
④ 중국 여성은 결혼은 자유의 종말을 의미한다는 생각을 잊어버리기 위해 마음속 깊은 곳으로 이 생각을 밀어 넣었다.

정답 ②
해설 밑줄 쳐진 부분의 의미는 "시한폭탄처럼 여성의 마음 이면에 존재하고 있을지 모른다"이며, 보기 중에서 이와 의미상 가장 가까운 것은 시한폭탄이 폭발할지 몰라 두려워하는 것처럼 "언젠가 전통적 개념의 부인상대로 행동해야 할 때가 닥칠지 몰라 두려워 한다"는 의미의 ②이다.

09-11

형사 재판은 희생자를 위해 정의를 추구하는 것이 결코 아니다. 만약 그렇다면 '유죄'라는 오직 하나의 평결만이 존재할 것이다. 이는 오직 한 사람만이 형사 재판에서 재판을 받고, 그 사람이 무혐의로 풀려난다면, 당연히 그 재판에서 희생자에게 정의란 없을 것이기 때문이다. 형사 재판은 추리소설도 아니고 객관식 문제도 아니다. 여러 가능한 용의자 중에서 누가 끔찍한 비극을 저질렀는지 결정하는 범죄 수사도 아니다. 살인사건 재판에서 국가는 모든 권한을 사용해 한 개인에게 희생자를 상대로 악랄한 행동을 한 가해자라는 혐의를 준다. 국가는 법정에서 인정되는 증거를 통해 합리적 의심을 가질 여지가 없을 정도로 혐의를 입증해야 한다.
피고가 살인을 저지를 "가능성이 크다" 이거나 "있을 법하다"일 경우, 피고는 무혐의가 되며, 그 이유는 가능성이나 있을 법한 정도로는 합리적 의심을 가질 여지가 없을 정도의 증거여만 한다는 까다로운 기준을 만족시키지 못하기 때문이다. 따라서 법적으로 적합한 결과가 도덕적으로 적합한 결과와 동일하지 못할 수도 있다. 이런 경우 정의가 희생자에게 행해지지는 못했지만, 그럼에도 법은 승리한 것이다. 이것이 바로 형사 재판이 진실을 찾는 행위가 아닌 이유이다. 과학은 진리를 찾는다. 철학자들은 도덕성을 찾는다. 형사 재판은 합리적 의심을 가질 여지가 없을 정도의 증거라는 오직 하나의 결과만을 찾는다.

어휘 **criminal trial** – 형사 재판
acquit ⓥ 무죄 방면하다
whodunit ⓝ 추리소설
multiple choice test – 객관식 시험
accuse ⓥ 혐의를 두다
dastardly ⓐ 악랄한
accusation ⓝ 혐의
defendant ⓝ 피고(인)
daunting ⓐ 까다로운, 벅찬
prevail ⓥ 승리하다
beyond a reasonable doubt – 합리적 의심을 가질 여지가 없을 정도로
embark on – 착수하다
completion ⓝ 완료

09 이 글은 무엇에 관한 글인가?

① 형사 재판에서 경험한 과정
② 형사 재판의 진정한 의미
③ 형사 재판에서 최적의 해결책
④ 형사 재판 착수에의 문제점

정답 ②
해설 형사 재판은 희생자를 위해 정의를 추구하는 것이 아니라, "법적으로 적합한 결과가 도덕적으로 적합한 결과와 동일하지 못할 수도 있다. 이런 경우 정의가 희생자에게 행해지지는 못했지만, 그럼에도 법은 승리한 것이다(a legally proper result may not be the same as a morally just result. In such a case, justice has not been done to the victim, but the law has prevailed)"에서 형사 재판의 진정한 의미는 찾아볼 수 있다.

10 다음 중 틀린 진술을 고르시오.

① 피고인이 아마도 유죄가 아닌 것으로 밝혀질 수 있지만, 재판을 하는 것은 희생자에게 정의를 실현시켜 준다.
② 법적으로 적합한 결과는 희생자가 도덕적으로 승리했다고 확실히 느끼게 하는 것과 동일한 것은 아니다.
③ 형사 재판이 끝날 때, 그 사건의 범인이 밝혀지지 않을 수도 있다.
④ 범죄 뒤에 숨어 있는 진리를 찾는다는 것은 형사 재판을 치르는 목적이 아니다.

17

정답 ①

해설 "법적으로 적합한 결과가 도덕적으로 적합한 결과와 동일하지 못할 수도 있다. 이런 경우 정의가 희생자에게 행해지지는 못했지만, 그럼에도 법은 승리한 것이다"에서 재판을 하는 것 자체가 희생자에게 정의를 실현시키는 것은 아니다. 참고로 ③의 경우는 형사 재판에서 합리적 의심을 가질 여지가 없을 정도의 증거가 없다면 무혐의 처리가 되기 때문에, 이런 경우는 범죄는 있어도 범인은 없는 꼴이 된다.

---

11 빈칸 (A)에 들어갈 알맞은 것은?

① 어떤 경우에 형사 재판이 유지될 수 있는지
② 만약 이것이 형사 재판이 추구하는 것이라면
③ 형사 재판이 제대로 따라올 때
④ 형사 재판은 오직 하나의 결과만을 찾는다

정답 ④

해설 과학은 진리를 찾고 철학자들은 도덕성을 찾는 것처럼, 형사 재판은 진실을 찾는 것이 아니고 하나의 결과만을 찾는 것이다. 그러므로 과학, 철학 등과 비교해서 형사 재판이 추구하는 결과를 찾으면 된다. 합리적 의심을 가질 여지가 없을 정도의 증거라는 결과가 형사 재판의 핵심이다.

12-14

이 지점에서 선생을 가르치는 학생이란 개념은 이해에 도움이 된다. 친구이자 동료교수는 내게 "자넨 학생을 가르치는 것에 그치지 않고 학생들로부터 배워야 해"라고 말했다. 그가 한 이 말은 마치 그가 허클베리 핀의 영혼과 접신하면서 나온 말 같아서 이해하는 데 조금 시간이 걸렸지만 마침내 무슨 의미인지를 알았다. 우리가 가르치는 모든 교실마다 우리는 우리 앞에 있는 사람을 배워야 한다. 우리는 이들의 지적 수준이 어디인지 알아야 하고, 어떤 사람인지 알아야 하고, 이들이 성장하는 데 우리가 무엇을 할 수 있는지 알아야 한다. 한 번에 100명에 달하는 학생을 가르쳐야 할 상황에서도 가르치는 것은 대화의 문제이다. 내가 지금 가르치고 있는 여름 셰익스피어 강좌에서 나는 학생들이 할 수 있는 것과 이들을 어떻게 향상시킬지를 파악하기 위해 지속적으로 노력 중에 있다. 셰익스피어 작품 줄거리가 대략적으로 어떤 형세를 지니는지 학생들이 이해할 수 있을까? 만약 그렇지 않다면 수업계획서에 다음에 배울 셰익스피어 연극의 잘 만든 영화 버전을 추가해 볼 가치가 있다. 작품 속 표현 한 줄 한 줄이 어려운 것일까? 그렇다면 등장인물 한 사람의 대사 말 한 마디 한 마디를 검토하는 데 시간을 더 쏟아야 한다. 학생들이 줄거리와 표현을 이해하는 데 익숙해졌는가? 그렇다면 셰익스피어가 얼마나 복잡한 특징을 갖고 등장인물을 표현했는지 학생들에게 소개할 때가 되었다. 기억에 남는 수업 모두 어느 정도는 재즈곡을 작곡하는 것과 같다. 작업할 바탕이 되는 기본 멜로디가 있고, 이는 수업계획서에 규정된 것이다. 하지만 질서를 잡아 주는 배경을 무대로 상당한 수준의 즉흥 연주가 들어간다.

어휘 illuminating ⓐ 해명하는, 밝히는, 도움이 되는
contour ⓝ (대략적) 형세
adept ⓐ 익숙한
composition ⓝ 작곡
legwork ⓝ 상세한 조사
submit oneself – 따르다, 복종하다
premise ⓝ 전제
figure out – 이해하다, 알아내다
line to line – 한 줄 한 줄
rendering ⓝ 표현
improvisation ⓝ 즉흥 (연주)
get through – 전달하다
upside-down ⓐ 뒤집힌, 거꾸로
act out – 실연하다, 연출하다

12 이 글에 따르면 다음 중 옳은 것은?

① 좋은 선생님은 학생들을 도울 모든 도구를 다 가지고 있지만, 그들에게 전달할 수 있는 인격이 없다.
② 좋은 선생님은 아무리 오래 걸리더라도 각각의 학생들을 개별적으로 가르친다.
③ 좋은 선생님은 각각의 학생들을 개별적으로 알게 된다.
④ 좋은 선생님은 학생들을 가르칠 뿐만 아니라 그들로부터 배우기도 한다.

정답 ④
해설 좋은 선생님은 학생들을 가르칠 뿐만 아니라 그들로부터 배워야 한다는 것은 "이들의 지적 수준이 어디인지 알아야 하고, 어떤 사람인지 알아야 하고, 이들이 성장하는 데 우리가 무엇을 할 수 있는지 알아야 한다(need to know where they are intellectually, who they are as people and what we can do to help them grow)"는 것을 뜻한다. 따라서 정답은 ④이다.

17

13 이 글은 무엇에 관한 글인가?

① 선생님들은 상세한 조사를 할 필요가 있고, 학생들을 더 잘 가르치기 위하여 전념해야 한다.
② 학생들이 과거보다 현재에 선생님들에게 더 많은 기대가 있다.
③ 학생들이 더 잘 배우기 위하여 교사의 경험과 지식을 더 많이 따를 필요가 있다.
④ 학생들이 선생님으로부터 배워야 한다는 단순한 교육적인 전제에 대한 역발상

정답 ④
해설 그간 선생님들은 학생을 가르치는 부분만 고려했다면, 이제는 선생님들도 학생들로부터 배우는 자세로 학생들을 더 잘 이해하기 위해 노력해야 한다는 글이다.

14 만약 학생들이 줄거리를 이해하지 못하면 교수는 어떻게 하는가?

① 교수는 학생들이 개별적으로 찾아와서 면담하도록 할 것이다.
② 교수는 학생들에게 그러한 줄거리의 현대판 영화를 보여 줄 것이다.
③ 교수는 이야기의 각 부분을 보고 줄거리를 분할할 것이다.
④ 교수는 학생들로 하여금 실연하고 등장인물을 맡도록 할 것이다.

정답 ②
해설 만약 학생들이 줄거리를 잘 이해하지 못한다면, "수업계획서에 다음에 배울 셰익스피어 연극의 잘 만든 영화 버전을 추가해 볼 가치가 있다(it's worth adding a well-made film version of the next play to the syllabus)"라는 문장을 통해 정답이 ②라는 것을 알 수 있다.

15-17

1748년 당시 42세였던 프랭클린은 자신의 인쇄 사업을 미 식민지 전역으로 확대했고 일을 그만둬도 될 정도로 충분한 성공을 거두었다. 퇴직을 하면서 그는 공공 서비스에 집중할 수 있게 되었고 오랫동안 관심을 가진 과학 분야를 더 전념하여 추구할 수 있게 되었다. 1740년대에 그는 전기를 이해하는 데 이바지한 여러 실험을 수행했고, 피뢰침을 발명했으며, 이를 통해 건물이 번개로 불이 붙는 것을 방지했다. 1752년 그는 번개 속에 연을 날리는 유명한 실험을 했고 번개가 전기라는 것을 입증했다. 프랭클린은 또한 배터리, 전하, 전도체 등 전기와 관련된 수많은 용어를 만들었다. 전기뿐 아니라 프랭클린은 해류, 기상학, 감기의 원인, 냉동 등 수많은 주제에 관해 연구를 했다. 그는 다른 난로보다 연료는 적게 먹고 열은 더 많이 내뿜는 프랭클린 난로를 개발했고, 먼 곳을 보는 것과 책을 읽는 것을 같이 할 수 있는 이중 초점 안경을 개발했다. 1760년대 초에 프랭클린은 글라스 하모니카란 이름의 악기를 발명했다. 루트비히 반 베토벤(1770-1827)과 볼프강 아마데우스 모차르트(1756-91)가 프랭클린의 글라스 하모니카를 위한 곡을 썼다. 하지만 19세기 초에 이르면 한때 인기 있던 글라스 하모니카는 대체적으로 쓰이지 않게 되었다.

어휘
lightning rod – 피뢰침
charge ⓝ 전하
ocean current – 해류
refrigeration ⓝ 냉동
come to terms with – 타협하다, 받아들이다
coin ⓥ 신조어를 만들다
conductor ⓝ 전도체
meteorology ⓝ 기상학
bifocal ⓐ 이중 초점의

15 어떻게 프랭클린은 발명에 시간을 쏟게 되었는가?

① 프랭클린은 그를 믿어 주는 후원자로부터 충분한 자금을 제공받았다.
② 프랭클린은 자신의 일을 좋아하지 않았고, (일이 끝나면) 발명을 계속하고자 집으로 진격했다.
③ 프랭클린은 일을 더 이상 할 필요가 없을 만큼 충분한 돈을 벌었다.
④ 프랭클린은 부양해야 할 가족이 없었고, 그래서 여가시간이 많았다.

정답 ③
해설 인쇄업을 했던 프랭클린을 사업을 확대하여 일을 그만둬도 될 정도로 충분한 성공을 거두었고, 이로 인해 공공 서비스와 오랫동안 관심을 가진 과학 분야를 더 전념할 수 있었다.

16 이 글에 따르면 다음 중 틀린 진술은?

① 글라스 하모니카는 더 이상 인기 있는 악기가 아니며, 오랫동안 인기가 있던 것은 아니다.
② 프랭클린으로 인해 배터리가 인기를 얻게 되었다.
③ 프랭클린은 연료를 덜 쓰면서도 열은 더 많이 내뿜는 스토브를 발명했다.
④ 연 실험은 번개는 실제 전기라는 사실을 입증했다.

정답 ②
해설 프랭클린이 배터리라는 용어를 만들었다는 것만 나올 뿐, 프랭클린으로 인해 배터리가 대중화되었다는 언급은 없다. 그러므로 ②가 정답이다.

17 다음 중 밑줄 친 부분을 바꿔 쓴 것은?

① 프랭클린은 전기를 전달하는 물건을 만들고자 많은 자금을 자신의 사업에 투자했다.
② 프랭클린은 자신이 전기 분야에서 했던 일을 받아들였다.
③ 프랭클린은 전기와 관련된 것을 설명하는 용어들을 만들었다.
④ 프랭클린은 전기를 설명하는 방법을 잘 찾지 못했다.

정답 ③

해설 프랭클린이 "전기와 관련된 수많은 용어를 만들었다는 것(Franklin coined a number of electricity-related terms)"은 프랭클린은 전기와 관련된 것을 설명하는 용어들을 만들었다(Franklin made up words that would describe things associated with electricity)는 뜻이다. coin을 make up words로 표현을 바꿔서 paraphrase 한 것이다.

18-20

아마도 가장 맥박을 뛰게 만드는 주제는 다른 B란 사건이 발생할 경우에(아니면 "발생한다는 조건하에서") 어떤 A란 사건이 발생할 가능성을 뜻하는 "조건부 확률"이다. 이것은 파악하기 까다로운 개념으로 'A가 발생할 경우에 B가 발생할 가능성'과 쉽게 융합된다. 이 두 사례는 동일하지 않지만, 왜 그런지 알려면 집중해야 한다. 예를 들어, 다음의 수학 응용문제를 한번 고려해 보자.

일주일 동안 휴가를 가기 전에 당신은 좀 맹한 친구에게 당신의 병든 식물에 물을 주라고 부탁했다. 물이 없으면 그 식물이 죽을 확률은 90%이다. 물을 제대로 줘도 죽을 확률은 20%이다. 그리고 당신의 친구가 물을 주는 것을 까먹을 확률은 30%이다. (a) 식물이 일주일 동안 살아남을 확률은 얼마나 될까? (b) 당신이 돌아왔을 때 식물이 죽었다면 친구가 물을 주는 것을 까먹었을 확률은 얼마나 될까? (c) 친구가 물을 주는 것을 까먹었다면 당신이 돌아왔을 때 식물이 죽었을 확률은 얼마나 될까? 모두 비슷하게 들리긴 하지만 (b)와 (c)는 같지 않다. 사실 이 문제에서 우리는 (c)의 답이 90%인 것은 알 수 있다. 하지만 (b)나 (a)의 답을 얻기 위해 어떻게 모든 가능성을 조합해 볼 수 있는가?

자연히 내가 이 주제를 가르친 처음 몇 학기 동안에는 책에만 집중하면서 조금씩 진도를 빼는 안전한 방법을 취했다. 하지만 점차 난 뭔가를 눈치 채기 시작했다. 학생들 중 일부가 내가 가르쳐 주던 복잡한 공식인 "베이즈 정리"의 활용을 회피하곤 했다. 대신에 공식을 훨씬 더 쉬운 방법을 통해 해결하곤 했다. 그렇게 재치가 풍부한 학생들이 매년 발견해 온 것이 조건부 확률에 관해 생각할 수 있는 더 나은 방식이었다. 학생들의 방식은 사람의 직관을 혼란시키기보다 직관과 잘 어울렸다. 그 비결은 백분율, 가능성, 확률 등 더 추상적인 개념으로 사고하는 것이 아니라 단순히 사건의 횟수를 세는 "자연적 빈도"의 관점에서 생각하는 것이었다. 이렇게 사고의 변환을 이루면 안개가 걷힌다.

어휘
pulse-quickening ⓐ 맥박을 뛰게 만드는
slippery ⓐ 의미가 선명하지 않은, 까다로운
spacey ⓐ 맹한, 멍한
inch along – 조금씩 움직이다
conditional probability – 조건부 확률
conflate ⓥ 융합하다
ailing ⓐ 병든
labyrinthine formula – 복잡한 공식

comport with – 잘 어울리다
frequency ⓝ 빈도
probability ⓝ 확률
lift ⓥ 걷히다, 들어 올리다
grasp ⓥ 이해하다, 장악하다
pass on – 전달하다, 넘겨주다
confound ⓥ 혼란스럽게 하다
odds ⓝ 가능성, 확률
mental shift – 사고의 전환
outset ⓝ 시초, 발단, 착수
theorem ⓝ (특히 수학에서의) 정리(定理)
in parallel – 동시에, 병렬적으로, 평행하여

18 다음 중 빈칸에 들어갈 알맞은 문장은?

① 이렇게 사고의 변환을 이루면 안개가 걷힌다.
② 당신의 사고방식을 바꾸는 것만으로는 당신에게 모든 것을 가르칠 수 없다.
③ 당신이 무언가를 이해했을 때 당신은 더욱 가벼운 느낌이 든다.
④ 정신적으로 강인한 것은 아이디어를 더 분명하게 해 준다.

정답 ①
해설 학생들은 "베이즈 정리"라는 복잡한 공식을 이용하지 않고도 직관적인 방법으로 잘 해결해 왔다. 즉 언제나 복잡한 공식을 이용해야 한다는 관점에서 벗어나 새로운 각도에서 보면 좀 더 쉽게 해결할 수 있는 방법은 존재하는 것이다. 문제는 이런 사고의 전환을 이뤄 내기가 쉽지 않다는 점이다. 하지만 일단 사고의 변환을 이루면, 그간의 복잡했던 정리되지 않던 것들도 말끔하게 처리된다는 의미에서 안개가 걷힌다고 한 것이 흐름상 가장 자연스럽다.

19 이 글에서 추론할 수 있는 것은?

① 대다수의 학생들은 개념이 처음부터 쉽다는 것을 알지만, 일부 학생들은 힘겨워 한다.
② 작가는 이런 주제를 가르치는 것이 지루하다는 것을 알았다.
③ 조건부 확률은 이 분야를 공부하는 사람에게도 이해하기 어려운 개념이다.
④ "베이즈 정리"를 이해하는 것은 조건부 확률을 이해하는 것만큼 중요하지 않다.

정답 ③
해설 "조건부 확률을 사례를 들어 설명하면서, 조건부 확률을 이해하기 위해서 왜 그런지 알려면 집중"해야 하고, 이 분야를 공부하면서 학생들이 이해하기 어려운 복잡한 공식을 사용하기보다는 직관에 따른 방식으로 해결하고 있다고 하였으므로, 이 분야를 공부하는 사람에게도 어렵다는 것을 끌어낼 수 있다.

20 학생들이 사용한 방법의 장점은 무엇인가?

① 학생들은 그 경험을 매년 새로운 학생들에게 전달한다.
② 학생들의 사고방식은 자연스러운 인간의 사고체계에 반한다기보다는 병렬적이다.
③ 학생들은 그것을 이해할 수 있을 만큼 배웠지만, 지루해 할 만큼은 아니다.
④ 학생들의 방법은 베이즈 정리와 별로 관련이 없다.

정답 ②
해설 "학생들의 방식은 사람의 직관을 혼란스럽게 하기보다 직관과 잘 어울렸다(Their way comports with human intuition instead of confounding it)"는 표현에서 정답이 ②임을 알 수 있다.

21-23

인간의 무의식적 추정이 경제적 문제에 대한 인식에 어떤 영향을 주는지를 연구하기 위해 나는 "중산층"이란 용어에 담긴 언어학적 역학을 탐구했고 특히 다른 경제적 집단과의 비교를 통해 탐구했다. 담화, 매체, 창작물, 학술 문건 등에 수록된 4억 5천만 개가 넘는 단어가 실린 데이터베이스인 "현대 미국 영어 말뭉치(Corpus of Contemporary American English)"에 따르면, (특히 접속사와 전치사를 제외하고) 가장 흔히 쓰이는 단어 중에서 "중산층"이란 단어와 같이 등장하는 단어로는 "부상하는(emerging)", "급증하는(burgeoning)", "부담을 떠안은(burdened)", "쪼그라든(squeezed)" 등이 있다. 이는 우리에게 중산층이라는 경제적 집단에 어떤 일이 벌어졌는지 설명해 준다. 중산층이란 범주에 속한 삶이 어떠한지를 양적으로 설명해 주는 용어나 기술하는 단어는 존재하지 않는다. 실제로는 일반적인 용법하에서는 중산층에 속한다고 명명된 사람들을 실제로 접한 경우가 거의 없다. 중산층은 어쩌면 화분에 담긴 식물이나 탄산음료 캔으로 이루어진 그룹을 기술하는 용어라고 보는 편이 낫다. 중산층이란 용어에는 소득이나 생활 수준과 결부할 만한 것이 거의 존재하지 않는다.
이와는 대조적으로 "부자(the wealthy)"에 관해 언급할 때는 "투자자(investors)", "사업가(businessmen)", "후원자(patrons)", "소유주(owners)", "기부자(donors)" 같은 단어가 함께 등장한다. 이러한 단어는 수입원이 어떻게 되는지 더 나아가 얼마만큼을 보수로 받는지 감이 들게 한다. 미국 영어로는 부자는 어딘가로부터 영향을 받는 대상이 아니라 뭔가 일을 진행시키고 이를 위해 돈을 버는 사람들로 구성된 집단의 일원으로서 행동한다.
"가난한"이란 단어의 경우는 저질(low quality)이라는 의미는 걸러져 나왔지만 "남자(guy)" 및 "여자(girl)"와 함께 쓰이고 또한 "집이 없는(homeless)", "아픈(sick)", "역경(plight)", "궁핍한(needy)", "고통(suffering)" 등의 단어와도 함께 쓰인다. 이와 같은 기술어는 이 가난이란 집단에 속했을 경우 하루하루 어떤 삶을 살게 될지 감을 잡게 해 주며, 해당 집단이 수익이 전혀 없거나 많지 않은 사람들로 구성되어 있음을 분명히 알게 해 준다.
단어의 용법을 조사해 보면 미국인들은 계급을 언급할 때 좀 더 조심스러워함을 확인할 수 있다. 미국 측 자료로 구성된 문서 데이터베이스와 영국 측 자료로 구성된 것을 서로 대조해 보면 영국인들이 "상류층(upper class)"과 "하류층(lower class)"이란 단어를 더 쉽게 사용한다는 점을 알 수 있다. 우리 미국인들은 대신 "부유한(wealthy)"과 "가난한(poor)"을 더 선호한다. 하지만 우리는 "중산층"이란 단어가 방송에 여러 번 쓰이는 것을 용인한다. 이는 즉 이 중산층이라는 용어는 상류층과 하류층 사이의 경제적 지위를 지정해 주는 구성 요소의 의미로서 더 이상 쓰이지 않는 쪽으로 의미가 고정된 구절임을 나타낸다. 대신에 중산층은 일종의 등급이자 브랜드가 되었고 당신을 지칭해 주는 것으로서 채택하기로 한 하나의 꼬리표와 같은 것이 되었다.

어휘
unconscious ⓐ 무의식적인
assumption ⓝ 추정, 가정
linguistic ⓐ 언어의, 언어학의
linguistic dynamics – 언어적 역학
in comparison to – ~와 비교하여, ~와 비교할 때
grouping ⓝ 집단, 그룹
corpus ⓝ 말뭉치, 코퍼스
conjunction ⓝ 접속사
preposition ⓝ 전치사
among others – 무엇보다도, 특히
emerging ⓐ 신흥의, 부상하는
burgeoning ⓐ 급증하는, 급성장하는
burdened ⓐ 부담을 떠안은, 짐이 무거운
squeezed ⓐ 쪼그라든, 쥐어 짜인
quantitative ⓐ 양적인
descriptor ⓝ 기술어(구)
potted ⓐ 화분에 심은
tie ⓥ 결부시키다
conversely ⓐⓓ 대조적으로, 거꾸로
by extension – 더 나아가
compensate ⓥ 보상하다, 보수를 지급하다
act on – ~에 따라 행동하다
filter out – 걸러내다
plight ⓝ 역경, 곤경
needy ⓐ 어려운, 궁핍한
day to day – 나날의, 매일의, 그날그날의

17

poke into – 간섭하다, 조사하다
contrast ⓥ 대비시키다, 대조하다
frozen ⓐ 고정된, 굳어진
designate ⓥ 지정하다
shy away from – ~을 피하다
go along with – ~에 동의[찬성/동조]하다
vulgar ⓐ 저속한, 천박한
judgmental ⓐ (남에 대해) 비판[재단]을 잘하는; 주관적 판단의
indication ⓝ 암시, 시사, 가리킴
skittish ⓐ 변덕스러운, 미덥지 못한; 경계하는, 조심하는
grant ⓥ 인정하다, 용인하다
component part – 구성 요소
opt to – ~하기로 선택하다
connotation ⓝ 함축, 내포
intrinsically ⓐⓓ 본질적으로

21 **빈칸에 들어갈 가장 알맞은 것은 무엇인가?**

① 구매가 가능한 것
② 모두가 피하는 것
③ 당신을 지칭해 주는 것으로서 채택하기로 한 하나의 꼬리표
④ 이에 동조하는 모든 함축된 의미

정답 ③
해설 중산층이란 단어가 일종의 등급이자 브랜드가 되었다는 말은 자신을 지칭하는 일종의 꼬리표 같은 것이 되었다는 의미이다. 따라서 답은 ③이다.

22 **본문에서 유추할 수 있는 것은 무엇인가?**

① 미국인들은 "중산층"이란 용어가 돈을 얼마나 소유하고 있는지와 본질적으로 관계가 있다고 생각하지 않는다.
② 미국인들은 "계급"이란 단어가 부자와 빈자에 관해 말할 경우에만 적절하다고 생각한다.
③ 부자가 입에 오르내릴 경우 "중산층"이란 단어를 사용해 부자를 묘사하는 것은 천박한 행위이다.
④ 계급 체제는 미국에서 여전히 굳건히 건재하며 더 많이 쓰이고 있다.

정답 ①
해설 "중산층이란 용어에는 소득이나 생활 수준과 결부할 만한 것이 거의 존재하지 않는다(There's little here tied to income or lifestyle)." 즉 이제 중산층이란 단어는 등급이자 브랜드 같은 것이 되었을 뿐, 실제 소득 수준과는 관계가 거의 없어지고 말았다. 따라서 답은 ①이다.

23 **"중산층"이란 용어와 관련하여 사실은 무엇인가?**

① 미국보다 영국에서 더 흔히 쓰인다.
② 거의 아무 의미도 없는 단어라 모든 계급에서 가장 흔하게 사용된다.
③ 미국인들의 취향에는 너무 주관적 단어이기 때문에 미국인들은 거의 그 용어를 사용하지 않는다.
④ 이 용어는 용어가 기술하는 사람들 및 그들의 삶을 암시하는 일 없이 쓰인다.

정답 ④

해설 중산층이란 원래는 상류층과 하류층의 중간을 의미하는 단어였겠지만 "상류층과 하류층 사이의 경제적 지위를 지정해 주는 구성 요소의 의미로서 더 이상 쓰이지 않는다(no longer rooted in the meaning of component parts that ought to designate economic status between two others)." 따라서 답은 ④이다.

24-27

한국은 최근까지는 사람들이 "민족적 동질성"에 자부심을 가지라는 교육을 받은 나라였고 "피부색"이란 단어와 "살구색(복숭아색)"이란 단어가 동일한 의미를 지닌 나라였지만, 이제는 새로운 현실을 힘들게 받아들이고 있다. 지난 7년 동안 한국에 거주하는 외국인의 수가 두 배로 증가해 120만 명이 되었고, 낮은 출산율 때문에 현재 4870만 명의 인구가 앞으로 수십 년간 계속 줄어들 것으로 예측된다.

한국에 온 외국인 중 다수는 바다나 농장이나 공장에서 고생스럽게 일하기 위해 왔고, 이를 통해 한국인들이 피하는 직종에 값싼 노동력을 제공한다. 동남아시아의 여성들은 한국인 신부를 구할 수 없는 농촌총각들과 결혼한다. 영어권 국가에서 온 사람들은 원어민들로부터 영어를 배워야 한다는 강박관념에 사로잡힌 사회에서 영어를 가르치는 일자리를 찾는다.

대부분의 한국인 입장에서 세계화는 대체적으로 수출의 증가나 유학을 떠나는 것을 의미해 왔다. 하지만 지금 세계화는 2008년 한 여론조사에서 응답자 중 42%가 외국인과 말 한마디 해 본 적 없다고 답한 사회로 외국인들이 밀려 드는 결과를 낳았고, 한국인들은 현재 이에 적응하는 방법을 종종 불편하게 배우고 있다.

작년에 발표된 보고서에 따르면 국제사면위원회는 대부분이 가난한 아시아 국가들로부터 온 이주 노동자들을 상대로 한국에서 벌어지는 차별을 비난했고, 예로 성적 학대, 인종차별적 언사, 부적절한 안전훈련, 의무적인 HIV 보균 여부 공개 등을 제시했다. 특히 보균 여부 공개는 동일한 직종에서 일하는 한국인 근로자에겐 의무사항이 아니다. 현지 언론 및 인권 지지자 등을 인용하면서, 국제사면위원회는 작년의 경기 하강 이후 "외국인 혐오와 관련된 사건이 점차 증가 중에 있다"고 밝혔다.

어휘
ethnic ⓐ 민족의
peach ⓝ 복숭아, 복숭아색
obsess ⓥ 집착하다, 사로잡히다
discrimination ⓝ 차별
disclosure ⓝ 공개, 폭로
applaud ⓥ 갈채를 보내다
homogeneity ⓝ 동질성
shun ⓥ 피하다
influx ⓝ 유입
racial slur – 인종차별적 언사, 폭언
downturn ⓝ 하강

24 무엇에 관한 글인가?

① 외국인들이 한국에 입국하는 빈도
② 외국인들이 한국에 들어와서 해야 하는 적응
③ 한국에서 외국인이 증가하면서 생기는 긴장관계
④ 외국인이 한국에서 잘 지내지 못하면서 생기는 사회적 문제들

정답 ③

해설 한국에서 생활하는 외국인들이 늘어나면서, 한국에서도 외국인 혐오나 기타 관련사건이 늘고 있으며, 한국인들은 외국인들과 더불어 적응하며 살아가는 방법을 불편하게 배우고 있는 셈이므로, 정답은 ③이 된다.

17

25 이 글 뒤에 이어질 단락은?

① 매년 한국에서 영어 교육에 투자하는 금액의 양
② 동남아인들이 부당하게 대접받는 전 세계의 다른 나라들
③ 외국인을 보호하는 언론과 외국인의 잘못을 비난하는 언론의 다른 소식들
④ 한국인들이 외국인에 대하여 외국인 혐오 감정을 보이는 일부 사례들

정답 ④
해설 글의 마지막 부분에 국제사면위원회는 한국에서 "외국인 혐오와 관련된 사건이 점차 증가 중에 있다(incidents of xenophobia are on the rise)"고 하였으므로, 이 글 뒤에는 이에 해당하는 적절한 사례가 나오는 것이 타당하다.

26 다음 중 올바른 것은?

① 민족 전통적인 한국인의 인구수가 줄어들면서 한국의 외국인 숫자가 증가한다.
② 심지어 지금도 외국인들에게 말을 건네 본 한국인들이 절반도 채 안 된다.
③ 공장에서 일하는 이주 근로자와 한국인들은 동일한 엄격한 규정에 종속된다.
④ 한국에서 세계화의 개념은 수출에서 수입으로 바뀌었다.

정답 ①
해설 ②는 2008년 기준 조사이므로 틀렸고, ③은 HIV 보균 여부 공개는 동일한 직종에서 일하는 한국인 근로자에겐 의무사항이 아니라는 점에서 동일한 규정이 적용된다는 것은 틀린 진술이다. 하지만 외국인의 숫자는 점점 늘어나지만 한국의 낮은 출산율 때문에 한국인들은 비율상 줄어들게 되므로 ①은 올바른 진술이다.

27 한국인들에게 세계 시민적 사회에 적응하기 어려운 이유는 무엇인가?

① 외국인들이 과거만큼 그렇게 많이 한국에 들어오지 않는다.
② 한국인들은 사회가 인종적으로 단일하다는 사실에 갈채를 보내도록 커 왔다.
③ 한국인들은 외국인들의 언어나 문화를 이해하지 못한다.
④ 한국의 출생률은 인류에 더해지는 외국인들로 인해 부정적인 영향을 받고 있다.

정답 ②
해설 한국은 최근까지는 사람들이 "민족적 동질성"에 자부심을 가지라는 교육을 받은 나라였기 때문에, 밀려 드는 외국인들에 대해 불편한 감정을 갖고 있다.

28-30

정치적 스펙트럼에 속한 사람 중 아무도, 진짜 아무도, 세상에 풀린 총기가 벌이는 광란에 관해 그리고 이 광란이 미국인의 삶에 미치는 영향에 대해 공개적으로 밝힐 용기가 있는 사람이 아무도 없다는 현실 때문에 진실이 더욱 악화되고 있다. 여기엔 대통령도 포함되는데, 자신이 사건에 관해 한 위로하는 메시지가 결국엔 왜 이런 살인 사건이 발생하는지의 문제를 어떻게 해서든 회피하는 역할을 하기 때문이다. 물론 우리는 그가 "왜" 그런 일을 했는지 정확히 알 수 없고 아마도 앞으로도 알 수 없을 것이다. 하지만 우리는 그가 어떻게 그런 일을 했는지는 알고 있다. 모든 미친 자들과 모든 범죄자들이 원하는 만큼 사람을 죽이는 무기를 많이 가질 수 있는 권리를 위해 투쟁한 사람들은 어젯밤에 일어난 일에 도덕적 책임을 공유하고, 총기 사건이 다시 일어나도 책임을 공유할 것이다. 그리고 총기 사건은 또 일어날 것이다.

현실은 간단하다. 모든 나라는 미친 자들과 총기를 신봉하는 자들과 겨루고 있고, 캐나다, 노르웨이, 영국 등 모든 나라에서 한 번 또는 두 번 정도는 총기 학살 사건을 겪었다. 그러고 나서 국민들이 이를 멈추기 위해 행동했고, 결국 성공했다. 이는 지난 몇 년 동안 호주에서 벌어진 바와 같다. 미국만이 이런 종류의 총기 학살 사건이 정기적으로 예측이 가능하면서도 분명히 계속 발생된다. 사람들은 수많은 학살을 더 이상 기억하지 못하는 것인가? 하지만 아무 것도 변하지 않았다. 총기업체의 피 묻은 로비는 확실한 것들만 소리 지르고 있으며, 여기엔 헌법 수정 제2조가 민병대를 수호하기 위해 고안된 것이 아니라, 첫 문장에서 분명하게 말하고 있는 것과는 다르게, 어떤 미친놈들이라도 무기를 쓸 수 있게 고안된 것이라고 주장하는 가식도 포함된다. 사람을 죽이기 위한 경우를 제외하면 고안될 이유가 없는 총기는 원하는 사람 누구라도 자유로이 구할 수 있고, 이것이 지금까지 계속되어 온 미국의 상황이며, 그래놓고서 아이가 총기로 사망하면 충격을 받는다. '총기 폭력 예방을 위한 브래디 캠페인'이 노력해 온 모든 좋은 일에도 불구하고 아무것도 변하지 않았다.

어휘

- **unleashed** ⓐ 풀린
- **consoling** ⓐ 위로하는
- **pretense** ⓝ 요구, 주장
- **for all** – ~에도 불구하고
- **madness** ⓝ 광란
- **ideologue** ⓝ 신봉자
- **lunatic** ⓝ 광인, 미친 사람

구문 정리

Those who fight for the right of every madman and every criminal to have as many people-killing weapons as they want share moral responsibility for what happened recently — as they will when it happens again.

모든 미친 자들과 모든 범죄자들이 원하는 만큼 사람을 죽이는 무기를 많이 가질 수 있는 권리를 위해 투쟁한 사람들은 어젯밤에 일어난 일에 도덕적 책임을 공유하고, 총기 사건이 다시 일어나도 책임을 공유할 것이다.

구조 분석

Those(S) (who[주격 관계대명사] fight for the right (of[주격의 of] every madman and every criminal) to have as many

those who V : ~하는 자들

the right of A to V : ~할 A의 권리

people-killing weapons as they want / share(V) moral responsibility(O) for(~에 대한)

as many + 복수명사 as S + V의 구조
→ S가 V하는 만큼의 많은 'NS'

what happened recently(전치사 for의 목적어) — as(접속사) they(S) will(V) (when it happens again.)(부사절) └ 앞의 상황을 나타내는 대명사

will share moral responsibility에서 will만 남은 형태

28 이 글의 의견이 아닌 것은?

① 모든 미국인들은 총기를 소지해야 한다고 얘기하는 사람들은 이러한 비극이 일어났을 때 부분적으로 책임이 있다.
② 모든 미국인들에게 총기를 소지하도록 한다는 것은 제정신인 사람이나 그렇지 못한 사람이나 모두 총기를 가질 수 있다는 의미이다.
③ 미국에서 총기를 구하기가 쉬운 것이 총기 범죄를 유발한다.
④ 미국 사람들은 무분별한 총기 범죄를 충분히 경험했고, 이제는 변화를 요구하고 있다.

정답 ④

해설 "하지만 아무 것도 변하지 않았다"는 세 번째 단락의 첫 번째 문장과 '총기 폭력 예방을 위한 브래디 캠페인'이 노력해 온 모든 좋은 일에도 불구하고 아무것도 변하지 않았다는 마지막 문장에서, 미국인들은 아직도 변화가 없다는 것을 알 수 있다.

29 다음 중 추론할 수 있는 것은?

① 미국인들은 비극이 일어났을 때 충격을 받았고 변화를 요구했지만, 정부는 이를 듣지 않았다.
② 모두가 총기를 소유하는 것이 괜찮다고 생각하는 사람은 비극적인 사건에 자신들의 책임을 충분히 인식하고 있다.
③ 모두가 총기를 소지할 권리가 있다는 주장에 반대의 목소리를 내는 것은 정치가의 이력에는 부정적인 영향을 줄 것이다.
④ 수정 헌법 제2조에 대하여 총기에 관한 주장을 펼치는 양측 모두가 오해하고 있다.

정답 ③

해설 대통령을 포함하여 정치에 관련된 사람 중 아무도, 세상에 풀린 총기가 벌이는 광란에 관해 그리고 이 광란이 미국인의 삶에 미치는 영향에 대해 공개적으로 밝힐 용기가 있는 사람이 아무도 없다고 하였으므로, 정치가는 자신의 정치적 운명을 걸고 총기 규제에 목소리를 높이기 쉽지 않다는 것이고, 그렇게 한다면 그들의 이력에 부정적인 영향을 준다는 것을 추론할 수 있다. 참고로 ②의 경우 모두가 총기를 소유하는 것이 괜찮다고 생각하는 사람은 비극적인 사건에 자신들의 책임을 인식하고 있지 않기 때문에 틀린 진술이다.

30 밑줄 친 문장을 올바르게 바꿔 쓴 것은?

① 살해 이외에는 아무런 목적이 없는 총기를 쉽게 이용할 수 있다는 것이 중요하다.
② 당신의 총이 사람을 살해하는 것 말고는 아무것도 없다면, 그래도 총기를 소지하겠는가?
③ 사람들은 그 총기로 인해 사람이 죽더라도 그들이 원하는 총기는 어떤 것이나 자유롭게 선택할 수 있어야 한다.
④ 살해 목적으로 총기를 원하는 사람들은 그 상황에 알맞은 총기를 구매하도록 해야 한다.

정답 ①

해설 paraphrase에서 살해 용도로만 쓰이지 다른 목적은 전혀 없는 총기라는 의미로 연결시키면 된다. guns designed for no reason save to kill people을 guns which serve no purpose other than killing으로 바꾸어 표현한 ①이 정답이다.

18 Practice Test 정답 및 해설

01	④	02	①	03	①	04	②	05	④	06	①	07	①	08	①	09	③	10	②
11	④	12	②	13	④	14	①	15	③	16	④	17	①	18	③	19	①	20	③
21	①	22	②	23	①	24	②	25	④	26	④	27	③	28	①	29	②	30	①

01-03

대부분의 마케팅 박람회에선 여러분에게 브랜드를 확립하고 사람들이 여러분의 상품과 서비스에 익숙해지도록 하라고 말할 것이다. 이와는 다르게 여러분이 맘껏 사용할 수 있는 마케팅 기술도 있는데, 이 기술엔 강점과 약점이 분명히 존재한다. 바로 티저 광고이다.
여러분은 TV에서 목표 제품이 전혀 등장하지 않아 보이는 광고를 본 적 있을 것이다. 실제로 광고주에 관해 구체적으로 언급이 전혀 없을 수도 있다. 광고가 무작위적인 사건이나 시작해서 중간에 끝나는 이야기로 구성되었을 수 있다. 전형적인 티저 광고는 끝날 때쯤에 일종의 티저 광고임을 나타내는 말이나 웹사이트로 연결해 주는 별 특징 없는 URL이 등장한다.
전자의 경우 티저 광고의 목적은 바이럴 마케팅 캠페인을 창조하는 것이다. 업체는 사람들이 티저 광고에 관해 말을 하고 그 광고가 무슨 내용을 담고 있는지 논의하길 원한다. 많은 사람들이 광고에 관해 논할수록 광고에 대한 더 많은 관심이 생길 것이고 사람들은 광고가 실제 어떤 성격의 광고인지 매우 알고 싶어 할 것이다. 사람들을 광고 캠페인에 관심을 갖도록 하기란 어렵고, 따라서 "티저" 전략이 이럴 경우 딱 맞을 것이다.
티저 광고가 URL을 눈에 잘 띄게 보여 주면서 끝나면 사람들은 URL을 보여 주며 끝나는 평범한 광고보다 티저 광고의 웹사이트에 더 접속하고 싶을 것이다. 사람들은 티저 광고가 정말로 무엇을 보여 주려 하는지 알기 위해 웹사이트에 가야겠다는 생각을 품을 것이다. 이 광고 전략의 최대 단점은 당연히 만약 사람들이 웹사이트에 접속하지 않으면 티저 광고가 어떤 성격의 것인지 알고 싶다는 기분도 들지 않을 것이고 따라서 마케팅에 쓴 돈이 헛되이 쓰일 것이라는 점이다.

어휘
convention ⓝ 박람회
explicit ⓐ 명시적인
prominently (adv) 눈에 띄게
tease ⓥ 흥분시키다, 애타게 하다
at one's disposal – ~ 마음대로
nondescript ⓐ 별다른 특징 없는
downside ⓝ 단점

18

01 다음 중 가장 적절한 제목은?

① 광고의 차이
② 광고에 대한 새로운 접근
③ 가장 빠른 광고
④ 티저 광고

정답 ④

해설 티저 광고 자체가 상품 이름을 비롯한 관련 정보를 거의 알려 주지 않아 호기심을 갖고 다음 광고에 주의를 기울이게 하는 광고 전략을 뜻하며, 이러한 티저 광고에 대하여 서술한 글이다.

02 이 글에서 추론할 수 있는 것은?

① 회사들은 대중의 관심을 끌 티저 광고를 만드는 데 많은 주의를 기울인다.
② 티저 광고에 돈을 쓸 위험을 무릅쓰는 회사는 거의 없다.
③ 회사들이 무언가를 대중에게 광고하는 방식은 제한적이다.
④ 티저 광고는 대중들이 인터넷에 접속할 수 있는 지역에서 사용될 때 가장 효과적이다.

정답 ①

해설 회사들은 자사의 제품에 대해 대중이 관심을 기울이는 광고를 만들고 싶어 하며, 그러한 광고 전략으로 티저 광고를 만든 것이다. 즉 이런 티저 광고를 만들어 사람들이 티저 광고에 관해 말을 하고 그 광고가 무슨 내용을 담고 있는지 논의하길 원하는 것이다. 그러므로 ①은 올바른 추론이다. 반면 ③과 ④는 본문에서 전혀 근거를 찾을 수 없는 진술이다.

03 이 글의 목적은 무엇인가?

① 왜 회사들이 일반 광고 대신에 티저 광고를 사용하는가를 설명하기 위하여
② 회사에 의해 사용될 수 있는 여러 다른 형태의 광고들을 알려 주기 위하여
③ 특정한 종류의 광고를 사용하는 것의 장점과 단점을 알려 주기 위하여
④ 제품을 판매하는 데 사용될 수 있는 두 가지 형태의 광고를 설명하기 위하여

정답 ①

해설 이 글은 티저 광고의 개념과 전반적인 특징에 대하여 설명하고, 기업들이 왜 티저 광고를 이용하려고 하는지에 대하여 적고 있으므로, 정답은 ①이다.

04-07

일부 양심적 병역거부자들은 어떤 식으로든 군복무를 거부하지만, 다른 일부는 비전투적 역할은 수용한다. 양심적 병역거부는 일반적으로는 전쟁에서 전투원으로 복무하는 경우나 그 외 보조적인 역할로서 군사 조직과 협력하는 것을 거부하는 것인데, 일부는 절충 가능한 형태의 양심적 병역거부를 지지한다. 절충 가능한 형태의 것 중 하나는 징집되거나 군 복무를 하면서 비전투적인 역할을 맡는 것이다. 군 복무나 민간 복무의 대안으로는 징집을 거부하고 징역형이나 다른 처벌을 받는 것, 알레르기나 심장에 문제가 있는 척 해서 군 복무에 부적합하다고 거짓된 주장을 하는 것, 징병 상한 연령까지 징병을 연기하는 것, 징병 문제로 수배된 사람을 추방하지 않는 국가로 도피하는 것 등이 있다. 군 복무를 회피하는 것은 때로는 병역기피로 불리며, 특히 부정한 행위나 회피 행동을 통해 군 복무를 회피하는 목적이 달성되었을 경우 그렇게 불린다.
하지만 징병제를 지지하는 많은 사람들은 "진짜" 양심적 병역거부와 그들이 보기에 타당한 이유 없이 군 복무를 회피하는 것으로 보는 병역기피를 구분할 것이다.
양심적 병역거부는 강제적 군 복무제도가 도입된 이래 존재해 왔지만, 양심의 자유의 일부로서 기본적인 인권의 하나로 양심적 병역거부를 점차 인식하기 시작한 20세기가 되기 전까지는 공식적으로 인정받지 못했다. UN에나 유럽 회의 같은 국제기구에서 양심적 병역거부를 인권의 하나로 인정하고 홍보하고 있지만 2004년 현재 여전히 대부분의 나라에서 양심적 병역거부는 법적인 근거를 갖추지 못하고 있다. 징병제를 채택한 대략 100여 곳의 나라 중에서 오직 30개국만이 관련 법조항을 보유하고 있으며 그 중 25개는 유럽 국가이다. 유럽에서 징병제를 보유한 대부분의 국가는 현재 양심적 병역거부 법령에 관한 국제적 지침을 거의 준수한다. (그리스, 사이프러스, 터키, 핀란드, 러시아는 예외이다.) 유럽 밖의 많은 국가들 특히 무력 분쟁이 진행 중인 지역 (이스라엘이나 콩고 민주공화국 같은)에서 양심적 병역거부는 엄중히 처벌받는다.

어휘
- conscientious ⓐ 양심적인
- advocate ⓥ 지지하다
- conscription ⓝ 징집
- civilian service – 민간 복무
- feign ⓥ ~인 척하다
- refuge ⓝ 도피처
- wanted ⓐ 수배된
- evasive ⓐ 회피하는
- evasion ⓝ 회피
- military service – 군 복무
- archaic ⓐ 구식의, 낡은
- noncombatant ⓐ 비전투적인
- compromising ⓐ 절충 가능한
- alternative ⓝ 대체, 대안
- imprisonment ⓝ 징역
- maximum drafting age – 징병 상한 연령
- extradite ⓥ 추방하다
- draft dodging – 징집 기피, 병역 기피
- maneuver ⓝ 행동
- incorporation ⓝ 도입
- armed conflict – 무력 분쟁
- bona-fide ⓐ 성의 있는, 진실의

04 이 글에서 추론할 수 있는 것은?

① 일부 국가의 법들은 다른 국가들보다 더 구식이다.
② 세상에는 전쟁의 정당성을 믿지 않는 사람들이 많이 있다.
③ 이스라엘과 같은 국가에서 행해지는 엄청난 분쟁에는 끝이 없다.
④ 모든 국가들은 만약 가능하다면 징병제를 사용할 것이다.

정답 ②

해설 "진짜 양심적 병역거부를 하는 사람들이 존재한다. 또 일부 국가에서는 양심적 병역거부를 양심의 자유의 일부로 보고 있다(recognized as a fundamental human right as a part of the freedom of conscience)"는 것은, 진정 전쟁 행위와 총기 사용에 대하여 반대하는 사람들이 존재한다는 것을 암시한다.

---

05 이 글에 따르면 다음 중 틀린 진술은?

① 징집은 군대에 구성원을 더하는 방식이다.
② 대부분의 나라들은 양심적 병역거부자들을 보호하는 엄격한 법률이 없다.
③ 일부 국가들은 거부자들로 하여금 비전투병과에서 복무하도록 허용한다.
④ 국가가 당신에게 원하는 것을 하길 거부하는 것은 불법이다.

정답 ④

해설 "유럽에서 징병제를 보유한 대부분의 국가는 현재 양심적 병역거부 법령에 관한 국제적 지침을 거의 준수(In Europe, most countries with conscription more or less fulfill international guidelines on conscientious objection legislation)"한다는 사실에서 국가의 군 복무에의 부름에 응하지 않았다고 해서 무조건 불법이라고 할 수는 없다.

---

06 이 글의 화제는 무엇인가?

① 국가라는 미명 아래 다른 사람을 살해하지 않기로 선택한 사람
② 국가가 군 징병에 대하여 가지고 있는 다른 정책
③ 군 복무를 회피하는 방법
④ 왜 사람들이 불법적인 수단을 통하여 군 복무를 피하려고 애쓰는지

정답 ①

해설 양심적 병역거부이므로, 이에 해당하는 것은 자기 스스로 국가의 요구에 대하여 양심을 근거로 병역을 거부하는 사람에 대한 글이므로 정답은 ①이다.

---

07 밑줄 친 어구의 의미는 무엇인가?

① 자신의 양심이 잘못되었다고 말하기 때문에 이를 거부하는 것
② 내적으로 거부하는 것
③ 그 이유야 무엇이건 간에 다른 사람들이 행동하는 것에 동의하지 않는 것
④ 무언가에 대해 거부할 만하게 이해하는 것

정답 ①

해설 양심적 병역거부를 뜻하므로 정답은 ①이다.

08-09

베스트셀러 '아들 심리학(Raising Cain)'의 공동 저자인 그는 소년의 심리에 대한 통찰력을 보여 주었다는 평가를 얻었고, 이제는 오늘날 미국의 소녀에 관해 놀랄 만한 모습을 제시하는 획기적인 전기를 이루었다. 그에 따르면 미국의 소녀는 독립적이고, 자신감에 차고, 의욕이 풍만하고, 이전 세대와 근본적으로 다르다.
오늘날 미국에서는 새로운 유형의 소녀들이 성장하고 있고, 이들은 사회에 큰 긍정적 영향을 미치고 있다. 이것이 널리 존경받는 아동 및 청소년 심리학자이자 베스트셀러 '아들 심리학(Raising Cain)'의 공동 저자인 댄 킨들론 박사의 결론이다. 킨들론 박사는 인물 개요, 사례 연구, 질문지, 그 외 여러 방법을 활용한 획기적 연구를 통해 "알파걸"에 관한 자신의 놀라운 발견을 뒷받침했다.
그의 저서 '알파 걸'에서 킨들론 박사는 ① 10대 소녀들에 관해 '오필리아 되살리기(Reviving Ophelia)'의 논지를 정면으로 반박하는 혁신적이고 뉴스거리가 될 만한 자료를 제시했고 ② 알파걸의 어머니가 이룬 성취가 자신의 딸들이 해방을 이루는 데 어떻게 도움을 주었는지 여러 방법을 살폈고 ③ 아버지와 딸 간의 극적으로 다른 관계에 관해 그리고 이 관계가 소녀의 심리 형성・정체성・정체성 등에 어떤 변화를 주었는지에 관해 점검했다.
오늘날의 미국 소녀들은 여성운동의 혜택을 완전히 누린 첫 번째 세대에 속하며 새로운 감각의 가능성과 심리적 해방을 품고 성숙 중에 있다. 킨들론 박사는 우리에게 성년으로 갑작스레 성장하여 세상에 자신의 족적을 남기고 자신을 본보기로 모든 곳의 여성들에게 영감을 불어넣는 타고난 지도자인 알파걸에 관해 심도 깊은 묘사를 제공한다.

어휘
hail for – 칭찬하다
highly motivated – 의욕이 넘치는
case study – 사례 연구
newsworthy ⓐ 뉴스거리가 될 만한
identity ⓝ 정체성
emancipation ⓝ 해방
make one's mark on – ~에 영향을 주다, 업적을 남기다
defiant ⓐ 반항적인
be identical to – ~와 동일한
psyche ⓝ 마음, 정신

구문정리
Part of the first generation that is reaping the full benefits of the women's movement, today's American girl is maturing with a new sense of possibility and psychological emancipation.
오늘날의 미국 소녀들은 여성운동의 혜택을 완전히 누린 첫 번째 세대에 속하며 새로운 감각의 가능성과 심리적 해방을 품고 성숙 중에 있다.

구조분석
∧ Part of the first generation (that is reaping the full benefits (of the women's movement,))
분사구문 / 선행사 / 주격 관계대명사 / V' / O'
(Being)이 생략

today's American girl is maturing (with a new sense of possibility and psychological emancipation.)
S / V / 부사구

08 이 글에서 추론할 수 있는 것은?

① 10대 소녀들은 과거에 비하여 훨씬 더 독립적이고 자신감이 넘친다.
② 소녀들이 가진 자유 때문에 발생하는 많은 새로운 심리적인 문제들이 있다.
③ 반항적인 소녀들은 사내아이들이 잘 해내는 것을 더욱더 어렵게 한다.
④ 10대 소녀들이 계속해서 정신적으로 성숙해 감에 따라 이들에게 새로운 기회들이 있다.

정답 ①

해설 킨들론 박사에 따르면, "오늘날 미국의 소녀는 독립적이고, 자신감에 차고, 의욕이 풍만하고, 이전 세대와 근본적으로 다르다(today's American girl – independent, self-confident, highly motivated, and fundamentally different from previous generations)"고 한다. 그러므로 ①은 올바른 추론이 된다.

09 이 글에 따르면 다음 중에 올바른 것은?

① 여학생들은 같은 나이의 남학생들을 지배하게 되었다.
② 알파걸은 남학생들보다 훨씬 더 지도력이 있다.
③ 여성운동은 지금 여학생들로 하여금 더 많은 혜택을 누리도록 행해져 왔다.
④ 알파걸의 마음은 일반적인 남학생들의 마음과 동일하다.

정답 ③

해설 "오늘날의 미국 소녀들은 여성운동의 혜택을 완전히 누린 첫 번째 세대(Part of the first generation that is reaping the full benefits of the women's movement)"에 속한다고 하였으므로, 여성운동으로 인해 지금의 알파걸들은 혜택을 보고 있다는 것을 끌어낼 수 있다.

10–12

엥겔 법칙은 소득이 증가하면 기본 식량과 다른 생필품이 전체 소득에 차지하는 '비율'이 줄어든다는 의미이다. 그러나 엥겔 법칙은 생필품에 쓰이는 비용의 '규모'가 준다는 의미는 아니다. 예를 들어 월급 5만 달러에서 음식에 쓰이는 비율이 5%면 2천5백 달러인데, 이 비용은 월급 5천 달러에서 20%를 음식에 쓴 경우(천 달러)나 월급 5백 달러에서 40%을 음식에 쓴 경우(2백 달러)보다 크다. 가난한 나라에서 사람들은 벌어들인 극소량의 수입 중에서 평균 35~40%를 음식에 소비한다. 대부분은 콩・감자・옥수수・쌀 등 기본적인 식재료이다. 소득이 중간 정도인 국가에서는 대체로 높은 수준의 소득 중 기본적인 식재료에 10~15%를 소비한다. 부유한 국가에서 기본적인 식품은 전체 소비의 1~4%를 차지한다. 물론 우리는 식료품점이나 음식점에서 소득의 1~4% 이상을 소비하지만, 대부분의 경우는 기본적인 식재료 이외의 식품에 소비하는 것이다. 물론 부유한 국가의 고소득 1%는 절대치로 놓고 보면 중간 소득 국가에서 음식으로 소비하는 15%보다 훨씬 크고, 가난한 국가에서 음식으로 소비하는 40%보다 수십 수백 배 더 크다. 엥겔 법칙은 법칙이므로, 과거 모든 나라 모든 사람들에게 항상 적용되던 법칙이었고 앞으로도 모든 이에게 적용될 법칙이다. 엥겔 법칙이 맞는 이유는 인간의 행동을 정확하게 묘사하기 때문이다. 엥겔 법칙이 거짓이라고 보는 것은 사람이 돈을 원하는 것에 쓰지 않고 원하지 않는 것에 쓴다고 생각하는 것과 마찬가지이다. 식품과 다른 생필품의 수요 탄력성은 공산품 및 서비스의 수요 탄력성에 비해 낮다. 우리가 식품 그리고 우리가 생필품이라 여기는 상품의 소비를 늘리면 우리의 소비 욕구는 더 빨리 하락한다. 이런 경우는 상품 수요가 비탄력적이라 한다. 경제발전 초기에 사람들은 식단을 옥수수와 콩에서 고기 및 기타 비싼 음식으로 바꾸기도 한다. 하지만 이런 경우에도 사람들은 살기 위해 필요한 생필품에서 자신들이 선호하는 사치품으로 바꾸기도 한다. 어떤 시점에 사람들은 식단을 개선하는 것이 불필요하다는 것을 깨닫고, 공산품 및 서비스로 여윳돈 대부분을 쓰는 것을 선호한다.

어휘
- **other than** – ~ 이외에
- **elasticity of demand** – 수요의 탄력성
- **necessities** – 생필품
- **absolute term** – 절대치
- **desire for consuming** – 소비 욕구
- **at some point** – 어떤 시점에서는

구문 정리 One cannot hold Engel's law to be false, any more than one can suppose people would prefer to spend their money on things they don't want rather than spend it on those things they do want.
엥겔 법칙이 거짓이라고 보는 것은 사람이 돈을 원하는 것에 쓰지 않고 원하지 않는 것에 쓴다고 생각하는 거나 마찬가지이다.

구조 분석 One(S) cannot hold(V) Engel's law(O) to be false(O.C), any more than one can suppose (that 생략) people(S') would

cannot V1 ~ any more than V2 ~ : V1 할 수 없는 것은 V2 할 수 없는 것과 마찬가지다

prefer to(V) spend their money on things (they don't want) rather than

prefer to A rather than B : B하는 것보다 A를 선호하다

spend A on B : A를 B에 쓰다, 소비하다

spend it on those things (they do want.)

---

10 **밑줄 친 것과 의미가 동일한 것은?**

① 제품에 대한 수요가 시간이 지나면서 늘어나는 양
② 무언가에 대한 욕구나 열망이 증가하거나 감소된 양
③ 똑같은 것을 동시에 원하는 사람들의 숫자
④ 사람들이 갖고 싶어 하는 필수품에 부여한 가치

18

정답 ②
해설 수요 탄력성을 의미한다. 즉 어느 재화의 가격 변화율에 대한 수요량의 변화율을 (가격에 대한) 수요 탄력성이라 하는데, 여기에서는 아래 문장들에서 그 의미를 사례와 더불어 설명하고 있다.

11 **빈칸에 들어갈 단어 또는 어구로 적당한 것은?**

① ~까지
② ~ 또한
③ ~만큼이나
④ ~와 마찬가지로

정답 ④
해설 not A any more than B는 양자를 부정하는 구문이다. "엥겔 법칙이 거짓이라고 보는 것"과 "사람이 돈을 원하는 것에 쓰지 않고 원하지 않는 것에 쓴다고 생각하는 것" 둘 다 틀렸다는 것이다. 엥겔 법칙이 틀렸다고 보는 것은 잘못이라는 논리를 모두가 알고 있는 사실인 사람이 돈을 원하는 것에 쓰지 않고 원하지 않는 것에 쓴다는 것이 잘못되었다는 것과 연결시켜 잘못되었음을 알려 주는 것이다.

12 이 글의 목적은 무엇인가?

① 경제적인 수준에 상관없이 모든 사람들이 같은 양을 쓰는지를 보여 주기 위하여
② 엥겔 법칙이 경제 수준이 다른 사람들에게 유사하게 적용될 수 있는지를 설명하기 위하여
③ 필요성이 바로 생필품의 구매 뒤에 놓인 원동력이라는 것을 보여 주기 위하여
④ 왜 사람들이 생필품과 자신이 원하는 품목에 돈을 쓸 필요가 있는지를 설명하기 위하여

정답 ②

해설 엥겔 법칙이 맞는 이유는 인간의 행동을 정확하게 묘사하기 때문이며, 엥겔 법칙은 과거 모든 나라 모든 사람들에게 항상 적용되던 법칙이었고 앞으로도 모든 이에게 적용될 법칙이다. 이러한 사정들을 설명하기 위한 글이다.

13-15

'앰버(AMBER)' 경보는 1996년 이래로 세계 여러 국가에서 아이 납치로 추정되는 사건이 발생할 경우 발령되는 아이 납치 경보이다. AMBER는 원래 1996년 텍사스 앨링턴에서 납치 살해된 9세 여아인 앰버 해거먼(Amber Hagerman)의 이름에서 유래한 것으로 공식적으로는 "America's Missing: Broadcasting Emergency Response(미국 실종아동 비상대응 방송)"의 두문자어이다.
앰버 경보는 긴급 경보 시스템과 노아 기상 방송에서 상업 라디오 방송국, 위성 라디오, TV 방송국, 케이블 TV 등을 통해 배포한다. (이 두 기관에서는 "아동 납치 경보" 또는 "앰버 경보" 등의 명칭으로 불린다.) 앰버 경보는 또한 이메일, 전자 교통 상황판, 새로 생긴 월그린 상점 밖에 위치한 LED 광고판, 클리어 채널 아웃도어・CBS 아웃도어・라마 등의 광고판 기업의 LED/LCD 사인, 무선 통신 기기의 SMS 문자 메시지 등을 통해 발령된다. 거주 지역에서 앰버 경보를 SMS 문자 메시지를 통해 받도록 구독하는 일에 관심이 있는 사람은 Wireless Amber Alerts 사이트를 방문할 수 있으며, 법에 따라 경보 메시지는 무료로 제공된다. 일부 주에서는 복권 단말기 앞 디스플레이 스크롤 보드도 경보 발령을 위해 사용된다. 앰버 경보의 발령 결정은 납치 사건을 맡는 경찰 기구에서 내린다. (대부분 주 경찰이나 고속도로 순찰대가 내림). 대중에게 발표되는 앰버 경보에는 일반적으로 (만일 알고 있다면) 납치된 아동의 이름과 외양 묘사, 납치 용의자의 외양 묘사, 납치 용의자 차량의 외양 묘사 및 번호판 등의 정보로 구성된다.

어휘 **abduction** ⓝ 납치, 유괴
electronic traffic-condition sign – 전자교통상황판
lottery terminal – 복권 단말기
distribute ⓥ 배포하다
billboard ⓝ 광고판
abductee ⓝ 유괴된 사람

13 이 글에서 추론할 수 있는 것은?

① 경찰은 앰버 경보를 이용하여 유괴된 사람을 성공적으로 찾을 확률이 높다.
② 실종 아동을 찾는 다른 방법들이 별로 없다.
③ 대부분의 사람들은 가능한 한 도움을 주려고 애쓰면서 앰버 경보에 주의를 기울인다.
④ 유괴는 앰버 경보를 유용하고 필요한 장치로 만들만큼 빈번하게 발생한다.

정답 ④

해설 유괴사건이 빈번하게 발생하는 경우여야 앰버 경보와 같은 대규모의 행정시스템을 만들 수 있으므로, ④를 추론할 수 있다. 이 글만 가지고 앰버 경보를 이용하면 실종 아동을 찾을 확률이 높다거나 사람들이 도와주려고 애쓴다는 사실을 끌어낼 수는 없다. 추론은 본문에서 끌어낼 수 있는 확실한 진술이어야지, 가능성이 높은 것만 가지고 추론이라 할 수 없기 때문이다.

14 가장 좋은 제목은?

① 어떻게 앰버 경보가 아이들을 돕는지
② 유괴의 문제점
③ 앰버 경보의 방법
④ 실종 아동을 찾을 수 있는 가장 좋은 방법

정답 ①

해설 앰버 경보의 전반적인 시스템에 대한 설명이 나오지만, 그 방법적인 측면이 핵심일 수는 없고, 이러한 앰버 경보가 어떤 식으로 작동하여 실종 아동을 찾는 데 도움을 주는지, 더불어 이러한 경보에 관심이 있는 사람들은 어떻게 해야 하는지를 알려 주는 글이므로, 글의 목적과 관련하여 살펴보면 ①이 올바른 정답이다.

15 빈칸 (A)에 들어갈 알맞은 표현은?

① 만약 존재한다면
② 가능한 한 빨리
③ 만일 알고 있다면
④ 모든 어려움에도 불구하고

정답 ③

해설 대중에게 발표되는 앰버 경보에는 정보가 실리겠지만, 납치된 아동의 이름과 외양 묘사, 납치 용의자의 외양 묘사, 납치 용의자 차량의 외양 묘사 및 번호판 등의 구체적 사실은 목격자가 존재하는 경우에 알 수 있는 사항이다. 그러므로 목격자의 존재 유무에 따라 위의 구체적인 정보를 알리는 것이 가능할 수도 있고 아닐 수도 있다. 그러므로 "만일 (당국이) 알고 있다면" 그러한 정보를 알릴 것이라는 게 타당하다. 참고로 ①의 경우는 (그럴 리는 없겠지만) 만약 그러한 정보가 있다면 알린다는 뉘앙스이므로 틀린 보기이다.

16-18

프로젝트 파이낸싱은 유로 디즈니랜드와 유로 터널같이 세간의 주목을 받는 수많은 기업 프로젝트에 사용된 혁신적이고 시기적절한 자금조달 기법이다. 여러 자금조달 방식을 신중하게 설계하여 혼합하는 기법을 도입한 프로젝트 파이낸싱은 파이프라인과 정제공장에서 발전시설 및 수력발전 프로젝트에 이르기까지 자연자원을 대규모로 활용하는 프로젝트에 자금을 대는 데 오랫동안 사용되어 왔다.
프로젝트 파이낸싱은 점차로 전 세계에서 인프라 및 기타 대규모 프로젝트에 자금을 대는 기존의 방식의 대안으로서 점차 선호되고 있다.
프로젝트 파이낸싱의 규칙에는 프로젝트 파이낸싱을 하는 근본적 이유를 이해하는 것, 자금 조달 계획을 준비하는 방법, 위험을 평가하는 방법, 어떻게 다른 자금도달 방식을 혼용할 것인지 설계하는 방법, 자금을 모으는 방법 등이 포함된다. 덧붙여 왜 일부 프로젝트 파이낸싱 계획은 성공했지만 다른 계획은 실패했는지 설득력 있는 분석 결과에 대한 이해도 있어야 한다. 프로젝트 파이낸싱을 뒷받침하기 위한 계약상의 조치를 어떻게 구성할 것인지에 관해 지식 베이스가 필요하며, 여기에는 계약 주체인 정부의 법 조항 문제, 민・관 인프라 협력관계 문제, 민・관 자금조달 구조 등에 관련된 문제, 채권자의 신용 요건과 프로젝트의 대출 역량을 파악하는 방법, 자금흐름 전망을 낼 준비를 하는 방법과 전망을 통해 예상수익률을 측정하는 방법, 세금 및 회계 관련 고려사항, 프로젝트의 타당성 평가를 위한 분석 기술 등이 있다.
프로젝트 파이낸스는 광산, 톨게이트, 철도, 파이프라인, 발전소, 배, 병원, 교도소 등 프로젝트의 현금흐름을 통해 비용을 회수할 수 있는 특정 프로젝트를 위한 재원을 말한다. 프로젝트 파이낸스는 기존의 재원과는 다르며 그 이유는 채권자 측에서 대출금을 확보하고 제공하기 위해서 주로 프로젝트의 자산과 수익을 보기 때문이다. 일반적인 대출 상황과는 반대로 프로젝트 파이낸싱에서는 채권자는 일반적으로 채무자나 프로젝트 스폰서가 보유한 프로젝트와 관련 없는 자산에 대한 상환권이 거의 또는 아예 없다. 이런 상황에서 채무자와 연관된 신용 위험은 일반적인 대출 거래와는 달리 그다지 중요하지 않다. 가장 중요한 것은 프로젝트와 연관된 모든 위험을 식별, 분석, 할당, 관리하는 것이다.

어휘
- high-profile ⓐ 세간의 주목을 끄는
- hydro-electric ⓐ 수력발전의
- assess ⓥ 평가하다
- contractual arrangement – 계약상 조치
- cash flow – 자금 흐름
- feasibility ⓝ 타당성
- credit risk – 신용 위험
- allocation ⓝ 할당
- refinery ⓝ 정제공장
- rationale ⓝ 근본적 이유
- cogent analysis – 설득력 있는 분석
- borrowing capacity – 대출 역량
- validate ⓥ 평가하다
- recourse ⓝ 상환권
- identification ⓝ 식별
- variable ⓝ 변수

16 이 글에서 추론할 수 있는 것은?

① 크기에 무관하게 파이낸스 프로젝트를 실행할 때 많은 위험이 있다.
② 소수의 회사들만이 이런 형태의 프로젝트를 개발할 여력이 있다.
③ 이런 형태의 프로젝트 파이낸싱은 만약 계획대로 진행되지 않으면 회사를 망하게 할 수도 있다.
④ 프로젝트 파이낸싱론의 상환은 양 당사자의 통제 범위 외의 많은 변수에 의존하고 있다.

정답 ④

해설 회사의 규모에 무관하다는 것을 끌어낼 수 없으므로 ①은 추론할 수 없고, 프로젝트만 뛰어나다면 어떤 회사라도 이런 프로젝트를 계획하지 못할 이유가 없으므로 ②도 틀린 진술이다. ③의 경우처럼 계획대로 진행되지 않는다고 해서 망한다는 단정적인 진술 역시 끌어낼 수 없다. 반면에 이러한 프로젝트 파이낸싱은 "프로젝트 파이낸싱을 하는 근본적 이유를 이해하는 것, 자금 조달 계획을 준비하는 방법, 위험을 평가하는 방법, 어떻게 다른 자금도달 방식을 혼용할 것인지 설계하는 방법, 자금을 모으는 방법(understanding the rationale for project financing, how to prepare the financial plan, assess the risks, design the financing mix, and raise the funds)" 등 일반 대출 방식과는 다른 측면의 변수가 존재한다. 그러므로 ④가 올바른 진술이다.

17 다음 중 본문에 비추어 틀린 진술은?

① 프로젝트 파이낸싱은 프로젝트를 완수하고자 하는 회사에게 최후의 수단이다.
② 프로젝트 파이낸싱은 복잡한 과정이다.
③ 프로젝트의 자금조달을 계획할 때 고려해야 할 많은 경제적인 수치들이 있다.
④ 프로젝트 파이낸싱은 보통 대규모의 돈이 많이 드는 건설 사업에 이용된다.

정답 ①

해설 프로젝트 파이낸싱이 최후의 조치라는 것은 글의 어디에서도 끌어낼 수 없는 틀린 진술이다.

18 두 번째 단락의 목적은?

① 독자들에게 프로젝트를 위하여 무엇을 준비해야 하는지 알려 주기 위하여
② 왜 수많은 프로젝트가 준비 부족으로 실패했는지 보여 주기 위하여
③ 프로젝트 파이낸싱에서 요구하는 계획의 복잡성을 설명하기 위하여
④ 왜 계획 과정이 대규모 프로젝트에서 중요한지를 설명하기 위하여

정답 ③

해설 프로젝트 파이낸싱에서 요구하는 계획이 얼마나 복잡한지에 대하여 세부적인 사항들을 나열하며 설명하고 있다. 그러므로 정답은 ③이다.

19-21

파킨슨의 법칙은 시릴 노스코트 파킨슨이 1955년 '이코노미스트'지에 발표한 유머스러운 에세이의 첫 번째 문장에서 처음 등장한 격언으로, "시간이 주어지면 딱 그 시간을 채울 정도로 일이 늘어나는 것"을 의미한다. 이 에세이는 나중에 다른 에세이와 함께 1958년 런던의 John Murray에서 '파킨슨의 법칙 – 확대의 추구'란 이름으로 재출간되었다. 파킨슨은 영국의 관료체제를 폭넓게 경험한 결과 이 격언을 도출해 내었다.
지금의 파킨슨의 법칙은 예전에 파킨슨이 이 글에서 '파킨슨의 법칙'이란 이름을 달고 언급한 것과는 다른 형태를 지닌다. 그보다 파킨슨은 관료주의가 시간에 따라 확대되는 비율을 묘사하는 수학식에 파킨슨의 법칙이란 이름을 붙였다. 그의 에세이 대부분이 중점적으로 다루는 것은 자신의 법칙을 뒷받침하는 (그의 말로는) 과학적 관측을 요약한 것들로, 대영제국의 해외 식민지가 줄어들고 있음에도 영국 식민성의 직원이 증가한 경우를 예로 들고 있다. (실제로 그는 식민성은 운영할 해외 식민지가 사라져서 외무성으로 통합되었을 때 가장 많은 직원을 보유하고 있었음을 보여 줬다.) 그는 이러한 직원 수의 증가가 두 개의 요인에 인한 것이라고 설명했다. (1) "공무원은 라이벌이 아니라 부하직원을 계속 늘리려고 한다"와 (2) "공무원은 서로를 위해 일을 만들어 낸다"이다. 그는 특히 관료제 내에서 고용되는 총 직원 수는 "(만약 일이 있기라도 한다면) 해야 할 일의 양이 변하는 것과 아무 상관없이" 매년 5~7% 증가한다고 언급했다.

어휘
adage ⓝ 격언
civil service – 관료 체제
subordinate ⓝ 부하 직원
articulate ⓥ 설명하다
administer ⓥ 운영하다

구문정리
Much of the essay is dedicated to a summary of purportedly scientific observations supporting his law, such as the increase in the number of employees at the Colonial Office while Great Britain's overseas empire declined.
그의 에세이 대부분이 중점적으로 다루는 것은 자신의 법칙을 뒷받침하는 (그의 말로는) 과학적 관측을 요약한 것들로, 대영제국의 해외 식민지가 줄어들고 있음에도 영국 식민성의 직원이 증가한 경우를 예로 들고 있다.

구조분석
Much of the essay (S) is (V) dedicated (C) (to a summary of purportedly scientific observations)
be dedicated to : ~에 전념하다, 몰두하다

(supporting his law,) such as the increase in the number of employees at the Colonial Office / while Great Britain's overseas empire declined.
(supporting his law,): 현재분사구 (형용사구) / such as: ~와 같은 / in the number of employees: 형용사구 / at the Colonial Office: 부사구

19 밑줄 친 어구의 의미는 무엇인가?

① 일을 끝내는 데 더 많은 시간이 주어지면 일을 끝내는 데 더 많은 시간이 걸린다.
② 일은 항상 원래 생각한 것보다 더 복잡하다.
③ 상관이 일 끝내는 데 필요한 충분한 시간을 주지 않는다.
④ 더 빨리 일을 끝내면 일을 완수한 근로자에게 더 많은 일이 주어질 것이다.

정답 ①
해설 "시간이 주어지면 딱 그 시간을 채울 정도로 일이 늘어나는 것(Work expands so as to fill the time available for its completion)"은 바로 더 많은 시간이 주어지면 일을 일찍 끝내는 게 아니라 늘어난 시간에 맞춰서 끝내므로 일을 완성하는 데 드는 시간은 오히려 더 걸린다는 의미이다.

20 이 글에서 관료제에 대하여 추론할 수 있는 것은?

① 거대 규모의 정부를 조직하는 데 가장 효과적인 방법 중의 하나이다.
② 정부의 내부 작용에 대해 잘 이해하고 있다.
③ 관료주의가 가장 효과적인 업무는 아니다.
④ 관료주의는 과도하게 일한다.

정답 ③
해설 두 번째 단락에서 파킨슨이 든 식민성의 예에서 보이는 것처럼, 관료주의는 그 자체의 모순으로 가장 효과적이라 할 수는 없다.

21 이 글에 따르면 다음 중 틀린 진술은?

① 오직 대영제국만이 이 법칙을 따랐다.
② 파킨슨의 법칙은 원형으로부터 발전해 왔다.
③ 관료들은 서로를 위하여 일을 만든다.
④ 시간이 지나면서 정부는 관료주의의 수준을 팽창시키는 경향이 있다.

정답 ①
해설 영국만이 그런 것이 아니고 관료제를 유지한 대부분의 나라들이 그러하다. 단지 영국의 식민성을 예로 든 것에 불과하다.

22-24

1991년, 아니타 힐은 남성만으로 이루어진 상원 법사위원회에서 (증언으로부터) 10년 전 대법관 후보자인 클래런스 토마스를 위해 두 곳의 정부 기구에서 일하던 중에 그녀가 참고 견뎌야 했던 천박한 성적 접근에 관해 증언하면서 전 국민의 주목을 받게 되었다. 당시 그녀가 청문회에서 증언을 한 덕분에 수많은 여성들이 사적인 자리에서는 안정하지만 거의 논의되지 않았던 문제인 성추행 문제가 공개적으로 드러났다. 수많은 이에게 성추행 행위를 정의하고 성추행이라 이름 붙일 수단이 생긴 것은 힘이 되는 일이었다.
시간이 흐르면서 성추행 문제에 대한 인식은 증가하고 직장과 학교에서 성추행에 관용을 보이는 경우는 줄어들었다. 법 또한 개정되었다. 청문회 이후 수개월이 지나고 의회는 성추행 피해자들이 미지급 급료와 복직뿐 아니라 배상금을 구할 수 있는 길을 열어 주는 법을 통과시켰다. 이 법은 아니타 힐의 증언이 있기 한 주 전에 이 법에 거부권을 행사할 것이라고 위협하던 조지 H.W 부시 대통령의 서명을 받았다.
법사위원회에서 애니타 힐이 부당한 대우를 받아서 성추행 피해자들이 앞으로 나서지 못할 것이라는 두려움이 최초 존재했으나 근거 없는 것임이 드러났다. 토마스 판사가 과거 의장이던 시절 아니타 힐이 토마스 판사를 위해 일하던 기구인 평등 고용 추진 위원회는 청문회가 열린 지 1년 후에 성추행 신고 건수가 50% 증가한 것을 발견했다. 위원회에 따르면 2010년 회계연도에 평등 고용 추진 위원회와 주 및 지역 단위 평등 고용 위원회에서 발견한 성추행 건수는 1991년 6,877건에 비교해 증가한 11,717건이었다.
지난 30년간 많은 기업에서는 성추행 억제를 위해 교육 프로그램을 개시했다. 고용주가 해당 문제에 많은 관심을 보이고는 있지만 추행 피해자들 중에서 낙인이 찍히는 일과 혹시 직업을 잃을지 모르는 상황을 감수하면서까지 주장을 지속할 피해자는 소수에 불과하다. 아직 갈 길은 멀지만 아니타 힐의 용기는 성추행의 형태를 지닌 성차별에 대해 대항한 의미 있는 진전이 이루어질 수 있는 길을 열었다. 이는 기념할 만한 유산이다.

어휘
- **sexual harassment** – 성희롱, 성추행
- **empowering** ⓐ 힘이 되는
- **reinstatement** ⓝ 복직
- **unfounded** ⓐ 근거 없는
- **stigma** ⓝ 낙인
- **bring into the open** – 공개적으로 드러나다
- **tolerance** ⓝ 관용
- **shoddy** ⓐ 부당한
- **deter** ⓥ 억제하다
- **draw to a close** – 끝나다

22 이 글에서 추론할 수 있는 것은?

① 조지 부시 전 대통령은 여성의 권리를 강력하게 지지한다.
② 성추행은 여전히 미국에서 해결해야 할 큰 문제이다.
③ 더 이상 성추행을 허용하지 않는 많은 회사들이 있다.
④ 성추행의 정의는 시간이 지나면서 바뀌어 왔다.

정답 ②
해설 마지막 단락을 근거로 보면, 성추행의 문제는 의미 있는 진전이 이루어질 수 있는 길은 열어 두었지만, 아직은 갈 길이 먼 상황이므로, 해결해야 할 것이 많이 남아 있는 문제이다.

23 다음 중 밑줄 친 문장과 같은 의미는?

① 많은 여성들이 성추행 문제를 경험하고 대처해 왔지만, 이에 대해서 문제를 제기한 사람은 소수이다.
② 많은 여성들이 성추행에 대하여 듣지만, 어느 누구도 진실을 말하지 않는다.
③ 많은 여성들은 절대로 이런 일이 자신에게 일어나지 않아서 할 얘기가 없다.
④ 대다수의 여성들은 성추행이 발생한 것에 대하여 신경 쓰지 않는다.

정답 ①

해설 성추행에 대하여 "사적인 자리에서는 인정하지만 거의 논의되지 않던 문제(privately recognized but rarely discussed)"라고 하였으므로, 이에 알맞은 정답은 ①이다.

24 작가가 성추행의 문제에 대하여 도달한 결론은 무엇인가?

① 애니타 힐은 여성들이 기념할 만한 유산을 남겼다.
② 올바른 방향으로 진행되고 있지만, 아직까지 해야 할 일이 많이 남아 있다.
③ 성추행으로부터 고통 받는 많은 여성들이 있다.
④ 성추행에 맞선 투쟁은 끝나가고 있다.

정답 ②

해설 "아직 갈 길은 멀지만 아니타 힐의 용기는 성추행의 형태를 지닌 성차별에 대항한 의미 있는 진전이 이루어질 수 있는 길을 열었고, 이는 기념할 만한 유산(Ms. Hill's courage opened the way for meaningful progress against this form of sex-discrimination. It is a legacy worth celebrating)"이란 부분에서 저자의 결론을 알 수 있다.

25-28

"성형수술"이란 용어는 '뭔가를 주조하다(mold)' 또는 '어떤 형태로 빚다(shape)'란 의미를 지닌 그리스어 "plastikos"에서 비롯되었다. 성형수술 분야는 크게 두 개의 주요 범주로 구분되는데, 하나는 재건수술이고 다른 하나는 미용수술이다. 둘 다 일반적으로는 성형수술의 하위 전문 분야로 취급된다.
재건수술은 기능 회복 및 정상적인 외모로의 회복을 위해 그리고 선천적 결손이나 외상 또는 암을 포함하는 질병으로 인해 야기된 기형의 교정을 위해 시행된다. 재건수술의 사례로는 구순구개열 교정, 유방암으로 인한 종양 절제술 또는 유방 절제술 이후의 유방 재건, 화상 후 재건 수술 등이 있다. 일반적으로, 재건수술은 의학적으로 필요한 것으로 간주되고 대부분의 의료보험에서 보장된다. 미용수술은 시각적인 매력을 높이기 위해 정상적인 몸의 형태를 변경하고 조정하여 미용 측면에서 전반적인 외모를 향상시키기 위해 시행된다. 재건수술과는 달리 미용수술은 의학적으로 필요한 것으로 간주되지 않는다. 유방확대술, 가슴리프팅, 지방흡입술, 복부성형술, 주름살제거 등이 유명한 미용성형수술 사례이다. 실제로는 재건성형수술과 미용성형수술끼리 상당히 겹치는 경우가 종종 있으며, 왜냐하면 둘 다 근간이 되는 동일한 수술 원리 가운데 많은 부분을 공유하기 때문이다. 성형수술의 최종 목표에는 시행되는 성형수술의 유형에 관계 없이 언제나 미용적 결과를 최대한 극대화하는 것이 포함되어야 한다. 계획 중인 성형수술과는 관계 없이, 적절한 기대치를 충족할 수 있게 보장하려면 미리 환자가 의사와 예상되는 미용적 결과를 상의하는 것이 매우 중요하다. 재건수술과 미용수술 간의 경계는 보험의 보장범위 차원에서 보면 한층 모호하다. 특정 상태는 환자의 구체적 상황에 따라 "재건이 필요한" 것으로 간주되거나 "미용 목적"의 것으로 간주될 수 있다. 이에 대한 완벽한 사례로 코성형술을 들 수 있는데, 코성형술은 종종 코의 외양을 개선하고자 시행되지만, 심한 코뼈골절 이후 정상적으로 코 호흡이 가능하도록 그리고 정상적인 모습을 회복하기 위해 필요할 수도 있다.

어휘 **originates from** – ~에서 기원하다[비롯되다]
reconstructive ⓐ 재건하는, 복원하는
specialty ⓝ 전문 분야, 전공 분야
birth defect – 선천적 결손증[장애]
cleft lip and palate – 구순구개열
lumpectomy ⓝ (유방) 종양 절제술
cover ⓥ (보험으로) 보장하다
anatomy ⓝ (해부학적) 구조, 몸, 골격
breast lift – 가슴리프팅
abdominoplasty ⓝ 복부성형(술) = tummy tuck
underlying ⓐ 근본적인, 기본이 되는
condition ⓝ 질환, 상태
nasal fracture – 비골골절, 코뼈골절
abnormality ⓝ 기형, 이상
administer ⓥ (병·치료를) 하다
break down into – ~로 구분하다[구별하다]
procedure ⓝ 수술
deformity ⓝ 기형(인 상태)
medical condition – 질병
reconstruction ⓝ 재건
mastectomy ⓝ 유방 절제술
insurance plan – 의료보험
breast augmentation – 유방확대(술)
liposuction ⓝ 지방흡입(술)
facelift ⓝ 주름살제거(술)
insurance coverage – 보험 보장범위
rhinoplasty ⓝ 코성형(술)
dominance of A over B – B에 대한 A의 우세[우월]
label ⓥ (특히 부당하게) 딱지[꼬리표]를 붙이다

25 **본문의 주제는 무엇인가?**

① 의료계에서는 재건수술보다 미용수술이 더 우세함
② 보험이 재건수술은 보장하지만 미용수술은 보장하지 않는 이유
③ 사람의 삶을 개선하기 위한 성형수술의 필요성
④ 재건수술과 미용수술 간의 유사성과 차이점

정답 ④
해설 본문은 성형수술의 두 가지 유형인 재건수술과 미용수술에 관해 설명하고 있으며, 특히 양자의 특징과 차이점(두 번째 및 세 번째 단락) 그리고 공통점(네 번째 및 마지막 단락)을 중심으로 설명하고 있다. 따라서 답은 ④이다.

26 **성형수술에 관해 유추할 수 있는 것은 무엇인가?**

① 신체적 기형을 안고 태어난 사람에게는 최고의 외과의와 접할 기회가 주어진다.
② 여러 재건수술에 미용수술이라는 부당한 꼬리표가 붙고 있다.
③ 성형외과의는 일반적인 의사만큼의 숙련도를 갖추지 못했기 때문에 성형외과를 선택했다.
④ 사람들이 성형수술을 받는 선택을 하는 이유는 여러 가지가 있지만, 수술의 최종 목표는 동일하다.

정답 ④
해설 성형수술을 받는 이유는 재건 목적일 수도 있고 미용 목적일 수도 있지만, 특히 네 번째 단락을 보면 성형수술의 최종 목표가 미용적 결과의 극대화임을 알 수 있다. 따라서 답은 ④이다.

27 본문에 따르면 다음 중 잘못된 것은 무엇인가?

① 환자는 가슴이나 입술 또는 배를 바꾸고 싶어할 가능성이 더 높다.
② 미용수술과 재건수술 모두 외모 개선을 목표로 삼는다.
③ 재건수술은 자신의 외모에 불만인 사람들이 종종 추구한다.
④ 재건수술은 신체적 문제로 고통받아온 사람들을 대상으로 시행된다.

정답 ③
해설 외모에 불만인 사람이 받는 성형수술은 재건수술이 아니라 미용수술이다. 따라서 답은 ③이다.

28 빈칸에 들어갈 가장 알맞은 것은 무엇인가?

① 적절한 기대치를 충족할 수 있게 보장하려면 미리
② 올바른 결정을 내리는지를 확인하기 위해
③ 앞으로는 수술을 더 많이 하지 않아도 되도록 보장하기 위해
④ 따라서 수술 후 관리가 제대로 되도록 한다

정답 ①
해설 성형수술의 최종 목표에 미용적 결과의 극대화가 들어간다면, 환자가 미리 의사와 예상되는 미용적 결과를 상의할 경우 "적절한 기대치를 충족"하는 것이 가능할 것이다. 따라서 답은 ①이다.

29-30

작년 당신이 좋아하는 팀이 챔피언 결정전에서 우승했을 때, 그 팀의 모자를 쓰고 다니지는 않았는가? 당신의 친한 친구가 특별상을 받았을 때, 당신 친구의 기쁜 소식에 대하여 얼마나 자주 주변 사람들에게 얘기했는지 기억하는가? 만약 당신이 누군가의 성공에 나름의 역할을 했다면, 당신이 그런 인정받는 사실을 공유하길 원하는 것이 이해할 만하다. 그렇지만 사람들은 종종 (타인의) 뛰어난 성취에 기여한 바가 없음에도 그런 인정을 공유하길 원한다. 반사적인 영광을 누리는 것은 공개적으로 성공한 사람들과 자신을 연결시키면서 자신의 이미지를 고양시키려는 방법이다.
로버트 치알디니와 동료들은 이러한 현상을 전국적으로 유명한 미식 축구팀이 소속된 대학교를 대상으로 연구했다. 연구팀은, 학생들에게 자신의 축구팀이 얼마나 잘 했는지를 물으면, 자신들의 팀이 패했을 때 "우리가 졌어요."라고 하기보다 자신들의 팀이 잘 했으면 "우리가 이겼어요."(즉 반사영광을 누리는 것)라고 말하고 경향이 있을 것이라고 예측했다. 예상했던 것처럼 학생들은 그들의 팀이 졌을 때보다 이겼을 때 훨씬 더 반사영광을 누리는 경향이 있었다. 또한 자기가 막 치른 시험을 잘 보지 못했다고 생각하는 학생들이 시험을 잘 봤다고 생각하는 이들보다 훨씬 "우리가 이겼다."는 표현을 더 많이 사용하는 경향이 있었다.
이와 관련된 자기고양 전략은 'CORFing'이라고 불리는 반사적인 실패 차단하기 전략이다. 자존감은 부분적으로 개인과 타인 사이의 관계에 연결되어 있기 때문에, 사람들은 종종 그들 자신을 실패한 사람들로부터 거리를 두어 자신을 보호한다. 그리하여 만약 당신의 사촌이 음주운전으로 체포되면 당신은 아마도 주변 사람들에게 당신은 그와 별로 잘 알지 못한다고 할 것이다.

어휘 on the sidelines of — ~와는 별도로
bask in — 햇볕을 쬐다
enhance ⓥ 고양시키다
lift ⓥ 들어 올리다
outstanding ⓐ 뛰어난, 두드러진
association ⓝ 연계, 유대, 제휴; 연관, 연상
bogus ⓐ 가짜의, 애매한

---

29 이 글에서 추론할 수 있는 것은?

① 지속적인 영광을 유지하는 여러 가지 다른 방법들이 있다.
② 우리는 타인의 칭찬을 통하여 스스로 좋게 생각하는 경향이 있다.
③ 모든 사람들은 타인의 반사영광을 누리는 것을 좋아한다.
④ 우리는 자신의 영광이 없을 때만 타인의 반사영광을 누린다.

정답 ②

해설 사람들은 종종 타인의 뛰어난 성취에 기여한 바가 없음에도 그런 인정을 공유하길 원한다. 반사적인 영광을 누리는 것은 공개적으로 성공한 사람들과 자신을 연결시키면서 자신의 이미지를 고양시키려는 방법이므로, 반사영광을 통해 스스로의 이미지를 고양시키고 그런 인정을 공유하려는 것이다.

---

30 이 글에 따르면 다음 중 틀린 진술은?

① 시험을 잘 못 치른 학생들은 남들만큼 반사영광 누리기를 경험하길 원치 않는다.
② 사람들은 아무런 영광 없이 실패한 사람들과는 거리를 둔다.
③ 실패는 연계되어 다른 사람에게 전이될 수 있다.
④ 정서적으로 자존감이 낮은 사람들은 반사영광 누리기를 이용하여 자신들을 고양시킬 수 있다.

정답 ①

해설 "자기가 막 치른 시험을 잘 보지 못했다고 생각하는 학생들이 시험을 잘 봤다고 생각하는 이들보다 훨씬 '우리가 이겼다.'는 표현을 더 많이 사용하는 경향이 있다(subjects who believed that they had just failed a bogus test were more likely to use the words" we won "than those who believed they had performed well)"는 것을 보면, 시험을 잘 못 치른 학생들은 남들만큼 반사영광 누리기를 경험하길 원치 않는다는 ①의 진술은 틀렸다.

19 Practice Test 정답 및 해설

01	③	02	④	03	①	04	③	05	②	06	④	07	③	08	①	09	①	10	③
11	③	12	④	13	①	14	①	15	②	16	④	17	②	18	①	19	①	20	③
21	④	22	①	23	①	24	②	25	④	26	①	27	①	28	③	29	②	30	③

01-03

중국 경제가 급성장을 이루면서 관화(표준 중국어)에 대한 관심 또한 급증하고 있다. 중국 정부는 대략 4천 만 명의 사람들이 중국 밖에서 관화를 배우고 있을 것으로 추정하며, 이는 2005년의 3천 만 명에서 증가한 것이다. 서양의 직업 시장이 취업난을 겪는 것도 어느 정도 원인이 된다. 로제타스톤에서 9월에 실시한 여론조사에 따르면 미국인 중에서 자국 근로자가 외국어 기술을 갖고 있지 못한 것이 결국 외국인들이 소득이 높은 일자리를 차지하는 결과를 낳는다고 생각한 사람이 58%였다. 로제타스톤의 최고 책임자인 톰 아담스는 "불황으로 인해 사람들은 미래 성장의 원동력이 어디에 있는지 관심을 갖게 되었다"고 말했다. 로제타스톤의 다국어 프로그램에 접속하는 기존의 기업 고객들 가운데 관화를 배우는 사람의 수는 2008년에서 2010년 사이에 18배가 늘었다.
관화에 대한 수요 급증이 일시적 유행일 뿐이라 증명될 지는 의문으로 남는다. 일본어와 러시아어도 "잘 나가던" 시절이 있었고, 그러다 결국 인기가 시들해 졌다. 그리고 중국어는 논란의 소지가 있다. 캘리포니아의 한 학구에서는 일부 부모가 공산주의의 영향을 두려워한 탓에 최근에 관화 수업을 위해 중국 정부에서 매년 지불해 주는 3만 달러의 돈을 거부했다. 하지만 관화는 아직은 지속적으로 성장해야 한다. 미국에서 4%의 학교만이 관화를 가르친다. 관화가 확산중인 영국에서 가장 인기 있는 언어는 스페인어, 프랑스어, 독일어이다. 중국의 주요 언어가 중국의 경제적 영향만큼 널리 퍼지려면 아직 갈 길이 멀다.

어휘 **Mandarin** ⓝ 관화, 표준 중국어
tight job market – 좁은 취업시장, 취업난을 겪는 직업시장
recession ⓝ 불황
recede ⓥ 약해지다, 희미해지다
climb the corporate ladder – 직장에서 승진하다
grip ⓝ 지배, 영향력
rival ⓥ (~에) 필적하다, 비할 만하다
fad ⓝ 유행
school district – 학구, 학군
bolster ⓥ 강화하다
extensive ⓐ 폭넓은, 대규모의
a flash in the pan – 일시적인 성공

19

01 본문의 주제는 무엇인가?

① 관화를 배우는 것은 전 세계적으로 의사소통을 할 수 있는 능력을 향상시킨다.
② 관화를 배우는 것은 직장에서 승진하고픈 사람들에겐 중요한 일이다.
③ 관화를 배우는 사례가 증가한 것은 전 세계적인 경제 불황과 관련이 있다.
④ 많은 기업들은 직원들에게 관화를 배울 것을 권장한다.

정답 ③
해설 본문은 관화를 배우는 사람의 수가 증가한 이유가 불황으로 인해 일자리가 줄면서 외국어를 배우는 것이 취직에 도움이 된다고 생각하는 사람이 는 것과 연관이 있다고 본다. 따라서 답은 ③이다.

02 밑줄 쳐진 부분의 의미하는 것은 무엇인가?

① 중국은 세계 경제에 대한 자국의 영향력을 강화하기 위한 방법으로 관화를 밀어붙이고 있다.
② 중국을 세계적인 경제대국으로 만들고 관화를 세계적인 언어로 만들기까지는 아직 갈 길이 멀다.
③ 관화의 영향력이 점차 커질수록 중국 경제도 계속해서 혜택을 입을 것이다.
④ 관화가 중국 경제만큼의 영향력을 지닐 만큼 가까운 수준에 도달했다고는 볼 수 없다.

정답 ④
해설 밑줄 쳐진 부분은 "중국의 주요 언어가 중국의 경제적 영향만큼 널리 퍼지려면 아직 갈 길이 멀다"로 해석이 가능하며, 보기 중에서 이와 의미상 가장 가까운 것은 아직은 관화가 중국의 경제적 수준만큼의 영향력을 갖지는 못했다는 의미인 ④이다.

03 본문에서 유추할 수 있는 것은 무엇인가?

① 미국인들은 취업난이 심각해진 직업시장에서 경쟁하기 위해 관화를 배우고 있다.
② 관화를 배우는 사람의 수는 다른 유명 외국어에 비할 만하다.
③ 관화를 배우는 것은 일시적인 현상일 뿐으로 내년이면 거의 잊혀질 것이다.
④ 만일 제2외국어를 알고 있다면 요즘의 불황기에 직업을 얻을 수 있다.

정답 ①
해설 관화는 앞서 언급된 바대로 미국인들에게 있어 취업난을 해결하기 위한 하나의 수단이다. 따라서 답은 ①이다.

04-06

수필가는 힘센 여행자가 아니다. 그는 울부짖는 사자와 붙잡고 싸우기 위해 달리지 않는다. 그는 태풍이나 폭풍우를 바라지도 않는다. 만약 가끔 운 좋게 잔해 속에서 누군가를 보호할 기회를 얻는다면 그는 바위 위에 내려앉은 폭풍우에 귀 기울일 수 있는 자신만의 은신처에 안주한다. 그의 손은 세상을 향한 반발심으로 붉게 물들어 있지 않다. 그는 수많은 사람들의 생각에 시선을 던지고, 상반된 여러 철학이 진실을 향해 있을 때 수필가는 자신의 생각에는 겸손한 태도를 보이고 다른 사람의 생각에는 관대한 태도를 보인다. 수필가는 별을 바라보고선 우리가 얼마나 모호하고 광활한 세상을 여행하는지 깨달으면서 작지만 분명한 것에 관해 글을 쓴다. 어둠이 닥치면 눈물을 흘릴 만한 일이 충분히 많지만, 그는 눈금판처럼 빛을 표시한다. 그가 있는 곳 창밖 아래에서 작게 나는 도시의 분주한 소리, 행상인들이 지르는 소리, 아이들이 포장도로에 분필로 그려서 놀이를 하는 모습, 지붕 위에서 빨래가 춤을 추는 모습, 겨울바람 속에서 연기가 날리는 모습. 수필가는 이것들을 소재로 엮어내어 생각의 틀을 형성한다. 아니면 창밖에 괜찮은 것을 볼 수 있을 정도로 운이 좋다면 언덕 위의 양이나 햇살 가득한 목초지 등도 사색에 도움이 되는 요소이다. 그리고 소설가가 아찔한 산을 넘기 위해 고군분투 하며, 세상의 왕국을 보기 위해 무리하게 폭풍우를 헤쳐 나가는 와중에, 집에서 안락한 모습으로 사소한 광경에 만족하는 수필가의 모습을 보라. 수필가는 시인의 일종인데, 날개가 꺾인 시인이라 할 수 있다. 수필가는 높이 날 수도 없고 악마도, 7대양도, 12명의 사도도 볼 수 없다. 수필가는 오래 된 생각에 번들거리는 광택제를 칠하고 가능하다면 여기저기서 사소한 버릇을 해결한다.

어휘
- grapple ⓥ 붙잡고 싸우다
- content ⓐ 안주하는, 만족하는
- beyond dispute – 논란의 여지 없이, 분명히
- peddler ⓝ 행상인
- fabric ⓝ 틀, 기본 구조
- speculation ⓝ 사색, 고찰
- behold ⓥ 보다
- flap ⓥ 날개를 퍼덕이다
- varnish ⓝ 광택제
- perspective ⓝ 시각
- grounded ⓐ 현실에 기반을 둔
- roar ⓥ 울부짖다, 으르렁거리다
- immensity ⓝ 엄청남, 방대함
- clatter ⓝ 분주한 소리, 왁자지껄하는 사람 소리
- weave into – 짜서 ~로 만들다
- profitable ⓐ 도움이 되는, 유익한
- strain ⓥ 안간힘을 쓰다
- snug ⓐ 포근한, 아늑한
- apostle ⓝ 사도
- incorporate ⓥ 포함하다, 넣다
- content to do – 기꺼이 ~하려 하는
- mundane ⓐ 일상적인

19

04 본문의 주제는 무엇인가?

① 수필가의 삶 ② 글 형태의 유사성
③ 수필 쓰기 ④ 왜 수필은 지루한가

정답 ③

해설 저자는 수필가가 주변에 어떤 태도를 갖고 수필을 쓰는지에 관해 말하고 있다. 수필가의 삶보다는 수필가가 수필을 쓰는 모습에 관해 말하고 있으므로 ③이 답으로 적절하다.

05 다음 중 밑줄 친 것과 의미상 동일한 것은 무엇인가?

① 이것은 그가 항상 생각하는 것이다.
② 이것이 모두 하나로 결합시키고자 그가 자신의 생각 속에 포함시킨 것이다.
③ 이것이 그가 자신의 작품에서 영감을 얻는 방식이다.
④ 그가 무엇을 쓸지 생각하기 위해 자신을 돕고자 하는 일

정답 ②
해설 밑줄 친 부분은 "수필가는 이것 들을 소재로 엮어 내어 생각의 틀을 형성한다"로 해석이 가능하다.

06 본문에 따르면 수필가는 어떤 사람인가?

① 소설을 쓰기에는 필력이 그다지 좋지 못한 저자
② 상상력이 부족한 시인
③ 자신의 글에 대한 새로운 시각을 얻기 위해 위험을 무릅쓰고 세상으로 나가는 것을 두려워하는 사람
④ 주변에 보이는 많은 간단한 것들에 관해 글을 기꺼이 쓰려고 하는 사람

정답 ④
해설 본문을 보면 수필가는 어떤 특별한 대상이 아니라 주변의 평범한 것들을 대상으로 특별한 글을 쓰는 것을 알 수 있다. 따라서 답은 ④이다.

07–08

나의 목적은 이를테면 로크, 루소 그리고 칸트에게서 흔히 알려져 있는 사회계약의 이론을 고도로 추상화함으로써 일반화된 정의관을 제시하는 일이다. 그러기 위해서 우리는 원초적 계약을 어떤 사람이 특정 사회를 택하거나 특정 형태의 정부를 세우는 것으로 생각해서는 안 된다. 오히려 핵심이 되는 생각은 사회의 기본 구조에 대한 정의의 원칙들이 원초적 합의의 대상이라는 점에 있다. 그것은 자신의 이익 증진에 관심에 가진 자유롭고 합리적인 사람들이 평등한 최초의 입장에서 그들 조직체의 기본 조건을 규정하는 것으로 채택하게 될 원칙들이다. 이러한 원칙들은 그 후의 모든 합의를 규제하는 것으로서, 참여하게 될 사회 협동체의 종류와 설립할 정부 형태를 명시해 준다. 정의의 원칙들을 이렇게 보는 방식을 나는 공정으로서의 정의라 부르고자 한다.

어휘 **aim** ⓝ 목표, 목적
further ⓥ 증대시키다
justice as fairness – 공정으로서의 정의
abstraction ⓝ 추상화
specify ⓥ 명시하다

07 왜 사람들은 최초의 입장으로서의 원칙을 받아들이는가?

① 원칙들이 모두에게 건전하고 공평하다.
② 문제가 된 원칙들의 유효성에 대해 논쟁을 벌일 만한 사람들이 거의 없다.
③ 그 원칙들은 자신의 이익 증진에 관심을 가진 사람들 모두에게 공정한 방식으로 허용한다.
④ 원칙은 참여한 모든 사람들에게 똑같은 규칙에 의하여 규제되어질 것을 허용한다.

정답 ③

해설 "자신의 이익 증진에 관심에 가진 자유롭고 합리적인 사람들이 평등한 최초의 입장에서 그들 조직체의 기본 조건을 규정하는 것으로 채택하게 될 원칙들(the principles that free and rational persons concerned to further their own interests would accept in an initial position of equality as defining the fundamental terms of their association)"이란 부분에서 근거를 찾을 수 있다.

08 이 글의 요지는 무엇인가?

① 정의의 사용이 사회 안의 모든 문제에 공정성을 가져온다.
② 지위의 공정성을 결정하는 데 사용하는 원칙의 이용은 모두에게 필수적이다.
③ 협의에 도달하는 것은 정당하고 공정한 사회계약으로 진입하는 것을 의미한다.
④ 사회계약은 공정성을 보장하기 위하여 모두에게 정의를 요구한다.

정답 ①

해설 본문에서 "핵심이 되는 생각은 사회의 기본 구조에 대한 정의의 원칙들이 원초적 합의의 대상이라는 점(the principles of justice for the basic structure of society are the object of the original agreement)"이라고 하고 있으며, 이러한 원칙들은 그 후의 모든 합의를 규제하는 것으로서, 참여하게 될 사회 협동체의 종류와 설립할 정부 형태를 명시해 준다.

09-10

어린이에 대한 부모의 사랑은 그를 보살피고 그의 합리적인 자기애가 바라는 대로 그에게 해 주고자 하는 그들의 명백한 의도와 이러한 의도의 달성 속에 나타난다. 그들의 사랑은 그가 존재함을 즐거워하고 그의 자신감 및 자존감을 받들어 줌으로써 발현된다. 그들은 성장을 완수하고자 하는 어린이의 노력을 고무하고 그가 자신의 위치를 확보하는 것을 환영하게 된다. 일반적으로 타인을 사랑한다는 것은 그의 욕구나 필요에 관심을 가질 뿐만 아니라, 그 자신의 인격에 대한 그의 가치감을 긍정해 주는 것을 의미한다. 그래서 결국 어린이에 대한 양친의 사랑은 그 대가로 어린이의 사랑을 유발하게 된다. 어린이의 사랑을 합리적인 수단으로 설명할 수 없는 것은, 그가 자기의 최초의 이기적인 목적을 달성하기 위한 수단으로 그들을 사랑하는 것이 아니기 때문이다. 이러한 목적 때문에 마치 그가 그들을 사랑하는 거처럼 행동할 수 있다고도 생각할 수 있지만, 그가 그렇게 한다고 해도 그의 원초적 욕구가 변형되는 것은 아니다. 언급된 심리학적 원칙에 의하면, 양친의 명백한 사랑으로 인해 때가 되면 새로운 애정이 생겨나게 된다.

어휘
self-love ⓝ 자기애
affirm ⓥ 긍정하다
instrumental ⓐ 수단이 되는
self-interested ⓐ 이기적인
call into being – 생겨나다

09 이 글에서는 타인에 대한 애정을 무엇이라 보고 있는가?

① 사랑하는 사람 가까이 있으려고 하는 것과 자존감을 증대시키고자 하는 것
② 다른 사람에 대한 애정을 가지는 것
③ 다른 사람의 의도나 소망을 충족시켜 주길 원하는 것
④ 당신보다 더 대단한 무언가의 일부가 되길 원하는 것

정답 ①
해설 "그들의 사랑은 그가 존재함을 즐거워하고 그의 자신감 및 자존감을 받들어 줌으로써 발현된다(Their love is displayed by their taking pleasure in his presence and supporting his sense of competence and self-esteem)"는 부분이 단서이다.

10 이 글에서 추론할 수 없는 것은?

① 부모들은 아이들이 부모를 사랑하기 전에 자녀를 사랑할 것이다.
② 사랑은 많은 사람들에게 쉽게 오는 것은 아니다.
③ 자기애는 사랑의 가장 중요한 부분이다.
④ 타인에 대한 사랑은 희생과 헌신을 요구한다.

정답 ③
해설 사랑은 이기적인 것이 아니며, "자기의 최초의 이기적인 목적을 달성하기 위한 수단으로 그들을 사랑하는 것이 아니기 때문"이란 부분에서도 사랑에서 자기애가 가장 중요한 것이 아님을 알 수 있다.

11-13

미국 노동 통계국이 내놓은 소비자 지출 조사의 최신판에 따르면 일반적인 가정의 지출 중 반 가량은 교통 및 주거비용으로 쓰인다고 한다. 주택시장의 거품이 최고조에 달했을 때 주거용 건축과 이와 관련된 활동이 라스베이거스나 올랜도 같은 도시권 경제의 4분의 1 이상을 차지했다. 전국 규모의 새로운 차량 및 트럭 구매가 사상 최대치를 맴돌았다. 하지만 밀레니얼 세대는 극적이고 역사적인 형태로 자동차와 주택에 등을 돌리고 있다. 이들 연령대 사이에서 자동차 판매가 급락한 것처럼, 연방준비제도이사회의 조사에 따르면 2009년에서 2011년 사이 젊은이들 중에서 최초로 융자를 받은 층의 비율은 10년 전에 비해 반으로 떨어졌다.
말할 필요 없이, (최근의) 대불황이 이러한 하락에 일부 책임이 있다. 하지만 고유가로부터 재도시화, 정체된 임금, 다른 형태의 소비를 가능케 하는 새로운 기술 등의 요인에 이르기까지 경제 및 인구 차원에서 벌어지는 더할 나위 없는 최악의 사태가 밀레니얼 세대가 처한 상황에 근본적인 변화를 주고 있다. 미국 역사상 가장 큰 규모인 이들 세대는 부모 세대처럼 돈을 결코 함부로 쓸 수 없을지도 모르며, 같은 것에 돈을 쓰지 못할지도 모른다. 2차 세계 대전이 끝난 이후 새로운 자동차와 교외의 주택이 세계 최대의 경제를 이끌었고 가장 인상적인 전후 회복의 원동력이 되었다. 밀레니얼 세대는 아마도 이 두 가지에 대한 관심을 잃었을지 모른다.

어휘 **transportation** ⓝ 수송, 교통
residential ⓐ 주택의, 거주의
expenditure ⓝ 지출, 소비
account for – (부분 · 비율을) 차지하다

hover ⓥ 맴돌다
Millennials ⓝ 밀레니얼 세대 (1978년 이후 출생한 세대)
plummet ⓥ 급락하다, 곤두박질치다
cohort ⓝ (통계적으로 동일한 특색이나 행동 양식을 공유하는) 집단
mortgage ⓝ 담보대출, 융자
recession ⓝ 불황
perfect storm – (한꺼번에 여러 가지 안 좋은 일이 겹쳐) 더할 수 없이 나쁜 상황, 최악의 상황
stagnate ⓥ 침체되다, 부진하다
lavishly ⓐⓓⓥ 함부로, 호화롭게
propel ⓥ 몰고 가다, 추진하다
breakdown ⓝ 붕괴, 실패
cyclical ⓐ 순환하는, 주기적인
disposable income – 가처분 소득
on the verge of – ~하기 직전의

11 본문의 주제는 무엇인가?

① 소비 수준이 감소한 상황에 대한 책임의 방향
② 삶의 방식을 기술하기 위한 통계자료에 대한 관심의 감소
③ 새로운 세대의 과거와 다른 소비 습관
④ 핵심 산업의 변화하는 소비자 기반

정답 ③
해설 본문은 과거 세대와 지금의 밀레니얼 세대 간에 소비 성향에 차이가 있음을 논하고 있다. 따라서 답은 ③이다.

12 밑줄 친 부분은 어떤 의미를 갖는가?

① 상황이 실제보다 더 나쁜 것으로 생각될 때
② 좋은 상황이 상황을 통제하는 사람들의 무능으로 인해 엉망이 되었을 때
③ 환경적 요인으로 작황이 나빠지고 가난이 증가했을 때
④ 특정한 것들이 동시에 닥치면서 상황을 더 나쁘게 만들었을 때

정답 ④
해설 밑줄 친 부분은 "경제 및 인구 차원에서 벌어지는 더할 나위 없는 최악의 사태"로 해석이 가능하다. 여기서 perfect storm은 '(한꺼번에 여러 가지 안 좋은 일이 겹쳐) 더할 수 없이 나쁜 상황'을 의미하므로 보기 중에서 이와 의미상 가장 가까운 것은 ④이다.

13 본문에서 유추할 수 없는 것은 무엇인가?

① 주택 및 운송 시장을 통제하는 사람들이 이러한 상황을 자초했다.
② 담보대출 기업은 사업 상황이나 이윤 등이 감소하기 직전의 상황에 처해 있다.
③ 요즘의 젊은이들이 자동차를 가능한 한 빨리 산다는 것이 당연한 일로 취급되지 않는다.
④ 오늘날의 젊은 소비자들은 이전 세대가 돈을 쓰던 대상에 관심을 보이지 않는다.

정답 ①
해설 밀레니얼 세대는 자동차와 주택에 돈을 과거 세대보다 쓰지 않기 때문에 ②, ③, ④ 모두 본문에 등장하는 내용이다. 하지만 ①은 본문에서 언급된 사항이 아니므로 ①이 답이 된다.

14-16

전국에 걸쳐 10대 임신률은 수십 년 동안 하락 중에 있으며, 현 추세를 판단하는 전문가들은 이것이 피임기구에 대한 접근이 향상되었고 젊은이들이 1990년대보다 성관계를 늦춘 덕분이라고 본다. 또한 성관계와 피임에 대해 더 솔직하고 공개적으로 말하는 것을 덜 불명예스럽게 여기고 있다. 성과 생식 건강의 증진을 위해 일하는 거트마커 연구소에 따르면 2005년에서 2008년까지 미국의 10대 임신률은 37%가 떨어졌다. 하지만 미시시피 주에서는 진전이 더딘데, 이곳에서 10대 임신률은 동일 기간 동안 20%가 떨어져서, 남부에 위치한 주 중에서 가장 낮은 하락을 보였다.
미시시피 주의 10대 임신은 주 전체에 영향을 주는 문제이고, 인종과 사회정치적 구분도 초월하는 문제로서, 미시시피 주의 이미 낮은 상태인 졸업률을 더 낮추고 있다. 연구에 따르면 10대에 아이를 낳은 고등학생 중에서 3분의 2 이상이 고등학교 졸업을 하지 않는다. 게다가 부모가 10대인 아이 또한 졸업률이 낮으며, 다른 아이보다 소득도 낮다. 여성재단의 한 보고서에 따르면 미시시피 주의 납세자가 2009년에 1억 55백만 달러를 10대 출산과 관련된 비용으로 지불했고, 이 비용은 학교의 실패, 아동방임, 불완전 고용 등의 비용을 포함한 것이다.
이와 같이 재정적 차원에서 현실을 고려한 결과 문화적으로 보수적인 이 미시시피 주에서 10대 임신률을 줄이기 위한 조치를 취하고 있다. 사실상 하룻밤 사이에 새로운 법과 미시시피 퍼스트란 이름의 소규모 비영리 단체가 이끄는 풀뿌리 운동이 미시시피 주의 학교에서 성교육을 하는 방식을 개편했다. 과거에는 미시시피 주의 151개 학군 대부분은 성교육에 대한 공식적인 접근법이 존재하지 않았다. 미시시피 퍼스트의 관계자에 따르면, 미시시피 주 교육부에서 2010년에 주내 교구들로 하여금 성교육 방침이나 교육과정을 복사해서 전달할 것을 요구했을 때, 오직 5개 교구만이 서면으로 된 것을 보유했을 뿐이었다. 많은 학교에서 성교육 과정 전체가 혼전성관계의 죄악에 관해 설교하는 지역 목사들이 참석하는 간단한 세미나로 이루어졌을 뿐이었다. 그 외의 다른 학교에서는 아예 성교육 문제를 꺼내지도 못했다.

어휘
- **attribute to** – ~의 덕분으로 돌리다
- **stigma** ⓝ 오명, 낙인 불명예
- **contraception** ⓝ 피임
- **fiscal** ⓐ 재정적인
- **revamp** ⓥ 개편하다
- **pre-marital** ⓐ 결혼 전의
- **representative** ⓝ 대표
- **adhere to** – ~을 고수하다, ~을 충실히 지키다
- **contraceptive** ⓝ 피임기구
- **associated with** – ~와 관련된
- **reproductive** ⓐ 생식의
- **grassroots** ⓐ 풀뿌리의, 민중의
- **school district** – 교구, 학구
- **broach** ⓥ (하기 힘든 이야기를) 꺼내다
- **abstention** ⓝ 자제

14 다음 중 맞지 않은 것은 무엇인가?

① 미시시피 주는 미국 내 10대 임신률이 변화하고 있다는 것을 정확히 대표한다.
② 미시시피 주의 10대 임신률은 재산이나 인종에 따라 결정되는 요소가 아니다.
③ 2010년 이전 미시시피 주의 성교육은 사실상 존재하지 않았다.
④ 90년대에 비해 젊은이들이 성관계를 더 나중에 맺는다.

정답 ①
해설 본문에서 미시시피 주는 10대 임신률이 다른 주에 비해 더디게 떨어지고 있는 예로 제시되었으므로, ①의 내용과는 거리가 있다.

15 본문에 따르면 미시시피 주 학교의 이전 성교육에는 어떤 문제가 있었는가?

① 교사에겐 자격이 없었고 해당 주제에 관해 올바로 가르쳐 줄 수 있을 만큼의 지식도 없었다.
② 분명한 지침도 없었고 정보가 선택보다 자제에 치우쳐져 있었다.
③ 학교에서 세미나를 연 목사들은 학생과 관련이 있는 경우가 종종 있었고, 이로 인해 토의가 불가능했다.
④ 학교 교육위원회는 성교육 수업에 자금을 대기를 거부했고, 이로 인해 학생들은 교육을 제대로 받지 못했다.

정답 ②

해설 "과거에는 미시시피 주의 151개 학군 대부분은 성교육에 대한 공식적인 접근법이 존재하지 않았다(In the past, most of the state's 151 districts had no formal approach)." "많은 학교에서 성교육 과정 전체가 혼전 성관계의 죄악에 관해 설교하는 지역 목사들이 참석하는 간단한 세미나로 이루어졌을 뿐이었다(At many schools, the entire curriculum consisted of brief seminars with local pastors who preached the sins of pre-marital sex)." 이러한 점을 봤을 때 답으로 가장 적합한 것은 ②이다.

16 다음 중 본문에 10대 임신율이 하락하는 이유로 나오지 않은 것은 무엇인가?

① 젊은이들이 과거에 비해 피임기구에 더 많이 접하게 되었다.
② 젊은이들이 과거에 비해 성관계를 맺기를 거부한다.
③ 성관계와 피임은 더 이상 금기시되는 주제가 아니고 과거에 비해 더 자유롭게 논의된다.
④ 성관계와 피임에 관해 말을 하는 것과 연계된 낙인이 점차 증가하고 있다.

정답 ④

해설 "현 추세를 판단하는 전문가들은 이것이 피임기구에 대한 접근이 향상되었고 젊은이들이 1990년대보다 성관계를 늦춘 덕분이라고 본다. 또한 성관계와 피임에 대해 더 솔직하고 공개적으로 말하는 것을 덜 불명예스럽게 여기고 있다(a trend experts attribute to improved access to contraceptives as well as to young people delaying having sex longer than they did in the 1990s. There's also less stigma associated with talking frankly and publicly about sex and contraception)." 따라서 이와 상반된 내용인 ④가 답이 된다.

19

17-20

하지만 이민자들을 "불법"으로 기술하는 것은 법적으로 부정확한 행위이다. 제대로 된 서류 없이 우리나라에 사는 것은 민사상의 위반이지 형사상의 위반은 아니다. (이러한 현실을 강조하는 차원에서, 앤소니 케네디 판사는 애리조나 주의 논란 많은 이민법인 SB 1070에 대한 다수 의견에서 "총칙을 말하자면, 이동 가능한 외국인이 미국에 머무르는 것은 범죄가 아니다"라고 기술했다.) 법의 정당한 과정을 믿는 우리나라에서 이민자를 "불법"이라 칭하는 것은 재판을 기다리는 피고인을 "범죄자"라고 부르는 것과 유사하다. "불법"이라는 용어는 또한 부정확한 용어이다. 수많은 밀입국자의 경우 이들의 이민자격은 유동적이고 개인의 상황에 따라 바뀔 수도 있다. (현재 미국에만 1100만 명의 밀입국자가 있으며, 대부분은 출생이나 귀화를 통해 미국 시민권을 보유한 사람을 직계가족으로 보유하고 있다.)

중립과 공정성을 추구해야 할 언론인들이 해당 용어를 사용할 경우, 이들은 이미 정치적인 문제를 더욱 정치적으로 만들고 있다. (예를 들어 공화당 전략가인 프랭크 런츠가 2005년에 한 메모에서 밀입국자를 범죄와 묶을 목적으로 "불법 이민자"란 용어를 사용한 상황에서 과연 해당 용어를 사용하는 것을 중립적인 것으로 여길 수 있겠는가?) 그리고 이 용어는 용어가 묘사하려는 사람들을 비인격적으로 만들고 하찮은 존재로 만든다. 이런 식으로 생각해 보라. 과연 우리는 어떤 맥락에서 어떤 사람을 불법이라 부를 수 있는가? 만약 어떤 사람이 14살인데 차를 몬다면, 우리는 이 사람을 "미성년 운전자"로 부르지 "불법" 운전자로 부르지는 않는다. 만약 누군가가 음주운전을 한다면, 우리는 그들을 "음주운전자"로 부르지 "불법 운전자"로 부르지는 않는다. 다른 식으로 말해서, 만약 여러분이나 여러분의 가족이나 친구가 "불법"적 존재로 불린다면 어떤 기분이 들겠는가?

어휘 immigrant ⓝ 이민자
civil ⓐ 민사상의
criminal ⓐ 형사상의
akin to ~와 유사한
undocumented people – 밀입국자
neutrality ⓝ 중립
politicize ⓥ 정치적 논쟁거리로 삼다
marginalize ⓥ 하찮은 존재로 만들다
enact ⓥ 제정하다
label ⓥ (부당하게) 딱지[낙인]를 붙이다
considerate ⓐ 배려하는
inaccurate ⓐ 정확하지 않은
offense ⓝ 위반
underscore ⓥ 강조하다
imprecise ⓐ 부정확한
fluid ⓐ 유동적인, 가변적인
fairness ⓝ 공정함
dehumanize ⓥ 비인간적으로 만들다
whereby (adv) (그것에 의하여) ~하는
turn against – ~에 등을 돌리다
dejected ⓐ 실의에 빠진, 낙담한

17 본문의 주제는 무엇인가?

① 불법 이민자가 미국 시민이 되는 과정
② "불법 이민자"라는 용어를 쓰는 것이 미치는 영향
③ 불법 이민자를 기술하기 위해 사용되어야 할 정확한 용어
④ 애리조나 주의 이민법이 제정되도록 한 요소

정답 ②
해설 본문은 이민자들을 "불법" 이민자로 부르는 것이 어떤 악영향을 담고 있으며 따라서 그렇게 불러서는 안 된다는 점을 설명하고 있다. 따라서 답은 ②이다.

18 본문에서 유추할 수 있는 것은 무엇인가?

① 프랭크 런츠는 사람들이 마음속에서 이민자에게 등을 돌리기를 원했다.
② 미국 내 모든 이민자는 최초에는 불법적인 존재이다.
③ 앤소니 케네디 판사는 논란 많은 애리조나 주법을 지지한다.
④ 언론인들은 불법 이민자라는 용어를 더 이상의 이민을 막기 위해 정치적 용도로 사용한다.

정답 ①
해설 프랭크 런츠는 "불법 이민자"라는 용어를 사용해 밀입국자와 범죄라는 개념을 서로 엮으려 했다. 즉 이 사람은 사람들이 이민자 하면 범죄를 떠올리게 만들어 사람들이 이민자들로부터 등을 돌리도록 의도한 것이다. 따라서 답은 ①이다.

19 **다음 중 빈칸 (A)에 가장 알맞은 것은 무엇인가?**

① 과연 우리는 어떤 맥락에서 어떤 사람을 불법이라 부를 수 있는가?
② 증거 없이 어떤 이에게 "불법"이라는 낙인을 붙이는 것은 예의 바른 행동인가?
③ 범죄자는 주 내의 결정된 법을 어기는 행동을 하는 사람이다.
④ 비인간적 대우를 받고 하찮은 존재로 취급된 사람들은 정확하게 묘사가 될 수 없다.

정답 ①

해설 빈칸 뒤 내용은 미성년 운전자는 "미성년"이지 "불법" 운전자는 아니다. 이들을 "불법"으로 부른다면 "미성년"인 것이 "불법"이 되는 것이다. 또한 "음주" 운전자를 "불법" 운전자로 부를 경우도 "음주"가 "불법"이 되는 것이다. 즉 맥락 없이 "불법"이란 딱지를 사람에게 붙이는 것은 의미의 혼란을 일으키고 오도할 가능성이 크다. 따라서 답은 ①이다.

20 **다음 중 밑줄 친 부분을 대체할 수 있는 것은 무엇인가?**

① 여러분의 친구나 가족이 당신을 "불법"인 존재라고 묘사하는 시점이면 여러분은 실의에 빠지게 된다.
② 누군가가 "불법"인 존재라는 낙인이 붙게 되면 우리는 그 사람들의 친구와 가족의 기분을 배려해야 한다.
③ 만일 여러분 또는 여러분이 알거나 사랑하는 사람이 "불법"인 존재라 불리게 되면 기분이 나쁠 것이다.
④ 만일 여러분 또는 여러분이 아는 사람이 "불법"인 존재라고 언급이 된다면, 여러분은 이를 받아들일 것인가?

정답 ③

해설 밑줄 친 부분을 해석하면 "만약 여러분이나 여러분의 가족이나 친구가 "불법"적 존재로 불린다면 어떤 기분이 들겠는가"이며, 보기 중에서 이와 의미상 가장 가까운 것은 ③이다.

21-23

여행자 입장에서 항공기 연착은 우리가 그냥 받아들여야 할 것이다. 하지만 기다려야 하는 수 분 또는 수 시간은 궂은 날씨, 기계 문제, 보안 문제로 인한 소동 또는 항공사의 문제 등으로 인한 것이다. 하지만 이번 주 초 뉴욕에서 워싱턴 D.C.로 가는 승객들은 평범한 (그리고 일반적으로 이해할 만한) 이유가 아닌 이유로 인해 네 시간의 연착에 직면해야 했다.
승객들이 NBC 뉴스에 밝힌 바에 따르면, 9월 19일 오후 3시 10분에 뉴욕의 JFK 국제공항을 출발할 예정이었던 아메리칸 에어라인 항공기 3823호는 비행이 시작되면서 타맥으로 포장된 구역을 따라 움직이기 시작하고 있었다. 승무원들이 출발 전에 정례적인 절차를 밟는 동안에 승무원 중 하나가 휴대폰을 사용했다고 하며, 이로 인해 동료가 "다른 승무원을 포함한" 모든 사람이 모든 전자기기를 꺼야 한다고 요청하게 되었다.
지적은 잘 먹히지 않았고, 곧 운항 승무원들이 두 여성 간의 언쟁이 일어나는 낌새를 눈치채게 되었다. 이후 여행자들은 "승무원들이 서로 일할 수 없게 되어서" 게이트로 다시 돌아간다는 소리를 들었다고 한 승객이 NBC 뉴스에 전했다.
공항으로 돌아가서 승객들은 아메리칸 에어라인이 다른 스튜어디스를 찾는 동안 거의 네 시간을 기다려야 했다. 원래 비행 스케줄에 따르면 출발 게이트에서 도착 게이트로 가는 시간은 한 시간 20분이었다. 여행자들은 그때의 상황을 "말도 안 되는" 상황이었다고 묘사하며 "그렇게나 프로의식이 없다니 정말 믿을 수 없었다"고 말했다. 그리고 아메리칸 에어라인이 재정적 혼란을 겪고 있는 것으로 보이는 와중에, 사소한 다툼이 심각한 연착으로 이어지게 만든 것은 설득력 있는 상황이 아니다.

어휘 inclement ⓐ 날씨가 궂은
tiff ⓝ 말다툼
routine ⓝ 정례적으로 하는 일
catch wind of – ~의 낌새를 채다
turbulence ⓝ 격변, 혼란
cabin crew – 객실 승무원
resent ⓥ 분개하다
initially (adv) 처음에
glitch ⓝ 문제, 결함
tarmac ⓝ 타맥으로 포장된 도로
cockpit crew – 운행승무원
altercation ⓝ 언쟁, 논쟁
fly ⓥ 받아들여지다, 설득력이 있다
disembark ⓥ 내리다
distract ⓥ 주의를 다른 곳으로 돌리다

구문정리 And at a time when it looks like American Airlines is hitting financial turbulence, letting minor tiffs cause major delays just isn't going to fly.
그리고 아메리칸 에어라인이 재정적 혼란을 겪고 있는 것으로 보이는 와중에, 사소한 다툼이 심각한 연착으로 이어지게 만든 것은 설득력 있는 상황이 아니다.

구조분석 And at a time (when it looks like American Airlines is hitting financial turbulence,)
관계부사 / it: S′ / looks: V′
look like S + V : S가 V인 것처럼 보이다

(letting minor tiffs cause major delays) (just isn't going to fly.)
letting: 사역동사 / minor tiffs: O / cause: O.C / (letting ~ delays): S / (just isn't going to fly): V
'let + O + 동사원형'의 구조
fly : 성공하다, 설득력 있다

21 **본문에서 유추할 수 있는 것은 무엇인가?**

① 두 명의 항공기 승무원들은 비행기에서 내리도록 허락을 받지 못할 경우 공중에서 소란을 일으킬 것이라고 위협했다.
② 이러한 유형의 개인적인 논쟁은 항공기 승무원들에게 종종 벌어지곤 한다.
③ 아메리칸 에어라인의 고객들은 조만간 추가적으로 벌어질 것이라 예측이 가능하다.
④ 이러한 상황은 아메리칸 에어라인의 이미지 개선에 도움이 되지 못하거나 미래를 안정시키지 못할 것이다.

정답 ④
해설 "아메리칸 에어라인이 재정적 혼란을 겪고 있는 것으로 보이는 와중에, 사소한 다툼이 심각한 연착으로 이어지게 만든 것은 설득력 있는 상황이 아니다(at a time when it looks like American Airlines is hitting financial turbulence, letting minor tiffs cause major delays just isn't going to fly)." 즉 이번 사건은 아메리칸 에어라인 항공사에게 결코 도움이 되지 못하고 따라서 수익 개선에도 도움이 되지 않을 것이다. 따라서 답은 ④이다.

22 본문에 따르면 싸움을 일으킨 쪽은 누구인가?

① 한 항공기 승무원이 승객들 앞에서 공개적으로 휴대폰을 사용하지 말라는 것을 다른 승무원에게 상기시켜서 그 승무원을 부끄럽게 만들었다.
② 한 항공기 승무원은 자신은 휴대폰을 사용할 수 없게 되어 짜증이 났는데 다른 승무원은 사용을 하도록 허락을 받았다.
③ 한 항공기 승무원은 휴대폰이 승객뿐 아니라 항공기 승무원에게도 금지되었다는 사실에 분노했다.
④ 한 항공기 승무원은 정신을 다른 곳에 두고서 자신보다 선배인 항공기 승무원의 말에 충분한 주의를 기울이지 않았다.

정답 ①
해설 싸움이 나게 된 계기는 한 승무원이 다른 승무원을 포함한 모든 이에게 전자기기를 꺼줄 것을 요청했고, 모욕을 당했다고 느낀 그 승무원은 기분이 상한 나머지 싸움을 걸게 된 것이다. 따라서 답은 ①이다.

23 밑줄 친 부분을 달리 표현한 것은 무엇인가?

① 기장과 부기장은 두 여성의 말다툼을 들었다.
② 비행기를 운전하는 사람들은 두 여성의 말다툼을 무시하려 했다.
③ 조종석에 위치한 사람들은 처음에 이 상황에 관해 알지 못했다.
④ 전체 승무원은 이 다툼에 관해 듣고 그들의 도움을 요청했다.

정답 ①
해설 밑줄 친 부분은 해석하면 "곧 운항 승무원들이 두 여성 간의 언쟁이 일어나는 낌새를 눈치채게 되었다"이다. 보기 중에서 이와 의미상 가장 가까운 것은 운항 승무원들이 언쟁을 듣게 되었다는 것 이외에 더 이상의 내용은 없는 ①이다.

24-27

브라질, 러시아, 인도, 중국, 남아프리카 공화국은 최근에 모두 합쳐 브릭스(BRICs)라 알려진 이들 국가들 간의 다섯 번째 연례 정상회의를 끝마쳤다. 아니 이들을 브릭스(BRICS)라 불러야 할까? 이렇게 혼란이 일어난 이유는 남아프리카 공화국이 브릭스에 은근슬쩍 들어갔기 때문인데, 남아프리카 공화국은 자신이 세계의 신흥 경제국을 대변하면서 부국들에 지배되는 G8과 G20에 대항해 균형을 잡아 주고 있다고 주장한다.
브릭스(BRICs)는 2001년 당시 골드먼 삭스 소속이었던 Jim O'Neill이 소속 국가명의 앞글자를 조합해 만들었다. Jim O'Neill은 세계 경제성장의 상당 부분이 곧 브라질(B), 러시아(R), 인도(I), 중국(C)에서 이루어질 것이라는 사실을 전달할 수 있는 방법을 찾고 있었다. 이와 같이 국가들을 묶는 것이 과연 합당한 것인지에 관해서도 많은 논란이 있었다. 당시에는 브라질은 브릭스(BRICs)에 속하는 것이 타당하다고 보기엔 너무 부진한 성장세를 보였다. 이제는 러시아가 다른 브릭스(BRICs) 국가에 속할 자격이 없어 보인다. 중국은 나머지 브릭스(BRICs)에 비해 경제 성장률이 훨씬 높다. 그럼에도 이들 국가에게 붙은 브릭스(BRICs)라는 명칭은 브릭스(BRICs) 국가들의 외무장관이 2006년 뉴욕에서 첫 정상회의를 갖기로 결정할 만큼 시선을 사로잡기 충분하다는 사실이 드러났다. 한 투자은행의 연구 보고서에서 사람들의 시선을 끌고자 붙여진 명칭이 실제 정치적 의미를 가진 기구로까지 발전된 것이다.

그런데 브릭스(BRICs)에는 한 가지 문제가 있었다. 아프리카 국가가 한 곳도 포함되지 않았던 것이다. 이는 좀 난처한 일이다. 아프리카가 간과되고 넘어갔다는 사실로부터 아프리카 대륙은 경제적으로 별 의미가 없고 아프리카 이외의 곳에 원자재를 제공하는 용도로만 쓸만하다는 의미가 도출된다. 또한 여기서 자신들은 신흥 경제국을 대변한다는 브릭스(BRICs)의 주장에 의구심이 들게 된다. 나이지리아와 남아프리카 공화국이 후보가 될 만했는데 나이지리아가 아니라 남아프리카 공화국이 들어가야 브릭스(BRICs)란 명칭이 그대로 유지될 수 있었다. 그래서인지 2010년에 브릭스(BRICs)는 브릭스(BRICS)가 되었다. 이처럼 이상한 어원을 갖던 브릭스(BRICS)가 현실 세계에서도 결과를 낳게 되었다. 비록 정부간 회의가 아직 많이 열리지는 않았지만 브릭스 국가들은 공동으로 투자은행을 설립하는 것을 목표로 삼고 있다.

어휘 conclude ⓥ 끝내다, 마치다
sneak ⓥ 몰래 하다
counterweight ⓝ 균형추
constituent ⓐ ~을 구성하는[이루는]
coin ⓥ 새로운 말을 만들다
sluggish ⓐ 느릿느릿한, 부진한
inclusion ⓝ 포함
catchy ⓐ 기억하기 쉬운, 시선을 사로잡기 충분한
institution ⓝ 기구, 단체
irrelevance ⓝ 무관한 것, 의미 없음
etymology ⓝ 어원
currency ⓝ 통화
placate ⓥ 달래다
collectively adv 집합적으로, 단체로
emerging ⓐ 신흥의, 떠오르는
dominate ⓥ 지배하다, 군림하다
acronym ⓝ 두문자어
grouping ⓝ 그룹으로 묶기
warrant ⓥ 정당하게 만들다, 타당하게 만들다
deserve ⓥ ~할 만한 자격이 있다
hook ⓝ 사람들을 끌어당기는 요소
overlook ⓥ 간과하다, 못 보고 넘어가다
intact ⓐ 온전한, 다치지 않은
amount to – ~에 해당한다, ~와 같다
fall on hard times – 불운한 꼴을 당하다, 영락하다
contradict ⓥ 모순되다, 반박하다

24 브릭스(BRICS)에 속한 국가들의 공통점은 무엇인가?

① 모두 부유한 국가들의 모임인 G8과 G20으로부터 부당하게 제외당했다는 생각을 품고 있다.
② 이 용어가 만들어졌을 당시 모두 신흥 경제국 가운데 가장 강력한 곳으로 여겨졌다.
③ 이들은 한때 부국에 속했었다가 몰락한 국가이다.
④ 이들은 이전에 각자 자신이 속한 대륙을 제정적으로 뒷받침한다고 주장했다.

정답 ②

해설 브릭스란 용어가 만들어질 당시에는 "세계 경제성장의 상당 부분이 곧 브라질(B), 러시아(R), 인도(I), 중국(C)에서 이루어질 것이라는(much of the world's economic growth would soon come from Brazil, Russia, India and China)" 의견이 있었다. 즉 이들 국가는 신흥국 가운데 강력한 성장세를 보일 것으로 예측되던 국가였다. 따라서 답은 ②이다.

25 O'Neill이 브릭스란 용어를 창조한 목적은 무엇이었는가?

① 골드먼 삭스가 사업 무대로 삼으려 했던 국가를 달래기 위해
② 경제 분야에서 두문자어를 창조하는 것이 소용없는 일임을 보여 주기 위해
③ 기존의 경제 대국과 신흥 경제국을 구분하기 위해
④ 미래의 강력한 경제대국이 어디인가를 나타내기 위해

정답 ④
해설 앞 문제의 해설에서도 언급된 사항이지만 O'Neill은 기존 경제대국 이외에 앞으로 강력한 성장세를 보일 국가들을 한 묶음으로 지칭하기 위해 브릭스란 용어를 창조했다. 따라서 답은 ④이다.

26 본문에서 유추할 수 없는 것은 무엇인가?

① 남아프리카 공화국은 경제적 차원에서 봤을 때 브릭스(BRICs)에 포함될 권리가 없다.
② 나이지리아라는 명칭은 브릭스(BRICs)에 걸맞은 것으로 생각되지 않는다.
③ 현재까지 브릭스(BRICs)는 국제 금융계에서 거의 영향을 미치지 못했다.
④ 브릭스(BRICs) 명칭의 창조는 구성 국가들이 현재 동등하지 않기 때문에 완전히 정확하다고는 볼 수 없었다.

정답 ①
해설 "남아프리카 공화국이 브릭스에 은근슬쩍 들어갔다(South Africa has sneaked into the group)"는 것은 즉 남아프리카 공화국이 다른 브릭스 국가들에 비견될 만큼의 경제력을 보유하고 있으며 그렇기 때문에 브릭스에 속할 수 있게 되었다는 의미를 갖는다. 따라서 답은 ①이다. 참고로 ②의 의미는 남아프리카 공화국의 앞글자는 S이고 나이지리아의 앞글자는 N인데 브릭스(BRICs)에서 s가 S로 변해도 BRICS에 큰 변화가 일어나지는 않지만 N이 들어가야만 발음 자체가 바뀌기 때문에 N은 브릭스에 포함되기가 힘들다는 의미이다. 그리고 ③의 경우를 보면 이제서야 브릭스 국가들이 공동으로 투자은행을 설립하는 것을 목표로 한다는 것은 그전까지는 브릭스 국가들은 공동으로 투자은행을 설립하여 국제 금융계에 영향을 미치지는 못했다는 의미이다.

27 다음 중 밑줄 친 부분과 정확히 유사한 것은 무엇인가?

① 자신들이 신흥국을 상징한다는 주장과 모순된다.
② 신흥국에게 과연 보호받고 있는지에 관해 의구심에 들게 만든다.
③ 단지 자신들만을 위한 이득을 추구하고 있다는 주장으로 이어졌다.
④ 다른 신흥국은 브릭스가 자신들을 대변하고 있지 않다고 주장했다.

정답 ①
해설 밑줄 친 부분을 해석하면 "또한 여기서 자신들은 신흥 경제국을 대변한다는 브릭스(BRICs)의 주장에 의구심이 들게 된다"이며, 보기 중에서 이와 의미상 가장 가까운 것은 ①이다.

19

28-30

흡연은 신체의 긴장을 풀어 주고 흥분시킨다. 흡입 이후 몇 초 지나면 니코틴이 뇌에 도달하고 신경 세포의 수용기 분자에 부착되면서, 신경 세포가 도파민과 다른 신경 전달 물질을 다량 분비시키고, 이들 도파민과 신경 전달 물질은 쾌락 중추를 휩쓸게 된다. 몇 번 더 뻐끔거리며 피우면 심박동 수를 늘리고, 각성도를 높인다. 하지만 이런 효과는 오래 가지 않기 때문에 흡연자들이 다시 담배에 불을 붙이게 만든다. 시간이 흐르면 니코틴 수용기의 수가 증가하고 짜증 같은 금단 증상을 줄이기 위해 담배를 피워야 할 필요성 또한 증가한다. 그 밖에도 흡연은 매일의 행동이나 기분과 연관이 있다. 예를 들어 커피를 마시고 나서나 지루함이 몰려들면 담배로 손을 뻗어야겠다는 욕구가 촉발되며, 이 모든 것이 담배를 끊기 어렵게 만든다.

어휘
stimulate ⓥ 자극하다, 흥분시키다
receptor molecule 수용기 분자
trigger ⓥ 촉발시키다, 작동시키다
wash over 밀려오다, 엄습하다
spur ⓥ 원동력이 되다, 자극하다
withdrawal ⓝ 금단
a bout of – 한 차례의
bad temper – 기분 나쁨, 심기 불편
behavioral problem – 행동 장애
be liable to – ~하기 쉬운
inhalation ⓝ 흡입
nerve cell 신경 세포
neurotransmitter ⓝ 신경 전달 물질
puff ⓝ 뻐끔뻐끔 피우기
light up (담배를) 피워 물다
irritability ⓝ 짜증, 화를 잘 냄
kick the habit – (오랫동안 해 오던) 버릇, 약 등을 끊다
tranquil ⓐ 고요한, 평안한
yearning ⓝ 갈망, 동경
on top of that – 그 밖에도

---

28 다음 중 흡연의 효과가 아닌 것은 무엇인가?

① 자유롭게 담배를 피우지 못할 때 심기가 불편함
② 흡연자가 담배를 피우기 전보다 기분을 더 평안하게 함
③ 흡연자가 많은 친구를 사귀고 새로운 사람을 많이 만나게 함
④ 다른 행동 장애를 해결하기 위한 해결책으로 담배를 사용함

정답 ③

해설 '흡연은 신체의 긴장을 풀어 주고 흥분시킨다(Smoking at once relaxes and stimulates the body)'는 ②에 해당되며, '짜증 같은 금단 증상을 줄이기 위해 담배를 피워야 할 필요성 또한 증가한다(the need to smoke again to reduce withdrawal symptoms such as irritability)'는 ①에 해당되며, '흡연은 매일의 행동이나 기분과 연관이 있다(smoking becomes linked with everyday behavior or moods)'는 ④에 해당된다. 따라서 답은 ③이다.

29 **다음 중 본문에서 유추할 수 있는 것은 무엇인가?**

① 담배를 피우기 시작하자마자 담배를 피우겠다는 갈망은 사라지지 않을 것이다.
② 도파민은 기쁨을 느끼는 신체와 연계되어 있다.
③ 담배를 많이 피우는 사람은 심장병으로 고생할 가능성이 크다.
④ 제일 처음 피울 때부터 흡연자는 흡연을 통해 안심하는 기분을 갖는다.

정답 ②

해설 '신경 세포가 도파민과 다른 신경 전달 물질을 다량 분비시키고, 이들 도파민과 신경 전달 물질은 쾌락 중추를 휩쓸게 된다(triggering the cells to release a flood of dopamine and other neurotransmitters that washes over pleasure centers)'. 따라서 답은 ②이다.

30 **빈칸에 들어갈 가장 알맞은 것을 고르시오.**

① 반대로 ② 그 결과 ③ 그밖에 ④ 게다가

정답 ③

해설 on top of that의 동의어로 besides, moreover, in addition 등이 있지만, ④는 in addition to로 뒤에 구가 나오는 경우이므로 in addition과 in addition to를 혼동하지 말아야 한다.

19

20 Practice Test 정답 및 해설

01	②	02	④	03	④	04	③	05	④	06	①	07	②	08	②	09	③	10	③
11	④	12	①	13	②	14	①	15	①	16	②	17	①	18	④	19	①	20	④
21	④	22	①	23	②	24	④	25	②	26	③	27	①	28	③	29	③	30	①

01

모든 규제책 중에서도 가격이야말로 담배 소비를 줄이기 위한 가장 효과적인 조치이다. 그러나 담배 소비세를 높이는데 반대하는 일반적인 주장은, 그러한 세율 인상이 다른 주로부터의 담배밀수를 조장하거나 흡연자들이 인터넷이나 다른 주에서 더 저렴한 담배를 구입해서 주정부의 수입이 감소한다는 것이다. 세금을 인상한 주에서는 이러한 주장이 사실로 입증된 적이 없다. 연구에 따르면 탈세와 밀수 같은 행위도 결코 많지 않았다.

어휘 invention ⓝ 개입, 간섭
excise tax – 소비세
smuggle ⓥ 밀수하다, 은닉하다
revenue ⓝ 세입
be the case – 사실인
argument ⓝ 주장, 논쟁
tax rate – 세율
border ⓝ 경계, 국경
via – ~을 통해서
tax avoidance – 탈세

01 이 글의 요지는 무엇인가?

① 담배회사에 대한 소비세의 불공정성
② 담배에 대한 세금은 별다른 염려 없이 인상될 수 있다는 것
③ 제품에 너무나 과다한 세금을 부과하는 결과
④ 담배 제품에 대한 소비세 없이 사람들이 행하길 원하는 것

정답 ②
해설 담배의 가격이 인상되면 다른 주에서 밀수를 한다는 등의 대안을 찾기 때문에 주 정부의 세수입이 줄 것이라는 예측이 있지만, 실제 통계를 보면 이런 증거가 존재하지 않으므로, 담배에 대한 세금은 특별한 염려 없이 인상이 가능하다는 것을 설명하고 있다.

02-03

젊은 황제 Nero는 자신의 어머니의 죽음을 명령하고, 기독교도와 유대인을 박해하고, 그 외 잔인하고 기이한 행동을 저지른 것으로 인해 최악의 로마 황제 중 하나로 알려져 있다. 그리고 자신이 저지른 불길에 로마가 휩싸인 동안 유일한 연주자가 되어 음악 연주회를 열었다는 말도 있다.
Nero의 행동은 새로운 학문적 연구의 대상이 되었으며, 이는 고대 로마의 연대기, 조각품, 폐허, 동전 등을 최근에 연구한 결과를 바탕으로 한다. 비록 Nero는 지금도 매우 무자비한 자로 여겨지지만 새로운 연구에서 그의 치세는 다른 어떤 인격적 특성보다도 예술에 대한 진지한 열정과 복잡한 정치적 문제를 특징으로 삼던 시대였음이 강조되었고, 이를 통해 Nero가 이전보다는 더 이해할 만한 존재로 인식되게 되었다.

어휘
- **persecute** ⓥ 박해하다
- **recital** ⓝ 발표회, 연주회
- **nourish** ⓥ 키우다, 공급하다
- **sculpture** ⓝ 조각품
- **profoundly** (adv) 극심하게, 매우
- **reign** ⓝ 치세
- **personal trait** – 인격적 특성
- **under scrutiny** – 조사받다
- **personality** ⓝ 성격, 인격
- **inject** ⓥ 주입하다
- **harass** ⓥ 괴롭히다
- **bizarre** ⓐ 기이한
- **ablaze** ⓐ 불길에 휩싸인
- **chronicle** ⓝ 연대기
- **ruin** ⓝ 폐허
- **ruthless** ⓐ 무자비한, 가차 없는
- **shape** ⓥ 형성하다
- **complicated** ⓐ 복잡한
- **hate figure** – 미움 받는 인물
- **churn out** – 대량생산하다, 잇달아 내다
- **come to light** – 알려지다

02 왜 Nero에 대한 기존의 의견이 조사 대상이 되었는가?

① 고전 역사에서 전통적으로 미움 받는 인물들은 현대의 학자들에 의해 성격이 수정되었고 따라서 학자들은 Nero의 경우도 마찬가지가 될지 알고 싶어 한다.
② Nero의 삶 대부분은 알려져 있지 않으며 추측의 대상이지만 지금까지는 사실인 것으로 굳어졌다.
③ 학자들은 동일한 자료를 계속해서 내는 일에 진력이 났고 Nero의 이미지에 생명을 불어넣고 싶어 한다.
④ Nero의 성격과 Nero가 살던 시대에 대해 다른 양상을 보여 주는 증거가 알려졌다.

정답 ④

해설 'Nero의 행동은 새로운 학문적 연구의 대상이 되었으며, 이는 고대 로마의 연대기, 조각품, 폐허, 동전 등을 최근에 연구한 결과를 바탕으로 한다(Nero's behavior has come under fresh scholarly discussion, nourished by recent study of ancient Roman chronicles, sculpture, ruins and coins).' 이렇게 새로 등장한 증거를 바탕으로 하여 Nero 황제에 대한 기존의 견해가 수정되었다. 따라서 답은 ④이다.

03 다음 중 Nero의 사악한 행위가 아닌 것은 무엇인가?

① 어머니를 죽일 것을 요청했다.
② 로마가 불에 타도 신경 쓰지 않았다.
③ 기독교도와 유대인을 괴롭혔다.
④ 모든 예술가들의 죽음을 명령했다.

정답 ④

해설 Nero 황제는 '자신의 어머니의 죽음을 명령하고, 기독교도와 유대인을 박해하고(ordering his mother's death, persecuting Christian)', '자신이 저지른 불길에 로마가 휩싸이게(Rome was ablaze with a fire he had cause ④)' 만들었다. 이는 보기 ①, ③, ②에 해당된다. 따라서 답은 ④이다.

04-05

저녁에 불빛은 들어와 있으나 블라인드는 아직 내려오지 않았고 각 층마다 인간사의 다양한 부분이 드러나는 집 앞을 배회할 때 우리를 때때로 사로잡는 호기심을 만족하기 위해 우선 그것들을 읽어야 하는 것인가? 그러고 나서 우리는 잡담하는 하인들, 식사 중인 신사들, 파티에 참석하기 위해 옷을 차려 입는 소녀, 창가에서 뜨개질을 하는 나이 든 여성 등 여러 사람의 삶에 대한 호기심에 사로잡힌다. 이 사람들은 누구이고, 어떤 사람들이고, 이름은 무엇이고, 직업은 무엇이고, 무슨 생각을 품고, 어떤 신기한 경험을 했을까?
전기와 회고록은 이러한 의문에 답을 해 주고, 무수히 많이 존재하는 이러한 집에 불을 밝힌다. 즉, 전기와 회고록은 사람들이 죽을 때까지 일상생활을 하고, 고생하고, 실패하고, 성공하고, 먹고, 미워하고, 사랑하는 모습을 보여 준다. 그리고 우리가 바라보는 동안 집은 점차 희미해지고 철책은 사라지면서 우리는 바다로 떠나게 된다. 우리는 사냥하고, 항해하고, 싸운다. 우리는 야만인들과 병사들 사이에 있다. 우리는 대규모 작전에 참가 중이다.

어휘
linger ⓥ 머무르다, 배회하다
consumed with – ~에 사로잡히다
memoir ⓝ 회고록
innumerable ⓐ 셀 수 없이 많은, 무수한
toil ⓥ 힘들게[고생스럽게] 일하다
iron railings – 철책
in another person's shoes – 다른 사람의 입장에서
psyche ⓝ 마음, 정신
fascinate ⓥ 매혹하다, 마음을 사로잡다
elevated ⓐ 고상한, 높은
heights ⓝ 성공[성취]의 단계

04 본문에 따르면 전기의 역할은 무엇인가?

① 우리가 인생을 살 수 있는 더 나은 방법과 인생을 최대한 이용할 수 있는 방법을 가르쳐 준다.
② 우리가 다른 사람의 입장에서 봤을 때 인생이 얼마나 좋은지를 알려 준다.
③ 다른 사람의 인생을 엿보게 하고 우리를 다른 이들의 개인적 여정에 참여시켜 준다.
④ 숨겨진 채 있는 인간 마음속 부정적 요소를 노출시킨다.

정답 ③

해설 "전기와 회고록은 사람들이 죽을 때까지 일상생활을 하고, 고생하고, 실패하고, 성공하고, 먹고, 미워하고, 사랑하는 모습을 보여 준다(they show us people going about their daily affairs, toiling, failing, succeeding, eating, hating, loving, until they die)." 즉 전기와 회고록은 다른 사람의 인생을 보여 주는 역할을 한다. "그리고 우리가 바라보는 동안 집은 점차 희미해지고 철책은 사라지면서 우리는 바다로 떠나게 된다(And sometimes as we watch, the house fades and the iron railings vanish and we are out at sea)." 여기서 전기와 회고록을 읽으면서 우리는 바다로 떠나는 것으로 비유되는 다른 사람들의 인생 여정에 참여하게 된다는 것을 알 수 있다. 따라서 답은 ③이다.

05 본문에서 유추할 수 있는 것은 무엇인가?

① 불특정 다수의 전기에 매료되는 사람들은 특별한 유형의 사람들이다.
② 최고의 전기는 위대한 일을 이룩했으며 높은 성취 단계를 이룩한 사람들에 관한 것이다.
③ 전기를 읽을 때 우리는 전기에 묘사된 대상에게 존경심을 갖도록 해야 한다.
④ 전기를 즐겨 읽는 사람들은 인간의 본성과 다른 이의 사람에 호기심을 지닌 사람들이다.

정답 ④

해설 전기를 읽는 사람들은 "여러 사람의 삶에 대한 호기심에 사로잡힌(we are consumed with curiosity about the lives of these people)" 사람들이다. 따라서 답은 ④이다.

06-08

수많은 부모는 세계적 대유행 기간 동안 자녀의 원격 학습을 돕는 과정에서 정신이 다른 쪽에 쏠리게 되었다. 소수의 부모는 자녀의 수업을 전적으로 통제하는 편이 보다 쉽고 보람 있다는 사실을 깨닫게 되었다. 지역 관료들을 대변하는 집단인 아동지원국장협의회(Association of Directors of Children's Services)에서 11월 발표한 연구에 따르면, 영국에서 홈스쿨링을 받는 아이의 수는 2020년 10월까지 75% 상승한 약 75,000명이 되었다. 이는 전체 학령기 아동의 1% 미만에 해당하지만, 4년 전 홈스쿨링을 받던 아이의 수에서 두 배 증가한 것이다. 3월 이후 학교 건물 개방을 하고 있지 않은 미국의 경우, 홈스쿨링을 받는 아이의 수는 이보다 더 높다. 퓨 리서치 센터(Pew Research Center)에서 10월에 발표한 한 설문조사에 따르면, 미국의 학부모 가운데 약 7%가 공식적으로 자녀에게 홈스쿨링을 제공하고 있으며, 이는 봄의 3% 보다 상승한 것이다. 홈스쿨링을 받는 사람들의 수는 코로나19로 인한 혼란이 닥치기 훨씬 전부터 늘어나고 있었다. <u>수십 년 동안 미국 내 홈스쿨링에서 가장 큰 비중을 차지하는 사람들은 공립학교가 자녀를 타락시킨다고 두려워하는 보수적인 기독교인이다</u>. 하지만 교육부의 설문조사에 따르면 2007년 이래 홈스쿨링을 하는 "가장 중요한" 이유로 종교적 지침이나 도덕적 지침을 든 부모의 비율은 감소하고 있다. 현재 홈스쿨링의 이유로 학교에서의 마약 및 기타 불쾌한 영향을 든 부모가 더 많아졌다. 형편없는 학교 근처에 살고 사립학교 학비를 감당할 수 없는 사람은 때로는 홈스쿨링이 더 나은 선택지라는 결정을 내리게 된다. 흑인 가정 및 기타 소수자 가정은 공립학교 제도상의 인종차별에 대해 보다 더 우려하고 있다.

20

어휘 **pandemic** ⓝ 세계적 대유행
distraction ⓝ (정신이) 집중이 안 되게[산만하게/산란하게] 하는 것
rewarding ⓐ 보람 있는
the ranks (특정 단체 · 조직의) 구성원[회원](들)
instruction ⓝ 가르침, 지도
minority ⓝ 소수자
represent ⓥ 대표하다, 대변하다; (~에) 해당[상당]하다
disruption ⓝ 분열, 혼란
cite ⓥ (이유 · 예를) 들다[끌어 대다]

06 본문의 주제는 무엇인가?

① 코로나19의 세계적 대유행 때문에 홈스쿨링을 받는 학생의 수는 늘고 있는데, 실은 홈스쿨링을 받는 학생의 수는 이미 전부터 늘어나고 있던 중이었다.
② 부모는 자녀의 홈스쿨링을 원하지 않지만, 코로나19의 세계적 대유행이 부모로 하여금 홈스쿨링을 받도록 강제했다.
③ 자녀의 홈스쿨링에 대한 태도는 미국 및 영국에서 부정에서 긍정으로 변화하고 있다.
④ 코로나19의 세계적 대유행 이전에 홈스쿨링에 대한 시선이 곱지 않았지만 이제는 호의적으로 여겨진다.

정답 ①
해설 본문은 코로나19로 인해 홈스쿨링을 받는 아이의 수가 최근 늘어나고 있는데, 이러한 증가세가 단지 코로나19로 인한 것만이 아니며 그 전부터 이미 수가 늘고 있었음을 말하고 있다. "홈스쿨링을 받는 사람들의 수는 코로나19로 인한 혼란이 닥치기 훨씬 전부터 늘어나고 있었다"가 이를 가장 잘 나타낸다. 따라서 답은 ①이다.

07 본문에 따르면 부모가 자녀에게 홈스쿨링을 제공하기로 결심하는 이유는 무엇인가?

① 부모는 자녀가 친구를 사귀는 일과 노는 일에 집중하기보다 공부에 집중하기를 원한다.
② 부모는 학교 환경의 나쁜 영향으로부터 자녀를 보호하기를 원한다.
③ 부모는 자녀를 맡아 가르치는 사람 보다 자신이 더 나은 교사라고 믿는다.
④ 부모는 자녀가 다른 아이들과의 상호 작용으로 인해 아프게 되기를 원하지 않는다.

정답 ②
해설 "현재 홈스쿨링의 이유로 학교에서의 마약 및 기타 불쾌한 영향을 든 부모가 더 많아졌다." 여기서 답은 ②임을 유추할 수 있다.

08 아래의 문장이 들어갈 본문의 적당한 위치는?

> 수십 년 동안 미국 내 홈스쿨링에서 가장 큰 비중을 차지하는 사람들은 공립학교가 자녀를 타락시킨다고 두려워하는 보수적인 기독교인이다.

① [A] ② [B]
③ [C] ④ [D]

정답 ②

해설 [C] 다음의 문장에서 "하지만 교육부의 설문조사에 따르면 2007년 이래 홈스쿨링을 하는 "가장 중요한" 이유로 종교적 지침이나 도덕적 지침을 든 부모의 비율은 감소하고 있다(But since 2007 the share of parents who say that providing religious or moral instruction is the "most important" reason for them to home-school has fallen,)"rh 하였으므로, 그 앞의 문장에서는 종교적 이유가 주된 것이라는 문장이 나와야 한다. 그래야만 but을 중심으로 글의 전개가 달라지기 때문이다. 그러므로 정답은 ③이 된다.

09-11

심리학자 Robert O'Connor의 연구를 통해 사회적으로 내성적인 유치원 아이들에 대해 일부 두드러진 증거를 찾을 수 있다. 우리 모두는 이런 유형의 아이들을 접할 수 있다. 몹시 수줍어하고 게임이나 친구들이랑 짝을 지을 때 변두리에서 혼자 서 있는 아이들 말이다. O'Connor는 어른이 되어서도 사회적으로 위안을 얻거나 적응하는 데 지속적으로 어려움을 겪게 만드는 소외의 장기화 패턴이 심지어 어린 나이에 형성되는 것은 아닌지 우려했다. 이러한 패턴을 반전시키고자 O'Connor는 유치원을 배경으로 11개의 서로 다른 장면이 함유된 영화를 만들었다. 각 장면마다 각기 다른 아이가 혼자서 놀다가 계속 진행되는 사회적 활동을 지켜보고 적극적으로 활동에 참여하고 모든 이가 즐거워하는 모습이 나타났다. O'Connor는 유치원에서 가장 심각하게 내성적인 한 무리의 아이들을 선정한 다음에 이 영화를 보여 줬다. 놀랄 만큼의 효과가 나왔다. 고립된 상태의 아이들이 즉시 유치원 내 보통 아이들이 하는 것과 동등한 수준으로 친구들과 어울리기 시작했다.
O'Connor는 6주 후에 아이들을 관찰하고자 복귀하면서 더 놀라운 일을 발견할 수 있었다. O'Connor의 영화를 보지 않은 내성적 아이들은 여전히 고립된 상태였지만, 본 아이들은 이제 상당한 규모의 사회적 활동에 참여하면서 학교를 다니고 있었다. 23분 길이의 영화를 한번 본 것만으로도 사람들과 평생 잘 지내지 못하는 행동 패턴을 보일 가능성을 반전시킬 가능성이 충분한 것으로 보인다.

어휘
striking ⓐ 두드러진, 눈에 띄는
preschool ⓝ 유치원
persistent ⓐ 끊임없이 지속되는
nursery-school 유치원, 유아원
ongoing ⓐ 계속 진행 중인
maladaptive ⓐ 적응성이 없는, 부적응의
ambience ⓝ 분위기
sort out – 정리하다, 처리하다
withdrawn ⓐ 내성적인, 틀어박힌
fringe ⓝ 가장자리, 변두리
reverse ⓥ 반전시키다, 뒤바꾸다
solitary ⓐ 혼자서 잘 지내는, 혼자 있기를 좋아하는
isolate ⓝ 고립된 사람
potency ⓝ 효능
retreat ⓥ 물러서다, 후퇴하다

구문정리 O'Connor worried that a long-term pattern of isolation was forming, even at an early age, that would create persistent difficulties in social comfort and adjustment through adulthood.
O'Connor는 어른이 되어서도 사회적으로 위안을 얻거나 적응하는 데 지속적으로 어려움을 겪게 만드는 소외의 장기화 패턴이 심지어 어린 나이에 형성되는 것은 아닌지 우려했다.

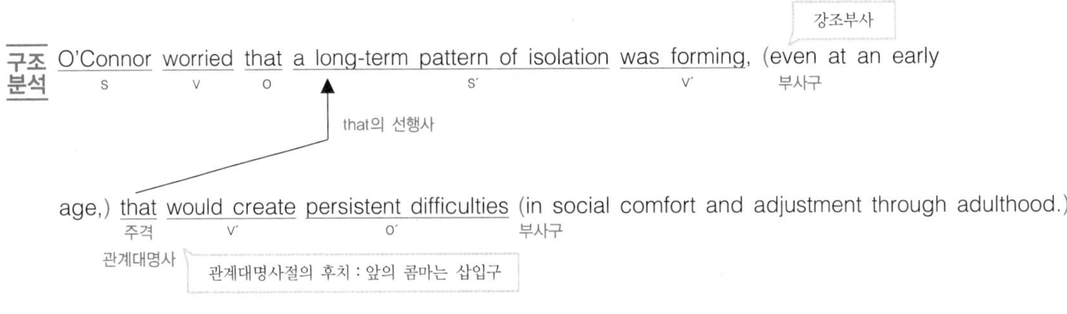

09 본문의 주제는 무엇인가?

① 아이의 사회적 상호 작용을 변화시킬 경우 알 수 없는 수많은 효과가 생성된다.
② 아이가 사회적으로 서먹한 상태가 되는 이유는 교우 관계에 있다.
③ 사회적으로 내성적인 아이의 성격을 바꾸는 것은 가능하다.
④ 내성적인 아이의 문제를 식별하는 것은 문제를 해결하는 것보다 쉽다.

정답 ③
해설 본문은 사회적으로 다른 아이들과 잘 어울리지 못하는 내성적인 아이도 영화를 보여 준 것만으로도 바뀔 수 있다는 내용을 담고 있다. 따라서 답은 ③이다.

10 내성적인 아이에 관해 유추할 수 있는 것은 무엇인가?

① 사회적으로 편안함을 느끼는 아이들의 무리에 들어오려면 엄청난 용기가 필요하다.
② 내성적인 아이가 활동에 참가하면 무리의 분위기가 변하기 시작한다.
③ 자신과 비슷한 다른 아이들이 상호 작용을 하는 것을 보기 시작하면 아이들은 자신도 똑같이 할 수 있음을 깨닫게 된다.
④ 영화를 본 내성적인 아이들은 스스로의 변화를 목격하고 있다고 생각한다.

정답 ③
해설 내성적이던 아이들은 영화 속에서 자신과 비슷한 아이들이 혼자 놀다가 다른 이들과 어울리는 모습을 보고 따라서 행동하게 된다. 이는 이 아이들이 자신도 영화 속 아이들처럼 다른 아이들과 어울려 놀 수 있음을 깨달았기 때문에 가능한 것이다. 따라서 답은 ③이다.

11 영화의 내용은 무엇인가?

① 사회적으로 서먹한 아이들과 보통 아이들이 서로를 더 잘 대우하는 법을 배우는 가운데 이들의 상호작용
② 심리적으로 치료를 받기 전과 그 이후의 사회적으로 내성적인 아이들의 행동
③ 사회적으로 편안함을 느끼기 힘든 수많은 아이들이 서로 친구가 되는 법을 배우기
④ 집단의 상호 작용으로부터 보통 멀어져 가던 일련의 아이들이 참여하면서 재미를 느끼는 모습

정답 ④
해설 영화에서는 "각 장면마다 각기 다른 아이가 혼자서 놀다가 계속 진행되는 사회적 활동을 지켜보고 적극적으로 활동에 참여하고 모든 이가 즐거워하는 모습이 나타났다(Each scene began by showing a different solitary child watching some ongoing social activity and then actively joining the activity, to everyone's enjoyment)." 즉 처음에는 혼자 놀던 아이가 다른 아이와 어울리면서 즐겁게 지내는 내용이 나왔다. 따라서 답은 ④이다.

12-14

"생활방식(lifestyle)"은 마케팅 공동체 이전에 소비자들이 먼저 채택한 전문 용어의 한 예이다. "생활방식"은 "상상하다"와 "아메리칸 드림"과 마찬가지로 믿을 수 없을 정도로 강력한데, 왜냐하면 이 단어는 동시에 자체적으로 의미가 분명히 드러나면서 사람들의 열망을 드러내기 때문이다. 즉 모든 사람들은 자신만의 독특한 생활 방식을 정의하며 이를 구현하기를 열망한다. 하지만 "아메리칸 드림"과는 달리 "생활방식"이라는 개념은 비교적 새로운 용어에 속한다.이 복합어는 호주 과학자인 Alfred Adler가 1929년에 만들었지만, 1960년대까지는 지금 쓰이는 정의가 적용되지는 않았다. "생활방식"이라는 단어는 (독일어에서 파생된 합성어인) Weltanschauung 즉 "세계관"을 창조하고 세계관의 전형적인 예가 된다. 이 Weltanschauung은 공동체 지향이라기보다는 개인주의적이고, 포괄적이라기보다는 개인의 필요에 맞춰져 있으며, 향수를 불러일으키거나 전통에 매여 있기보다는 미래 지향적이다. 사람의 삶(life)을 스타일링(styling)한다는 개념 그리고 좋은 삶에는 다양한 방식(style)이 존재하고 선택도 가능하다는 것은 우리 증조부모 입장에서는 이질적이고 기이한 개념이다. 하지만 "생활방식"은 더욱 세속적이고 개인주의적으로 변한 현 시대를 이해하기 위한 필수적인 개념이다.
"생활방식"은 "좋은 삶"의 모델이 하나만 있는 것은 아님을 그리고 우리가 할 일은 여러 모델 중에 선택하는 것임을 암시한다. 이는 상대주의적이거나 자기 본위로 보일 수 있지만 우리는 개성의 시대에 살고 있고 생활방식의 선택은 우리가 누구인지를 규정하기 위한 필수 요소이다.
오늘날 "생활방식"은 젊은이들 사이에서 특별한 의미를 지니면서 통용되며, 젊은이들은 자신이 좋아하는 것, 자신이 믿는 것, 자신이 하고 싶은 것 등을 묘사하기 위해 "생활방식"을 활용한다. 이 단어는 두루뭉술한 의미를 지닌 용어이다. 식사 방식, 운동을 위해 하는 것, 일하는 양 등에 관해 말하는 대신에 전체를 뭉뚱그려 "생활방식"에 관해 발하게 된다. 모든 다양한 측면들이 개별적으로 검토되기보다 더 포괄적인 "생활방식"의 맥락 하에 포함된다. 더 이상 직업을 통해 무엇을 원하는지, 어디서 살고 싶은지, 무엇을 하며 재미있게 보내고 싶은지 등에 관한 질문은 더 이상 이루어지지 않는다. 이들은 단지 "스스로 어떤 생활방식을 영위하길 원하는가?"라는 더 큰 범위의 질문의 부분 집합에 불과하다.

어휘
terminology ⓝ 전문 용어
exemplify ⓥ 전형적인 예가 되다, 예를 들다
world-view – 세계관
exemplify ⓥ 전형적인 예가 되다
generic ⓐ 포괄적인
tethered to – ~에 매인
bizarre ⓐ 기이한
individualist ⓐ 개인주의의
self-centered ⓐ 자기 본위의
currency ⓝ 통용
facet ⓝ 측면, 양상
subset ⓝ 부분 집합
individualism ⓝ 개성, 개인주의
outlook ⓝ 관점, 세계관
all walks of life – 사회 각계각층
compound word – 복합어, 합성어
Weltanschauung ⓝ 인생관, 세계관
-derived ⓐ ~에서 유래된[파생된]
-oriented ⓐ ~을 지향하는
nostalgic ⓐ 향수를 불러일으키는
foreign ⓐ 이질적인
secular ⓐ 세속적인
relativistic ⓐ 상대주의의
individuality ⓝ 개성, 특성
catch-all ⓝ 두루뭉술한 것
subsume ⓥ 포함하다, 포괄하다
implication ⓝ 영향, 결과
introspective ⓐ 자기성찰적인
adhere to – ~을 고수하다[충실히 지키다]
denote ⓥ 의미하다, 뜻하다

12 **본문의 주제는 무엇인가?**

① 오늘날 세대에게 있어 생활방식이 갖는 의미
② 생활방식과 아메리칸 드림의 차이
③ 자신만의 생활방식을 가질 경우 미치는 영향
④ 현대 사회의 생활방식의 개인주의

정답 ①
해설 마지막 단락에 잘 나타나 있듯이, 본문은 지금 세대에게 생활방식이란 것이 어떤 의미를 갖는지를 설명하고 있다. 따라서 답은 ①이다.

13 **다음 중 생활방식에 관한 것 중 사실은 무엇인가?**

① 생활방식은 Alfred Adler가 소개하기 전까지는 미국에 알려진 바 없었다.
② 사람들은 자신에게 기쁨을 주는 자신만의 생활방식을 보유하길 염원한다.
③ 독특한 생활방식을 보유한다는 것은 삶에 관해 자기성찰적인 관점을 보유한다는 암시를 준다.
④ 여러 생활방식을 고수했지만 동등하게 개인주의적이었던 이전 세대

정답 ②
해설 "모든 사람들은 자신만의 독특한 생활 방식을 정의하며 이를 구현하기를 열망한다(everyone defines and aspires to his or her own unique lifestyle)"와 "오늘날 "생활방식"은 젊은이들 사이에서 특별한 의미를 지니면서 통용되며, 젊은이들은 자신이 좋아하는 것, 자신이 믿는 것, 자신이 하고 싶은 것 등을 묘사하기 위해 "생활방식"을 활용한다(Today, "lifestyle" has special currency among young people, who use it to describe what they like, what they believe, and what they want to do)"로 미루어 봤을 때 사람들은 자신이 좋아하고 원하는 것을 하는 자신만의 생활방식을 원한다. 따라서 답은 ②이다.

14 **밑줄 친 부분의 의미는 무엇인가?**

① 다양한 범위의 의미를 포괄하는 단어이다.
② 수많은 유형의 사람들이 사용하는 단어이다.
③ 사회 각계각층의 사람들이 이해할 수 있는 단어이다.
④ 특정한 사람들에게 특정한 것을 의미하는 단어이다.

정답 ①
해설 밑줄 친 부분은 "이 단어는 두루뭉술한 의미를 지닌 용어이다" 즉 하나가 아닌 여러 의미를 지닌 단어라는 뜻이다. 보기 중에서 이와 의미상 가장 가까운 것은 ①이다.

15-17

소설이 없다면 우리는 인생을 살 만한 가치가 있게 만드는 자유의 중요성을 덜 깨닫게 될 것이며 독재자, 이념, 종교로 인해 자유가 발밑으로 짓밟힐 경우 자유가 지옥으로 변하는 광경을 덜 깨닫게 될 것이다. 문학이 우리를 아름다움과 행복의 꿈속으로 가라앉힐 뿐 아니라 온갖 유형의 압제에 대해 경고를 전해 준다는 것에 의문을 표하는 사람들은 스스로에게 왜 국민의 행동을 요람에서 무덤까지 통제하고자 단단히 마음먹었던 모든 정권이 문학을 너무 두려워한 나머지 문학을 억누르고자 검열 제도를 수립하고 독립적인 작가들에게 감시의 눈길을 던졌는지 의문을 던질 필요가 있다. 정권이 이러한 조치를 취한 이유는 상상력이 책 속에서 자유롭게 돌아다니도록 허용할 경우 생기는 위험성을 알고 있었기 때문이며, 독자들을 자유롭게 만들어 주면서 독자들이 실제로 행사할 수 있는 자유와 실세 세상에서 숨은 채 독자들을 기다리는 반계몽주의와 공포를 독자들이 비교하게 되는 순간 나타날 반정부적인 성격을 알기 때문이다. 정권이 원하든 원하지 않든, 알고 있든 그렇지 않든, 작가가 이야기를 창조하면 이야기의 작가는 불만을 전파하며, 세상은 엉망으로 만들어져 있으며 환상 속 삶은 평범한 일상보다 더 화려하다는 점을 보여 준다. 이러한 사실은 국민들의 감성과 지각에 뿌리내려 있다면 국민들을 다루기 더 어렵게 만들고, 철창 속에서 더 안정되고 나은 삶을 살 수 있다고 국민들을 믿게 만들려는 심문자와 간수들의 거짓말을 덜 받아들이게 만든다.

어휘
- **livable** ⓐ 살 만한, 살 가치가 있는
- **underfoot** ⓐ 발밑의, 굴복한
- **submerge** ⓥ 깊이 감추다, 침몰시키다
- **regime** ⓝ 정권, 체제
- **censorship** ⓝ 검열
- **wary** ⓐ 경계하는, 감시하는
- **obscurantism** ⓝ 반계몽주의, 몽매주의
- **propagate** ⓥ 전파하다
- **daily routine** – 평범한 일상
- **sensibility** ⓝ 감성, 감수성
- **manipulate** ⓥ 조종하다
- **jailer** ⓝ 간수
- **be subjected to** – ~을 받다[당하다]
- **at odds with** – ~와 불화하다
- **argumentative** ⓐ 따지기 좋아하는
- **cradle** ⓥ 요람에 넣어 재우다, 기르다
- **trample** ⓥ 짓밟다
- **ideology** ⓝ 이념
- **oppression** ⓝ 압박, 압제
- **determined** ⓐ 단호한, 단단히 마음먹은
- **repress** ⓥ 억누르다
- **seditious** ⓐ 반정부적인, 불온한
- **lie in wait** – 숨어서 기다리다
- **dissatisfaction** ⓝ 불만
- **take root in** – ~에 뿌리내리다
- **consciousness** ⓝ 의식, 지각
- **interrogator** ⓝ 심문자, 추궁하는 자
- **behind bars** – 철창 속에 갇힌
- **unconditionally** (adv) 무조건적으로, 절대적으로
- **under the rule of** – ~의 지배를 받는
- **from cradle to grave** – 요람에서 무덤까지

구문정리 Let those who doubt that literature not only submerges us in the dream of beauty and happiness but alerts us to every kind of oppression, ask themselves why all regimes determined to control the behavior of citizens from cradle to grave fear it so much they establish systems of censorship to repress it and keep so wary an eye on independent writers.

문학이 우리를 아름다움과 행복의 꿈속으로 가라앉힐 뿐 아니라 온갖 유형의 압제에 대해 경고를 전해 준다는 것에 의문을 표하는 사람들은 스스로에게 왜 국민의 행동을 요람에서 무덤까지 통제하고자 단단히 마음먹었던 모든 정권이 문학을 너무 두려워한 나머지 문학을 억누르고자 검열 제도를 수립하고 독립적인 작가들에게 감시의 눈길을 던졌는지 의문을 던질 필요가 있다.

20

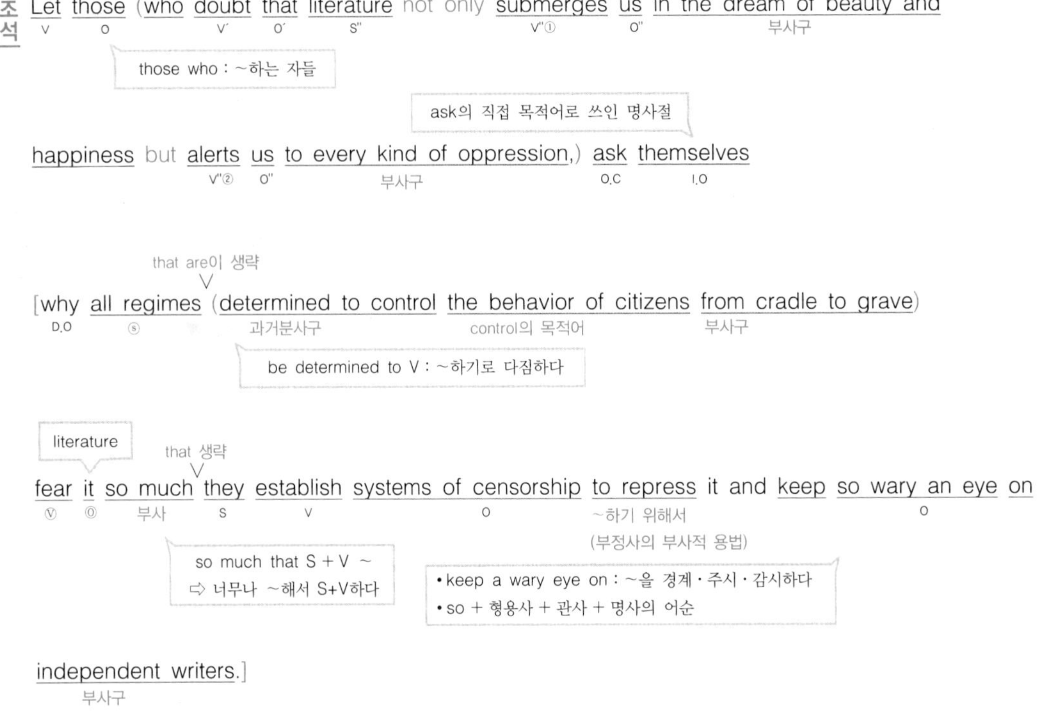

15 본문의 주제는 무엇인가?

① 소설은 실제 세상은 무언가가 결여되어 있다는 사실에 우리의 눈을 뜨이게 만든다.
② 작가들은 사회에서 필요한 존재이며 그 이유는 작가들이 없다면 우리는 아무것도 느끼지 못할 것이기 때문이다.
③ 소설은 오랫동안 검열의 대상이었으며 그 이유는 똑똑한 사람들이 소설을 썼기 때문이다.
④ 소설을 읽지 않는 사람들은 다른 이들을 무조건적으로 받아들일 확률이 높다.

정답 ①

해설 본문은 소설과 소설을 통한 상상력은 인간을 자유롭게 만들어 주면서 실제 세상의 억압에 사람들의 눈이 뜨이도록 만들어 준다는 것이 주된 내용이다. 따라서 답은 ①이다.

16 본문에서 유추할 수 있는 것은 무엇인가?

① 삶에 불만을 가진 사람들은 무엇이 잘못인지 인식하기 위해 소설을 읽을 필요가 없다.
② 문학을 검열하지 않는 정부는 비판에 대해 열린 태도를 갖는다.
③ 소설은 우리보다 위에 있는 사람들과 그 사람들이 우리에게 할지도 모르는 일을 두려워하도록 가르친다.
④ 독서하는 사람들은 자연히 그렇지 않은 사람보다 따지기를 좋아한다.

정답 ②

해설 본문에 따르면 정권이 검열 제도를 수립한 이유는 문학을 억누르지 않을 경우 생기는 반체제적 위험성을 잘 알고 있기 때문이다. 역으로 말하면 검열 제도를 두지 않는 정권은 반체제적 위험을 수용할 수 있는 아량을 갖춘 정권이다. 따라서 답은 ②이다.

17 다음 구문 중 빈칸에 적합한 것은 무엇인가?

① 요람에서 무덤까지
② 집에서부터 그들이 가는 곳 어디에건
③ 인터넷을 통하여
④ 온라인 공동체의 탄생과 조정을 통하여

정답 ①

해설 문맥상 국민의 행동을 '처음부터 끝까지' 통제한다는 의미의 표현이 빈칸에 적합하며, 보기 중에서 빈칸에 대입했을 때 '처음부터 끝까지'란 표현과 가장 걸맞은 것은 ①이다.

18-20

미국 외교정책의 한 가지 목표는 이스라엘 옆에 별개의 팔레스타인 국가를 창립하는 것이며, 이는 중동 평화를 위한 2국가 해결안으로 잘 알려져 있다. 하지만 최근에 이처럼 해결 안 되던 문제에 대응해 1국가 해결안에 관한 논의가 많이 이루어지고 있다. 과연 무슨 일이 진행 중에 있는 것일까?

사실 1국가 해결안은 오래된 생각을 새로 포장한 것일 뿐이다. 일부 유대인들은 이스라엘이 건립되기 아주 오래 전부터 성지에 국적은 두 개인 하나의 국가를 건립하는 일에 찬성의 뜻을 표했다. 오늘날에는 한 국가에 속한 모든 사람들이 동일한 민족성이나 종교를 공유해야 한다는 생각을 낡은 생각으로 여기는 이스라엘 및 해외에 있는 사람들 모두에게 1국가 해결안은 매력적으로 들린다. 한편 팔레스타인인들에게 약간의 영토라도 포기하고 넘겨준다는 사실을 혐오하는 이스라엘인들도 1국가 해결안을 마음에 들어 하며, 그 이유는 1국가 해결안은 마치 자신들이 현재 보유하고 있는 것을 지속적으로 고수할 수 있는 것으로 들리기 때문이다. 그리고 일부 외부인 입장에서도 1국가 해결안은 매력적이고 그 이유는 별개의 국가로 분리하기 위한 협상은 지금까지 매우 까다로웠고 거의 진전을 보지 못했기 때문이다.

1국가 해결안에 관해 논하는 사람들은 따라서 완전히 다르면서 양립할 수 없는 것들을 의도하며 말하고 있다. 이스라엘 정계의 극우파들 입장에서 1국가 해결안은 팔레스타인들을 제 3국으로 추방하는 것이다 (요르단이 제 3국으로 자주 언급되는데, 정작 요르단인들은 이에 전혀 관심조차 없다). 1국가를 선호하는 좌파들의 경우, 1국가란 팔레스타인 모슬렘들이 언젠가는 수상도 될 수 있는 다인종으로 구성되고 여러 종교를 용인하는 국가를 의미한다. 이런 양측의 입장은 근시일 내에 합의가 이루어지지 않을 것이다.

미래 어느 시점에서 인구 변동으로 인해 이스라엘인들은 대부분 유대인들로만 이루어진 국가 또는 민주국가 간에 선택을 해야 할 것이며, 그 이유는 이스라엘 내의 팔레스타인인들이 이스라엘 유대인에 비해 훨씬 더 빠른 비율로 아이를 낳기 때문이다. 유대인들이 이렇게 선택에 기로에 놓이는 경우를 회피할 수 있는 유일한 방법은 팔레스타인인들을 위해 별개의 독자 생존이 가능한 국가를 건립하는 것이다. 이는 즉 사람들이 오래지 않아 2국가 해결안에 관해 다시 논의하게 될 것임을 의미한다.

어휘 **alongside** (prep) 옆에, 나란히
dress up – 달라 보이게 꾸미다
binational ⓐ 두 국적의
antiquated ⓐ 낡은, 구식의
abhor ⓥ 혐오하는
incompatible ⓐ 양립할 수 없는
multi-confessional ⓐ 여러 종교를 용인하는
predominantly (ad) 대부분, 대개
revert to – ~으로 돌아가다, 다시 하기 시작하다
get along – 함께 잘 지내다
solidarity ⓝ 연대, 결속
come round – 생각이나 의견을 바꾸다
intractable ⓐ 아주 다루기 힘든, 해결이 안 되는
argue for – ~에 찬성 의견을 표하다
ethnicity ⓝ 민족성
enticing ⓐ 매력적인, 마음을 끄는
hold on to – 고수하다, 계속 유지하다
expel ⓥ 축출하다, 추방하다
demography ⓝ 인구 변동
viable ⓐ 독자 생존이 가능한
concede ⓥ 인정하다, 내주다
make a show of – ~을 과시하다[자랑하다]
naive ⓐ 순진한, 세상 물정 모르는
cyclically (ad) 주기적으로, 순환하여

18 위의 단락들을 논리적인 순서로 배열하시오.

① [B] – [C] – [A] – [D]
② [C] – [D] – [B] – [A]
③ [C] – [B] – [A] – [D]
④ [B] – [A] – [D] – [C]

정답 ④

해설 이스라엘과 팔레스타인의 중동 문제에 대한 문제 제기가 있고 나서, 1국가 해결안이 부상한 이유에 대한 설명이 따라와야 한다. 그런 다음 1국가 해결안 내에서도 우파와 좌파의 대립에 대한 세부적인 설명이 이어져야 한다. 마지막으로 이런 1국가 해결안으로는 문제를 해결할 수 없기 때문에 2국가 해결안에 대안임을 지적하면서 글이 마무리 되어야 한다. 그러므로 정답은 ④이다.

19 본문의 결론은 무엇인가?

① 1국가 해결안을 두고 벌어지는 널리 알려진 논쟁이 의미하는 바는 즉 사람들이 1국가 해결안을 이행하기가 매우 까다롭다는 것을 깨닫게 될 것이라는 것이며 따라서 2국가 해결안이 다시 협상 테이블에 오르게 될 것이라는 것이다.
② 이스라엘은 2국가 해결안을 따르게 될 것이며, 그 이유는 이스라엘이 1국가 해결안을 매우 두려워한 나머지 땅 한 조각도 팔레스타인인들에게 내어줄 준비가 되어 있지 않기 때문이다.
③ 어느 한 쪽도 1국가 해결안에 관한 최종 선택을 내리는 일에 책임을 지고 싶지 않아 하며 따라서 2국가 해결안이 더 선호된다.
④ 팔레스타인인의 수는 곧 이스라엘의 유대인의 수를 뛰어넘을 것이며 따라서 2국가 해결안이 이스라엘 유대인의 영토를 보존하기 위해 더 선호된다.

정답 ①

해설 본문에 따르면 팔레스타인 문제를 두고 1국가 해결안이 논의되고 있지만 여러 가지 문제로 인해 결국에는 "사람들이 오래지 않아 2국가 해결안에 관해 다시 논의하게 될 것이다(people will revert to talking about a two-state solution before long)." 따라서 답은 ①이다.

20 **1국가 해결안을 보는 좌파와 우파의 시각은 어떻게 다른가?**

① 우파는 팔레스타인인들이 약속을 지킬 것이라는 신뢰를 갖고 있지 않고 좌파는 이스라엘의 유대인들을 거짓 말쟁이라고 생각한다.

② 1국가 해결안은 만일 지도자들이 함께 잘 지내면서 연대하는 모습을 자랑할 경우 좌파와 우파 모두에게 받아들여질 수 있다.

③ 좌파는 우파가 기존의 해결책을 찾고 있는 것으로 보고 우파는 좌파로부터 세상 물정 모르는 청년의 모습을 본다.

④ 우파는 팔레스타인인을 이스라엘에서 추방하고 싶어 하고 좌파는 팔레스타인인들 모두 함께 공존하며 평화롭게 살기를 원한다.

정답 ④

해설 "이스라엘 정계의 극우파들 입장에서 1국가 해결안은 팔레스타인들을 제 3국으로 추방하는 것이다(On the hard right of Israeli politics it means expelling Palestinians to some third country)". "1국가를 선호하는 좌파들의 경우, 1국가란 팔레스타인 모슬렘들이 언젠가는 수상도 될 수 있는 다인종으로 구성되고 여러 종교를 용인하는 국가를 의미한다(For those on the left who favour a single state, it means a multi-ethnic, multi-confessional country in which a Palestinian Muslim might one day become prime minister)." 즉 1국가를 바라보는 좌파와 우파의 시각은 극과 극인 것이다. 따라서 답은 ④이다.

21-24

내가 어렸을 때 어머니는 "말하는 내용이 아니라 말하는 방법이 중요하다"라고 말씀하셨다. 수년이 지난 후 내가 아이들에게 똑같은 내용을 말하게 되었다. 매일마다 아이들의 행동을 보면 말이 아니라 말을 하는 방법에서 우리가 취하는 태도의 상당 부분이 드러난다는 사실을 깨닫게 된다.

회화를 할 때마다 두 가지 형태의 대화가 실제로 일어나는데, 하나는 말을 사용하는 것이고, 다른 하나는 어조를 사용하는 것이다. 때로 이 두 가지가 일치하기도 하지만 그렇지 않은 경우도 종종 존재한다. 누군가에게 "안녕하세요"라고 묻고 "좋습니다"라고 응답을 듣게 되면, 보통은 답한 사람의 실제 기분이 어떠한지 알기 위해 "좋다"는 말에만 의존하지 않는다. 그보다 진짜로 좋은지 아니면 우울한 건지, 불안한 건지, 흥분한 상태인지, 그 외 여러 감정 가운데 하나인지 알려 주는 것은 말의 어조이다. 어조, 음량, 억양, 그 외 음성적 특징에 귀를 기울이게 되면, 비언어적 대화를 이해하게 되면서 여기서 실제 대화의 본질을 파악하게 되는 경우가 흔하다.

정상적인 청력을 지닌 사람은 어조를 통해 사람들이 전하는 신호를 파악할 수 있다. 하지만 모든 신호를 이해할 수 있는 사람은 거의 없다. 이는 어느 정도는 우리가 다른 사람과 의사소통을 할 때 여러 가지 요소가 우리의 관심을 끌기 위해 서로 경쟁하기 때문이다. 우리는 사람들의 외모와 신체 언어를 평가하며, 말의 내용에 귀를 기울이고, 행동을 관찰한다. 우리는 심지어 사람이나 행동을 대상으로 우리가 취하게 되는 직관적 반응을 파악하기 위해 애쓰곤 한다. 언어적 세부 요소는 이 과정에서 모두 실종된다. 토라지거나, 슬프거나, 좌절한 어조로 보내는 메시지를 파악하기는 쉽다. 하지만 순식간에 스쳐가는 불안, 공포, 쑥스러움 등의 분위기는 세심한 주의를 기울이지 않으면 순식간에 흘러갈 수 있다.

20

어휘 **reveal** ⓥ 드러내다, 밝히다
depressed ⓐ 우울한
excited ⓐ 들뜬, 흥분한
tune in to – ~을 청취하다, ~을 이해하다
substance ⓝ 본질, 핵심
interact ⓥ 소통하다, 교류하다
intuitive ⓐ 직감의, 직관의
pouty ⓐ 뿌루퉁한, 토라진
anxiety ⓝ 불안, 염려
slip past – 슬쩍 흘러가다
elaborate on – ~에 관해 자세히 설명하다
partake in – ~에 참여하다
tone of voice – 어조
anxious ⓐ 불안해 하는
cadence ⓝ 억양
nonverbal ⓐ 비언어적인
convey ⓥ 전달하다
size up – ~에 관해 평가하다
subtleties ⓝ 세부 사항, 세부 요소
fleeting ⓐ 순식간의, 잠깐 동안의
note ⓝ 어조, 분위기
concentrate on – ~에 집중하다
pick up on – ~을 이해하다

---

21 **다음 중 누군가가 말을 할 때 집중해야 할 요소로 언급되지 않은 것은 무엇인가?**

① 말하는 사람의 목소리는 어느 정도인가
② 말을 하는 동안 전해지는 태도
③ 사용하는 말의 리듬
④ 감정을 전하기 위해 선택한 특정한 말

정답 ④
해설 말을 할 때 귀를 기울여야 할 요소로는 '어조, 음량, 억양, 그 외 음성적 특징(tone, volume, cadence, and other vocal characteristics)' 등이 있으며, 보기 중에서 이에 속하지 않는 것은 ④이다.

---

22 **어떤 사람의 기분이 좋은지 알 수 있는 방법은 무엇인가?**

① "좋다"는 말 그 자체의 언어에 집중하기보다 누군가가 말을 하는 방식에 귀를 기울인다.
② 말하는 사람이 좋다고 말하는 시점까지 그 사람에게 어떤 일이 있었는지 세심히 관찰한다.
③ 말하는 사람의 인생을 파악해야 우리는 사람의 감정 유형을 알아내게 되며 좋다고 말할 때 실제 어떤 의미를 갖고 말한 것인지 알 수 있다.
④ 말하는 사람이 처음 한 말을 수용하기보다 답에 관해 더 자세히 설명해 달라고 요청해야 한다.

정답 ①
해설 '어조, 음량, 억양, 그 외 음성적 특징에 귀를 기울이게 되면, 비언어적 대화를 이해하게 되면서 여기서 실제 대화의 본질을 파악하게 되는 경우가 흔하다(When you listen to tone, volume, cadence, and other vocal characteristics, you tune in to the nonverbal conversation, where the true substance is often found).' 즉 단순한 말이 아니라 말이 전해지는 방식 및 음성적 특징에 귀를 기울여야 진짜 기분이 좋은지 말로만 그런지 알 수 있는 법이다. 따라서 답은 ①이다.

23 본문에서 유추할 수 있는 것은 무엇인가?

① 대화에서 말로 이루어지지 않고 넘어간 것이 가장 중요한 부분인 경우가 종종 있다.
② 대부분의 사람들은 대화 중에 진행되는 여러 사항을 이해하지 못한다.
③ 대화에서 첫째로 해야 할 일은 다른 사람들을 신체적으로 평가하는 것이다.
④ 집중만 조금 하게 되면 대화에서 신호를 전부 파악하는 것은 어렵지 않다.

정답 ②

해설 '정상적인 청력을 지닌 사람은 어조를 통해 사람들이 전하는 신호를 파악할 수 있다. 하지만 모든 신호를 이해할 수 있는 사람은 거의 없다(Anyone with normal hearing can detect the signals people convey with their tone of voice, but few of us understand all of them).' '순식간에 스쳐가는 불안, 공포, 쑥스러움 등의 분위기는 세심한 주의를 기울이지 않으면 순식간에 흘러갈 수 있다(a fleeting note of anxiety, fear, or embarrassment may slip right past you if you don't pay close attention).' 여기서 미루어 봤을 때 사람들은 대화 속의 신호를 전부 다 잡아낼 수 있는 것은 아님을 알 수 있다. 따라서 답은 ②이다.

24 다음 중 밑줄 친 부분을 가장 잘 패러프레이즈한 것은 무엇인가?

① 여러분이 사용하는 대화 및 어조는 두 가지 회화의 차이점을 의미할 수 있다.
② 각 회화가 서로 다른 것이 되도록 하기 위해 여러분은 대화와 어조에 관심을 보일 필요가 있다.
③ 두 대화를 점검해 보면, 여러분은 대화와 어조가 의미를 바꾸게 됨을 알게 된다.
④ 우리는 말을 할 때 대화와 어조라는 두 가지 회화에 참여하게 된다.

정답 ④

해설 밑줄 친 부분을 해석하면 '회화를 할 때마다 두 가지 형태의 대화가 실제로 일어나는데, 하나는 말을 사용하는 것이고, 다른 하나는 어조를 사용하는 것이다'이며, 보기 중에서 이와 동일한 의미를 지닌 것은 '두 가지 회화가 일어난다'는 의미의 ④이다.

25-28

겉보기에 농담 삼아 전하는 메시지이든 매우 성의 있게 전하는 메시지이든 간에 다른 사람들이 당신에 관해 말하는 것을 잘 들으라. 만일 사람들이 당신의 외모에 관해 말하거나 가끔 버릇에 관해 말을 한다면 왜 그러는지 자문해 보라. 여러분의 불쾌한 습관에 관해 정중하게 귀띔해 주려는 노력일지 모르는 것을 아무 생각 없이 묵살하지 말라. 어머니께서 말씀하셨다시피 "박하사탕을 거부해서는 안 된다. 왜 박하사탕을 주는지 아무도 모르는 거란다." 그리고 아무 생각 없이 또는 농담 삼아 한 다른 사람들의 말을 무시하지 말라. "그냥 농담이야"라고 한 말은 실제로는 그렇지 않을 수 있다. 이는 O. J. Simpson 재판을 위한 배심원 선정 초기에 (당시 검사였던) Marcia Clark이 한 사람의 배심원에게 혹시 자신이 기분을 상하게 하는 행동을 했거나 말을 한 것은 아닌지 물었을 때 분명하게 드러난 점이었다. 보수적이고 나이가 지긋한 이탈리아계 미국 여성이었던 그 배심원은 "스커트가 너무 짧네요"라고 답했다.
배심원의 나이와 문화적 배경을 고려했을 때 이러한 항의가 놀랄 만한 일은 아니었다. 하지만 그렇게나 직접적으로 들리도록 말하는 것은 조금은 놀랄 일이었다. 법정에 있는 몇몇 사람들은 키득거리던 것을 억누르고 있었고, 대체로 당시엔 그 말을 매우 심각하게 받아들여지지는 않았다. 하지만 언론이 Marcia Clark의 스커트 길이에 관해 집착하는 모습을 보이자 이후 나는 그 배심원에 관해 생각하게 되었다. 분명히 그 나이 든 여성의 의견이 전혀 빗나간 것은 아니었다.

어휘 **jest** ⓝ 농담
sincerity ⓝ 성실, 성의
mannerism ⓝ 버릇
dismiss ⓥ 묵살하다
offensive ⓐ 모욕적인, 불쾌한
mint ⓝ 박하 (사탕)
early on – 초기에
objection ⓝ 이의, 항의
giggle ⓝ 키득거리다, 낄낄거리다
apparently (adv) 듣자 하니, 분명히
take on board – 받아들이다, 이해하다
brush under the carpet – 감추다
courtesy ⓝ 예의상 하는 행동, 공손
mean ⓐ 짓궂은, 성격이 나쁜
utmost ⓐ 최고의, 극도의
occasionally (adv) 가끔
casually (adv) 우연히, 무심코
tip off – 귀띔해 주다
turn down – 거부하다, 거절하다
bring home – 뼈저리게 깨닫게 하다, 절실히 느끼게 하다
juror ⓝ (한 사람의) 배심원
suppress ⓥ 숨기다, 억누르다
obsessed with – ~에 집착하다, ~에 사로잡히다
off the mark – 빗나간, 틀린
prejudice ⓝ 편견
elicit ⓥ 끌어 내다
take it to heart – 깊이 생각하다, 진지하게 받아들이다

---

25 본문은 무엇에 관한 글인가?

① 여러분에게 공손한 모습을 보이려고 노력하지 않은 사람들에게 공손한 모습을 보여라.
② 누군가가 여러분에게 하는 말에 귀를 기울이고 받아들여라.
③ 여러분을 좋아하지 않는 다른 이들의 말을 이해하라.
④ 비판에 올바르게 대응하라.

정답 ②
해설 본문은 다른 이가 자신에게 말하는 메시지를 흘려듣지 말고 주의 깊게 잘 들어야 한다는 내용을 담고 있다. 따라서 답은 ②이다.

---

26 배심원에 관한 이야기가 우리에게 전하는 것은 무엇인가?

① 변호사는 자신들에게 훈훈한 반응을 전하지 않을 것으로 판단되는 배심원과 직접적으로 교류하려 노력해서는 안 된다.
② 배심원에게는 배심원 선정 과정에서 감춰서는 안 되고 고려되어야 할 편견이 있다.
③ 직접적인 반응은 때로는 진지하게 받아들여지지 않지만 생각보다 진실에 가까울 수 있다.
④ 누군가에게 직접적인 반응을 보이는 일은 때로는 듣고 싶지 않을지 모르는 반응을 이끌어 내기도 한다.

정답 ③
해설 보수적이고 나이 지긋한 이탈리아계 미국 여성이었던 한 배심원은 Marcia Clark의 치마 길이를 지적했는데, 처음에는 농담 정도로 심각하게 받아들여지지 않았지만 이후 언론에서 치마 길이가 자꾸 언급된 것을 볼 때, 배심원의 직접적 언급은 처음에는 진지하게 받아들여지지 않았지만 결국은 실제의 상황을 제대로 언급한 것이었던 것이다. 따라서 답은 ③이다.

27 밑줄 친 속담의 의미는 무엇인가?

① 박하사탕을 권유 받는 일은 예의상 행동이 아니라 입 냄새가 났기 때문일 수 있다.
② 박하사탕은 다양한 이유 때문에 권유 받을 수 있고 어떤 이유인지 결코 모를 지도 모른다.
③ 박하사탕을 거부하면 권유한 사람의 기분을 상하게 할 수 있다.
④ 친절한 마음에서 박하사탕을 권유하기도 하니까 진지하게 받아들일 필요는 없다.

정답 ①

해설 밑줄 친 속담의 의미는 '여러분의 불쾌한 습관에 관해 정중하게 귀띔해 주려는 노력(efforts to politely tip you off to your offensive habits)', 즉 입 냄새가 나는데 직접적으로 말하기가 그래서 박하사탕을 권한 것일 수 있다는 것이다. 따라서 답은 ①이다.

28 다음 중 유추할 수 있는 것은 무엇인가?

① 나쁜 습관을 갖고 있다면 억제하면서 다른 사람의 충고를 듣도록 하라.
② 나쁜 습관을 지적하려 하는 사람들은 성격이 나빠서 그런 행동을 하는 것이니 무시하라.
③ 누군가가 나쁜 습관을 무심코 지적할 수 있으니 진지하게 들으라.
④ 나쁜 습관을 없애고자 한다면 친구의 의견을 솔직하게 물으라.

정답 ③

해설 본문은 누군가가 자신에게 농담 삼아 전하는 말에도 일말의 진실이 있을 수 있으니 주의 깊게 들어야 한다는 내용을 담고 있으며, '만일 사람들이 당신의 외모에 관해 말하거나 가끔 버릇에 관해 말을 한다면 왜 그러는지 자문해 보라(If people comment on your appearance or occasionally mention one of your mannerisms, ask yourself why)'고 말하고 있다. 즉 다른 이들이 자신에 대해 하는 말을 흘려듣지 말 것을 주장하고 있다. 따라서 보기 중에서 이에 해당되는 것은 ③이다.

29-30

남자들이 스스로를 위하여 협상할 때 불리한 면은 거의 없다. 사람들은 남자가 자신의 이익을 옹호할 것이고, 자신의 기여를 주장하고, 그러면 그렇게 인정되고 보상된다고 예상한다. 남자들은 이런 요구를 한다고 해서 해가 될 것이 없다. 그러나 여성들은 타인에게 관심이 있을 것으로 기대되기 때문에, 그들이 자신을 옹호하거나 자신의 가치를 지적할 때, 남녀 모두 비우호적으로 대응한다. 흥미롭게도 여성들은 남(예를 들어 회사나 동료)을 위해서 협상을 할 때는 남성들만큼 혹은 심지어 남성들보다 더 성공적으로 협상을 한다. 왜냐하면 이러한 경우에 그녀들이 대변하는 것은 자기 잇속만 차리는 것으로 보이지 않기 때문이다. 그렇지만 여성이 자신을 위하여 협상을 할 때는 그녀는 인식된 성에 대한 규범을 깨뜨리는 것이다. 남녀 동료 모두가 더 높은 연봉을 위해 협상하는 여성과 일하는 것을 싫어하는데, 그 이유는 그런 여성은 협상을 삼가는 여성보다 훨씬 더 부담스럽기 때문이다. 심지어 여성이 스스로를 위해 성공적으로 협상을 해내면, 그녀는 선의나 미래의 승진에 대해 장기적인 비용을 지불하는 셈이 된다. 안타깝게도 모든 여성은 하이디(여성)이지, 아무리 노력해도 하워드(남자)가 될 수 없기 때문이다.

어휘 **downside** ⓝ 불리한 점
self-serving ⓐ 자기 잇속만 차리는
refrain ⓥ 삼가다
regrettably (adv) 애석하게도
be concerned with – 관심이 있다
demanding ⓐ 부담이 큰, 힘든
goodwill ⓝ 선의, 호의
flaunt ⓥ 과시하다

29 이 글은 무엇에 관한 글인가?

① 여성은 직장에서 진지하게 받아들여지려면 남성처럼 행동할 필요가 있지만, 그녀는 이것을 미묘하게 해내야 한다.
② 여성의 협상 기술은 똑같은 일을 행하는 남성의 우월적인 능력에 비교할 수 없다.
③ 자신의 이익을 위하여 무언가를 하는 여성은 이기적으로 보이며 부정적으로 생각된다.
④ 여성이 자신을 위하여 무언가를 하려고 결정했을 때 그녀는 과시하지 않도록 주의해야 한다.

정답 ③
해설 이 글의 초점은 여성은 성의 규범이나 생각되는 역할의 측면에서 보면 자신을 위하여 협상을 할 때 이기적으로 보일 수밖에 없다는, 사회적으로 여성에게 주어지는 불리한 측면에 대하여 서술하고 있다.

30 밑줄 친 부분의 의미는 무엇인가?

① 여성은 자신의 성별을 바꿀 수 없기 때문에 남성과 같이 생각될 수는 없다.
② 일부는 성공적으로 바꿀 수 있다 하더라도 여성은 여성이고 남성은 남성이다.
③ 여성은 그들이 여성일 때 남성과 여성의 특징을 모두 가질 것이라고 기대된다.
④ 여성들은 남성과 똑같아지려고 계속 애쓰지만, 대부분은 비참하게 끝난다.

정답 ①
해설 하이디는 여성을 상징하고 하워드는 남성을 상징한다. 그러므로 여성은 아무리 바꾸려 해도 성별만큼은 바꿀 수 없고, 결국 남녀의 차이는 어쩔 수 없이 존재한다는 뜻이다.

MEMO

홍준기 교수

주요 약력

現, 박문각편입학원 총괄 디렉터 겸 대표 교수
Korea JoongAng Daily 객원 해설위원
Korea JoongAng Daily 독해 연재 매주(토요일) (2013. 1. ~ 현재)
前, 시설관리공단 공채 시험 영어과 출제 위원
KBS 굿모닝팝스 독해 연재

주요 저서

- 박문각 편입 문법 시리즈 (박문각출판 刊)
- 박문각 편입 독해 시리즈 (박문각출판 刊)
- 박문각 편입 논리 시리즈 (박문각출판 刊)
- 박문각 편입 어휘 시리즈 (박문각출판 刊)
- 박문각 편입 적중 모의고사 (박문각출판 刊)
- 공무원 VOCA 마스터 (박문각출판 刊)
- 석세스 편입독해/편입논리 (종합출판Eng 刊)
- 스타영문법사전(공저) (종로편입아카데미 刊)
- 영문법 Restart(공저) (종합출판Eng 刊)
- 중앙데일리 리딩 스펙트럼(Ⅰ – Ⅳ) (종합출판Eng 刊)
- 시사독해 실렉션 (종합출판Eng 刊)

동영상 강의
www.pmg.co.kr

박문각 편입
실전 독해 정답 및 해설

초판 인쇄 2021년 7월 1일 | **초판 발행** 2021년 7월 5일
편저 홍준기 | **발행인** 박 용 | **발행처** (주)박문각출판
등록 2015년 4월 29일 제2015-000104호
주소 06654 서울시 서초구 효령로 283 서경 B/D 4층
팩스 (02)584-2927 | **전화** 교재 주문 (02)6466-7202

저자와의 협의하에 인지생략

정가 28,000원(정답 및 해설 포함)
ISBN 979-11-6704-120-3
ISBN 979-11-6704-118-0(세트)